D'un Temple à l'autre

COLLECTION DIRIGÉE PAR
ÉTIENNE TROCMÉ

ÉTUDES D'HISTOIRE ET DE PHILOSOPHIE RELIGIEUSES
PUBLIÉES SOUS LES AUSPICES
DE LA FACULTÉ DE THÉOLOGIE PROTESTANTE
DE L'UNIVERSITÉ DES SCIENCES HUMAINES DE STRASBOURG

N° 71

D'un Temple
à l'autre

Pierre et l'Eglise primitive
de Jérusalem

CHRISTIAN GRAPPE

Presses Universitaires de France

A Florianne, mon épouse,
et à nos enfants,
Marjolaine, Emmanuel et Jean-Matthieu.

ISBN 2 13 043628 5
ISSN 0992-6488

Dépôt légal — 1re édition : 1992, février

© Presses Universitaires de France, 1992
108, boulevard Saint-Germain, 75006 Paris

AVANT-PROPOS

Cet ouvrage est la version sensiblement allégée et légèrement modifiée d'une thèse soutenue à la Faculté de Théologie protestante de l'Université des Sciences humaines de Strasbourg le 1ᵉʳ décembre 1989.

Nous tenons à exprimer notre reconnaissance envers le Pᵣ Etienne Trocmé qui a dirigé et stimulé l'élaboration de cette thèse et qui l'accueille désormais dans la collection qu'il dirige.

Notre gratitude s'adresse également à tous ceux qui, de près ou de loin, ont contribué à l'avancement de notre recherche, et tout particulièrement au Pᵣ Eric Fuchs et au Doyen Marc Philonenko.

Nous voulons encore remercier Mme Sophie Golay-Lescuyer qui a bien voulu dessiner les plans illustrant les résultats des fouilles en cours dans le quartier essénien supposé de Jérusalem.

Je ne peux oublier enfin ceux qui furent quotidiennement des compagnons de route compréhensifs auprès desquels j'ai trouvé la force de persévérer et le réconfort qu'apporte le ressourcement, à savoir mon épouse et nos enfants.

ABRÉVIATIONS UTILISÉES

Pour les livres bibliques, nous avons employé les abréviations proposées par la *TOB*.

Pour les écrits de Qumrân, nous avons utilisé les suivantes :

CD	*Ecrit de Damas*
1QH	*Hymnes* (grotte 1)
1QM	*Règlement de la Guerre des Fils de Lumière* (grotte 1)
1QpHab	*Commentaire d'Habaquq* (grotte 1)
1QS	*Règle* (grotte 1)
1QSa	*Règle annexe* (grotte 1)
1QSb	*Livre des Bénédictions* (grotte 1)
1Q34	*Recueil des prières liturgiques* (grotte 1)
3Q15	*Rouleaux de cuivre* (grotte 3)
4QD^b	*Fragment de l'Ecrit de Damas* (grotte 4)
4QpGen	*Commentaire de la Genèse* (grotte 4)
4QpIs^d	*Commentaire d'Esaïe*, 4e fragment (grotte 4)
4QpPs37	*Commentaire du Psaume 37* (grotte 4)
4Q171	*Prière de Nabonide* (grotte 4) (= 4QPrNab)
4Q174	*Florilège* (grotte 4) (= 4QFlor)
4Q175	*Testimonia* (grotte 4) (= 4QTest)
4Q502	*Rituel de mariage* (grotte 4)
4Q511	*Cantique du Sage* (grotte 4) (= 4QShir^b)
11QMiqd	*Rouleau du Temple* (grotte 11)
11QPs^{a}21	*Psaume pseudo-davidique* (grotte 11) (= 11QPs^{a}Sirach)
11QTgJob	*Targum de Job* (grotte 11)

Les abréviations usitées par ailleurs sont tirées le plus souvent de l'ouvrage de S. Schwertner, *IATG. Internationales Abkürzungverzeichnis für Theologie und Grenzgebiete. Zeitschriften, Serien, Lexica Quellenwerke mit bibliographischen Angaben*, Berlin, New York, 1974.

Quand elles n'y figuraient pas, nous avons eu recours à la liste proposée annuellement par la revue *CBQ* ou encore aux suggestions d'O. Leistner, *Internationale Titelabkürzungen (ITA) von Zeitschriften, Zeitungen, wichtigen Handbüchern, Wörtbüchern, Gesetzen usw.*, 2. vermehrte und verbesserte Auflage, Osnabrück, 1977.

AGSU	*Arbeiten zur Geschichte des Spätjudentums und des Urchristentums*
AJ	*Antiquitates Iudaicae* (Flavius Josèphe)
AnBib	*Analecta Biblica*
AncB	*Anchor Bible*
Anton.	*Antonianum*
ASNU	*Acta Seminarii Neotestamentici Upsalensis*
ASR	*American Sociological Review*
ASRel	*Archives de Sociologie des Religions*
ASeign	*Assemblées du Seigneur*
ASSR	*Archives des Sciences sociales des Religions*
ASTI	*Annual of the Swedish Theological Institute*
AThANT	*Abhandlungen zur Theologie des Alten und Neuen Testaments*
BA	*Biblical Archeologist*
BEThL	*Bibliotheca Ephemeridum Theologicarum Lovaniensium*
BEvTh	*Beiträge zur Evangelischen Theologie*
BFChTh	*Beiträge zur Förderung Christlicher Theologie*
BHT	*Beiträge zur Historischen Theologie*
Bib.	*Biblica*
BiKi	*Bibel und Kirche*
BiLi	*Bibel und Liturgie*
Bill.	H. L. Strack, P. Billerbeck, *Kommentar zum Neuen Testament...*
BJ	*De Bello Iudaico* (Flavius Josèphe)
BJRL	*Bulletin of the John Rylands Library of Manchester*
BKAT	*Biblischer Kommentar : Altes Testament*
BTB	*Biblical Theology Bulletin*
BWANT	*Beiträge zur Wissenschaft vom Alten und Neuen Testament*
BZ	*Biblische Zeitschrift* (Neue Folge)
BZNW	*Beihefte zur ZNW*
CahEv	*Cahiers Evangile*
CahEvSup	*Suppléments aux Cahiers Evangile*
CAT	*Commentaire de l'Ancien Testament*
CBQ	*Catholical Biblical Quarterly*
CFi	*Cogitatio Fidei*
CivCatt	*Civiltà Cattolica*
CNT	*Commentaire du Nouveau Testament*
ConNT	*Coniectanea Neotestamentica*
CoTh	*Collectanea Theologica*
CTh	*Cahiers théologiques*
CurTM	*Currents in Theology and Mission*
DBS	*Dictionnaire de la Bible. Supplément*
EeV	*Esprit et Vie* (Langres)
EHPhR	*Etudes d'Histoire et de Philosophie religieuses*
EHS. T	*Europäische Hochschulschriften. Reihe XXIII. Theologie*
EKK	*Evangelisch-Katholischer Kommentar zum Neuen Testament*
ET	*Expository Times*
EtBi	*Etudes bibliques*
EThL	*Ephemerides Theologicae Lovanienses*
ETR	*Etudes théologiques et religieuses*
EvQ	*Evangelical Quarterly*
EvTh	*Evangelische Theologie*
EWNT	*Exegetisches Wörterbuch zum Neuen Testament*
FB	*Forschung zur Bibel*
FRLANT	*Forschungen zur Religion und Literatur des Alten und Neuen Testaments*

HKAT	Handkommentar zum Alten Testament
HE	Historia Ecclesiastica (Eusèbe de Césarée)
HlL	Heilige Land
HNT	Handbuch zum Neuen Testament
HThK	Herders Theologischer Kommentar zum Neuen Testament
HThR	Harvard Theological Review
ICC	International Critical Commentary of the Holy Scripture
IEJ	Israel Exploration Journal
Interp.	Interpretation
JBL	Journal of Biblical Literature
JJS	Journal of Jewish Studies
JLH	Jahrbuch für Liturgik und Hymnologie
JPTh	Jahrbuch für Protestantische Theologie
JR	Journal of Religion
JRA	Journal of Religion in Africa
JSJ	Journal for the Study of Judaism in the Persian, Hellenistic and Roman Periods
JSNT	Journal for the Study of the New Testament
JSNTSup	Journal for the Study of the New Testament. Supplement Series
JThS	Journal of Theological Studies
KEKNT	Kritisch-Exegetischer Kommentar zum Neuen Testament
LeDiv	Lectio Divina
LingBib	Linguistica Biblica
LV (L)	Lumière et Vie (Lyon)
MD	Maison-Dieu
MdB	Le Monde de la Bible
MSSNTS	Monograph Series. Society for New Testament Studies
MThZ	Münchener Theologische Zeitschrift
NCeB	New Century Bible
NICNT	New International Commentary on the New Testament
NIGTC	New International Greek Testament Commentary
NRTh	La Nouvelle Revue théologique
NT	Novum Testamentum
NTA	Neutestamentliche Abhandlungen
NTD	Das Neue Testament Deutsch
NT. S	Novum Testamentum. Supplements
NTS	New Testament Studies
OBO	Orbis Biblicus et Orientalis
ÖTKNT	Ökumenischer Taschenbuch-Kommentar zum Neuen Testament
OrSyr	L'Orient syrien
OTL	Old Testament Library
PBSB. NT	Petite Bibliothèque des Sciences bibliques. Nouveau Testament
PEFQSt	Palestine Exploration Fund. Quarterly Statement
PG	(J.-P. Migne), Patrologia Graeca
POC	Proche-Orient chrétien
QD	Quaestiones Disputatae
RAC	Reallexikon für Antike und Christentum
RB	Revue biblique
RdQ	Revue de Qumrân
RechBib	Recherches bibliques
RelSRev	Religious Studies Review
RGG	Religion in Geschichte und Gegenwart
RHE	Revue d'Histoire ecclésiastique

RHPhR	*Revue d'Histoire et de Philosophie religieuses*
RHR	*Revue de l'Histoire des Religions*
RivBib	*Rivista Biblica*
RNT	*Regensburger Neues Testament*
RSR	*Recherches de Science religieuse*
RTL	*Revue théologique de Louvain*
SBF. CMa	*Studium Biblicum Franciscanum. Collectio Major*
SBFLA	*Studii Biblici Franciscani Liber Annuus*
SBLSP	*SBL Seminar Papers*
SBS	*Stuttgarter Bibelstudien*
SBT	*Studies in Biblical Theology*
SC	*Sources chrétiennes*
ScrHie	*Scripta Hierolomytana*
Scrip.	*Scripture*
ScrTh	*Scripta Theologica*
SNTU	*Studien zum Neuen Testament und seiner Umwelt*
SocComp	*Social Compass*
SPAW. PH	*Sitzungsberichte der Preussischen Akademie der Wissenschaften. Philosophisch-historische Klasse*
SR	*Studies in Religion/Sciences religieuses*
StANT	*Studien zum Alten und Neuen Testament*
StPB	*Studia Postbiblica*
StTh	*Studia Theologica*
SUNT	*Studien zur Umwelt des Neuen Testaments*
ThF	*Theologische Forschung*
ThGl	*Theologie und Glaube*
ThHK	*Theologische Handkommentar zum Neuen Testament*
ThLZ	*Theologische Literaturzeitung*
ThPh	*Theologie und Philosophie*
ThQ	*Theologische Quartalschrift*
ThTh	*Themen der Theologie*
ThWAT	*Theologisches Wörterbuch Zum Alten Testament*
ThWNT	*Theologisches Wörterbuch Zum Neuen Testament*
ThZ	*Theologische Zeitschrift*
TOB	*Traduction œcuménique de la Bible*
TRE	*Theologische Real-Enzyklopädie*
TS	*Theological Studies*
TU	*Texte und Untersuchungen zur Geschichte der altchristlichen Literatur*
TynB	*Tyndale Bulletin*
VD	*Verbum Domini*
VigChr	*Vigilae Christianae*
WMANT	*Wissenschaftliche Monographien zum Alten und Neuen Testament*
WuD	*Wort und Dienst*
WUNT	*Wissenschaftliche Untersuchungen zum Neuen Testament*
ZDPV	*Zeitschrift des Deutschen Palästina-Vereins*
ZKG	*Zeitschrift für Kirchengeschichte*
ZKTh	*Zeitschrift für Katholische Theologie*
ZNW	*Zeitschrift für die Neutestamentliche Wissenschaft*
ZRGG	*Zeitschrift für Religions- und Geistesgeschichte*
ZThK	*Zeitschrift für Theologie und Kirche*

INTRODUCTION

Pierre et l'Eglise primitive de Jérusalem. Le sous-titre de notre étude indique le champ qu'elle voudrait explorer, à savoir l'interaction entre un homme et un groupement humain qui se réclamaient du même Maître et se proposaient de poursuivre son œuvre mais dont les cheminements respectifs, après avoir été étroitement associés, ont abouti à une séparation, au moins géographique, puisque Pierre fut amené à quitter la ville sainte.

En choisissant le terme d'interaction, nous voudrions signifier que nous n'envisagerons, au sein de l'Eglise primitive de Jérusalem, que les développements que l'on peut relier, à l'aide de la documentation dont nous disposons, à la personne de l'apôtre. Cette documentation est certes relativement importante et constitue pour les chercheurs un bien des plus précieux. Elle n'en demeure pas moins sujette à la critique, dans la mesure où elle porte la marque des retouches qu'elle a connues du fait des intérêts respectifs des milieux et des auteurs grâce auxquels les traditions qui nous sont parvenues ont été conservées. Elle reste également extrêmement partielle, contraignant l'historien à bâtir, à partir de quelques fondements qui lui paraissent assurés — même s'il n'est pas exclu que d'autres mettent en doute leur solidité —, des arches destinées à recouvrir des zones d'ombre auxquelles les sources ne lui donnent pas accès.

Il nous faudra bien sûr, pour nous acquitter de la tâche que nous nous assignons, et tout en reconnaissant la part d'hypothèse inhérente aux développements qui vont suivre, nous pencher sur les origines de la communauté jérusalémite, à la première organisation de laquelle Pierre paraît avoir pris une part essentielle. Il nous appartiendra également d'étudier, parmi les matériaux traditionnels qui nous semblent remonter jusqu'à l'Eglise mère, ceux qui témoignent d'un intérêt particulier pour la personne de Céphas et pourraient avoir été élaborés sous son égide. Peut-être nous permettront-ils de préciser quelle place et quelle autorité lui étaient reconnues, mais aussi quel tour ont pris, en sa présence, l'élaboration christologique et la réflexion ecclésiologique ?

Enfin, nous devrons nous interroger sur les raisons de son départ de la scène jérusalémite, sur le processus qui conduisit à la prise de contrôle de la communauté par Jacques, frère du Seigneur, et sur les relations qu'entretint par la suite l'Eglise mère avec Simon.

Mais avant d'essayer d'analyser les développements qui eurent cours et qui peuvent éclairer, nous semble-t-il, le titre que nous avons donné à ce travail, il nous a paru prudent de les replacer dans une perspective socio-historique plus générale en étudiant le surgissement des religions et la problématique des successeurs de leurs fondateurs.

Cette étude fait l'objet du préambule qui va suivre. Fort utile, nous semble-t-il, à la compréhension de la suite de l'ouvrage, il n'y est cependant pas absolument indispensable. Le lecteur pressé d'entrer dans le vif du sujet pourra donc se dispenser de lire ces pages pour ne s'y reporter qu'à l'occasion, lorsque l'usage d'un vocabulaire de prime abord abstrait suscitera en lui des interrogations. Les notes le renverront alors au passage où sont définis les termes techniques employés.

Il lui suffira en fait d'entamer le parcours qu'il effectuera en notre compagnie en étant bien conscient qu'une mutation sociologique majeure se produit lors de la naissance d'un mouvement religieux après la disparition de celui en qui il trouve son origine. Elle s'accompagne de profonds changements que la célèbre formule d'A. Loisy : « Jésus annonçait le Royaume et c'est l'Eglise qui est venue »[1], a le mérite de faire apparaître, malgré son caractère abrupt, qui la rend quelque peu caricaturale. Au cours de cette évolution, largement déterminée par le contexte dans lequel s'inscrit cette naissance, il n'est pas exclu que des rivalités se fassent jour entre les représentants de diverses formes de légitimité pouvant donner droit à assurer l'héritage du fondateur.

Nous espérons parvenir à montrer que l'Eglise primitive de Jérusalem, de ses commencements placés sous l'égide de Pierre au moment où le prince des apôtres fut amené à quitter la cité du Temple, n'a échappé ni aux profondes remises en question, ni à la pression du milieu ambiant, ni à des luttes d'influence internes, mais qu'elle a, durant cette période, très largement contribué à façonner l'univers symbolique du mouvement chrétien.

---

1. A. Loisy, *L'Evangile et l'Eglise,* Paris, 5ᵉ éd., 1930, p. 153.

PRÉAMBULE

Contribution de la sociologie
à l'étude de la naissance
d'une religion

L'étude du Nouveau Testament et du « christianisme primitif » a connu, depuis une vingtaine d'années, un renouveau consécutif à l'utilisation, par un nombre croissant d'auteurs, de modèles empruntés aux sciences sociales[1]. Certes, il y avait eu des précurseurs en ce domaine — on peut mentionner ici l'Ecole de Chicago groupée dans les années vingt autour de S. J. Case[2] — et, déjà, les adeptes de l'histoire des formes, dans leur quête du Sitz im Leben d'un genre littéraire donné, avaient manifesté un réel intérêt pour le terreau socio-historique où germe une tradition[3]. Il n'en demeure pas moins que ces auteurs n'étaient pas encore entrés vraiment en dialogue avec les pionniers de la sociologie religieuse — tels Ernst Troeltsch et Max Weber — qui, pourtant, s'étaient intéressés de près aux origines du christianisme[4]. Ce n'est donc qu'assez récemment que des études néo-testamentaires ont été menées en utilisant des grilles d'analyse proprement sociologiques. Elles ont pu être classées en quatre grands types[5] : « La description des faits sociaux donnés dans les matériaux chrétiens pri-

1. Pour une bibliographie raisonnée, on se reportera à l'excellente présentation de D. J. Harrington, Second Testament Exegesis and the Social Sciences : A Bibliography, *BTB* 18, 1988, p. 77-85.
2. S. J. Case, *The Evolution of Early Christianity*, Chicago, 1914, et *The Social Origins of Christianity*, Chicago, 1923.
3. Ainsi R. Bultmann, *Histoire,* p. 18-19, a-t-il pu écrire : « De même que le "Sitz im Leben" n'est pas un événement historique particulier mais une situation typique ou une manière d'être dans la vie de la Communauté, pareillement le "genre" ou la "forme" littéraire sous lesquels un morceau isolé est rangé ne sont pas un concept esthétique mais sociologique, si grande que puisse être la possibilité qu'au cours de l'évolution ultérieure de telles formes soient utilisées comme les moyens esthétiques d'une littérature individualisée. »
4. E. Troeltsch, *Die Soziallehren der christlichen Kirchen und Gruppen,* Tübingen, 1912, p. 15-178, et Max Weber, *Wirtschaft und Gesellschaft,* I-II. Le premier tome de l'œuvre monumentale de Weber a connu une traduction française : *Économie et société.*
5. J. Z. Smith, *RelSRev* 1, 1975, p. 19-25.

mitifs, c'est-à-dire des realia *qu'ils contiennent* »[1] ; « *l'élaboration d'une histoire
sociale du christianisme primitif* »[2] ; *l'étude de* « *l'organisation sociale du christianisme primitif* »[3] ; *l'approche du* « *christianisme primitif comme monde social en
devenir* »[4].

Il ne nous appartient bien sûr nullement de passer en revue l'ensemble de ces
recherches. Nous nous contenterons de constater que notre étude oscillera le plus souvent entre le troisième et le quatrième mode d'approche et de retenir, dans les travaux
dont nous avons pu prendre connaissance, ce qui, pour notre étude, nous a paru s'avérer topique. Or, quand il est question du surgissement d'un mouvement nouveau, de
son fondateur et de sa postérité, les questions d'autorité jouent un rôle déterminant.
Elles ont fait l'objet d'une analyse particulièrement fouillée de la part de Max
Weber[5]. Le modèle de base qu'il a proposé a été adopté par les uns et affiné par
d'autres, comme nous le verrons bientôt. Cependant, il nous est apparu qu'il n'avait
été que peu confronté aux origines du christianisme. Certes, J. G. Gager et
H. C. Kee ont dévolu un chapitre chacun à cette entreprise[6]. Parallèlement, deux ouvrages y ont été consacrés, l'un par J. H. Schütz[7] et l'autre par un auteur finnois,
B. Holmberg[8]. Mais, comme le premier s'intéresse presque exclusivement à la
conscience apostolique de Paul, seul le second, adoptant une perspective globale, rencontre pleinement l'objet de notre étude.

La tâche qui nous incombera à présent consistera à discuter ces contributions et à
essayer d'élaborer, grâce à elles, un cadre qui nous permette de mieux comprendre le
contexte dans lequel l'Eglise primitive de Jérusalem a vu le jour et l'évolution qu'elle
a connue. En chemin, nous tenterons de nous souvenir du programme qu'assignait
l'exégète américain D. J. Harrington à ses pairs à l'aube de cette décennie, les
exhortant à « accorder davantage d'attention à des phénomènes religieux mieux docu-
mentés [provenant] d'autres temps et d'autres cultures, et à explorer de façon plus
critique quelle valeur pourrait avoir tel ou tel concept sociologique pour comprendre
des aspects de l'origine et du développement de l'Eglise dans le Nouveau
Testament »[9].

---

1. *Ibid.*, p. 19.
2. *Ibid.*, p. 19-20.
3. *Ibid.*, p. 20.
4. La formule est de J. G. Gager, Shall we Marry our Enemies. Sociology and the
New Testament, *Interp.* 36, 1982, p. 259, qui reprend à son compte la catégorisation
de J. Z. Smith et s'inscrit lui-même dans ce quatrième type d'approche.
5. Max Weber, *Economie et société*, p. 219 s.
6. J. G. Gager, The Quest for Legitimacy and Consolidation, in *Kingdom and
Community*, p. 66-92, et H. C. Kee, Leadership and Authority, in *Christian Origins*,
p. 54-73.
7. J. H. Schütz, *Paul and the Anatomy of Apostolic Authority*, London, 1975.
8. B. Holmberg, *Paul and Power*.
9. D. J. Harrington, Note. Sociological Concepts and the Early Church : A
Decade of Research, *TS* 41, 1980, p. 190.

I – PRÉSENTATION DES THÈSES DE MAX WEBER

a / Les catégories weberiennes de domination

Après avoir défini le domination [Herrschaft] *comme « la chance, pour des ordres spécifiques (ou pour tous les autres), de trouver obéissance de la part d'un groupe déterminé d'individus »*[1], *Max Weber constate qu'elle peut reposer sur la coutume ou sur des intérêts très divers. Il remarque cependant qu'un facteur décisif plus général vient normalement la fonder : la croyance en la légitimité*[2]. *Il distingue dès lors trois types de domination légitime dont la validité peut revêtir :*

1) Un caractère rationnel, reposant sur la croyance en la légalité des règlements arrêtés et du droit de donner des directives qu'ont ceux qui sont appelés à exercer la domination par ces moyens (domination légale) ;
2) Un caractère traditionnel, reposant sur la croyance quotidienne en la sainteté de traditions valables de tout temps et en la légitimité de ceux qui sont appelés à exercer l'autorité par ces moyens (domination traditionnelle) ;
3) Un caractère charismatique, [reposant] sur la soumission extraordinaire au caractère sacré, à la vertu héroïque ou à la vertu exemplaire d'une personne, ou encore [émanant] d'ordres révélés ou émis par celle-ci (domination charismatique)[3].

Weber ajoute les précisions suivantes :

Dans le cas de la domination statutaire [satzungsgemäßig], *on obéit à l'ordre impersonnel, objectif, légalement arrêté, et aux supérieurs qu'il désigne, en vertu de la légalité formelle de ses règlements et dans leur étendue. Dans le cadre de la domination traditionnelle, on obéit à la personne du détenteur du pouvoir désigné par la tradition et assujetti (dans ses attributions) à celle-ci, en vertu du respect qui lui est dû dans l'étendue de la coutume. Dans le cas de la domination charismatique, on obéit au chef en tant que tel, chef qualifié charismatiquement en vertu de la confiance personnelle en sa révélation, son héroïsme ou sa valeur exemplaire, et dans l'étendue de la validité de la croyance en son charisme*[4].

Il convient tout de suite de noter que, si Weber isole ainsi trois types idéaux, il reconnaît lui-même qu'aucun d'entre eux « ne se rencontre historiquement à l'état pur »[5] *et avoue qu'il est bien éloigné de « croire que la réalité historique se laisse "emprisonner" dans le schéma conceptuel*[6].

---

1. Max Weber, *Economie et société*, p. 219 (= *WG*, I, p. 122).
2. Max Weber, *op. cit.*, p. 219-220 (= *WG*, I, p. 122).
3. Max Weber, *op. cit.*, p. 222 (= *WG*, I, p. 124).
4. *Ibid.*
5. *Ibid.* Weber développe plus longuement cette importante mise au point de caractère méthodologique, p. 271 (= *WG*, I, p. 153-154).
6. *Ibid.*

b / La domination charismatique

Weber définit le charisme comme

la qualité extraordinaire (à l'origine déterminée de façon magique tant chez les prophètes et les sages, thérapeutes et juristes, que chez les chefs des peuples chasseurs et les héros guerriers) d'un personnage qui est, pour ainsi dire, doué de forces ou de caractères surnaturels ou surhumains ou tout au moins en dehors de la vie quotidienne, inaccessibles au commun des mortels ; ou encore qui est considéré comme envoyé par Dieu ou comme un exemple, et en conséquence considéré comme un chef[1].

Il doit être clair ici que Weber, même s'il a emprunté le terme de charisma *à Paul, par l'intermédiaire de R. Sohm qui en fournissait d'ailleurs une exégèse erronée[2], l'emploie comme un concept purement sociologique et en aucune façon dans son acception néo-testamentaire[3]. Il l'applique d'ailleurs à un champ beaucoup plus vaste que le seul domaine biblique ou religieux. Il ajoute encore que le groupement de domination qui se crée autour du porteur du charisme est « une communauté émotionnelle (...). Au "prophète" correspondent les "disciples" ; au "prince de la guerre", les "partisans" ; au "chef" en général, les "hommes de confiance" (...) tous vivant ensemble dans une communauté d'amour »[4]. Dans les groupements de caractère prophétique du moins, seuls les jugements de Dieu et les révélations font office de règle[5], et, dans tous les cas, le charisme pur apparaît « spécifiquement étranger à l'économie », rejetant « l'utilisation économique de la grâce comme source de revenus — ce qui, certainement, est souvent plus une prétention qu'une réalité »[6]. Weber ajoute encore que « le charisme est la grande puissance révolutionnaire des époques liées à la tradition »[7]. Il note enfin que « la domination charismatique, qui n'existe pour ainsi dire, dans la pureté du type idéal, que* statu nascendi, *est amenée, dans son essence, à changer de caractère ; elle se traditionalise ou se rationalise (se légalise), ou les deux en même temps, à des points de vue différents »[8]. C'est ce qu'il appelle la routinisation ou banalisation [Veralltäglichung] du charisme, phénomène que nous étudierons à présent.*

c / La routinisation du charisme

Selon Weber, les métamorphoses du charisme ont toujours pour cause le désir, parfois présent chez le maître, toujours chez ses disciples et encore davantage chez ses sujets,

---

1. Max Weber, *op. cit.*, p. 249 (= *WG*, I, p. 140).
2. R. Sohm, *Kirchenrecht. Erster Band. Die geschichtlichen Grundlagen* (Systematisches Handbuch der deutschen Rechtswissenschaft, hrsg. von K. Binding, Abt. 8, Bd 1), Leipzig, 1892, p. 6 et 26 notamment.
3. Sur ce point, voir le développement de B. Holmberg, *Paul and Power*, p. 148-149.
4. Max Weber, *Economie et société*, p. 250 (= *WG*, I, p. 141).
5. *Ibid.*
6. Max Weber, *op. cit.*, p. 251 (= *WG*, I, p. 142).
7. Max Weber, *op. cit.*, p. 252 (= *WG*, I, p. 142).
8. Max Weber, *op. cit.*, p. 253 (= *WG*, I, p. 143).

de « *transformer le charisme et la bénédiction charismatique, d'un don unique et transitoire de grâce en des temps et à des personnes extraordinaires, en une possession permanente* » *inscrite dans la vie quotidienne*[1]. *Comme l'exprime très justement B. Holmberg, pour Weber,* « *la force directrice véritable du processus de routinisation est l'entourage ainsi que son fort idéal et son intérêt à la survie de la communauté* »[2]. *Cet entourage sera bien entendu intéressé au premier chef par les questions de succession.*

d / La succession du chef charismatique

Weber discerne six types de solutions au problème posé par la disparition du chef charismatique[3] :

— *On peut rechercher un personnage chez qui se trouvent des caractères distinctifs déjà présents chez le chef originel et qui le désignent, de ce fait, comme son successeur. C'est, pourrait-on dire, le type Dalaï-lama.*

— *Il est également possible d'avoir recours à la révélation. On fait alors appel à différentes techniques de sélection telles que l'oracle, le sort ou le jugement de Dieu (Weber renvoie ici à la désignation de Saül par le sort en 1 Sa 10, 17-27).*

— *La troisième forme, que distingue Weber et dont il constate qu'elle est très fréquente, consiste en* « *la désignation du successeur par celui qui détenait jusque-là le charisme et [en] sa reconnaissance par la communauté* ».

— *La quatrième place cette désignation sous la responsabilité de* « *la direction administrative qualifiée charismatiquement* ».

— *La cinquième considère que le charisme est* « *une qualité de sang, qu'il est fixé dans une famille, en particulier chez les parents les plus proches* ». *C'est la conception du* « *charisme héréditaire* » *où* « *l'ordre de succession... est souvent hétérogène* » *et où l'héritier légitime est parfois désigné au sein de la famille selon l'une des quatre modalités envisagées précédemment.*

— *Enfin, il advient que le charisme soit transmis par des moyens rituels. C'est le charisme de fonction dont le type le plus célèbre est celui du prêtre. Ce qui importe ici n'est plus la personne mais l'acquisition des qualités requises et l'acte rituel.*

Weber observe encore que, si le recrutement se fait le plus souvent en vertu d'un charisme personnel, des normes peuvent être instituées pour le réguler, normes d'éducation, par lesquelles le charisme est inculqué, ou normes de mise à l'épreuve, comme le noviciat[4]. *Enfin, Weber remarque que, le plus souvent, le processus de succession* « *ne va pas sans lutte* » *et que le conflit* « *entre charisme de fonction ou charisme héréditaire, d'une part, et charisme personnel, de l'autre, est un phénomène historique type* »[5].

1. Max Weber, *Wirtschaft und Gesellschaft*, II, p. 661.
2. B. Holmberg, *Paul and Power*, p. 163.
3. Max Weber, *Economie et société*, p. 253-255 (= *WG*, I, p. 143-144). Toutes les citations qui suivent à l'occasion de la description de ces types sont empruntées à la p. 254.
4. Max Weber, *op. cit.*, p. 256 (= *WG*, I, p. 145).
5. Max Weber, *op. cit.*, p. 259 (= *WG*, I, p. 146).

e / Prophète et prêtre

Weber définit le prophète comme

un porteur de charismes purement personnels qui, en vertu de sa mission, proclame une doctrine religieuse ou un commandement divin (...). L'élément décisif, c'est la « vocation » personnelle. Voilà ce qui différencie le prophète du prêtre. En premier lieu et avant tout parce que le prêtre est au service d'une tradition sacrée, tandis que le prophète revendique son autorité en invoquant une révélation personnelle ou en se réclamant d'un charisme[1].

On peut donc dire que, pour Weber, le prophète est producteur de vérités religieuses alors que le prêtre en est simplement reproducteur.

II – Discussion des thèses de Weber

Dans l'ensemble, les thèses de Weber ont recueilli l'assentiment des critiques. Cela n'empêche pas que certaines faiblesses ou imprécisions du modèle qu'il propose ont été relevées et qu'il peut être utile de le reformuler.

a / Cadre général et définitions

En ce qui concerne le contrôle social en général, les catégories weberiennes de domination légitime, si elles conservent toute leur valeur, gagnent sans doute à être replacées dans un cadre plus général.

A. Etzioni a ainsi observé que « les moyens de contrôle utilisés par une organisation peuvent être classés de façon exhaustive en trois catégories analytiques : physiques, matériels et symboliques »[2]. *Ces catégories correspondent respectivement aux pouvoirs coercitif, utilitaire et normatif. Le premier, fondé sur la menace physique, a pour but de forcer à obéir et se rencontre dans des organisations telles que les camps de concentration, les prisons... Le second, qui repose sur la récompense matérielle, vise à affirmer les égoïsmes en conformisme. Le troisième, mettant en jeu des symboles purs, vise à convaincre les gens. C'est lui qu'on rencontre dans les organisations religieuses et politico-idéologiques, dans les collèges et les universités, dans les associations à caractère volontaire...*[3].

M. Hennen et W. U. Prigge ont proposé, pour leur part, un modèle assez différent qui a également son prix pour affiner les catégories weberiennes[4]. *Ils posent*

---

1. Max Weber, *Economie et société*, p. 464 (= *WG*, I, p. 268).
2. A. Etzioni, Social Control. II : Organizational Aspects, in *International Encyclopedia of the Social Sciences*, vol. 14, New York, 1968, p. 396.
3. A. Etzioni, art. cit., p. 396-397.
4. M. Hennen, W. U. Prigge, *Autorität und Herrschaft* (« Erträge der Forschung », 75), Darmstadt, 1977, p. 9-32. Pour bien visualiser les catégories qu'ils distinguent, nous renvoyons aux tableaux 5, 6 et 7 qu'ils proposent respectivement aux p. 22, 29 et 30.

d'abord que « l'autorité [Autorität] *est la propriété d'une personne ou d'un groupe de personnes, alors que la domination* [Herrschaft] *doit être la propriété d'un système social »*[1]. *Dans le cadre qu'ils adoptent, les deux concepts sont indissociables puisque l'autorité — qui rend perceptible la domination — est impensable sans cette dernière et réciproquement*[2]. *Hennen et Prigge les relient selon un axe qui joint systèmes personnel (autorité) et socioculturel (domination)*[3]. *Ils ajoutent aussitôt que « les relations de domination et l'exercice de l'autorité ne sont envisageables que s'il y a à la fois des détenteurs d'autorité* [Autoritätsträger] *et des gens soumis à l'autorité* [Autoritätsbetroffene] *». Ainsi, en dehors de l'axe autorité-domination, dégagent-ils un axe influence* [Einfluß] *- acceptation* [Duldung] *reliant la sphère du détenteur d'autorité et celle de ceux qui s'y soumettent*[4]. *Dans ce système, un ordre* [Befehl] *émanant du porteur d'autorité recevra sa légitimation dans la structure de domination envisagée et suscitera l'obéissance des sujets auxquels il s'adresse et qui en reconnaîtront la validité*[5].

Mais il se peut qu'un système d'organisation ne repose plus sur la légitimation et la validité. Il faut alors avoir recours au terme de force [Gewalt] *et substituer un axe pouvoir* [Macht] *- force à l'axe autorité-domination. Tout ordre apparaîtra désormais contraignant et non plus légitime. On y obéira par soumission et non en en reconnaissant la validité*[6]. *Paradoxalement, un tel système sera toujours beaucoup plus menacé que le précédent puisqu'il ne repose plus sur le consentement*[7].

Enfin, Hennen et Prigge envisagent le cas où le système d'autorité perd sa validité et vire à l'anomie. Le vide d'autorité qui apparaît ainsi « fonde et suscite même l'influence de personnes qui veulent créer d'elles-mêmes de nouvelles structures »[8]. *Ce sont des « rénovateurs ou reconstructeurs sociaux ». Leur « contre-autorité », désignée depuis Weber par le vocable* Charisma, *naît « de l'enthousiasme* [Begeisterung], *de la nécessité* [Not] *et de l'espoir* [Hoffnung] *»*[9]. *Hennen et Prigge appellent l'influence qu'exerce le détenteur du charisme « suggestion » et décrivent son acceptation par le terme d' « enthousiasme »* [Enthusiasmus][10]. *Vu la rupture existant, dans ce cas, entre le système personnel qui surgit et le système social qui s'est dissous, ils renoncent à parler ici d'un axe charisme-anomie qui se substituerait à l'axe autorité-domination*[11].

A mi-chemin, en quelque sorte, entre ces deux modèles, B. Holmberg distingue, pour sa part, entre le pouvoir qui suppose la violence, la domination contractuelle qui suppose l'intérêt et la domination légitime qui suppose la conviction[12].

1. M. Hennen, W. U. Prigge, *op. cit.*, p. 10.
2. M. Hennen, W. U. Prigge, *op. cit.*, p. 10 et 13.
3. M. Hennen, W. U. Prigge, *op. cit.*, p. 18.
4. M. Hennen, W. U. Prigge, *op. cit.*, p. 20.
5. M. Hennen, W. U. Prigge, *op. cit.*, p. 22.
6. M. Hennen, W. U. Prigge, *op. cit.*, p. 28-29.
7. M. Hennen, W. U. Prigge, *op. cit.*, p. 30.
8. *Ibid.*
9. *Ibid.* Ils citent ici Max Weber, *Economie et société*, p. 249 (= *WG*, I, p. 140). Nous avons rétabli la référence exacte.
10. *Ibid.*
11. M. Hennen, W. U. Prigge, *op. cit.*, p. 30-31.
12. B. Holmberg, *Paul and Power*, p. 124-135.

Il nous suffira, pour notre étude, de conserver en mémoire ces modèles où s'intègrent tout naturellement les catégories weberiennes de domination légitime. Nous ajouterons simplement qu'il nous semble qu'A. Etzioni et B. Holmberg présentent l'avantage de faire place à la catégorie de domination contractuelle supposant l'intérêt matériel, tandis que M. Hennen et W. U. Prigge mettent bien en évidence la spécificité de l'autorité charismatique.

Les lignes qui précèdent auront fait apparaître au lecteur combien l'emploi des termes techniques est fluctuant d'un auteur à l'autre. Pour éviter toute ambiguïté, nous définirons le sens dans lequel nous en emploierons quelques-uns.

Nous réserverons, comme Hennen, Prigge et Holmberg, le concept de pouvoir *pour caractériser les relations de dominant à dominé dans lesquelles la sujétion peut être exigée, le cas échéant, par la force.*

Nous retiendrons, d'autre part, la distinction qu'établissent Hennen et Prigge entre autorité et domination, la première étant inhérente à une personne ou à un groupe d'individus et la seconde à un système social. Cette relation autorité-domination se caractérisera par le fait que le détenteur de l'autorité y recueille l'assentiment de celui qui y est soumis parce que ce dernier reconnaît la légitimité des ordres qu'il émet.

Nous parlerons, par ailleurs, d'autorité charismatique, expression que nous avons déjà employée un peu plus haut. En effet, si le charisma *— nous précisons que nous employons ce terme au sens weberien — vient se substituer à une autre autorité, cela n'empêche pas qu'il réunit lui aussi les critères de l'autorité et que son surgissement et sa reconnaissance engendrent immédiatement l'apparition d'un système de domination.*

Enfin, nous signalons que, avec Weber, nous considérons les trois types d'autorité qu'il distingue comme un modèle idéal. Nous demeurons conscient qu'on ne les rencontre jamais à l'état pur, mais nous estimons qu'ils fournissent des clés fort utiles pour pénétrer au cœur de la réalité[1].

b / L'autorité charismatique

Un certain nombre d'auteurs ont noté que Weber place un tel accent sur les qualités personnelles du chef charismatique qu'il semble donner une définition plus psychologique que sociologique du phénomène charismatique et omettre parfois que ce dernier suppose une validation sociale[2]. Il nous paraît, de fait, fondamental de ne négliger aucun de ces deux pôles, individuel et collectif.

En ce qui concerne les conditions d'apparition du phénomène charismatique, R. C. Tucker insiste sur le fait, déjà pris en compte par Weber, que le chef charismatique répond à une situation de détresse sociale aiguë et qu'en lui l'espoir du salut, de la délivrance, paraît incarné[3]. Mais, comme le souligne justement Holmberg, « la variété

1. Ainsi, M. Hill, *A Sociology of Religion,* p. 149-150, et J. Gager, *Kingdom,* p. 68.
2. Dans ce sens, R. C. Tucker, *Daedalus* 97, 1968, p. 738 ; J. Z. Smith, *RelSRev* 1, 1975, p. 20 ; B. Holmberg, *Paul and Power,* p. 140.
3. R. C. Tucker, art. cit., p. 742-745.

des détresses et des situations de besoin est telle qu'elle permet au charisma *d'émerger presque en tout lieu et en tout temps* »[1]. *Cela nous semble indéniable. Il n'en demeure pas moins que le phénomène charismatique vient également combler une attente avec laquelle il doit compter et à laquelle il peut éventuellement se heurter.*

Autre caractéristique fondamentale du chef charismatique, sa « capacité d'inspirer la haine aussi bien que la loyauté et l'amour »[2]. *Si ses partisans le soutiennent, notamment parce qu'ils voient en lui l'espoir d'un changement, ses adversaires lui sont farouchement hostiles entre autres parce que ce changement risque d'être, pour eux, synonyme de ruine.*

Nous en arrivons ainsi, tout naturellement, aux rapports entre autorité charismatique et tradition. Weber a tendance à les opposer puisqu'il considère le charisme comme la force révolutionnaire des époques liées à la tradition[3]. *Pourtant, en ce qui concerne le champ religieux et plus précisément le domaine biblique, il avait déjà noté que la prédication des prophètes de l'Ancien Testament a pour fondement les commandements de Yahvé, prône leur respect et stigmatise leur transgression*[4]. *P. L. Berger a, par ailleurs, rappelé que bien des prophètes vétéro-testamentaires ont commencé leur carrière au sein même de l'institution cultuelle traditionnelle et que c'est leur message qui les a conduits à quitter ce cadre, en raison de sa radicalisation. Emettre l'idée que Dieu pourrait abandonner son peuple les rendait, de fait, insupportables*[5]. *D'autres, comme Hans Mol, ont fait valoir que « le chef charismatique n'est pas tant un révolutionnaire qu'un réformateur, un rénovateur de la tradition » puisque « le prophète renvoie à la pureté de l'origine » et « n'appelle pas à un nouveau commencement »*[6]. *A sa suite, H. C. Kee énonce que le programme du prophète se présente comme « un mélange de (...) protestation contre un régime corrompu ou hypocrite et (...) de mise en demeure de revenir aux fondements de la tradition »*[7]. *Ces observations sont assurément fondées. Cela n'empêche pas que ce qui est valable pour les prophètes de l'Ancien Testament ne vaut pas forcément pour Jésus ou pour d'autres fondateurs de religion. Avec cette deuxième catégorie de personnages, il faut, en effet, raisonner en termes de « prophétie d'origine »*[8], *en ce sens qu'à travers eux apparaît quelque chose de nouveau à quoi est attribuée une valeur fondatrice. Contrairement à l'avis de Weber*[9], *il nous paraît donc important de distinguer entre un rénovateur et un fondateur de religion. Nous nous garderons, cependant, de*

1. B. Holmberg, *Paul and Power,* p. 141.
2. R. C. Tucker, *Daedalus* 97, 1968, p. 746.
3. Cf. p. 16.
4. M. Weber, *Le judaïsme antique.* Traduit de l'allemand par F. Raphaël (« Recherches en Sciences humaines », 31), Paris, 1970, p. 393 et 398 (= *Gesammelte Aufsätze zur Religionssoziologie,* Band III, Tübingen, 1920, p. 310 et 314).
5. P. L. Berger, Charisma and Religious Innovation : The Social Location of Israelite Prophecy, *ASR* 28, 1963, p. 940-950, surtout p. 948.
6. H. J. Mol, *Identity of the Sacred,* New York, 1977, p. 45 s., que nous citons d'après H. C. Kee, *Christian Origins,* p. 27.
7. H. C. Kee, *Christian Origins,* p. 60, qui renvoie encore une fois à H. J. Mol, *op. cit.,* p. 45.
8. Nous empruntons cette notion à P. Bourdieu, *Archives européennes de Sociologie* 12, 1971, p. 3-21.
9. Max Weber, *Economie et société,* p. 464 (= *WG,* I, p. 268).

les opposer trop nettement en considérant que le premier « prêche à nouveau une ancienne révélation », tandis que le second prétendrait « apporter des révélations entièrement nouvelles »[1]*. Nous préférons constater, avec Weber cette fois, que les « deux types peuvent se superposer »*[2]*. En effet, un fondateur de religion, et l'on peut renvoyer ici aussi bien au Bouddha, à Jésus qu'à Mahomet, s'inscrit toujours dans une tradition préexistante. Cependant, il revendique — ou se voit attribuer — une autorité telle qu'un mécanisme nouveau s'enclenche avec lui, processus qui conduit à une situation dans laquelle ceux qui se réclament de lui se réfèrent de façon ultime à une tradition inédite qui s'enracine dans son message*[3]*.*

Ces considérations nous amènent à aborder un autre point. Weber souligne le caractère révolutionnaire de l'autorité charismatique, aspect qui se conçoit d'autant mieux que, nous l'avons vu, le phénomène charismatique apparaît sur fond de crise des institutions et des valeurs existantes. Mais le mouvement qui germe a aussi pour but de construire — ou de reconstruire — quelque chose, d' « établir une société légitime... qui possédera une authenticité plus grande »[4]*, et ce, quelle que soit l'échelle ou la nature de cette société*[5]*. A ce niveau, il convient certainement de distinguer, au sein des qualifications charismatiques, entre celle du prophète, qui indique la direction à suivre sur cette voie, et celle de l'activiste qui en vient aux faits et prend la direction des opérations. Il doit cependant être clair que la cloison n'est pas étanche entre ces deux catégories*[6]*, comme l'illustrent les exemples de Mahomet ou de Jésus purifiant le Temple.*

Autre élément à ne pas négliger, le fait que la réorganisation qui s'opère commence au sein du groupe charismatique lui-même. Cela, Weber l'avait déjà reconnu. Il décrivait même l'entourage personnel du chef charismatique comme une aristocratie composée d'un groupe sélectionné d'adhérents qui lui sont unis loyalement en tant que disciples et sont choisis selon leur qualification charismatique personnelle[7]*. B. Holmberg parle ici d'une* conscience d'élite *qui se manifeste fréquemment dans la conception selon laquelle le groupe est « comme une anticipation ou le prototype de la nouvelle société ou du royaume à venir »*[8]*. Puisqu'il définit par ailleurs le* charisma *comme « le contact avec le sacré », ce qui, dans le domaine religieux, nous semble recevable*[9]*, il peut affirmer qu' « aussitôt que la communauté charismatique se met à considérer de cette façon, elle a commencé à se transformer elle-même en une nouvelle source ou dépositaire du* charisma *» et insister sur l'importance de ce phénomène pour la survie de la communauté après la mort du chef original*[10]*. Il semble pourtant que ce mécanisme peut être tempéré par un autre, à savoir le culte de la personnalité voué au chef charismatique.*

1. Ainsi, pourtant, Max Weber, *ibid.*
2. *Ibid.*
3. Sur l'importance du message, voir R. C. Tucker, *Daedalus* 97, 1968, p. 750-752. Il souligne que les chefs charismatiques offrent à leurs disciples non seulement leur personnalité exceptionnelle mais aussi un ensemble de formules en vue du salut.
4. E. Shills, « Charisma », p. 386.
5. Dans ce sens également, B. Holmberg, *Paul and Power*, p. 146.
6. Cf. R. C. Tucker, *Daedalus* 97, 1968, p. 748.
7. Max Weber, *Wirtschaft und Gesellschaft*, II, p. 659 s.
8. B. Holmberg, *Paul and Power*, p. 148.
9. B. Holmberg, *op. cit.*, p. 145.
10. B. Holmberg, *op. cit.*, p. 148.

*Cet aspect de l'autorité que revêt ce dernier apparaît implicitement dans la défini-
tion, que propose Weber, de la domination charismatique[1], mais il convient sans doute
de le développer. Le chef charismatique se trouve, de fait, auréolé de qualités à tout le
moins extraordinaires, voire surnaturelles, qui font de lui, en règle générale, un être
exemplaire, et, dans le domaine religieux plus précisément, un envoyé de Dieu. Comme
le note fort justement J. Freund, cette grâce lui est acquise, d'un côté, parce qu'il croit
posséder ces qualités et, de l'autre et peut-être encore davantage, parce que les autres y
croient[2]. On rejoint ainsi une problématique, développée par H. Desroche dans sa typologie messianique, celle des messies prétendants ou prétendus[3]. Nous la résumerons brièvement à travers quelques passages :*

Le prétendant à la messianité se réclame généralement (...) d'un lien natif avec la puissance
divine suprême (...). Cette prétention peut être explosive (à la suite d'un songe, d'une révélation) ; elle est le plus souvent progressive : on est d'abord messager, envoyé, prophète du Dieu,
et c'est peu à peu que la conscience de la mission se transforme en conscience de la messianité (...).
Le messie prétendu ne revendique pas lui-même le titre de messie. Ce titre lui est attribué soit
par le cercle, soit par la postérité de ses disciples (...). Le plus souvent, (...) cette attribution
subséquente se greffe sur un personnage historiquement présent, mais dont la conscience n'était
encore que celle d'un chargé d'une mission divine, sans prétendre lui-même à la conscience proprement messianique. La conscience collective précède ainsi et catalyse la prétention de la conscience
individuelle à la messianité. L'individu est d'abord messie prétendu avant d'être messie
prétendant[4].

*Cette approche d'Henri Desroche, fort éclairante, nous semble-t-il, pour l'appré-
ciation de la dynamique messianique, mérite d'être prolongée encore grâce aux analyses
de R. C. Tucker. Celui-ci observe que le culte de la personnalité, dont le chef charismatique est l'objet, perdure après la disparition de ce dernier et qu'ainsi le charisme personnel du fondateur demeure vivant. Il insiste sur l'importance qu'il convient d'accorder
à ce phénomène quand on envisage à la fois la transmission et la routinisation du charisme. Le charisme personnel du chef charismatique peut, en effet, porter ombrage à
celui de ses successeurs, voire résister à toute transmission, alors qu'un tel processus
serait pourtant conforme à l'intérêt du mouvement naissant[5]. En conséquence, ajoute
Tucker, « il n'est pas du tout évident (..) que les successeurs d'un chef charismatique à
la tête du mouvement qui lui survit seront eux-mêmes des chefs de qualité charismatique »[6]. Il va même jusqu'à affirmer que, « dans la mesure où ils le sont, ce n'est pas
en vertu du fait qu'ils succèdent au charisma du chef décédé, mais en vertu de ce qu'ils
sont en eux-mêmes et de la façon dont les adeptes les perçoivent »[7].*

*Il est manifeste que Tucker est influencé ici par l'objet de son étude, à savoir le
champ politique. Ses conclusions ne peuvent donc être appliquées telles quelles au*

---

1. Cf. p. 16. C'est ce que relève fort pertinemment J. Freund, Le charisme selon
Max Weber, *SocComp* 23, 1976, p. 386.
2. J. Freund, art. cit., p. 387.
3. H. Desroche, *Dieux d'hommes*, p. 16.
4. *Ibid.*
5. R. C. Tucker, *Daedalus* 97, 1968, p. 753 et 754.
6. R. C. Tucker, art. cit., p. 754.
7. *Ibid.*

domaine religieux dans lequel peut intervenir un phénomène spécifique, celui de la révélation qui se prolonge, l'être vénéré continuant d'intervenir dans l'histoire par des visions, des appels qu'il adresse à ses successeurs. Cela n'empêche pas que ses remarques sont loin d'être ineptes et qu'il conviendra de les garder en mémoire pour étudier, comme nous le ferons à présent, le mécanisme que Weber appelait la routinisation du charisme.

c / Routinisation et institutionnalisation du charisme

Comme le note fort justement J. Freund,

le charisme n'est que l'expression du mouvement qui fait passer la société d'un ordre à un autre, mais sans possibilité de faire l'économie de l'ordre, de la règle. Ou bien il s'institutionnalise et il crée un nouvel ordre, ou bien il n'est qu'un épiphénomène social appelé à s'évanouir sans traces importantes. C'est cette logique sociologique que Weber a essayé de comprendre sous le couvert de la banalisation du charisme. A terme, le charisme réintègre l'ordre qu'il a bouleversé et il devient ou bien source d'une nouvelle tradition ou bien principe d'une autre légalité... Il est condamné à se dégrader avec son succès parce qu'il ne peut que se compromettre avec la société qu'il veut conquérir[1].

Ces quelques lignes montrent bien la justesse fondamentale de l'intuition de Weber. Pourtant, l'expression même de banalisation du charisme n'est sans doute pas la meilleure car elle associe deux contraires. Il aurait peut-être été plus heureux de raisonner en termes de transformation de l'autorité charismatique en d'autres types d'autorité (traditionnelle et rationnelle-légale)[2]. De même, Weber fait preuve d'un certain flou quand il s'agit de définir le moment où commence réellement le processus, à savoir du vivant du chef ou après sa mort[3]. Il se heurte, de fait, à un obstacle non négligeable car autant, par exemple, certains fondateurs de religion se montrent peu soucieux de bâtir, d'organiser une communauté (ainsi le Bouddha), autant d'autres s'en préoccupent (on peut renvoyer ici tout particulièrement à Mani).

Pour surmonter cette difficulté, certains auteurs proposent d'atténuer les contrastes. Ainsi, J. G. Gager fait valoir que la routinisation n'est pas l'extinction du charisme[4], et E. Shills suggère de différencier le charisme concentré et intense du chef charismatique et le charisme dispersé et atténué chez (et de) ses héritiers[5]. B. Holmberg introduit, pour sa part, une distinction qui nous paraît pertinente entre institutionnalisation et routinisation. Par le premier de ces termes, il entend l'ensemble d'un processus déterminé notamment par les lois de généralisation consensuelle, les intérêts idéaux du groupe et ses besoins systémiques[6]. De ce phénomène global, la routinisation n'est qu'une étape secondaire qui se caractérise par la métamorphose des motivations personnelles des

---

1. J. Freund, *SocComp* 23, 1976, p. 390.
2. B. Holmberg, *Paul and Power*, p. 164, qui ne fait d'ailleurs que reprendre ici des termes employés par Max Weber lui-même (cf. p. 15-16).
3. Cf. p. 16-17. Sur ce point, voir B. Holmberg, *op. cit.*, p. 164 s.
4. J. Gager, *Kingdom and Community*, p. 67.
5. E. Shills, « Charisma », p. 386-390.
6. B. Holmberg, *Paul and Power*, p. 176 et 178.

acteurs, puisqu'on peut considérer, avec E. Shills, que « les actions de routine ne sont pas simplement des actions répétitives mais des actions non inspirées »[1].

Holmberg envisage finalement une double institutionnalisation. Dans un premier temps, le charisma *est instillé par la contre-autorité révolutionnaire du chef « dans le groupe, dans ses coutumes, ses rites, sa tradition orale, son* ethos, *et dans l'ordre de préséance » qui y prévaut. Ce processus est automatique et s'effectue de son vivant*[2]. *La disparition du chef inaugure la deuxième phase. Le groupe n'est pas abandonné sans héritage. Il lui reste le message, l'exemple, les rites et les institutions laissées par le chef. Tous ces éléments sont revêtus d'une autorité qu'est venu renforcer son départ mais ont besoin d'être articulés pour rester au bénéfice du groupe. La seconde institutionnalisation va ainsi transformer peu à peu une tradition orale en un ensemble de textes normatifs, des manières de vivre en un code de conduite défini, une* atmosphère éthique *typique en une tradition parénétique, des rites communautaires en une forme de culte*[3]. *Enfin, et c'est, pour Holmberg, le plus important, les personnes qui constituaient l'entourage du chef deviennent désormais les nouveaux responsables du groupe, en charge à la fois de l'enseignement, des décisions et des développements qui se font jour*[4].

Nous retiendrons, de cette approche de Holmberg, le concept d'institutionnalisation du charisme que nous préférons à celui de routinisation. A sa suite et à l'exemple, nous l'avons vu, d'autres auteurs, nous nous garderons par ailleurs de considérer que le charisme s'évanouit en même temps que disparaît le chef charismatique. Il nous semble toutefois que sa description de la seconde institutionnalisation mérite d'être encore affinée. Comme le note, en effet, J. G. Gager, qui parlait déjà, avant Holmberg, d'un processus d'institutionnalisation, on peut caractériser « l'ensemble de valeurs et de symboles partagés » qui deviennent le bien commun du groupe au cours de cette évolution comme un « univers symbolique »[5]. *Il ajoute : « Une fois établis, ces symboles servent à consolider le groupe, à stabiliser ses structures organisationnelles et à légitimer ceux qui le contrôlent. Mais ces mêmes symboles peuvent aussi, dans certaines conditions, devenir de puissants instruments de conflit et de changement au sein du groupe », des mécontents pouvant s'en réclamer pour affirmer qu'ils sont les vrais représentants des valeurs de base*[6]. *On peut ainsi parler d'une forme latente de* charisma[7], *toujours disponible comme source de légitimité au cours de l'existence du mouvement inauguré par le fondateur. Cette notion de latence charismatique, liée à l'univers symbolique propre au groupe, nous semble un élément essentiel à la compréhension de son histoire.*

1. E. Shills, « Charisma », p. 387.
2. B. Holmberg, *op. cit.*, p. 178-179 (citation, p. 179).
3. B. Holmberg, *op. cit.*, p. 179, que nous suivons ici de très près.
4. B. Holmberg, *op. cit.*, p. 179-180, que nous paraphrasons ici encore.
5. J. Gager, *Kingdom and Community*, p. 75. Il emprunte cette expression à P. Berger, T. Luckmann, *The Social Construction of Reality. A Treatise in the Sociology of Knowledge*, Garden City, 1967, p. 92-104. On peut noter qu'on retrouve ici la catégorie des moyens de contrôle de caractère symbolique distinguée par A. Etzioni (cf. p. 18).
6. J. Gager, *op. cit.*, p. 75.
7. L'expression est de M. Hill, *op. cit.*, p. 172.

d / La succession du chef charismatique

Les six types que dégage Weber nous paraissent inclure l'ensemble des scénarios possibles. Ils n'ont d'ailleurs pas été, à notre connaissance, l'objet d'une remise en question particulière. Il nous semble cependant que les problèmes soulevés par la succession du prophète fondateur gagnent à être éclairés, dans le cas des mouvements à caractère messianique, par un phénomène mis en évidence par H. Desroche[1]. Il a observé en effet que « l'opération messianique est un processus d'interaction entre un personnage (Messie) et un Royaume (Millenium), ledit royaume impliquant une identification (...) de la société religieuse et de la société politique »[2]. Cependant, cette identification tarde à se produire. Ainsi le « projet s'essouffle ou tourne court. On s'était mis en marche pour le Royaume mais on fera escale soit dans une société religieuse distincte de la société politique (...) (Eglise) (...), soit au contraire dans la société politique »[3]. Il s'ensuivra, dans chaque cas, un nouveau type d'interaction entre le personnage et cette société[4].

Cette problématique, Desroche l'avait déjà développée antérieurement, en des termes un peu différents mais qui nous feront comprendre d'emblée l'intérêt d'une telle approche pour notre étude :

« Cieux nouveaux et terre nouvelle » spécifiques du règne messianique peuvent s'opposer ou se proposer au régime socio-religieux établi sous deux modes. Ou bien, en agissant au maximum sur l'ensemble et éventuellement à l'intérieur de ce régime, le transformer lui-même en royaume de Dieu, les armes de ce macro-millénarisme pouvant d'ailleurs, selon les cas, être non violentes ou violentes. Ou bien, au contraire, en se distinguant au maximum du dit régime, former à l'extérieur de celui-ci une micro-société qui, pour être exiguë, ne prétend pas moins être globale. Pour prendre un exemple ancien, on pensera à des cas comme celui formé par le macro-millénarisme de la société münzérienne d'une part, et d'autre part le micro-millénarisme des sociétés shakers. Dans les deux cas, il s'agit bien d'un « Royaume de Dieu » dans la catégorie de l'immanence, mais dans un cas il s'agit de la société elle-même à transformer en théocratie, dans le second d'une société théocratique en marge d'une société jugée comme rédhibitoirement non transformable. Cette opposition fut peut-être celle qui différencia le messianisme essénien du messianisme zélote, le messianisme chrétien paulinien et le messianisme juif de Bar Kochba (...)[5].

Ayant posé cette analyse, Desroche s'est penché à son tour sur la formule tant discutée d'A. Loisy que nous rappelions au seuil de cette étude : « Jésus annonçait le Royaume et c'est l'Eglise qui est venue »[6]. Il a relevé que tous les refus qui lui ont été opposés « tournent autour de l'allégation d'une impossibilité sociologique : impossible que d'une telle prétendue déconvenue sortît une telle espérance, d'un tel prétendu échec une telle prétendue réussite »[7]. Pourtant, souligne-t-il, cette hypothèse est si peu impossible qu'elle repose en fait presque sur une loi de l'histoire que l'on pourrait

1. H. Desroche, *Sociologie de l'espérance*, p. 140-149.
2. H. Desroche, *op. cit.*, p. 140-141.
3. H. Desroche, *op. cit.*, p. 141.
4. *Ibid.*
5. H. Desroche, *Dieux d'hommes*, p. 21.
6. A. Loisy, *L'Evangile et l'Eglise*, p. 153.
7. H. Desroche, *Sociologie de l'espérance*, p. 145.

énoncer ainsi : le démenti apposé à une attente imminente de la parousie, loin de dissoudre le groupe qui vivait dans cette expectative, relance au contraire son zèle missionnaire[1]. *Faut-il dès lors considérer que « l'Eglise ou tout autre corps ecclésiastique serait le substitut du Royaume, c'est-à-dire simultanément quelque chose comme le Royaume refusé par occultation et obtenu par procuration »*[2] *? C'est une question qu'il convient de se poser et à laquelle nous nous efforcerons de répondre un peu plus loin.*

En attendant, il nous semble en tout cas que l'expérience douloureuse du retard de la parousie, par laquelle passe tout mouvement charismatique, ne doit en aucun cas être sous-estimée. Il se pourrait même qu'elle rende partiellement compte du développement des religions tel que le décrit J. Wach[3]. *Dans un premier temps, on a affaire, autour du fondateur, à un cercle, c'est-à-dire à un groupe orienté tout entier vers une figure centrale*[4]. *A sa mort, le groupe cesse d'être un cercle pour devenir une* fraternité *dont la constitution demeure pourtant essentiellement charismatique et spirituelle*[5]. *Ce n'est que plus tard que les impératifs d'organisation et de discipline aboutissent à la transformation de cette fraternité en* corps ecclésiastique[6]. *Cette division en trois étapes nous semble judicieuse même si nous ne sommes pas certain que Wach ait bien discerné l'ensemble des facteurs qui guident le passage de l'une à l'autre. Il se pourrait bien, en effet, que le stade de la fraternité corresponde au moment où le groupe des disciples, uni dans l'attente du retour imminent de son maître, n'a pas encore vraiment commencé à s'installer dans la durée. La transformation en corps ecclésiastique résulterait alors notamment de la prise en compte du retard de la parousie, même si l'on continue à l'attendre pour bientôt, et du besoin qui se fait jour, au sein du groupe, de s'organiser afin de la vivre déjà par anticipation ou par procuration, selon le point de vue que l'on adopte.*

Il apparaît, dans ce contexte, que la disparition du fondateur puis la prolongation de son absence induisent des transformations très importantes au sein du mouvement qu'il a suscité, si bien qu' « il ne peut y avoir de véritable succession »[7] *puisque, de fait, personne ne pourra jamais le remplacer. Il importe, sur cette toile de fond, de définir la qualification charismatique de chacun.*

---

1. *Ibid.* Ce principe historique avait déjà été repéré par L. Festinger, H. W. Riecken, S. Schachter, *When Prophecy Fails. A Social and Psychological Study of a Modern Group that Predicted the Destruction of the World,* Minneapolis, 1956. Ils ont qualifié ce processus de *Cognitive Dissonance* (p. 25-30 et 228) et l'ont illustré notamment à travers les exemples du montanisme, de l'anabaptisme et du mouvement suscité par Sabbataï Svi (p. 6 s.).
2. H. Desroche, *Sociologie de l'espérance*, p. 146.
3. J. Wach, *Sociologie de la religion.* Traduit de l'anglais par M. Lefèvre (« Bibliothèque scientifique »), Paris, 1955.
4. J. Wach, *op. cit.*, p. 123.
5. J. Wach, *op. cit.*, p. 125-126.
6. J. Wach, *op. cit.*, p. 127-128.
7. J. Wach, *op. cit.*, p. 125.

e / Charisme personnel prophétique, charisme de fonction, charisme personnel privé

Weber distinguait déjà implicitement le charisme personnel du prophète et le cha-risme dépersonnalisé (ou charisme de fonction) du prêtre[1]. *J. Séguy a repris ces catégories et a tenté de les affiner d'une manière qui nous paraît intéressante*[2]. *Il distin-gue trois formes de charisme qui s'articulent autour des deux pôles que représentent le prêtre et le prophète :*

— *le* charisme personnel prophétique *qu'il définit comme « une qualité extraordi-naire, volontairement reconnue comme telle par des disciples aux yeux desquels elle fonde une légitimité nouvelle, symboliquement exprimée dans l'articulation d'obliga-tions également nouvelles »*[3] *;*
— *le* charisme de fonction *qui « renvoie à une qualité exceptionnelle... reconnue par une institution qui prétend la porter à plénitude par confirmation rituelle. Celle-ci fonde la légitimité [de l'autorité à laquelle]*[4] *elle fait accéder ceux qui l'ont reçue. Elle les oblige à reproduire les obligations articulées par l'institution, propriétaire du charisme de fonction ; ce dernier tire sa légitimité, en dernière analyse, de l'ap-propriation par une institution, d'un charisme personnel fondateur »*[5] *;*
— *le* charisme personnel privé *par lequel J. Séguy entend « la même qualité excep-tionnelle que dans le cas précédent, avant toute intervention institutionnelle, hors d'elle ou au-delà d'elle. Il ne fonde pas d'obligation ni de légitimité nouvelle au sens strict ; la novation qu'il provoque reste toujours relative, interne au cadre institu-tionnel, c'est-à-dire acceptable par lui ; il interprète plus qu'il ne crée. Dans les limites ainsi fixées, il se situe cependant parfois plus près du pôle prophétique que du pôle sacerdotal »*[6]. *Séguy ajoute encore ceci :*

Dans la mesure où il se rapproche — ou est perçu comme se rapprochant — du pôle prophé-tique, le porteur du charisme personnel privé suscite autour de lui étonnement, perplexité et craintes ; d'où d'éventuels conflits, mais aussi la nécessité, pour l'intéressé, de pratiquer une poli-tique de compensation. Celle-ci se définit selon trois directions principales ; par le transfert au compte du pôle opposé des bénéfices de l'investissement prophétique ; par la transformation de cer-tains traits constitutifs du personnage et du charisme prophétique de manière à les rendre accep-tables par l'institution ; enfin par le refus de certains autres de ces traits[7].

---

1. Max Weber, *Economie et société*, p. 255 et 430 (= *WG*, I, p. 144 et 246).
2. J. Séguy, Le clergé dans une perspective sociologique ou que faisons-nous de nos classiques ?, in *Prêtres, pasteurs et rabbins dans la société contemporaine* (« Sciences humaines et religions »), Paris, 1982, p. 22 s. ; Id., Charisme, sacerdoce, fondation : autour de L. M. Grignion de Montfort, *SocComp* 29, 1982, p. 5-24.
3. J. Séguy, *SocComp* 29, 1982, p. 9 (cf. *Prêtres, pasteurs, rabbins*, p. 39-40).
4. Nous avons substitué ici au terme de pouvoir, qu'emploie Séguy, celui d'auto-rité, conformément aux définitions que nous avons posées antérieurement.
5. Cette citation est un panachage des définitions que propose J. Séguy, in *Prêtres, pasteurs, rabbins*, p. 40, et *SocComp* 29, 1982, p. 9.
6. J. Séguy, *SocComp* 29, 1982, p. 9.
7. J. Séguy, art. cit., p. 22.

Ces distinctions nous paraissent fort utiles pour mieux comprendre les phénomènes schismatiques. C'est pourquoi nous avons si longuement cédé la parole à J. Séguy. Il n'en demeure pas moins que son analyse a pour objet des mouvements religieux contemporains — ou en tout cas assez proches de nous — issus d'une religion déjà bien instituée, à savoir, pour l'essentiel, le christianisme. B. Holmberg, qui s'est intéressé pour sa part au surgissement de mouvements nouveaux, a pu noter que l'autorité charismatique de la deuxième génération peut se rapprocher beaucoup de celle de la première, en présenter bien des caractéristiques, telles que l'appel personnel émanant de la divinité, la possession de vertus thaumaturgiques..., et susciter à son tour respect et vénération[1]. Cela n'empêche pas qu'elle s'en différencie sur un point fondamental, en ce sens qu'elle se situe toujours dans un lien de dépendance envers la tradition laissée par le chef originel, sauf à s'ériger elle-même et à son tour en prophétie d'origine. Ce dernier trait permet, croyons-nous, de la rattacher déjà aux deux concepts de charisme de fonction — puisqu'il y a, quoi qu'il arrive, reconnaissance de la part du groupe et donc de l'institution, même s'il n'existe pas encore, à proprement parler, de confirmation rituelle — et de charisme personnel privé.

Pour conclure et, en même temps, nous résumer brièvement, nous proposerons le cadre d'analyse suivant. A l'origine de l'institutionnalisation de tout mouvement, apparaît un charisme personnel prophétique qui fonde une légitimité nouvelle. Cette prophétie d'origine fera désormais office d'autorité. D'elle se réclamera tout charisme de fonction qui invoquera donc le charisme fondateur et pourra, de ce fait, exercer une autorité. Enfin, le charisme personnel privé de quelques-uns viendra parfois menacer l'institution et l'autorité de ses représentants, apparaissant en quelque sorte comme une prophétie concurrente qui risquerait de se substituer à la prophétie d'origine ou de la dénaturer[2].

---

1. B. Holmberg, *Paul and Power*, p. 180.
2. Nous devons le concept de prophétie concurrente comme, rappelons-le, celui de prophétie d'origine à P. Bourdieu, *Archives européennes de Sociologie*, 12 janvier 1971, p. 3-21.

PREMIÈRE PARTIE

*L'Eglise primitive de Jérusalem
envisagée
dans une perspective
socio-historique*

CHAPITRE PREMIER

Contexte dans lequel s'inscrit l'émergence de la première Eglise de Jérusalem

I – AUTORITÉ ET POUVOIR EN PALESTINE AU TEMPS DE JÉSUS

Au début de notre ère, la Palestine vit dans une situation de crise endémique liée, d'une part, à l'émiettement, à la concurrence et à la fragilité relative des instances exerçant le pouvoir et, d'autre part, à l'apparition d'un nombre croissant de mouvements qui souhaitent, chacun à sa façon, promouvoir une (micro ou macro)société nouvelle conforme à la volonté divine[1]. L'étude de ce contexte nous paraît indispensable pour comprendre le surgissement du mouvement chrétien. C'est pourquoi nous l'aborderons ici. Nous envisagerons successivement les pouvoirs en place et les mouvements de renouveau qui, tout en étant, pour la plupart, maintenus à l'écart du pouvoir, étaient des lieux où les détenteurs d'autorité, qu'ils fussent respectés comme chefs, maîtres ou anciens, jouissaient d'un prestige considérable.

a | Les pouvoirs en place

Depuis le temps de l'Exil, les Juifs qui étaient retournés en Palestine à la suite de l'édit de Cyrus avaient vécu successivement sous la domination des Perses et des Grecs. Le sursaut nationaliste des Maccabées leur avait bien res-

---

1. Ainsi Flavius Josèphe, qui distingue trois écoles philosophiques ancestrales parmi les Juifs : pharisiens ; sadducéens ; esséniens (*AJ,* XVIII, 11 ; *BJ,* II, 119) et les décrit longuement (*AJ,* XVIII, 11-22 ; *BJ,* II, 119-166), est-il amené à mentionner l'existence d'une quatrième, plus récente, celle de Judas le Galiléen, en *AJ,* XVIII, 23-25. On notera que la partition qu'il établit en trois groupes principaux est également attestée dans la littérature qumrânienne. En 4QpNah sont stigmatisés en effet, sous les noms cryptés d'Ephraïm (3, 2) et de Manassé (4, 9), pharisiens et sadducéens qui apparaissent ainsi, aux côtés des esséniens, comme autant de groupes constitués (sur ce point notamment, A. Dupont-Sommer, Le commentaire de Nahum découvert près de la mer Morte (4QpNah). Traduction et notes, *Semitica* 13, 1963, p. 55-83).

titué l'indépendance politique mais, même à cette époque, l'usurpation par les Hasmonéens de la fonction de grand prêtre et le cumul par eux des pouvoirs politiques et religieux avaient suscité des clivages qui aboutirent à l'affirmation des trois grands partis que représentaient les sadducéens, les pharisiens et les esséniens. L'intervention de Pompée, en 63 avant notre ère, replaça la Palestine sous tutelle étrangère. L'Empire n'allait cependant pas s'imposer sans heurt à la tradition théocratique et monarchique dont avaient hérité les Juifs. D'ailleurs, la politique trop fluctuante des Romains aggrava encore l'instabilité. Ces derniers hésitèrent sans cesse entre « deux types de domination : centralisée et décentralisée, directe et indirecte »[1]. Si la République finissante avait décentralisé et tenté d'affaiblir les ethnarques juifs en place à Jérusalem, Auguste centralisa à nouveau et restaura, à travers la personne d'Hérode, un pouvoir qui se voulait fort (40-4 av. J.-C.). Toutefois, l'origine iduméenne du monarque, son mode de gouvernement hellénistique et sa dépendance constante à l'égard de Rome ne contribuèrent pas à sa popularité. Soucieux de consolider son pouvoir, il affaiblit par ailleurs le Sanhédrin[2] et s'arrogea le droit de nommer et de destituer les grands prêtres à sa guise, dévaluant ainsi leur fonction. A sa mort, son royaume fut divisé entre ses fils, partage qui mettait fin à la centralisation. Dix ans plus tard, la destitution d'Archélaüs, qui s'était vu allouer la Judée et la Samarie, entraîna le passage à une administration romaine directe dans les limites de ce territoire. Des princes hérodiens continuaient pourtant à régner dans les régions avoisinantes et à entretenir le rêve d'un éventuel retour aux belles heures passées. Effectivement, Agrippa I (41-44 apr. J.-C.) se vit confier un royaume de dimensions semblables à celui de son grand-père. Cependant, dès sa mort, la Judée repassa sous administration romaine directe. On conviendra sans mal que « ce va-et-vient avait un effet déstabilisateur. Aucune domination légitimée par une tradition et un long exercice du pouvoir ne pouvait se développer dans ces conditions... »[3]. Ainsi « la Palestine vivait[-elle] dans une crise constitutionnelle permanente »[4].

Si l'on s'intéresse de plus près à la période qui s'étend de l'an 6 de notre ère à l'éclatement de la guerre juive (66 apr. J.-C.) et qui vit le surgissement et le premier épanouissement du mouvement de Jésus, on constate qu'une répartition relativement subtile des pouvoirs y prévalait. Il va sans dire cependant que nous laissons de côté les trois années du règne d'Agrippa (41-44 apr. J.-C.) qui virent ce monarque disposer d'une autonomie plus grande que celle des représentants du pouvoir impérial qui le précédèrent et lui succédèrent.

Le gouverneur romain avait des compétences étendues en matière admi-

1. G. Theissen, *Le christianisme de Jésus,* p. 92.
2. C'est ce qu'atteste le massacre de quarante-cinq de ses membres, partisans d'Antigone, au début de son règne (cf. Flavius Josèphe, *AJ,* XV, 6).
3. G. Theissen, *Le christianisme de Jésus,* p. 92.
4. G. Theissen, *op. cit.,* p. 93.

nistrative, fiscale, judiciaire et policière[1]. Héritier de la tradition instaurée par Hérode, il nommait et destituait les grands prêtres avant que cette prérogative ne revienne à Agrippa I et ne demeure entre les mains des descendants d'Hérode jusqu'au surgissement de la guerre juive[2] ; il prélevait les impôts directs et indirects dus à l'Empire[3] ; il semble avoir ratifié toute condamnation à mort en tant qu'instance judiciaire suprême[4] ; enfin et surtout, il avait pour tâche de maintenir l'ordre impérial et pouvait intervenir directement quand ce dernier lui paraissait menacé.

Sous ces apparences brillantes, il n'était pourtant qu'un préfet de rang équestre[5] soumis à un triple contrôle. Les roitelets hérodiens l'observaient sans complaisance[6]. Son puissant voisin, le légat de Syrie, considéré comme le commandant suprême de l'Orient romain, pouvait intervenir à tout moment sur son territoire et il avait de toute façon besoin de ses légions en cas grave car il ne disposait lui-même que de forces réduites[7]. Enfin, il était bien entendu soumis à l'empereur.

Parallèlement, une certaine autonomie était laissée aux institutions juives. Il faut se rappeler ici que l'Empire bâti par les Romains reposait largement sur les alliances que la République puis le gouvernement impérial nouèrent avec l'aristocratie des provinces soumises. Le système était fort bien conçu puisqu'il faisait coïncider les intérêts de l'oligarchie locale avec ceux de l'occupant[8]. Il permettait ainsi aux Romains de contrôler les populations sans faire appel à des forces d'occupation trop nombreuses et de prélever plus efficacement le tribut. L'aristocratie provinciale tirait des avantages de cette situation — en premier lieu le maintien de ses privilèges —, mais elle était, en contrepartie, redevable du bon recouvrement des taxes et du maintien de l'ordre. On comprend qu'elle ait en général préféré conserver ses richesses et

---

1. Nous empruntons ces quatre catégories à C. Saulnier, *Histoire d'Israël,* III, p. 237. Sur les pouvoirs dont disposait le gouverneur de Judée, on consultera J.-P. Lémonon, *Pilate,* p. 72-115.
2. Flavius Josèphe, *AJ,* XX, 15-16. Hérode de Chalcis (*AJ,* XX, 16.103) et Hérode Agrippa II (*AJ,* XX, 179.196.197.203.213 et 223) prirent le relais d'Agrippa I (*AJ,* XIX, 297.313-316.342).
3. A propos de ces impôts, on pourra se référer à l'ouvrage, *The Jewish People in the First Century,* p. 330-336.
4. Sur ce point, *The Jewish People in the First Century,* p. 336-340.
5. Sur la distinction entre provinces sénatoriales et impériales et, au sein de ces dernières, entre provinces principales, occupées par des légions et régies par un sénateur, lui-même nommé par l'empereur, et provinces secondaires, administrées par un préfet (puis par un procurateur) disposant de troupes auxiliaires, voir les explications très claires de J. Giblet, in *Introduction à la Bible,* III/1, p. 24 et 25.
6. C'est ce qu'atteste Philon, *Legatio ad Caium,* 300.
7. S. Safrai, M. Stern citent de nombreux exemples d'interventions du légat de Syrie en Palestine, in *The Jewish People in the First Century,* p. 312-314 (cf. Flavius Josèphe, *AJ,* XVII, 355 ; XVIII, 2.89). De son côté, J.-P. Lémonon, *Pilate,* p. 70 et 71, accentue à la fois l'indépendance du préfet de Judée dans le gouvernement de sa province et sa dépendance à l'égard de son voisin pour le maintien de la *Pax Romana.*
8. On trouve ici un exemple de domination contractuelle supposant l'intérêt.

son pouvoir plutôt qu'encourir une répression sévère en manifestant des velléités d'indépendance[1].

Même si la Palestine n'était pas organisée au départ selon le modèle des cités hellénistiques contrôlant chacune une zone de territoire, le système y fut appliqué. Dans le cas de la Judée, l'aristocratie sacerdotale se substitua simplement aux classes supérieures des cités grecques. Organisée autour du grand prêtre, elle était constituée d'un noyau assez réduit puisque les dix-huit personnages qui se sont succédé dans cette fonction dans la période qui nous intéresse appartiennent à quatre familles seulement[2]. L'étroitesse de ce noyau montre bien que, malgré des tensions qui transparaissent à travers la cadence accélérée à laquelle furent déposés les grands prêtres en dehors des deux longs pontificats d'Hanne (6-15) et de Caïphe (18 environ-37), cette oligarchie collabora fidèlement avec le gouvernement romain.

La communauté d'intérêt qui l'unissait à l'occupant n'était cependant pas exempte d'un rapport de subordination. Le grand prêtre pouvait en effet, nous l'avons vu, être destitué à tout moment par le représentant du pouvoir romain, que ce fût le gouverneur ou l'un des descendants d'Hérode. Il est aisément compréhensible que la compromission avec l'occupant que supposait l'exercice du pontificat n'accréditait pas le prestige de la charge auprès du peuple d'autant que ses détenteurs n'étaient plus d'origine sadocite. Leur sacerdoce pouvait donc, à bon droit, être tenu pour illégitime. On conçoit par ailleurs fort bien que le népotisme et l'appât du gain de l'aristocratie sacerdotale n'aient pas contribué à accroître le prestige dont elle disposait[3]. L'initiative zélote qui aboutit, en l'an 67, à l'élection par tirage au sort, au sein d'une tribu sadocite, d'un homme par ailleurs inculte, Pinhas de Habta, au grand pontificat[4], manifeste au demeurant que, « quoique les familles sadocites fussent privées d'influence politique, la conscience populaire les plaçait bien au-dessus des familles pontificales illégitimes influentes »[5].

En utilisant les catégories élaborées par Weber, on pourra dire que la charge de grand prêtre, dont la légitimité avait revêtu, depuis Salomon et jusqu'à l'insurrection maccabéenne, un caractère traditionnel héréditaire, se trouvait singulièrement dépréciée. Cela n'empêche pas qu'elle conférait à son porteur une prérogative unique, celle d'accomplir l'expiation pour la communauté tout entière. Cette vertu, indépendante de sa personne, s'apparente à un

---

1. Pour tout ce développement, nous avons suivi de fort près R. A. Horsley, High Priests and the Politics of Roman Palestine. A Contextual Analysis of the Evidence in Josephus, *JSJ* 17, 1986, p. 27-29.
2. On trouvera la liste de ces grands prêtres dans l'ouvrage fondamental de Joachim Jeremias, *Jérusalem au temps de Jésus*, p. 516 et 517. On y ajoutera simplement, et en première place, le nom de Joazar qui, nommé par Hérode, fut déposé par Archélaüs (4 av. J.-C.).
3. Sur ce point, Joachim Jeremias, *op. cit.*, p. 268-270.
4. Flavius Josèphe, *BJ*, IV, 155.
5. Joachim Jeremias, *Jérusalem au temps de Jésus*, p. 265.

charisme de fonction. Ainsi, le vêtement qui lui était remis lors de son investiture était-il, pour les juifs, « un symbole de leur religion »[1]. Chacune de ses huit pièces était censée expier des fautes bien précises. Son importance était telle que, pour se prémunir contre d'éventuelles révoltes au sein de la population locale, Hérode, Archélaüs et les premiers préfets romains ne trouvèrent rien de mieux que de conserver ces ornements « en otage » entre les fêtes pour ne les restituer qu'à leur occasion[2]. D'autre part, et le fait est bien connu, le grand prêtre avait seul accès au Saint des Saints pour y effectuer, au *Yom Kippur,* l'expiation au bénéfice du peuple tout entier. Il était par ailleurs, et le privilège n'était pas mince, président de droit du grand Sanhédrin de Jérusalem dont l'autorité civile était limitée, lors de la période qui nous intéresse, à la Judée, mais qui jouissait d'un prestige que ne pouvait enclore aucune frontière provinciale ou administrative. Ses décisions revêtaient donc un poids moral pour les nombreuses autres cours locales que l'on comptait alors en Palestine et, au-delà, pour l'ensemble du judaïsme[3]. Les Romains avaient laissé à cette assemblée suprême, tout en les limitant bien entendu, d'assez larges attributions en matière législative et judiciaire et quelques responsabilités politiques et financières.

Les compétences du grand Sanhédrin s'étendaient, dans une société où domaines spirituel et séculier étaient intimement liés, à toutes les causes religieuses et civiles ayant quelque rapport avec la Loi. Il n'y avait d'ailleurs rien d'extraordinaire à cela puisque « la pratique courante des Romains dans les territoires soumis a été d'accepter coutumes et lois locales dans la mesure où elles n'allaient pas à l'encontre de l'ordre romain »[4]. Il n'en demeure pas moins que le gouverneur faisait office, comme nous l'avons vu, d'instance judiciaire suprême et qu'il devait apparemment entériner toute sentence de mort[5]. Il faut noter encore qu'une police, placée sous l'autorité du commandant du Temple et qui pouvait procéder à des arrestations même en dehors de l'enceinte sacrée, se tenait à la disposition du Sanhédrin[6]. Enfin, et ce n'est pas là l'aspect le moins complexe, le Sanhédrin avait des responsabilités en ce qui concerne le recouvrement des impôts. Il devait veiller — comme toutes

1. Joachim Jeremias, *op. cit.,* p. 211.
2. Joachim Jeremias, *op. cit.,* p. 210 et 211, expose plus longuement ce point important. Il ajoute encore, p. 211 et 212, qu'un caractère expiatoire était inhérent à la personne même du grand prêtre puisque sa mort pardonnait certaines fautes.
3. Pour plus de précisions sur ce point, on consultera E. Schürer, *The History of the Jewish People,* II, Edinburgh, 1979, p. 184-196 et 225-226.
4. J.-P. Lémonon, *Pilate,* p. 73.
5. J.-P. Lémonon, *op. cit.,* p. 81, note à ce propos : « La meilleure solution semble la suivante : le pouvoir judiciaire juif pouvait instruire le procès au criminel, mais il n'avait pas la possibilité d'exécuter la sentence, c'est-à-dire que son jugement était soumis à la décision du gouverneur. Cette solution a l'avantage de respecter la tradition libérale romaine vis-à-vis des pouvoirs indigènes et de bien montrer, néanmoins, que le gouverneur était le maître du jeu. »
6. Cf. surtout Philon, *De specialibus legibus,* I, § 156 ; *Mishna Middot,* I, 1, et différents textes néo-testamentaires parmi lesquels Mc 14, 17 et // ; 14, 43 et // ; Jn 7, 32. 45. 46 ; 18, 3. 12 ; Ac 4-5.

les autorités provinciales laissées en place par les Romains, nous l'avons vu — au bon versement des sommes dues à l'Empire. Mais, à cette exigence, s'ajoutait le droit de prélever les taxes prévues par la Bible, compétence à laquelle l'aristocratie sacerdotale était attachée au premier chef[1]. On imagine aisément que la population ne se prêtait pas de gaîté de cœur à cette double imposition. Malgré tout, et il est important de le noter, il semble que le prestige et l'autorité du Sanhédrin soient demeurés à peu près intacts pendant la période qui nous intéresse.

Il est manifeste que l'appartenance à ce grand conseil était le gage d'une participation, à un degré quelconque, au pouvoir. Or, trois groupes y siégeaient : les grands prêtres, les anciens, les scribes. Parmi eux, les anciens représentaient, avec les grands prêtres qui détenaient en outre celle du culte, l'aristocratie de l'avoir tandis que les scribes représentaient celle de la culture[2]. Les anciens constituaient un groupe dont l'influence avait décru, même s'il fallait encore compter avec eux[3]. On comprendra aisément que leurs privilèges économiques les incitaient à adopter une ligne de conduite très proche de celle de l'aristocratie sacerdotale. Les scribes étaient, pour leur part, les héritiers des *sôferim* et du plus célèbre d'entre eux, Esdras (Esd 7, 6-11 ; Ne 8, 1). A l'origine, ils s'étaient recrutés parmi les prêtres, mais, dès le troisième siècle avant notre ère, les laïcs étaient devenus majoritaires parmi eux[4]. On les associe souvent aux pharisiens et il paraît clair que, quand une influence de ces derniers s'est fait sentir au Sanhédrin, c'est à travers certains d'entre eux[5]. Mais ils comptaient sans doute en leur sein un certain nombre de prêtres, dont on peut imaginer qu'ils étaient le plus souvent d'obédience sadducéenne, et leur origine remontait de toute façon plus loin dans le temps que la création du parti pharisien[6]. Il faut donc se garder de les confondre avec ce groupe[7].

Il convient d'ajouter ici, et l'expression « aristocratie de la culture » le fait bien apparaître, que la présence des scribes au sein du Sanhédrin reposait sur un tout autre fondement que celle des grands prêtres et des anciens. Elle ne dépendait en effet pas de privilèges héréditaires mais d'une compétence acquise. Tout scribe était qualifié par sa connaissance de la Torah ainsi que par sa capacité de l'interpréter et de définir son champ d'application. Cela supposait un long apprentissage auprès d'un maître

---

1. Flavius Josèphe, *AJ*, XX, 181, et *Vita* 12, illustre d'ailleurs le fait que les grands prêtres étaient animés d'une véritable rapacité en la matière.

2. Nous avons ici paraphrasé une formule de G. Theissen, *Le christianisme de Jésus*, p. 97 et 98, tout en en infléchissant un peu le sens.

3. Ainsi notamment Flavius Josèphe, *AJ*, IV, 218 ; Mc 8, 31 ; 11, 27 ; 14, 43 ; 15, 1 (et parallèles). Sur la perte d'influence du groupe des anciens, on pourra consulter *The Jewish People in the First Century*, p. 384-385.

4. Cf. R. Le Déaut, in *Introduction à la Bible*, III/1, p. 80 et 81.

5. En ce sens, Joachim Jeremias, *Jérusalem*, p. 319.

6. Sur tous ces points, voir R. Le Déaut, in *Introduction à la Bible*, III/1, p. 82.

7. On trouvera d'utiles précisions justifiant cette distinction chez Joachim Jeremias, *Jérusalem*, p. 339-343.

reconnu grâce auquel on avait accès aux détails de la loi orale. L'élève devait mémoriser fidèlement l'enseignement de son maître et ne l'altérer en aucune façon[1]. L'existence d'écoles de pensée au sein du mouvement pharisien — on peut renvoyer ici aux figures devenues légendaires d'Hillel et de Shammaï — manifeste toutefois qu'une certaine latitude était possible dans l'interprétation de la Loi, ce qui permet de comprendre pourquoi la personnalité de certains maîtres s'imposait face à celle de leurs pairs. J. Neusner a ainsi pu dire que « revêtant une autorité dérivant d'une révélation », le rabbi pouvait « lui-même participer au processus de révélation »[2]. On discerne là, venant se greffer sur une autorité de type traditionnel, un espace laissé, même s'il est étroit, à l'expression d'un charisme personnel privé qui demeure toujours subordonné, de façon ultime, à l'autorité de Moïse, et partant bien sûr à celle de Dieu, puisque toute loi, orale ou écrite, était censée remonter à la révélation sur le mont Sinaï.

Ainsi s'achève notre tour d'horizon des pouvoirs en place en Palestine, et plus particulièrement en Judée, au début de notre ère. Il nous reste à étudier à présent les groupes qui, sans avoir, à une exception près, accès au pouvoir, œuvraient cependant à l'avènement d'une société nouvelle qu'ils voulaient conforme à la volonté divine.

b | Les mouvements de renouveau

Dans un contexte de crise comme celui que traverse la Palestine aux alentours du début de notre ère, on ne s'étonnera pas d'assister à une floraison de mouvements plus ou moins marginaux ou radicaux parmi ceux qui ne pouvaient plus se satisfaire d'un conformisme prudent[3] dans une situation où le risque leur apparaissait grand de perdre leur identité face à la puissance assi-

1. Cf. *Pirqué Abot* 2, 10 et 3, 8.
2. J. Neusner, Religious Authority in Judaism. Modern and Classical Modes, *Interp.* 39, 1985, p. 386.
3. Les catégories de « critique radicale » et de « conformisme social » ont été mises en œuvre par É. Trocmé, in *La théologie à l'épreuve de la vérité*, p. 163-181, qui s'explique en ces termes : « Tout mouvement à coloration religieuse qui se lance à l'intérieur d'une société plus vaste est obligé de se situer par rapport à cette société, à sa hiérarchie, à ses institutions, à ses coutumes. Il pourra le faire en s'intégrant plus ou moins complètement au milieu ambiant, afin d'y poursuivre ses fins propres (diffusion de son message, multiplication de ses membres, etc.). Dans ce cas, il aura tendance à se conformer au monde qui l'entoure. Ou bien, il s'en prendra plus ou moins énergiquement à la société où il est inséré, pour en contester les règles politiques, sociales, morales, etc. Cette critique radicale devrait normalement le conduire à sortir de cette société — comme l'ont par exemple fait les premiers moines — ou à imposer à celle-ci une transformation radicale — à la façon des Zélotes du Ier siècle et des Réformateurs du XVIe » (p. 165 et 166). Il nous semble que l'usage de ces deux catégories peut éclairer et compléter utilement la distinction établie par H. Desroche entre micro- et macromillénarismes. C'est ce que nous nous efforcerons de montrer dans le développement qui va suivre.

milatrice d'une culture étrangère. La volonté de démarcation interculturelle a donc abouti à des tendances à la démarcation intraculturelle[1].

Les pharisiens apparaissaient ainsi comme un mouvement de renouveau. Ils revendiquaient d'ailleurs, au même titre que leurs concurrents, la qualité de véritable Israël[2]. Voulant faire valoir l'ensemble de la Torah dans la vie quotidienne et animés d'un souci extrême de pureté, ils se séparaient d'avec le *Am-ah-arets* considéré comme peuple pécheur et se regroupaient en des associations *(haburôth)*, même s'il n'est pas prouvé que tous aient appartenu à l'une de ces confréries[3]. L'admission dans ces communautés était précédée d'une période probatoire au cours de laquelle étaient éprouvées l'aptitude et l'application du postulant à suivre scrupuleusement, d'une part, les prescriptions relatives à la dîme et, d'autre part, les règles de pureté en matière alimentaire et vestimentaire[4]. Le novice s'engageait ensuite, devant un membre de la communauté qui était scribe, à respecter en tous points la discipline de vie propre à la confrérie qui gardait la possibilité de l'exclure, temporairement ou définitivement, en cas de manquement à la règle[5]. Il est important de noter que l'appartenance à une *haburah* induisait une « révolution (...) dans la vie du nouveau membre »[6]. Il était introduit dans un tissu de relations qui se substituaient à ses attaches sociales antérieures et transcendaient les distinctions de famille, de classe ou de caste[7].

L'idéal pharisien n'était pas sans attrait. C'est ce que prouve notamment l'ascension fulgurante du parti qui le prônait. En guerre ouverte avec Alexandre Jannée (103-76 av. J.-C.) au début de son règne[8], il fut accueilli au Sanhédrin, où il siégea désormais, par Alexandra (76-67 av. J.-C.). Son influence s'en trouva accrue même s'il faut sans doute se garder de soutenir trop vite l'idée d'une prédominance pharisienne dans la vie juive avant la ruine du Temple[9]. Cela n'empêche pas que son poids était tel que les sadducéens durent souvent se plier à ses exigences en matière rituelle et liturgique[10].

---

1. C'est ce qu'a fort bien montré G. Theissen, *Le christianisme de Jésus,* p. 113-118.
2. Sur ce point, voir notamment E. Schürer, *History,* II, p. 400, et G. Theissen, *op. cit.,* p. 115 et 116.
3. Cf. J. Neusner, *HThR* 53, 1960, p. 125, et A. Michel, J. Le Moyne, *DBS,* VII, 1966, col. 1057.
4. On pourra consulter à ce propos J. Neusner, art. cit., p. 129-134.
5. *Talmud de Babylone, Bekorot* 30*b*-31*a.* Voir à ce sujet les explications de J. Jeremias, *Jérusalem,* p. 337 et 338.
6. J. Neusner, *HThR* 53, 1960, p. 129.
7. Cf. encore J. Neusner, art. cit., p. 128 et 129.
8. Sur le rapprochement possible de ce dernier avec eux ultérieurement, voir C. Saulnier, *Histoire d'Israël,* III, p. 160.
9. Ainsi R. Le Déaut, in *Introduction à la Bible,* III/1, p. 136, qui a, selon nous, raison de considérer que « Josèphe, dans les *Antiquités juives,* a probablement exagéré leur rôle, pour des raisons personnelles et politiques, en transposant un état de choses qui se vérifia seulement après la destruction de l'Etat juif ».
10. Cf. Flavius Josèphe, *AJ,* XVIII, 17, même s'il convient sans doute de tempérer légèrement son propos.

Ces quelques éléments permettent de comprendre que, si le pharisaïsme primitif était essentiellement une doctrine, il a bientôt revêtu également la forme d'un parti. Une composante politique est en effet rapidement venue s'adjoindre au caractère religieux de la secte qui avait voix au chapitre à travers les scribes qui, au Sanhédrin, comptaient parmi ses membres ou ses sympathisants[1]. Il faut donc admettre que les pharisiens furent sans doute plus « engagés » qu'on ne l'admet fréquemment[2], même si, pour l'essentiel, leur mouvement affectait un caractère communautaire et reposait sur un idéal de sainteté, aspects qui ne sont pas sans évoquer, à certains égards, l'idéal du mouvement essénien[3].

Ce dernier tire sans doute son origine du groupe des *Hassidim* qui avait rejoint le combat des Maccabées contre les desseins profanateurs d'Antiochus Epiphane. Il naquit d'une rupture consécutive, selon toute vraisemblance, à l'usurpation, par les Hasmonéens, du titre de grand prêtre, les esséniens restant fidèles à la lignée sadocite. Leur noyau dur ne tarda pas à se réfugier à Qumrân[4] où, à l'écart du monde, il constitua une communauté monastique convaincue de son élection divine. En opposition avec le sacerdoce officiel qu'ils récusaient comme illégitime, ces sectaires tenaient le Temple de Jérusalem et ses sacrifices pour souillés et se considéraient eux-mêmes comme le fondement du Temple eschatologique où le culte serait bientôt célébré dans la pureté retrouvée[5]. En attendant, puisqu'ils se tenaient à l'écart du culte officiel et de ses institutions de pardon, ils furent

1. Pour de plus amples développements sur cette question, nous renverrons à l'article d'A. Michel, J. Le Moyne, *DBS,* VII, 1966, col. 1056 et 1057.

2. Ainsi G. Allon, The Attitudes of the Pharisees to the Roman Government and the House of Herod, *ScrHie* 7, 1961, p. 53-78.

3. Sur ce point, Joachim Jeremias, *Jérusalem,* p. 347.

4. L'hypothèse, que nous venons de présenter et qui est la plus communément admise, n'est pourtant pas la seule. On la trouvera plus abondamment développée chez J. H. Charlesworth, The origin and Subsequent History of the Authors of the Dead Sea Scrolls : Four Transitional Phases among the Qumran Essenes, *RdQ* 10, 1980, p. 213-233, et *in* E. Schürer, *History,* II, p. 586-587, la note 50 proposant, aux mêmes pages, une liste fournie des tenants des différents points de vue en présence.

5. C'est là, pour H. Muszynski, *Fundament,* p. 192-197, la signification fondamentale de 4QpEsaïe[d] 1-3. Ce passage est un commentaire du texte d'Es 54, 11-14 qui sera reproduit plus loin (cf. p. 144). L'interprétation de Muszynski est sans doute un peu hâtive dans la mesure où c'est la Jérusalem, et non le Temple, eschatologique qui est fondée en Es 54, 11-14. Toutefois, l'une de ces réalités ultimes ne se concevait pas sans l'autre — comme l'atteste paradoxalement Ap 21, 22 — et le propos de Muszynski garde partiellement sa valeur même s'il doit être manié avec prudence. Il aurait d'ailleurs pu s'appuyer sur d'autres textes retrouvés à Qumrân. Certains passages illustrent en effet l'idée de la communauté comme substitut du Temple officiel (ainsi 1QS 5, 5-7 ; 8, 4-10 ; 9, 3-5 ; CD 3, 19-4, 4 ; 4QShir[b] frag. 35). Et si le Rouleau du Temple nous montre que la congrégation vivait dans l'attente du jour où Dieu créerait lui-même un sanctuaire nouveau pour un culte éternel (11QMiqd 29, 7-10), la communauté-Temple n'en revêtait pas moins une dimension eschatologique qu'illustre notamment la portée qu'elle attribuait à son repli au désert (1QS 8, 12-14).

amenés à valoriser les ablutions, seuls rites de pardon demeurant à leur disposition[1].

L'admission définitive dans la secte était le résultat d'une initiation progressive qui semble avoir compris une année de postulat, puis deux autres de noviciat[2]. Au cours de cette procédure, le volontaire avait accès, dans un premier temps, à la « communauté des Nombreux ». Il était admis ensuite aux bains de purification et enfin au repas, sacrement le plus saint de la secte. Il remettait par ailleurs, au trésorier de la congrégation, ses biens et ses revenus qui étaient définitivement aliénés au bénéfice de la communauté au terme de l'initiation[3]. Devenu membre à part entière, il se voyait attribuer un numéro d'ordre. Il devait obéissance à tous ses supérieurs mais avait la préséance vis-à-vis de tous ceux qui étaient classés après lui[4]. Il pouvait cependant progresser — ou rétrograder — dans la hiérarchie très rigide de la congrégation puisque le rang de chacun était réexaminé annuellement[5].

On concédera sans peine qu'un tel type d'organisation, davantage encore que les *haburôth* pharisiennes, plongeait les adeptes de la secte dans un réseau de relations nouvelles où chacun occupait une place bien définie et était amené, en fonction de son rang, à exercer et à reconnaître une autorité.

Son séparatisme et son attente anxieuse des temps de la fin, qu'illustre notamment le *Rouleau de la Guerre* (1QM), permettent de définir la communauté radicale de Qumrân comme un micromillénarisme non violent vivant dans l'expectative du combat eschatologique où sa cause s'épanouirait et triompherait en un macromillénarisme violent. Il faut cependant tenir compte de l'existence probable, en dehors de cette communauté mère, d'un tiers ordre, existence qui paraît attestée notamment par l'*Ecrit de Damas* (CD). L'*ethos* de ses adeptes était moins strict que celui des cénobites des bords de la mer Morte puisque mariage et possessions étaient tolérés[6]. A en croire Flavius Josèphe, il y avait ainsi, dans chaque ville, une colonie essénienne pratiquant l'hospitalité envers les frères venus d'ailleurs[7].

A l'opposé des esséniens qui abandonnaient à Dieu la responsabilité de donner le signal du combat final, les zélateurs de la Loi se faisaient fort de l'engager au plus vite ou, en tout cas, de le préparer en châtiant les impies. Classiquement regroupés sous le vocable « zélotes », la tendance est aujour-

---

1. C. Perrot, *Jésus et l'histoire,* p. 110 et 111, établit, fort à propos selon nous, un lien de cause à effet entre les deux phénomènes.
2. C'est ce qui ressort des témoignages largement convergents d'1QS 6, 13-23 et de Flavius Josèphe, *BJ,* II, 137 et 138.
3. 1QS 6, 19-22.
4. Voir 1QS 2, 19-23 ; 5, 20-24 ; 6, 2.4.8-10.22.25.26 ; 1QSa 1, 23.
5. 1QS 5, 23.24.
6. CD 7, 6-9 et 14, 13. L'existence d'un tiers ordre essénien est confirmée par le témoignage de Flavius Josèphe, *BJ,* II, 124 et 125.
7. Flavius Josèphe, *BJ,* II, 124 et 125. Son témoignage est corroboré par CD 10, 21 et 12, 19 quant à l'existence de communautés esséniennes dans certaines villes. Nous verrons plus loin que de nombreux indices convergents plaident en tout cas en faveur de la présence d'un quartier essénien à Jérusalem (cf. p. 62-66).

d'hui à les différencier de plus en plus afin de rendre compte de la multiplicité et de la complexité des phénomènes qu'ils recouvrent[1]. Ces radicaux, persuadés que la fin était proche, se donnaient pour but la libération du peuple de la tutelle romaine et la purification du pays de tous les violateurs de la Loi et de tous les traîtres. Ils se proposaient ainsi d'instaurer le véritable Israël, soit en recourant à des actions de type terroriste, révolutionnaire ou militaire[2], soit en se mobilisant en vue de la réédition des grandes actions libératrices réalisées par Dieu dans le passé[3]. On peut caractériser ces zélateurs, qui se recrutaient pour l'essentiel dans une paysannerie dont la situation socio-économique était devenue de plus en plus précaire, comme les représentants d'un macromillénarisme violent qui se cantonnait toutefois à l'échelle d'une nation.

Le mouvement dont Jean-Baptiste fut l'initiateur constituait encore un phénomène à part, proche, par certains de ses aspects, à la fois de l'essénisme et des mouvements populaires prophétiques, mais, tout bien considéré, fondamentalement distinct d'eux. Sa caractéristique majeure était le rite d'immersion en vue du pardon des péchés (Mc 1, 4 et //), geste qui « se substitu[ait] finalement aux rites de pardon dispensés dans le Temple de Jérusalem »[4] et instaurait quelque chose de radicalement nouveau. En effet, alors qu'ailleurs — dans les confréries pharisiennes et à Qumrân par exemple — les règles de pureté en étaient venues à isoler une élite du reste de la société, on a affaire ici, dans la perspective du jugement eschatologique imminent (Mt 3, 10-12 et //), à un rite accessible à tous. C'est là sa nouveauté et sa spécificité. Il permet, sans autre préalable que la circoncision du cœur, la « réintégration générale dans "l'Israël de Dieu" de foules suspectes à tous les sectaires »[5].

---

1. Ainsi surtout R. A. Horsley, The Sicarii : Ancient Jewish « Terrorists », *JR* 59, 1979, p. 435-458 ; Id., Ancient Jewish Banditry and the Revolt against Rome, A.D. 66-70, *CBQ* 43, 1981, p. 409-432 ; Id., Popular Messianic Movements around the Time of Jesus, *CBQ* 46, 1984, p. 471-495 ; Id., Menahem in Jerusalem. A Brief Messianic Episode among the Sicarii — Not « Zealot Messianism », *NT* 27, 1985, p. 334-348 ; Id., Popular Prophetic Movements at the Time of Jesus. Their Principal Features and Social Origins, *JSNT* 26, 1986, p. 3-27 ; Id., The Zealots. Their Origin, Relationships and Importance in the Jewish Revolt, *NT* 28, 1986, p. 159-192, qui a insisté sur la grande variété du vocabulaire employé par Josèphe dans sa description des différents groupes en présence. Pour éviter toute ambiguïté, nous distinguerons entre zélateurs et zélotes. Nous réserverons le second terme pour désigner le parti du même nom et lui substituerons le premier pour caractériser les acteurs de la résistance nationaliste envisagée dans son ensemble.
2. Tel est le cas, si l'on adopte la classification de R. A. Horsley, *JR* 59, 1979, p. 435-458 ; *CBQ* 46, 1984, p. 471-495 ; *NT* 28, 1986, p. 159-192, des sicaires, des zélotes et des mouvements populaires messianiques.
3. Toujours en suivant R. A. Horsley, *JSNT* 26, 1986, p. 3-27, on retrouve ici les mouvements populaires prophétiques décrits par Flavius Josèphe, *AJ*, XVIII, 85-86 ; *AJ*, XX, 97 ; *BJ*, II, 259 // *AJ*, XX, 167-168 ; *BJ*, II, 261-262 // *AJ*, XX, 169-171 ; *AJ*, XX, 188.
4. C. Perrot, *Jésus et l'histoire*, p. 101.
5. E. Trocmé, in *Histoire des religions*, II, p. 193.

Il convient d'insister encore ici sur l'importance du personnage de Jean-Baptiste. C'est en effet la reconnaissance de son autorité par la foule qui fonde la légitimité de son baptême[1]. Il apparaît ainsi comme le détenteur d'un charisme personnel prophétique et tout porte à croire que son message s'est transformé en prophétie d'origine pour les adeptes qui, après son exécution, ont continué à se réclamer de lui et se sont avérés des concurrents sérieux pour certains groupes chrétiens des commencements[2]. Nous sommes donc en présence ici d'un macromillénarisme non violent qui annonce, à bien des égards, le mouvement de Jésus.

Ainsi s'achève notre aperçu rapide des mouvements de renouveau à l'œuvre dans la Palestine du début de notre ère. G. Theissen estime que la crise qui fut « leur terrain nourricier » peut se résumer à celle de la théocratie[3]. Son analyse nous paraît intéressante. Il souligne en effet l'importance qu'a revêtue le décalage entre la théocratie revendiquée de droit par les grands prêtres et la domination aristocratique qu'ils exerçaient de fait dans le surgissement des mouvements théocratiques radicaux[4]. Or, c'est bien à combler le vide d'autorité qui résultait de ce décalage que ces derniers se sont attelés[5]. On pourrait dire encore, d'une autre façon, que, aucun groupe ne possédant plus le monopole de la légitimité, on est parvenu à une dilution de ce concept et à son appropriation par des mouvements rivaux. La crise ne trouva pas de solution puisqu'aucun d'eux ne parvint à s'imposer avant la guerre juive qui fut son aboutissement et permit sa résolution en redistribuant totalement les cartes. Auparavant, et il conviendra que nous nous en souvenions en abordant à présent l'étude du mouvement de Jésus, différentes revendications de légitimité se trouvaient en concurrence et, au sein de chaque mouvement, une reconnaissance très forte de l'autorité prévalait. On ne s'étonnera pas de rencontrer une situation semblable aux origines de l'Eglise.

II – Jésus et le cercle de ses disciples

Il est de plus en plus communément admis aujourd'hui, à partir du témoignage de Jn 3, 22-23, et 4, 1-3, que Jésus, avant d'entamer son activité indé-

---

1. C. Perrot, *Jésus et l'histoire*, p. 183.
2. Comme le remarquait, fort pertinemment selon nous, M.-A. Chevallier, *NTS* 32, 1986, n. 45, p. 543, la controverse entre chrétiens et héritiers du Baptiste porta dans un premier temps « sur l'autorité respective à attribuer aux deux maîtres ». C'est là, ainsi qu'il le note, le témoignage commun du matériel marcien (Mc 1, 1-15 ; 6, 14-16 ; 9, 11-13 et //) et de la source des logia (Mt 11, 2-11 // Lc 7, 18-19. 20-28 ; Mt 11, 12 // Lc 16, 16 ; Mt 11, 16-19 et Lc 7, 31-35). Ce n'est que plus tard que la question du baptême d'eau devint l'un des enjeux majeurs de la querelle.
3. G. Theissen, *Le christianisme de Jésus,* p. 104.
4. G. Theissen, *op. cit.,* p. 84.
5. Cf. p. 19.

pendante, œuvra d'abord dans la mouvance du Baptiste[1] et qu'il fut peut-être même son disciple[2]. Il rompit ensuite avec lui. Son message put apparaître dès lors comme une prophétie concurrente aux yeux de ceux qui, nous l'avons vu, restèrent fidèles à Jean et présentèrent sans doute bientôt également leur maître comme le véritable Messie[3].

Ayant quitté le Baptiste et abandonné apparemment, du même coup, toute activité baptismale, Jésus s'engagea dans son ministère itinérant. Parmi les diverses images qui nous sont restituées de lui par la tradition évangélique[4], celle de thaumaturge est assurément la plus spectaculaire. Elle a conduit G. Vermès à comparer le Nazaréen aux anciens *hassidim* ou dévots dont la prière avait des vertus miraculeuses[5]. Ces personnages, tels Honi le traceur de cercles et surtout Hanina ben Dosa, à qui est attribuée une guérison à distance très semblable à celle que nous rapporte Mt 8, 5-13 (// Jn 4, 46-53)[6], présentent en effet certaines affinités avec Jésus. Cette ressemblance apparaît non seulement en matière thaumaturgique mais aussi dans un commun détachement par rapport aux biens de ce monde et dans un même désintérêt pour les affaires juridiques et rituelles[7]. Il n'en demeure pas moins que, si ces personnages furent assurément admirés par les milieux populaires, ils restèrent apparemment isolés et ne furent en aucun cas les initiateurs d'un mouvement de renouveau[8].

Jésus, par contre, apparaît comme tel et fut bientôt entouré d'un cercle de disciples. Avec E. Trocmé, nous noterons que ce groupe semble « avoir été une réalité *sui generis,* une sorte de fraternité de prédicateurs guérisseurs qui partageaient leur temps entre l'acquisition d'une formation auprès du fonda-

1. Ainsi J. Becker, *Johannes der Taüfer und Jesus von Nazareth (BSt* 63), Neukirchen, Vluyn, 1972, p. 14 et 15 ; E. Linnemann, Jesus und der Taüfer, in *Festschrift E. Fuchs* (Hrsg. von G. Ebeling, E. Jüngel, G. Schunack), Tübingen, 1973, p. 219-236, et R. Pesch, *Simon-Petrus,* 1980, p. 18 et 19, concluent-ils que Jésus a baptisé dans un premier temps à l'image et en dépendance du Baptiste.

2. E. Trocmé, in *Histoire des religions,* II, p. 193, et A. Jaubert, *Approches de l'Evangile de Jean* (Parole de Dieu), Paris, 1976, p. 38, soulignent que Jésus passa au moins pour tel tandis qu'O. Cullmann, *Le milieu johannique,* p. 93, affirme explicitement qu'il le fut.

3. Le fait que Jean-Baptiste ait été considéré comme le Messie par certains de ses disciples paraît corroboré par le témoignage des *Reconnaissances pseudo-clémentines,* I, 54 et 60. On consultera sur ce point R. E. Brown, *John* (I-XII), p. LXVII. LXVIII et 46. 47, ou A. Jaubert, *op. cit.,* p. 39, n. 59, qui fait également mention d'un texte d'Ephrem.

4. Sur ces diverses images, l'ouvrage le plus stimulant et le plus original est celui d'E. Trocmé, *Jésus de Nazareth,* 1971.

5. G. Vermès, *Jésus le Juif. Les documents évangéliques à l'épreuve d'un historien*. Traduit de l'anglais (coll. « Jésus et Jésus-Christ », 4), Paris, 1978, p. 90-106. On notera que la *Prière de Nabonide* (4QPrNab) nous conserve la trace de l'existence de guérisseurs en milieu essénien également.

6. *Talmud de Babylone, Berakot,* 34b et *Talmud de Jérusalem, Berakot,* 9d.

7. G. Vermès, *Jésus le Juif,* p. 100.

8. G. Vermès, *op. cit.,* p. 94, rappelle bien que deux des petits-fils de Honi furent réputés posséder le même pouvoir miraculeux que lui mais cela permet tout au plus de raisonner ici en termes de tradition familiale.

teur et l'activité sur le terrain (Mc 3, 14-15 ; 6, 7-13) »[1]. Ce groupe itinérant
était orienté tout entier vers le Maître. Sa conduite était déterminée par l'enseignement et l'exemple du Nazaréen qui confia d'ailleurs à ses disciples la
responsabilité de démultiplier son message et son action afin de les faire
connaître le plus largement possible au peuple[2]. Cette annonce empressée
révèle une situation d'urgence, créée par la perspective de l'épanouissement
imminent du Règne de Dieu (Mc 1, 15 et //)[3].

L'action symbolique kérygmatique[4] par laquelle Jésus choisit douze d'entre ses disciples (Mc 3, 13-19 et //) s'inscrit dans le même cadre[5]. Elle exprime
sa prétention à s'adresser au peuple dans sa totalité[6] en même temps qu'elle
annonce la venue de l'Israël eschatologique[7] que Dieu a désormais commencé
à rassembler et dont les Douze constituent le noyau. La mission dont Jésus
se sent investi revêt donc non seulement un caractère d'urgence, en ce sens
qu'elle s'inscrit sur l'arrière-plan d'une eschatologie rapprochée et déjà inaugurée[8], mais aussi une dimension universelle, dans la mesure où elle s'adresse,
sans la moindre exclusive, à l'ensemble du peuple[9].

Cette mission ne peut se comprendre qu'à partir de la revendication d'autorité du Nazaréen. Cette dernière l'a conduit à prendre des positions qui ont
eu une importance décisive, pour lui-même et pour le mouvement dont il fut

1. E. Trocmé, *Jésus de Nazareth,* p. 49. L'auteur explique clairement, p. 48 et 49,
ce qui différencie ce groupe des disciples de Jésus à la fois de l'entourage du Baptiste,
où prévalait l'ascèse et non pas une orientation libérale, des élèves des rabbins, formés
de façon plus scolaire et moins pratique, ou encore des fraternités esséniennes, exclu-
sives et strictement disciplinées.
2. J. Blank, *Jesus von Nazareth,* p. 142.
3. *Ibid.*
4. Nous empruntons cette expression à J. Roloff, *Apostelgeschichte,* p. 35.
5. Le fait que Jésus ait institué le groupe des Douze de son vivant nous paraît difficilement contestable. L'argument le plus fort en faveur de cette thèse est la présence
de Judas en son sein. On imagine difficilement en effet comment on aurait inventé
que celui qui avait trahi Jésus appartenait à ce cercle. Par ailleurs, l'importance de ce
groupe aux origines de l'Eglise plaide en faveur de sa grande ancienneté, tandis que
sa dissolution relativement rapide rend pour le moins problématique l'hypothèse de
son invention tardive.
6. On peut rappeler ici, avec Joachim Jeremias, *Théologie,* p. 292, qu' « il ne restait, au temps de Jésus, d'après une opinion commune, que deux tribus et une demie,
à savoir celles de Juda, de Benjamin et la moitié de Lévi ». Les autres étaient portées
disparues depuis la chute de Samarie en 722 av. J.-C. On considérait que la reconstitution du peuple des douze tribus marquerait le temps du salut.
7. Ainsi notamment H. von Campenhausen, *Kirchliches Amt,* p. 15.
8. Sur l'attente à court terme de Jésus, nous renverrons à l'ouvrage fondamental
de W. G. Kümmel, *Verheissung und Erfüllung. Untersuchungen zur eschatologischen Verkün-*
digung Jesu (AThANT 6), Zürich, 1953, ainsi qu'aux développements de J. Jeremias,
Théologie, p. 163-180, et à la bibliographie qu'il mentionne p. 157.
9. A ce sujet, voir les intéressants développements d'E. Trocmé, in *Histoire des re-*
ligions, II, p. 194, et de J. Blank, *Jesus von Nazareth,* p. 137, qui parle, à la fois à propos
de Jean-Baptiste et de Jésus, d'universalisme « non au sens extensif mais au sens in-
tensif, parce que tous deux se tournent vers tout le peuple juif et veulent adresser la
parole à chacun sans tenir compte de son appartenance à un groupe ». Il doit être clair
ici, et nous aurons l'occasion de revenir sur ce point, que « l'Eglise des juifs et des
païens ne se trouve pas [encore] à l'horizon de l'activité de Jésus » (J. Blank, *ibid.*).

l'initiateur, en ce qui concerne la Loi et le Temple. Il importe donc d'essayer de préciser ces points, en n'hésitant pas à recourir à des comparaisons avec d'autres chefs ou mouvements charismatiques issus du judaïsme d'alors, pour percevoir les enjeux du message du Galiléen. Nous nous attellerons à présent à cette tâche. Elle nous permettra de dégager les fondations sur lesquelles s'est édifiée la primitive Eglise.

L'autorité prophétique[1] de Jésus transparaît nettement à travers le témoignage des évangiles. Annonciateur du Règne de Dieu, il en est davantage encore l'ambassadeur[2] et son message laisse entendre qu'il est le représentant non seulement de ce Règne mais aussi de Dieu lui-même[3]. C'est ce que dévoile tout particulièrement l'attitude du Nazaréen vis-à-vis de la Loi. Il n'hésite pas, en effet, à s'en prendre à la tradition orale des pharisiens et, plus grave encore, à la Torah de Moïse elle-même[4]. Son autorité charismatique s'affirme donc face à la tradition. Cependant, même si elle se substitue parfois à cette dernière, elle en tient toujours compte et se situe par rapport à elle. Il faut donc se garder d'opposer trop nettement ici charisme et tradition, comme si l'un invalidait l'autre, et considérer plutôt que l'autorité toute particulière de Jésus s'affirme pour une part à travers l'interprétation renouvelée de dispositions traditionnelles[5].

Parmi tous les personnages, qui nous sont connus, du judaïsme du début de notre ère, le Maître de Justice est sans conteste celui que son sentiment de dignité rapproche le plus de Jésus. Interprète des mystères divins[6], bénéficiaire de l'Esprit de Dieu[7], héraut et médiateur d'une alliance nouvelle[8], fondateur d'une congrégation[9], sa figure a revêtu une importance décisive aux yeux de ses disciples. Il se pourrait qu'il ait passé auprès des siens pour un nouveau Moïse[10] et il apparaît en tout cas manifeste, à travers l'histoire de la secte essénienne, qu'ils ont accordé à son message la valeur d'une prophétie d'origine.

Parallèlement, on a pu comparer Jésus aux docteurs pharisiens et tout particulièrement au plus célèbre d'entre eux, Hillel[11]. Toutefois, il ressort clairement d'un tel rapprochement que le Nazaréen professa une autorité qu'aucun d'entre

---

1. L'expression est déjà employée par M. Goguel, *Les premiers temps de l'Eglise* (« Manuels et précis de Théologie », XXVIII), Neuchâtel-Paris, 1949, p. 214.
2. Cf. H. Merklein, *Jesu Botschaft*, p. 151 et 152.
3. Sur ce point, J. Jeremias, *Théologie*, p. 312-317.
4. Ainsi Mt 23, 1-36 et // ; Mt 5, 21-48 et Mc 7, 15.
5. On trouvera des considérations semblables chez J. Gager, *Kingdom and Community*, p. 70.
6. 1QH 2, 13 ; 4, 27-28 ; 7, 26-27.
7. 1QH 7, 6-7 ; 13, 18-19 ; 14, 25 ; 17, 26.
8. 1QH 5, 23.
9. Cf. notamment 1QH 7, 28-29.
10. Cela est tout à fait net si l'on accepte, avec A. Dupont-Sommer, *Les écrits esséniens*, 1980, p. 369, que la remarque suivante de Flavius Josèphe, *BJ,* II, 145 : « Le nom du Législateur est chez eux, après Dieu, un grand objet de vénération ; et si quelqu'un vient à blasphémer le Législateur, il est puni de mort », vise, à travers le Législateur, non pas Moïse mais le Maître de Justice en personne.
11. D. Flusser, Hillel's Self-Awareness and Jesus, *Immanuel* 4, 1974, p. 31-36.

eux ne revendiqua[1]. Dans leur souci d'adapter la Loi, promulguée jadis par Moïse, aux temps présents, ils restaient, nous l'avons vu, malgré la part qui pouvait être laissée à l'inspiration de chacun, fondamentalement tributaires d'une chaîne de tradition. Le « je » de Jésus et sa liberté souveraine contrastent donc nettement avec l'enseignement des théologiens de son temps[2]. Comme le note E. Käsemann, « se posant en face de Moïse, il proclame souverainement son "Moi, je vous dis" ; et il ne le fait pas à la manière des rabbins, comme un interprète de la Loi, mais en se plaçant sur le même plan que Moïse — pire encore, en le critiquant »[3]. La Loi transmise sur le mont Sinaï n'est plus l'autorité ultime. Il faut bien admettre qu'en la personne de Jésus « une autorité nouvelle entre ainsi en scène »[4]. On ne s'étonnera pas, dans ces conditions, que le Nazaréen soit devenu bien vite la « Torah des [premiers] chrétiens »[5]. De prophétie concurrente, sa proclamation s'est ainsi transformée en prophétie d'origine.

Dans le détail, on pourra dire que Jésus avait tendance à atténuer les commandements religieux, c'est-à-dire la Loi rituelle, tandis qu'il radicalisait volontiers les commandements sociaux ou éthiques[6]. Cette attitude, tout comme sa revendication d'autorité, fut l'occasion, pour le Galiléen, de bien des questionnements de la part des intellectuels juifs de son temps[7]. Mais il semble bien que ce fut sa critique du Temple qui détermina l'hostilité déclarée, de la part des milieux sadduccéens essentiellement, à son endroit.

Cette critique s'inscrit d'abord dans la ligne de celle que le mouvement baptiste émettait implicitement à l'égard de cette institution en proposant l'obtention du pardon des péchés à travers un geste beaucoup plus simple que l'offrande de multiples sacrifices sur l'autel de la ville sainte[8]. Elle peut également

---

1. Ainsi H. Merkel, Jesus und die Pharisäer, *NTS* 14, 1968, p. 194-208, et R. Le Déaut, in *Introduction à la Bible,* III/1, p. 139.

2. Sur ce point, on se reportera aux explications de J. Schlosser, in *Pouvoir et vérité,* p. 110.

3. E. Käsemann, Jésus, l'accès aux origines, *LV* (L) 26, 1977 (n° 134), p. 54.

4. J. Schlosser, in *Pouvoir et vérité,* p. 115.

5. Nous empruntons cette expression à W. D. Davies, From Schweitzer to Scholem : Reflections on Sabbatai Svi, *JBL* 95, 1976, p. 555. Le rapprochement effectué par cet auteur entre les figures de Jésus et de Sabbatai Svi s'avère particulièrement éclairant. Cet homme, au milieu du XVIIe siècle, se proclama messie. Sa reconnaissance comme tel par Nathan de Gaza inaugura un mouvement qui, en quelques mois, se répandit dans l'ensemble de la diaspora. Comme Davies le souligne, fort à propos selon nous, les ressemblances que l'on peut observer entre les deux personnages peuvent, malgré les siècles qui les séparent, se révéler éclairantes. Elles invitent en tout cas à ne minimiser ni la revendication d'autorité de Jésus (p. 536), ni l'ampleur de sa réinterprétation de la Loi (p. 554 et 555).

6. De ce fait, Mc 3, 4 // Lc 6, 9 ; Mc 7, 15 // Mt 15, 11 ; Mt 23, 23 // Lc 11, 42 se font notamment l'écho.

7. Mc 11, 27-33 et // ainsi que Mc 12, 28-34 et // pourraient être des échantillons représentatifs de ces controverses, si l'on accepte, avec E. Trocmé, *Jésus de Nazareth,* p. 65-67, la grande ancienneté des traditions sous-jacentes à ces passages.

8. Nous renvoyons ici à la n. 4, p. 43. Nous ajouterons que C. Perrot, *Jésus et l'histoire,* p. 144-147, relève que cette remise en question portait non sur le lieu de prière mais sur celui des sacrifices sanglants. Il établit là une distinction qui nous semble intéressante et sur laquelle nous aurons l'occasion de revenir un peu plus loin.

évoquer, à certains égards, celle que les samaritains, d'une part, et les esséniens, de l'autre, opposaient au Temple de Jérusalem[1]. Un rapprochement tout particulier a d'ailleurs été effectué par certains avec la conception de ces derniers. Le logion relatif à la ruine du Temple et à sa reconstruction en trois jours par Jésus (Mc 14, 58 // Mt 26, 61 et Jn 2, 19), parole dont l'authenticité substantielle est généralement admise[2], même s'il faut sans doute considérer que sa teneur originelle était plus proche de la recension johannique, qui ne fait pas du Nazaréen l'acteur de la destruction de l'édifice, que du texte marcien[3], pourrait viser, selon certains, la communauté eschatologique que le Maître allait établir sous peu[4]. On retrouverait ainsi l'idée de la communauté considérée comme le Temple, conception que nous avons déjà rencontrée dans la congrégation sise au bord de la mer Morte[5] et qui a certainement affecté assez rapidement l'interprétation du logion. Mais il est sans doute plus prudent de considérer que Jésus a d'abord voulu affirmer, à travers la formule, le triomphe final du dessein que Dieu entreprenait à travers lui, et que ce n'est que plus tard que différentes images sont venues s'y associer comme autant d'interprétations possibles[6].

Quoi qu'il en soit de cette question, sur laquelle nous aurons encore à revenir, il apparaît manifeste qu'à travers l'expulsion des marchands du Temple (Mc 11, 15-19 et //) Jésus a joint, dans sa critique de l'institution centrale du judaïsme de son temps, le geste à la parole. L'acte revêtit une importance capitale. A travers ce coup de main, le Nazaréen, qui pourrait s'en être pris plus particulièrement au culte sacrificiel[7], s'attira immanquablement les foudres de l'aristocratie sacerdotale mais aussi, sans doute, d'une large fraction

---

1. Ce double rapprochement est effectué par O. Cullmann, *Le milieu johannique,* p. 131.
2. Ainsi L. Gaston, *No Stone,* p. 242 et 243, qui ne conserve cependant que Mc 14, 58*b* ; G. Theissen, *Studien zur Soziologie,* p. 142-144 ; B. P. Robinson, *JSNT* 21, 1984, p. 92, qui évoque le large accord prévalant en la matière ; F. F. Bruce, *BJRL* 67, 1985, p. 647 et 648.
3. C'est ce que proposent notamment E. Trocmé, *Jésus de Nazareth,* p. 129-131, et O. Cullmann, *Le milieu johannique,* p. 132.
4. L. Gaston, *No Stone,* p. 243 ; O. Cullmann, *op. cit.,* p. 132, et B. P. Robinson, *JSNT* 21, 1984, p. 93, partagent notamment cet avis.
5. Cf. n. 5, p. 41.
6. Cette solution empreinte de sagesse est proposée notamment par C. H. Dodd, *The Parables of the Kingdom,* London, 1935, p. 100 et 101.
7. Tel est l'avis de C. Perrot, *Jésus et l'histoire,* p. 146 et 147. Il considère en effet que, à travers le détail apparemment étrange qui se glisse en Mc 11, 16 : « et il ne laissait personne transporter un ustensile *(skeuos)* de par le Temple », est indiqué que Jésus s'est opposé en fait au transport du matériel cultuel — il renvoie ici notamment à Za 14, 21 ; *2 Baruch* 6, 7 ; 80, 2 et au traité de la Mishna *(M. Kelim)* consacré tout entier à ces objets et aurait pu préciser encore que le mot *skeuos* désigne en maint endroit les ustensiles cultuels dans la LXX. Il en déduit que Jésus aurait interrompu ainsi le cours du culte sacrificiel. L'interprétation nous paraît séduisante. Elle pourrait trouver encore quelque appui dans le fait que des groupes judéo-chrétiens, ainsi que l'attestent les *Reconnaissances pseudo-clémentines,* I, 37-55 et surtout un fragment de l'*Evangile des Ebionites,* que nous a conservé Epiphane, *Panarion* 30, 16, 7, et qui place sur les lèvres de Jésus les paroles suivantes : « Je suis venu détruire les sacrifices », étaient hostiles aux sacrifices. Une telle attitude trouve assurément son explication la plus simple dans une conformité à la pensée du Nazaréen.

de la population jérusalémite, attachée aux avantages que lui procurait la poursuite des travaux d'embellissement de l'édifice[1]. Cet événement constitua le nœud du conflit qui opposa Jésus aux autorités juives[2]. Il précipita sa fin[3].

Jésus mourut donc « en critique radical de la société ambiante »[4]. Sans doute fut-il perçu par les autorités comme l'un de ces agitateurs qui, à la tête de mouvements de résistance, venaient mettre périodiquement en péril l'ordre établi, et que leurs partisans paraient du titre de roi, de prophète ou de messie. Il fut ainsi crucifié en tant que messie prétendu (Mc 15, 26 et //).

Fut-il également un messie prétendant ? La question reste débattue. Il n'en demeure pas moins que sa conscience de jouer un rôle unique dans l'irruption du Règne de Dieu a suscité bien des spéculations de la part de ceux qui le côtoyaient. Les témoignages des évangiles nous indiquent qu'il ne s'est pleinement reconnu dans aucun des titres qu'on lui accordait, même s'il a consenti à ce qu'on y ait recours. Peut-être y a-t-il là l'indice que l'essentiel ne résidait pas pour lui dans les supputations autour de sa personne ni dans la définition d'une orthodoxie bien définie mais dans l'adhésion du plus grand nombre à son message[5].

On retrouve ainsi l'absence d'exclusivisme du Maître qu'exprime encore, mieux que toute autre chose, sa commensalité avec les réprouvés de son temps (Mc 2, 13-17 et // ; Mt 11, 19 ; Lc 15, 1-2). Cet « universalisme » côtoyait son radicalisme éthique. Il y avait là, assurément, deux données difficiles à concilier dans les faits mais que sa postérité aurait à gérer. L' « universalisme » impliquait le risque d'un affadissement du mouvement qui serait amené à prendre en compte les aspirations et les besoins du plus grand nombre. Le radicalisme éthique menaçait pour sa part de conduire à une définition sectaire. Ainsi, dès l'origine, les disciples de Jésus se trouvèrent-ils à la croisée des chemins. A tout moment le macromillénarisme inauguré par le Nazaréen pourrait se transformer en un micromillénarisme. On comprendra aisément que l'histoire de la primitive Eglise ait été marquée par une oscillation entre ces deux pôles. Mais, tout d'abord, la communauté eut à surmonter le choc causé par la mort ignominieuse de son Maître.

---

1. C'est ce qu'a relevé fort judicieusement G. Theissen, *Studien zur Soziologie,* p. 153-159.
2. Ainsi, pour ne mentionner que des auteurs très récents, B. P. Robinson, *JSNT* 21, 1984, p. 93 ; E. P. Sanders, *Jesus and Judaism,* London, 1985, p. 61-71, et J.-P. Lémonon, *Jésus et les pouvoirs, Le Supplément* 162, 1987, p. 51.
3. C'est ce qu'ont démontré N. Q. Hamilton, Temple Cleansing and Temple Bank, *JBL* 83, 1964, p. 365-372, et E. Trocmé, *NTS* 15, 1968-1969, p. 1-22.
4. Nous empruntons cette expression à E. Trocmé, in *La théologie à l'épreuve de la vérité,* p. 169.
5. Nous nous inspirons ici des remarques d'E. Trocmé, in *Histoire des religions,* II, p. 196.

CHAPITRE II

L'Eglise primitive de Jérusalem, une entité où se côtoient bien des diversités

A – LA PREMIÈRE COMMUNAUTÉ
DE JÉRUSALEM :
UNE FRATERNITÉ ?

Les compagnons de Jésus, désespérés par son échec apparent, compromis par leur complicité avec un chef condamné à mort, semblent s'être dispersés dans un premier temps. Ils furent pourtant bientôt arrachés à leur découragement par des apparitions de leur Maître et par l'appel à poursuivre l'œuvre entamée qu'il leur adressait[1].

Cependant voilà que, contre toute attente, l'on retrouve les disciples unis en une fraternité à Jérusalem (Ac 1-5). Le mouvement charismatique itinérant suscité par le Nazaréen s'y transforme en une communauté sédentaire relativement introvertie.

Pourquoi cette installation dans le lieu où l'on s'y attendrait le moins et pourquoi cette étonnante mutation ? Ce sont là deux questions qui méritent de retenir notre attention d'autant qu'on les escamote trop souvent.

Il nous semble très vraisemblable que c'est parce qu'ils y voyaient le lieu de la parousie prochaine que les premiers chrétiens s'installèrent dans la ville sainte[2]. Lc 19, 11 pourrait d'ailleurs, par-delà la réserve manifeste de l'auteur à Théophile vis-à-vis de telles spéculations[3], nous fournir une précieuse indi-

---

1. Nous discuterons plus loin les traditions sous-jacentes aux récits relatifs à la Résurrection (cf. p. 74-77). Nous nous contentons pour l'instant d'un aperçu tout à fait général.
2. En ce sens déjà, K. Holl, in *Gesammelte Aufsätze,* II, p. 55, et bien d'autres après lui.
3. Sur ce point, on pourra se reporter à J. Dupont, La parabole des talents ou des mines (Mt 25, 13-30 ; Lc 19, 12-27), *RThPh* 111, 1969, p. 382.

cation en ce sens, en nous montrant combien intense était l'attente eschatologique liée à Jérusalem[1].

Quant à la forme d'organisation choisie par la communauté primitive, rien ne la laissait présager. Certes, le mouvement de Jésus avait bénéficié de l'appui de sympathisants qui ne s'étaient pas associés pour autant à son itinérance (Mc 1, 29 et // ; Lc 10, 38-42 ; Mc 14, 3 et //) et qui ont pu fournir ultérieurement le noyau de communautés locales. Cependant sa transformation, que nous décrivent les cinq premiers chapitres des *Actes des Apôtres,* en une communauté fixée en un lieu précis et organisée selon une discipline relativement sévère (Ac 5, 1-11) paraît si étrange que l'on renonce bien souvent à la prendre au sérieux pour n'en faire que le produit de l'imagination de Luc.

Or, et cela nombre d'auteurs l'ont noté depuis longtemps, le tableau que brosse l'auteur à Théophile de la première assemblé jérusalémite évoque, à certains égards, l'organisation de la communauté de Qumrân. Une influence essénienne permettrait-elle donc de rendre compte du tournant tout à fait inattendu qu'elle a pris et est-elle tout simplement concevable ? Il nous faudra à présent explorer cette piste. L'enjeu est en effet considérable pour notre étude puisque Pierre paraît, toujours d'après le témoignage des Actes, avoir joué un rôle essentiel au sein·de cette communauté.

I – ACTES 1-5 ET L'HYPOTHÈSE D'UNE INFLUENCE ESSÉNIENNE

Nous nous intéresserons d'abord aux passages qui ont été le plus souvent mis en parallèle avec les écrits esséniens par les critiques. Ce sont la péricope relative à l'adjonction de Matthias au groupe des Douze (Ac 1, 15-26), le récit de la Pentecôte (Ac 2, 1-13) et les textes où il est question de la communauté des biens qui semble avoir prévalu au sein de l'assemblée jérusalémite (Ac 2, 44.45 ; 4, 32-5, 11). Nous les étudierons dans cet ordre en nous attardant essentiellement sur les points qui permettent d'envisager une éventuelle analogie avec le mouvement essénien.

---

1. Telle est l'interprétation que propose S. Aalen, « Reign » and « House » in the Kingdom of God in the Gospels, *NTS* 8, 1961-1962, p. 221. Il l'appuie notamment sur le témoignage de Tg Es 31, 4 et 5. Ce passage, même s'il est difficile de le dater avec précision, atteste, dans la tradition juive ancienne, la croyance que le Royaume du Seigneur s'établirait sur le mont Sion et qu'ainsi la puissance du Seigneur serait révélée sur Jérusalem. On peut ajouter que déjà Es 60, mettait explicitement en lien la parousie et Jérusalem. Dans la littérature intertestamentaire, *Psaumes de Salomon* 17, 21-29 et *2 Baruch* 40, 1-9 attestent pour leur part l'attente ardente de la délivrance finale qu'opérera le Roi-Messie à partir de la ville sainte. On consultera sur ce thème, pour l'Ancien Testament, G. von Rad, *Théologie,* II, p. 240-263, et, pour les littératures intertestamentaire et rabbinique, *Bill.,* IV, 2, p. 883-886, et P. Volz, *Eschatologie,* p. 225 et 371-372.

a | L'adjonction de Matthias au groupe des Douze

La majorité des auteurs s'accorde pour reconnaître, à l'arrière-plan d'Actes 1, 15-26, deux traditions relatives respectivement à la mort de Judas et au rétablissement du collège des Douze[1]. Leur origine jérusalémite est, le plus souvent, reconnue[2]. De fait, certains détails du récit trouvent des analogies dans le droit sacral juif et, plus particulièrement, dans les traditions sadocites.

Il s'agit d'abord et surtout de la procédure de désignation par tirage au sort[3]. Aucunement attestée, en milieu pharisien, pour la nomination des rabbins[4], elle était employée au Temple pour répartir les tâches cultuelles entre les prêtres[5]. Les zélotes, apparemment par souci de renouer avec un usage qu'ils jugeaient antique et que l'on trouve attesté à la fois dans l'Ancien Testament et dans le *Livre des Antiquités bibliques*[6], eurent recours à cet artifice pour choisir un personnage quelconque parmi les familles sacerdotales et l'élever à la dignité de grand prêtre[7]. Enfin, à Qumrân, le tirage au sort jouait un rôle essentiel dans l'admission des postulants au sein de la communauté. A chaque étape, le sort devait décider si le candidat était autorisé ou non à accéder au stade suivant[8]. Comme l'a fort pertinemment relevé A. Jaubert, la démarche suivie permettait d'associer choix humain, puisqu'une délibération des Nombreux précédait le verdict, et choix divin[9]. La situation, ajoute-t-elle, n'est pas sans évoquer Ac 1, 15-26. En effet, si deux candidats seulement ont été présentés (v. 23 : *estèsan*) pour succéder à Judas, c'est qu'il y a eu tri préalable parmi les disciples qui répondaient aux critères choisis, seuls les deux plus dignes étant retenus[10]. On retrouverait ainsi les analogies suivantes avec le mode qumrânien : « critères personnels

1. On trouvera un bon état de la question dans l'article d'A. Weiser, Die Nachwahl des Mattias (Apg 1, 15-26). Zur Rezeption und Deutung urchristlicher Geschichte durch Lukas, in *Zur Geschichte des Urchristentums* (Hrsg. von G. Dautzenberg, H. Merklein, K. Müller) (QD 87), Freiburg, Basel, Wien, 1979, p. 99-101, les n. 7 à 9, p. 100, fournissant une liste des tenants de ce point de vue.
2. Ainsi E. Trocmé, *Le « Livre des Actes »*, p. 200 ; E. Nellessen, Tradition und Schrift in der Perikope von der Erwählung des Mattias (Apg 1, 15-26), *BZ* 19, 1975, p. 205-218 ; A. Weiser, art. cit., p. 101-104, et J. Roloff, *Apostelgeschichte*, p. 30.
3. Sur ce point, on consultera A. Jaubert, in *Studia Evangelica*, vol. VI, p. 274-280.
4. A. Jaubert, art. cit., p. 278.
5. 1 Ch 24-26 ; Lc 1, 9 ; *Mishna Yoma* 2, 2-4 et *Mishna Tamid* 1, 4 ; 3, 5.6.9 ; 5, 4.5.
6. 1 Sa 10, 20-27 et *Livre des Antiquités bibliques* 25, 2 (à propos des désignations respectives de Saül et de Cénez).
7. Flavius Josèphe, *BJ*, IV, 152-157.
8. 1QS 6, 16.18.21.
9. A. Jaubert, in *Studia Evangelica*, vol. VI, p. 278.
10. A. Jaubert, art. cit., p. 280. Elle est suivie par J. Roloff, *Apostelgeschichte*, p. 34.

tenant à la vie et non à l'hérédité ; délibération préliminaire ; choix du sort
entre seulement deux solutions ; entrée dans un corps permanent (à Qumrân le groupe des Rabbim ; dans Luc le collège des Douze) »[1], soit une parenté beaucoup plus étroite qu'avec les procédures usitées au Temple ou
par les zélotes.

Si l'on se souvient par ailleurs de la symbolique des Douze comme noyau
de l'Israël eschatologique[2] et si l'on évoque, dans le même temps, la malédiction sans appel formulée, dans le *Rouleau de la Règle,* à l'encontre de celui qui
entre dans l'Alliance sans avoir libéré sa route de tout ce qui le détournait de
Dieu[3], on pourra mieux comprendre l'affirmation du v. 25*b* selon laquelle
Judas a abandonné sa place *(topon)* pour gagner celle qui est la sienne *(eis ton
topon ton idion).* C'est son lot, sa part d'héritage *(ton klèron :* v. 17) dans le
Royaume de Dieu, qu'il a délaissé au profit des ténèbres, à l'image des maudits de la communauté de l'Alliance[4].

Tels sont, selon nous, les traits de la péricope qui invitent à raisonner en
termes d'analogie avec les milieux esséniens, même si cela ne peut encore
aucunement suffire pour conclure à une dépendance.

b | Le récit de la Pentecôte

Le récit de la Pentecôte (Ac 2, 1-13) invite à poursuivre dans la même
direction. Il accorde en effet à la fête des Semaines une importance et une
signification conformes à celles que lui attribuaient les cercles esséniens[5]. Le
Livre des Jubilés — dont le calendrier solaire reste fidèle à un comput sacerdotal ancien et est semblable à celui qui avait cours parmi les sectaires des
bords de la mer Morte[6] — révèle ainsi que ces milieux célébraient le quin-

1. A. Jaubert, art. cit., p. 280.
2. Cf. p. 46.
3. 1QS 2, 11-17. Il est demandé à Dieu « qu'Il place son lot parmi ceux qui sont
éternellement maudits » (1QS 2, 17) (traduction empruntée à A. Dupont-Sommer,
Les écrits esséniens, p. 91).
4. Ainsi A. Jaubert, in *Studia Evangelica,* vol. VI, p. 279. Le concept de lot *(gôral)*
apparaît à Qumrân, où il revêt une importance fondamentale, à la fois pour désigner
la place que chacun occupe dans le conseil de Dieu (1QS 1, 10) ou parmi les maudits
(1QS 2, 17) et pour opposer dans leur ensemble ceux qui appartiennent respectivement à Dieu et à Bélial (1QS 2, 2.5...). Celui qui a part au lot des saints dans la
communauté appartiendra également à la plantation éternelle durant tout le temps à
venir (1QS 11, 7-9), sauf, bien sûr, s'il s'écarte de la voie. Il est ainsi question dans le
Testament de Job, écrit qu'il convient de situer dans la mouvance essénienne, de la destinée tragique d'Elihou qui a troqué la lumière pour les ténèbres *(TestJob* 28, 5-17).
5. Ainsi G. Kretschmar, *ZKG* 66, 1954-1955, p. 224-232 et 245 ; B. Noack,
ASTI 1, 1962, p. 73-95 ; R. Le Déaut, Pentecôte et tradition juive, *ASeign* 51, 1963,
p. 26-27 ; M. Delcor, *DBS,* VII, 1966, col. 876 ; J. Van Goudoever, *Fêtes et calendriers,* p. 258 ; J. Coppens, in *Qumrân,* p. 381.
6. Sur ce point, on consultera l'ouvrage d'A. Jaubert, *La date de la Cène,* Paris,
1957, p. 30-59.

zième jour du troisième mois comme celui du renouvellement de l'Alliance[1]
et rattachaient notamment à la fête le souvenir du don de la Loi à Moïse
sur le mont Sinaï[2]. Un fragment de l'*Ecrit de Damas,* découvert dans la
grotte IV de Qumrân et dont on attend toujours la publication[3], indique
d'autre part que la cérémonie la plus solennelle de la secte, celle qui marquait l'entrée dans l'Alliance[4], avait lieu ce jour-là[5]. C'était donc à l'occasion de la fête que les candidats qui avaient fait leurs preuves étaient définitivement admis dans la communauté après s'être engagés à respecter en
tous points les prescriptions divines[6].

Cette association entre fête des Semaines et célébration de l'Alliance
paraît être plus ancienne encore, comme le suggère 2 Ch 15, 10-15[7]. Pourtant, la littérature rabbinique ne nous livre aucun indice en faveur d'une telle
interprétation de la fête comme mémorial du don de la Loi ou jour des serments avant la ruine du Temple. Le *Talmud de Babylone*[8] montre encore Rabbi
Aqiba et Rabbi José le Galiléen discutant âprement la question de savoir si,
oui ou non, la Loi fut proclamée le jour de la fête des Semaines, ce qui pourrait indiquer que, même au temps de Trajan, voire d'Hadrien, le problème
restait débattu parmi les rabbins[9]. On peut ajouter que la polémique que
contient le *Livre des Jubilés* à l'encontre de ceux qui ont négligé cette fête et de
ceux qui, dans la génération contemporaine, la négligent encore[10] laisse

1. L'alliance avec Noé y est conclue ce jour-là (*Jubilés* 6, 10-11.17-21), tout
comme celle avec Abraham (15, 1-10), et il est bien précisé que c'est à cette date que
l'alliance en question sera renouvelée annuellement (6, 17).
2. *Jubilés* 1, 1.
3. 4QD[b].
4. Il est question de cette cérémonie en 1QS 1, 16-3, 12 ; 1QH 14, 8-22 et en
CD 15, 5-16, 9 ainsi que dans le fragment 1Q34 *bis.*
5. C'est ce qu'affirme J.-T. Milik, *Dix ans de découvertes dans le désert de Juda.* Préface
de R. de Vaux, o.p., Paris, 1957, p. 77.
6. 1QS 1, 16-18.
7. Ainsi déjà L. Finkelstein, *The Pharisees. The Sociological Background of their Faith,*
vol. 1-2. A Golden Jubilee Volume (The Morris Loeb Series), Philadelphia, 1938,
p. 116 et 667. Le texte des Chroniques, qui doit remonter au IIIe siècle avant notre ère
et qu'il convient, avec l'œuvre du Chroniste dans son ensemble, d'imputer à l'école
sacerdotale, fait mention d'une fête d'entrée dans l'Alliance (2 Ch 15, 12) qui a lieu le
troisième mois (v. 10) et au cours de laquelle la foule assemblée fait serment au Seigneur (v. 15). Il est particulièrement intéressant parce qu'il marque la transformation,
par le Chroniste, d'une « tradition concernant la purification du culte yahviste par
Asa » (1 R 15, 12) ... « en une fête du renouvellement de l'Alliance célébrée le jour de
la Pentecôte » (M. Delcor, *DBS,* VII, col. 866). De même, Ex 19, 1-6 paraît porter la
marque d'un réviseur sacerdotal qui a voulu suggérer que l'alliance au Sinaï avait eu
lieu à l'occasion de la fête des Semaines (ainsi J. Van Goudoever, *Fêtes et calendriers,*
p. 88). Ces deux témoins pourraient montrer que, avant l'épopée maccabéenne, un
mouvement s'était fait jour qui avait rapproché alliance et fête des Semaines. D'origine sacerdotale, il fut prolongé, et le cas est loin d'être le seul en matière de calendrier, par les milieux esséniens.
8. *Talmud de Babylone, Yoma 4b.*
9. Ainsi B. Noack, *ASTI* 1, 1962, p. 81. Des passages comme le *Seder Olam* 5 ;
Talmud de Babylone Pesahim 68b ; *Sifré Dt* 16, 8 indiquent pourtant que le débat fut
tranché assez rapidement en faveur de la coïncidence des deux événements.
10. *Jubilés* 6, 18-21.

entrevoir que, dès la fin du second siècle avant notre ère[1], la célébration des Semaines en tant que commémoration de l'Alliance et du don de la Loi avait été dédaignée par les milieux officiels qui ne voulaient plus y voir qu'une fête agraire alors que — et peut-être vaudrait-il mieux dire parce que — des cercles qui se trouvaient en marge lui accordaient une grande place[2].

Le fait que, selon Ac 2, 1-13, « l'Eglise est censée avoir débuté » le jour même où « la communauté qumrânienne réitérait l'Alliance, acceptait de nouveaux volontaires et s'agrégeait définitivement les candidats » ayant achevé leur noviciat constitue donc « une coïncidence intéressante »[3]. De même, les allusions aux traditions du Sinaï que l'on rencontre au fil du récit ne sont-elles sans doute pas simplement fortuites[4]. Elles font écho, par ailleurs, à des développements, de caractère midrashique, sur Ex 19, 16 et 20, 18.19 que l'on rencontre notamment chez Philon, auteur qui n'effectue pourtant aucun rapprochement entre don de la Loi et fête des Semaines[5]. Il y a donc, semble-t-il, de bonnes raisons de penser que c'est à partir d'une compréhension de la fête des Semaines proche de celle qui prévalait dans les milieux esséniens que la tradition sous-jacente au récit d'Ac 2, 1-13 a pu croître[6], tout en puisant également dans le fond plus

---

1. Nous rappellerons ici que d'assez nombreux indices invitent à dater le *Livre des Jubilés* du règne de Jean Hyrcan (134-104 av. J.-C.). Ainsi A. Caquot et M. Philonenko, Introduction générale, in *La Bible. Ecrits intertestamentaires,* p. LXXIV et LXXV.

2. Dans ce cas, le judaïsme aurait occulté cet aspect de la fête pour mieux s'opposer aux conceptions des sectaires qui, eux, y restaient fidèles. Ce ne serait qu'après la ruine du Temple et la disparition du mouvement essénien que les milieux pharisiens auraient renoué avec cette tradition finalement fort ancienne mais en accentuant un aspect qui, quoique présent dans la tradition sadocite, y était subordonné au renouvellement de l'Alliance, à savoir le don de la Torah (sur ce point, J. Potin, *La fête juive de la Pentecôte,* t. 1, p. 135 et 136, qui est suivi par R. Martin-Achard, *Essai biblique,* p. 65).

3. J. Coppens, in *Qumrân,* p. 381. Il se dit redevable, pour ce rapprochement, à G. Vermes, The Impact of the Dead Sea Scrolls on the Study of the New Testament, *JJS* 27, 1976, p. 111.

4. C'est ce que note, avec raison selon nous, M. Delcor, *DBS,* VII, col. 876.

5. Ainsi le bruit (*èchos :* v. 2), les langues de feu (*diamerizomenai glôssai :* v. 3), le miracle qui permet à chacun d'entendre les apôtres parler dans sa propre langue (*tè idia dialektô :* v. 6) trouvent-ils chacun leur correspondant dans le passage où Philon, *De Decalogo* 33-47, décrit le don de la Loi (Ex 19-20). A partir d'un bruit *(èchon)* invisible qui se transforme en un feu flamboyant puis en une voix articulée (§ 33), Dieu réalise un prodige : la flamme se transmue en un langage *(eis dialekton)* familier aux auditeurs ; les paroles sont formulées si clairement qu'on a l'impression de les voir plutôt que de les entendre (§ 46). Des traditions ultérieures précisent que la voix divine s'est partagée en soixante-dix langues permettant à chaque peuple d'entendre (Exode Rabba 5, 9 ; 28, 6...). On pourra consulter, sur tous ces points et pour d'autres rapprochements encore possibles entre Ac 2, 1-13 et les traditions juives relatives à l'alliance sinaïtique, J. Dupont, La première Pentecôte chrétienne, *ASeign* 51, 1963, p. 43-46.

6. J. Van Goudoever, *Fêtes et calendriers,* écrit ainsi : « On peut se demander si le début des Actes n'est pas influencé par la tradition sadocite, puisque les Actes sont écrits avant que la Fête des Semaines ne se développât dans le Judaïsme » (p. 258). Il ajoute, toujours à propos de la Pentecôte : « Seuls, les Chrétiens venus d'une tradition essénienne ont pu la célébrer comme une fête appartenant à leur propre passé » (p. 299).

large des légendes qui fleurissaient, dans le judaïsme d'alors, autour de l'événement du Sinaï. Tous ces éléments plaident, selon nous, en faveur, de son enracinement dans le judéo-christianisme palestinien des premiers temps[1]

c | Les passages relatifs à la communauté des biens

Les passages relatifs à la communauté des biens ont été rapprochés, sans qu'une telle perspective soit dénuée de fondement car l'auteur à Théophile s'adresse à des gens cultivés de son temps, de l'utopie prônée par certains philosophes grecs[2] et réalisée, apparemment, dans les cercles pythagoriciens[3]. Pourtant, dans la Palestine du début de notre ère, cet idéal social avait pris corps chez les esséniens, à Qumrân. Philon peut ainsi vanter longuement la vie communautaire « supérieure à tout éloge » de ces « athlètes de vertu » qui « vivent sans bien et sans possession »[4]. Leur mépris pour les richesses et le mélange de leurs avoirs provoquent aussi l'admiration de Flavius Josèphe[5] et de Pline l'Ancien[6]. Les manuscrits de la mer Morte ont confirmé que les esséniens ont pratiqué la mise en commun de leurs biens, du moins dans la maison mère de Qumrân[7], et nous ont appris qu'elle s'effectuait selon un processus progressif au cours de l'admission dans la secte[8]. Les parallèles que

---

1. Nous partageons ainsi notamment l'avis de G. Kretschmar, *ZKG* 66, 1954-1955, p. 214-215 et 244-245, et d'A. Weiser, *Apostelgeschichte*, 1-12, p. 78. Les développements qui suivront sur le thème « Pierre et les traditions relevant de l'étiologie cultuelle au sein de l'Eglise primitive de Jérusalem » (p. 164-216) étaieront cette hypothèse.

2. C'est dans cette direction que s'orientent des auteurs tels E. Plümacher, *Lukas als hellenistischer Schriftsteller. Studien zur Apostelgeschichte* (*SUNT* 9), Göttingen, 1972, p. 16-18 ; D. L. Mealand, Community of Goods and Utopian Allusions in Acts II-IV, *JThS* 28, 1977, p. 96-99 ; L. Schottroff, W. Stegemann, *Jesus von Nazareth — Hoffnung der Armen* (« Urban Taschenbücher », 639), Stuttgart, Berlin, Köln, Mainz, 1978, p. 150-153. Ils renvoient notamment à Platon, *Respublica*, III, 416*d* ; V, 457*cd* et 462*c*, à Aristote, *Ethica Nicomachea*, IX, 8, p. 1168*b*, et aux auteurs dont il sera question à la note suivante. Ils ont en général tendance à mettre le « communisme d'amour » décrit dans les sommaires des Actes au compte de l'auteur à Théophile.

3. Selon Diogène Laërce 8, 10, Pythagore aurait enseigné la communauté des biens à ses disciples, témoignage que confirme Jamblique, *De Vita Pythagorica*, 17, 72-74 ; 18, 81 ; 30, 167-168, qui parle même de la mise des biens du novice au bénéfice de la communauté au cours de la procédure d'admission, ce qui n'est pas sans évoquer la réglementation essénienne (cf. n. 8 de cette page).

4. Philon, *Quod omnis probus liber sit*, 91 ; 88 et 77. On peut noter que l'ensemble de la notice qu'il consacre aux esséniens dans les § 75-91 de cet ouvrage s'articule autour du thème de la vie communautaire.

5. Flavius Josèphe, *BJ*, II, 122.

6. Pline l'Ancien, *Historia Naturalis*, V, 17, 4.

7. Parmi les textes en notre possession, les plus topiques sont 1QS 1, 11-13 ; 5, 2 et 6, 16-25. CD 13, 11 mentionne certes un examen des biens de quiconque intégrera la « Nouvelle Alliance au pays de Damas » mais ne peut autoriser à conclure que les exigences étaient les mêmes dans les communautés sœurs et dans la maison mère.

8. 1QS 6, 16-23. On a là une analogie avec les données relatives aux cercles pythagoriciens (cf. n. 3 de cette page).

l'on peut établir entre ces usages et ceux que nous révèlent les récits des *Actes* sont d'autant plus intéressants que l'on ne peut trouver, dans le judaïsme palestinien de l'époque, d'autres milieux dans lesquels prévalait une telle communauté des biens[1].

Il convient donc de conduire plus avant notre enquête afin d'éprouver si, dans le détail, les analogies entrevues trouvent confirmation. Pour ce faire, délaissant les sommaires (Ac 2, 44.45 ; 4, 32-35), nous étudierons les récits relatifs respectivement à l'attitude de Joseph Barnabas (4, 36.37) et aux mésaventures d'Ananias et de Saphira (Ac 5, 1-11). Le premier nous semble authentifier l'information sur laquelle se fonde l'auteur à Théophile. Il montre en effet que l'on devait parler à Antioche, avec fierté et admiration, de Barnabas qui avait encore appartenu à cette génération fondatrice qui, à Jérusalem, pratiquait la communauté des biens[2]. Quant au second, il contient nombre de traits intéressants pour notre propos[3].

Ce qui y est reproché à Ananias puis à sa femme, c'est d'avoir menti en matière de biens. Or c'est là la première infraction sanctionnée par le code pénal qumrânien que nous a conservé le *Rouleau de la Règle*[4], encore que la peine encourue par le coupable — à savoir une exclusion d'un an — y soit moins sévère que le châtiment subi par les deux époux et soit exécutée par la communauté et non par Dieu lui-même. Parallèlement, l'opposition entre *ho Satanas* et *to pneuma to hagion,* autour de laquelle s'articule Ac 5, 3, n'est pas sans évoquer celle que l'instruction sur les deux Esprits établit entre Esprits de vérité et de perversion[5]. Un détail du v. 4 pourrait de même être éclairé par l'usage qumrânien. Pierre y rappelle en effet à Ananias que, quoiqu'il eût cédé son terrain, le produit de la vente restait à sa disposition *(en tè sè exousia),* expression dont le substrat sémitique doit être BYD. Or les candidats désireux d'intégrer la communauté des bords de la mer Morte faisaient d'abord, à ladite communauté, un abandon conditionnel de leurs biens, et, dans le passage qui s'y rapporte, le terme BYD désigne justement le compte bloqué dans lequel était préservé le bien des novices (1QS 6, 20). Il ne peut donc être exclu que la communauté primitive de Jérusalem ait eu recours au

1. Ce point est bien mis en évidence par H. Braun, *Qumran und das Neue Testament,* I, p. 149.

2. Ainsi M. Hengel, *Eigentum und Reichtum in der frühen Kirche. Aspekte einer frühchristlichen Sozialgeschichte,* Stuttgart, 1973, p. 41.

3. Parmi l'abondante littérature existant à ce sujet, nous renverrons plus particulièrement aux études de J. Schmitt, Contribution à l'étude de la discipline pénitentielle dans l'Eglise primitive à la lumière des textes de Qumrân, in *Les Manuscrits de la mer Morte. Colloque de Strasbourg 25-27 mai 1955* (Bibliothèque des Centres d'Etudes supérieures spécialisées), Paris, 1955, p. 100-107, et *DBS,* IX, 1979, col. 1007-1009 ; d'E. Trocmé, *Le « Livre des Actes »,* p. 197-199 ; de H. Braun, *Qumran und das Neue Testament,* I, p. 143-149 ; de H.-J. Klauck, Gütergemeinschaft in der klassischen Antike, in Qumran und im Neuen Testament, *RdQ* 11, 1982, p. 78, et de R. Riesner, *BiKi* 40, 1985, p. 75.

4. 1QS 6, 24-25.

5. 1QS 3, 18-4, 26. J. Schmitt, *DBS,* IX, 1979, c. 1008, insiste sur cette parenté.

système essénien d'abandon conditionnel de la propriété[1]. L'auteur qui a relevé cette similitude, B. J. Capper, est allé encore plus loin dans l'analyse, suggérant que la double question que Pierre adresse à Ananias au début du verset *(ouchi menon soi emenen kai prathen en tè sè exousia hupèrchen)* se rapporterait en fait à un processus d'entrée progressive dans la vie communautaire, le premier volet ayant trait à une phase catéchétique introductive (avant que tu vendes ce terrain, ne restait-il pas à toi ?) et le second à une étape au cours de laquelle les convertis auraient, en quelque sorte, dû vendre leurs biens et confier l'argent à la collectivité, tout en conservant un droit sur lui jusqu'à leur adhésion définitive au groupe (et, après qu'il fut vendu, ne demeurait-il pas à ta disposition ?)[2]. Il nous paraît clair que Capper force ici le texte et néglige un élément essentiel, à savoir que la communauté des biens ne revêtait pas, à Jérusalem, le caractère obligatoire qu'elle avait à Qumrân. C'est ce qu'indique justement la première apostrophe de Pierre. Il n'en demeure pas moins que la vente de leurs biens semble avoir conféré, à ceux qui l'effectuaient, une dignité particulière, comme nous l'a déjà montré l'exemple de Barnabas. Accédaient-ils ainsi au groupe des « parfaits » qui aurait constitué le noyau de la communauté jérusalémite[3] ? L'hypothèse est à prendre d'autant plus au sérieux qu'aux versets 6 et 10 apparaissent respectivement les termes *hoi neôteroi* et *hoi neaniskoi* pour désigner des jeunes gens, chargés de tâches subalternes, qui pourraient bien avoir été, de fait, des novices[4].

Toutes ces similitudes, teintées aussi, nous l'avons vu, de dissemblances,

---

1. Pour une démonstration plus complète et une conclusion beaucoup plus assurée que la nôtre, nous renverrons à l'article de B. J. Capper, « In der Hand des Ananias... » Erwägungen zu IQS VI, 20, und der urchristlichen Gütergemeinschaft, *RdQ* 12, 1986, p. 223-236, dont nous avons suivi de très près le résumé final (p. 235 et 236).

2. B. J. Capper, The Interpretation of Acts 5, 4, *JSNT* 19, 1983, p. 117-131.

3. Telle est la question que pose, en y répondant par l'affirmative et en renvoyant également à Mt 19, 21 *(teleios)*, E. Trocmé, *Le « Livre des Actes »*, p. 196-199.

4. Ainsi J. Schmitt, *DBS*, IX, col. 1008, a-t-il noté que le comparatif *neôteroi* trouve son pendant dans les *presbuteroi* d'Ac 15, 6, ce qui pourrait révéler l'existence d'une communauté hiérarchisée selon un principe que l'on rencontre également à Qumrân (1QS 2, 19-23 ; 5, 20-24 ; 6, 13-23 ; Flavius Josèphe, *BJ*, II, 150 ; et peut-être 4Q502). On peut ajouter que les deux termes *neôteroi* et *presbuteroi* se trouvent associés en 1 P 5, 5, passage où est requise la soumission des « jeunes gens » aux anciens. Quant au vocable *neaniskoi*, il pourrait représenter également une catégorie particulière parmi les membres de la communauté. 1 Jn 2, 13-14 mentionne ainsi, dans une adresse à l'ensemble des destinataires, les *neaniskoi* aux côtés des petits enfants et des pères. Ils sont dits forts parce que la parole de Dieu est en eux et qu'ils ont vaincu le mal (v. 14), description qui permet de penser qu'il s'agit de néophytes, tout comme pourraient l'être les « jeunes hommes » respectivement mis en scène en Mc 14, 51-52 et 16, 5 (sur ce point, C. Grappe, *RHPhR* 65, 1985, p. 120) et en Mt 19, 20 (à ce sujet E. Trocmé, *Le « Livre des Actes »*, p. 189). La vraisemblance d'une telle hiérarchisation de la communauté est à prendre d'autant plus sérieusement en compte que, nous l'avons vu, les *haburôth* pharisiennes connaissaient aussi une procédure d'admission progressive (p. 40). Cependant cette dernière n'impliquait pas l'application de règles à caractère rituel et ne requérait pas la mise en commun de biens. C'est pourquoi les parentés avec la notice des Actes sont à chercher d'abord dans la mouvance qumrânienne.

invitent à prendre en compte l'influence d'un mode de pensée qumrânien sur la communauté primitive, même si cette dernière n'a pas reproduit servilement le modèle essénien mais semble plutôt s'en être inspirée librement[1].

II – Une confirmation archéologique ?

Est-il possible de préciser davantage le cheminement d'une telle influence ? Certaines données qu'ont récemment livrées les fouilles archéologiques[2] le permettent peut-être, encore qu'il convienne de demeurer, nous le verrons, prudent en la matière. Elles concernent le lieu d'implantation de la communauté primitive de Jérusalem et l'existence d'un quartier essénien dans la ville sainte.

a | Le lieu d'implantation de la communauté primitive de Jérusalem

La tradition situe, depuis les temps les plus reculés, l'installation de la première assemblée jérusalémite sur la colline occidentale, encore appelée mont Sion. Les fouilles récentes ont confirmé l'occupation de ce secteur à l'époque néo-testamentaire[3], même s'il fut abandonné par la suite, conséquemment à la ruine du Temple en l'an 70 de notre ère[4], avant de connaître

1. Ainsi H. Braun, *Qumran und das Neue Testament*, I, p. 148.
2. Nous suivrons ici de très près l'article de R. Riesner, *BiKi* 40, 1985, p. 64-76, tout en le résumant bien entendu. La thèse qu'il y défend n'a eu jusqu'à présent, à notre connaissance du moins, que peu d'écho dans le domaine de l'exégèse francophone. Il nous a donc paru important — après avoir vérifié, autant que cela s'est avéré possible, les références fournies, en avoir précisé ou rectifié certaines et ajouté l'une ou l'autre — d'en présenter la substance au lecteur d'autant que les revues ou ouvrages dans lesquels elle a été présentée ne connaissent pas une très large diffusion en France. R. Riesner a exposé également cette thèse dans la deuxième édition de son opuscule, *Formen gemeinsamen Lebens im Neuen Testament und heute* (« Theologie und Dienst », 11), Gießen, 1984, p. 26-36, et dans une contribution à paraître in *The Dead Sea Scrolls and the New Testament* (ed. J. H. Charlesworth). Ses travaux s'inscrivent dans la ligne de ceux de B. Pixner, An Essene Quarter on Mount Zion ?, in *Studia Hierosolymitana I : Studii archeologici (in onore di B. Bagatti)* (*SBF. CMa* 22), Gerusalemme, 1976, p. 245-284 ; Id., Sion III, « Nea Sion ». Topographische und geschichtliche Untersuchung des Sitzes der Urkirche und seiner Bewohner, *H/L* 111 [Heft 2/3], 1979, p. 3-13 ; Id., Noch einmal das Prätorium. Versuch einer Lösung, *ZDPV* 95, 1979, p. 56-86 ; Id., Das Essenerquartier und dessen Einfluß auf die Urkirche, *H/L* 113 [Heft 2/3], 1981, p. 3-14 ; Id., Unravelling the Copper Scroll Code : A Study on the Topography of 3Q15, *RdQ* 11, 1983, p. 323-365 ; Id., in *Festschrift L. Klein,* p. 65-76.
3. M. Broshi, Excavations on Mount Zion — Preliminary Report, 1971-1972, *IEJ* 26, 1976, p. 83-85 ; Id., Excavations in the House of Caïphas, Mount Zion, in *Jerusalem Revealed. Archeology in the Holy City 1968-1974* (edited by Y. Yadin), New Haven, London, Jerusalem, 1976, p. 57-58, mentionne la mise au jour de luxueuses habitations hérodiennes, tandis qu'un sondage réalisé, en 1980, dans le cloître franciscain sis au nord du Cénacle traditionnel a permis la découverte d'habitations de l'époque néo-testamentaire (B. Bagatti, E. Alliata, Ritrovamenti archeologico sul Sion, *SBFLA* 31, 1981, p. 249-256).
4. C'est ce qu'ont encore montré les fouilles de M. Broshi, art. cit., qui sont ainsi venues confirmer le témoignage d'Eusèbe, *Demonstratio Evangelica*, VI, 13, 17 (§ 273) (cf. J.-P. Migne, *PG* 22, c. 436 B), qui, à l'occasion d'une visite de la colline au début du IVᵉ siècle, y avait vu des Romains cultiver les champs.

un nouvel essor au cours du second quart du IVᵉ siècle[1]. La découverte, dans ce quartier, et plus précisément dans le prétendu « Tombeau de David », d'une niche et de graffiti pourrait, dès lors, se révéler intéressante. La niche, dont on a retrouvé des exemplaires semblables ailleurs dans des synagogues[2], est orientée en effet non pas en direction du Temple mais du Golgotha[3]. Quant aux graffiti, exhumés par J. Pinkerfeld à l'occasion d'un sondage en 1951[4], ils pourraient être judéo-chrétiens[5]. Cette double trouvaille archéologique paraît s'harmoniser avec le témoignage d'Epiphane selon lequel Hadrien, quand, lors d'un voyage de reconnaissance dans l'est de l'Empire (en 125 apr. J.-C. environ), il visita Jérusalem, « trouva toute la ville détruite et le Temple du Seigneur anéanti, en dehors de quelques bâtisses, telles que la petite église de Dieu, sise sur le lieu où les disciples, après l'ascension de leur Sauveur sur le mont des Oliviers, retournèrent et montèrent à l'étage. Elle était construite là, sur le mont Sion »[6]. Nous avons donc tendance à penser que l'édifice judéo-chrétien en question, certes différent du bâtiment de l'époque néo-testamentaire, pourrait avoir préservé le souvenir de sa tradition locale[7]. En toute hypothèse, il faut constater qu'il y a eu à Jérusalem une présence judéo-chrétienne quasi constante du Iᵉʳ au IVᵉ siècle avec seulement

1. Cette expansion nouvelle fut l'un des nombreux aspects de la remise en valeur de la ville sainte dès l'aube de la période byzantine.
2. R. Riesner, *BiKi* 40, 1985, p. 67, cite celles de Doura Europos, d'Eschtemoa (sud de la Judée) et de Naveh (Batanée). Il ajoute qu'elles étaient destinées à accueillir la Torah et qu'un exemplaire, antérieur à 70, a été retrouvé à Gamla (Gaulanitide).
3. L'information est confirmée par E. Puech, *MdB* 57, 1989, p. 19, qui, comme le titre de son article l'indique, discerne lui aussi dans la construction un lieu de culte chrétien.
4. J. Pinkerfeld, « David's Tomb ». Notes on the History of the Building (Preliminary Report), in *Fund for the Explorations of Ancient Synagogues Bulletin 3,* Jerusalem, 1960, p. 41-43.
5. C'est là, du moins, l'avis d'E. Testa, *Il Simbolismo dei Giudeo-Cristiani* (*SBF. CMa* 14), Jérusalem, 1962, p. 492, qui les a déchiffrés et interprétés. Ils utiliseraient, selon lui, le langage symbolique des judéo-chrétiens et l'un d'entre eux jouerait sur le Ps 110, 1, passage dont on sait la place qu'il a occupée dans le « christianisme primitif » (cf. Mc 12, 36 et // ; Mc 14, 62 et // ; Ac 2, 34-35 ; 1 Co 15, 25 ; He 1, 13 ; 10, 12. 13). On y lit en fait *IOU IE[SOUS] ZĒ[SŌ] KI[RI]E AUTOKRATOROS,* soit « ô Jésus, que je vive, Seigneur tout puissant ! », si l'on accepte la restitution que Testa propose des lettres manquantes. Pareille lecture n'est pas impossible même si elle demeure conjecturale. Quant au lien avec le Psaume 110, 1, c'est assurément aller bien vite en besogne que le tenir pour acquis. Cela n'empêche pourtant pas que nous ayons là, après l'orientation de l'édifice, un nouvel indice, qui convainc également E. Puech, *MdB* 57, 1989, p. 19, en faveur d'une éventuelle présence chrétienne en ce lieu.
6. Epiphane, *De mensuris et ponderibus* 14 (J.-P. Migne, *PG* 43, c. 260 D et 261 A). On peut ajouter ici qu'Eutyche, patriarche d'Alexandrie qui vécut dans la première moitié du Xᵉ siècle mais s'appuie sur des sources nettement plus anciennes, rapporte que le reste de la communauté jérusalémite revint de Jordanie dans la ville sainte, sous la direction de Simon Bar Kleophas, la quatrième année du règne de Vespasien (72-73 de notre ère) et y construisit une église (*Annales*. Cf. J.-P. Migne, *PG* 111, c. 985). Pour d'autres références encore, on se reportera à B. Bagatti, *Alle Origini della Chiesa. I. Le comunità giudeo-cristiane* (« Storia e Attualità »), Città del Vaticano, 1981, p. 7-17, ou à B. Pixner, in *Festschrift L. Klein,* p. 65-67 et n. 6, p. 74.
7. Avec R. Riesner, *BiKi* 40, 1985, p. 68.

des interruptions fort brèves. Il y a donc de bonnes raisons de suivre le P. Benoit quand il accorde crédit au souvenir que la communauté de cette obédience faisait du « berceau de la "Sainte Sion" où elle résidait elle-même »[1].

b | L'existence éventuelle d'un quartier essénien dans la ville sainte

Le passage dans lequel Flavius Josèphe décrit le mur d'enceinte de Jérusalem en affirmant que, de la tour Hippicos, il « atteignait le lieu-dit *Bethso,* la porte des Esséniens ; puis, de là, au sud... s'infléchissait jusqu'au-delà de la source de Siloé »[2] pourrait trouver toute sa signification à la lumière des fouilles entreprises par Bliss et Dickie[3] et prolongées récemment par B. Pixner, S. Margalit et D. Chen[4]. Si Bliss et Dickie ont mis au jour un fragment de la muraille et la porte décrite par Josèphe, les dernières recherches ont montré que le rempart remonte à la période hasmonéenne et que la porte n'y fut percée qu'après coup, au début de la période hérodienne. Son creusement apparaît insolite en raison de la raideur de la pente en cet endroit. Elle pourrait, de fait, n'avoir été conçue qu'à l'usage de piétons qui se seraient rendus, en l'empruntant, aux latrines — *Beit zo'ah* en araméen, expression que Josèphe aurait rendue par son mystérieux *Bethso*[5] — situées hors les murs pour éviter toute contamination de la ville sainte[6]. Ces gens, soucieux à l'extrême de pureté rituelle, semblent bien avoir été des esséniens. La découverte, dans le quartier, au cours des fouilles, d'un réseau de bains

1. P. Benoit, Le prétoire de Pilate à l'époque byzantine, *RB* 91, 1984, p. 177.
2. Flavius Josèphe, *BJ*, V, 145. Nous avons emprunté la traduction à A. Pelletier *in* Flavius Josèphe, *Guerre des Juifs*, t. III, p. 128.
3. F. J. Bliss, *Excavations at Jerusalem, 1894-1897*, Jérusalem, 1898, p. 16-18, et F. J. Bliss, Third Report on the Excavations at Jerusalem, *PEFQSt*, 1895, p. 12.
4. Le compte rendu des fouilles n'étant pas encore paru, l'information de R. Riesner, *BiKi* 40, 1985, p. 71, repose ici sur les renseignements que lui a communiqués personnellement B. Pixner.
5. Déjà E. Robinson, *Palästina und die südlich angrenzenden Länder. Zweiter Band,* Halle, 1841, n. 4, p. 117 et 118, avait suggéré qu'il s'agissait de la translittération de l'expression araméenne *Beit zo'ah* et que le mot désignait en fait l'emplacement des latrines.
6. Il convient d'évoquer ici un passage du *Rouleau du Temple* : « Tu aménageras pour eux un certain endroit, en dehors de la ville. C'est là qu'ils iront, à l'extérieur, au nord-ouest de la ville. Tu y feras des édicules, des charpentes avec des fosses au milieu dans lesquelles descendra l'excrément *[zo'ah]*, et ce ne sera visible de personne, étant éloigné de la ville de trois mille coudées » (11QMiqd 46, 13-16) (traduction empruntée à A. Caquot, in *La Bible. Ecrits intertestamentaires*, p. 105). Cette prescription, dont la formulation est antérieure, comme nous le verrons, au retour d'une communauté essénienne dans la ville sainte puisqu'elle remonte à tout le moins au règne de Jean Hyrcan (cf. A. Caquot, *op. cit.,* p. XLVIII) alors que cette réimplantation doit être située vraisemblablement sous Hérode, n'a sans doute pas pu être appliquée en totalité dans les faits. Le principe essentiel, celui qui visait à « aller » dans un lieu retiré (cf. Flavius Josèphe, *BJ*, II, 148 et 149) situé en dehors du camp, conformément au précept énoncé en Dt 23, 13, aura été respecté mais il aura fallu transiger sur la distance.

rituels tend à le confirmer[1]. Un autre de ces bains, double et datant de la période hérodienne, a d'ailleurs été mis au jour sur le chemin qui conduisait de la porte au *Bethso*. Creusé dans le roc, il était alimenté par des conduites d'eau provenant de citernes situées *intra muros* et dont on peut imaginer qu'elles appartenaient aux membres de la secte, désireux d'éviter toute pollution et de contrôler l'approvisionnement des bassins dans lesquels ils se purifiaient[2].

Si l'on se fie à ces données archéologiques, l'existence d'un établissement essénien à Jérusalem pourrait remonter au règne d'Hérode le Grand. Or ce souverain, ainsi que nous l'apprend Flavius Josèphe, se montrera bienveillant envers les esséniens, reconnaissant sans doute du fait que Menahem, l'un d'entre eux, lui avait prédit qu'il accéderait au trône, encore que cette annonce ait été assortie de considérations moins encourageantes sur sa destinée ultime[3]. Mais peut-être le monarque avait-il préféré ne se souvenir que de l'avenir heureux qui lui avait été révélé. Parallèlement, même si les questions de date demeurent ici l'objet d'un débat tout comme d'ailleurs celles qui ont trait à l'historicité même du phénomène, il est possible que le monastère qumrânien ait été déserté par ses occupants au début de son règne[4]. Pourquoi, dès lors, ne pas envisager que des esséniens se soient réinstallés, à ce moment-là, dans la ville sainte[5] ? Et, même si l'on se refuse à la dater trop précisément, comment ne pas admettre que des indices convergents de plus en plus nombreux invitent à postuler une présence essénienne sur la colline de Sion dès avant le tournant de notre ère et sans doute jusqu'à la ruine du Temple[6] ?

1. R. Riesner, *BiKi* 40, 1985, p. 73, révèle que pas moins de cinq ont déjà été retrouvés.
2. R. Riesner, *BiKi* 40, 1985, p. 73 et 74. L'explication de la proximité du *Bethso* par rapport au quartier essénien pourrait nous être fournie par ce détail. Sans doute n'eût-il pas été possible d'opérer le même contrôle sur un bassin situé beaucoup plus loin. Il peut être utile de rappeler ici que le *Rouleau du Temple* légifère pour une époque où les esséniens auront accédé au pouvoir, ce qui n'était bien entendu pas le cas au début de notre ère. Dans cette hypothèse, le peuple entier eût respecté les règles qu'ils s'étaient fixées. Il eût alors été concevable de placer au loin un lieu qui, pour éliminer la souillure, devait être approvisionné en eau pure.
3. Flavius Josèphe, *AJ*, XV, 371-379. On ne peut exclure toutefois, avec S. Sandmel, *Judaism,* New York, 1978, p. 165 et 166, que l'attitude favorable d'Hérode envers les sectaires ait reposé sur des motifs d'ordre stratégique. Il trouvait en effet en eux d'aussi farouches opposants à la dynastie hasmonéenne que lui.
4. Ainsi R. de Vaux, *L'archéologie et les manuscrits de la mer Morte* (« The Schweich Lectures of the British Academy »), London, 1961, conclut-il à un abandon du site en l'an 31 avant notre ère (p. 15-19), sa réoccupation ayant lieu au début du règne d'Archelaüs (entre 4 et 1 av. J.-C.) (p. 26-28).
5. Ainsi B. C. Daniel, Nouveaux arguments en faveur de l'identification des Hérodiens et des Esséniens, *RdQ* 7, 1969-1971, p. 397-402 ; S. Sandmel, *Judaism,* p. 165 et 166 ; E. Bammel, Sadduzäer und Sadokiden, *EThL* 55, 1979, p. 113 et 114 ; B. Pixner, *HlL* 113/2-3, 1981, p. 4 ; R. Riesner, *BiKi* 40, 1985, p. 69-74 ; E. Ruckstuhl, Zur Chronologie der Leidensgeschichte Jesu, *SNTU* 10, 1985, p. 47.
6. Nous pensons bien sûr au témoignage de Josèphe, désormais éclairé par les fouilles successives.

Jérusalem au temps de Jésus

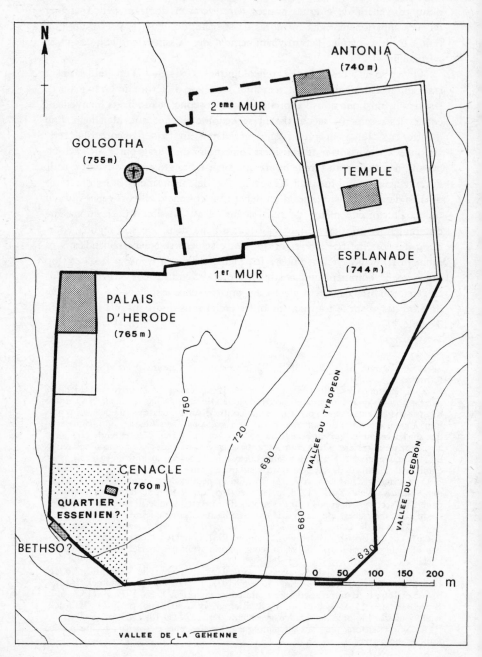

Les fouilles du quartier essénien supposé de Jérusalem

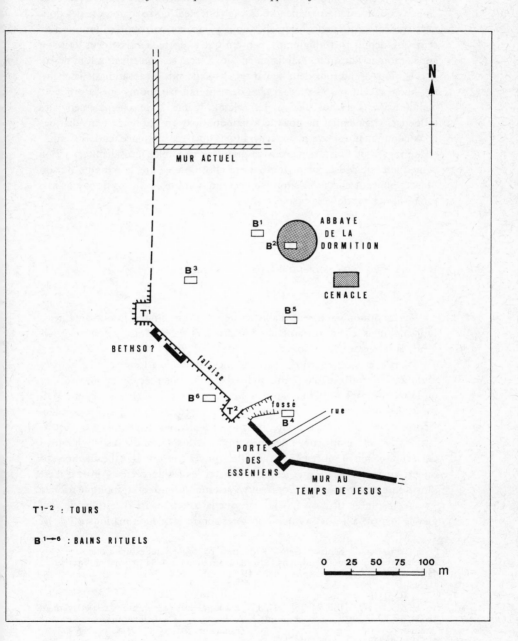

Toutefois, il faut convenir que les résultats des fouilles dont nous venons de faire état restent encore presque confidentiels et n'ont fait l'objet d'aucun rapport officiel. Il importe donc de demeurer prudent. Nous nous garderons en conséquence de faire dépendre trop étroitement notre hypothèse des données archéologiques encore qu'elles nous paraissent corroborer l'intuition de ceux qui, depuis fort longtemps, pensent que la porte des Esséniens doit son appellation au fait qu'un établissement de la secte se trouvait non loin de là[1]. A cela, nous ajouterons deux remarques : même si la localisation de la chambre haute n'était pas assurée, il n'en demeurerait pas moins que la première communauté s'est installée à Jérusalem ; même si le cheminement des influences esséniennes ne pouvait s'expliquer par un voisinage immédiat des deux communautés, cela n'empêcherait pas que leur existence tende à s'imposer au regard de l'historien. Ainsi la première assemblée jérusalémite, tout en demeurant soucieuse, avant toute autre chose, de suivre le message de son Maître, pourrait-elle avoir adopté un certain nombre de dispositions en s'inspirant librement de l'essénisme.

III – AUTRES INDICES D'UNE INFLUENCE ESSÉNIENNE

Les emprunts paraissent d'ailleurs ne pas s'être limités au domaine institutionnel mais avoir concerné aussi le discours théologique et, plus précisément, la réflexion christologique.

On notera à cet égard que la riche messianologie attestée par les écrits à Qumrân a pu fournir aux premiers chrétiens une aide précieuse pour surmonter leurs interrogations consécutives aux apparitions *post mortem* de leur Maître. Ils auront, pour ce faire, puisé dans l'enseignement de Jésus et dans les Ecritures mais aussi, sans doute, dans les spéculations de ce milieu qui méditait depuis longtemps sur la destinée tragique du Maître de Justice, lui aussi persécuté et mis à mort par les autorités juives[2], et qui était beaucoup plus ouvert au messianisme que les pharisiens et les sadduccéens. Ainsi, il n'est sans doute pas fortuit que l'on trouve attesté à Qumrân et appliqué à Dieu l'usage absolu du titre *maré*, Seigneur, que la communauté palestinienne assigna également à Jésus[3], et que l'on y rencontre les dénominations « Fils de

---

1. Ainsi déjà E. Schürer, *Geschichte,* II, n. 5, p. 657-658 qui estimait que son hypothèse trouvait quelque appui dans l'attestation fréquente de la présence d'esséniens à Jérusalem (cf. Flavius Josèphe, *AJ,* XIII, 311-312 ; XV, 373-378 ; XVII, 346 ; *BJ,* II, 567).
2. 1QpHab 11, 4-6.
3. Ainsi 11QTgJob 24, [5].7 ; 26, 8, passages qui paraphrasent respectivement Jb 34, 10.12 et 35, 13. Sur ce point, J. A. Fitzmyer, The Contribution of Qumran Aramaic to the Study of the New Testament, *NTS* 20, 1974, p. 386-391, et J. Schmitt, *DBS,* IX, col. 1010.

Dieu » et « Fils du Très-Haut » affectées, en contexte apocalyptique, à un être humain promis à une glorieuse destinée[1].

Il apparaît par ailleurs que les premiers chrétiens adoptèrent « une méthode et une tradition exégétiques proches de celle des esséniens par l'intrépidité avec laquelle elles appliquent à la situation de leur temps (...) les prophéties de l'Ancien Testament »[2]. Cette herméneutique semblable trouve diverses illustrations. Ainsi J. A. Fitzmyer a-t-il relevé, tout en s'en tenant aux citations explicites de l'Ecriture et en n'envisageant pas les commentaires bibliques, qu'à Qumrân de nombreux textes scripturaires furent appliqués à l'histoire récente de la secte[3]. De son côté, E. Jucci a montré que le genre littéraire du *pesher* qumrânien ne s'explique que si l'on prend en compte la conviction propre à la communauté dont il émane, à savoir la certitude de vivre à une époque décisive où Ecritures et prophéties trouvent leur accomplissement[4]. Quant à J. Schmitt, qui a adopté une perspective plus restreinte mais encore plus éclairante pour notre propos, il a constaté que les « mêmes citations de l'Ancien Testament se trouvent reproduites et mises en valeur dans les quinze premiers chapitres des Actes, dans les textes communautaires de Qumrân et dans les vestiges de la chrétienté antérieurs à Paul »[5]. Ainsi, en matière de christologie, observe-t-on la valorisation commune des thèmes du Nouveau Moïse[6], du Messie descendant de David[7], du Serviteur « lumière des nations »[8], du Serviteur souffrant et glorifié[9], de l'Oint du Seigneur victime d'un complot[10] et l'utilisation du Psaume 118[11].

Un dernier élément nous paraît mériter d'être adjoint au dossier. Il nous semble en effet que la mutation apparemment insolite que connut le mouve-

1. Le document où elles apparaissent est 4QpsDan Aa [= 4Q246] 1, 9-2, 1.
2. E. Trocmé, in *Histoire des religions,* II, p. 200.
3. J. A. Fitzmyer, The Use of Explicit Old Testament Quotations in Qumran Literature and in the New Testament, *NTS* 7, 1960-1961, p. 297-333. Il mentionne CD 1, 13.14/Os 4, 16 ; CD 4, 12-18/Es 24, 17 ; CD 6, 11-14/Ml 1, 10 ; CD 7, 15-16/Am 9, 11 ; CD 7, 18-21/Nb 24, 17 ; CD 8, 9-12/Dt 32, 33 ; CD 8, 14-16/Dt 9, 5 ; CDB 1, 1/Dt 7, 9 ; 4Q174 (Flor) 1, 2.3/Ex 15, 17b.18 ; 4Q174 1, 14-16/Es 8, 11 ; 4Q174 1, 16.17/Ez 37, 23 et rappelle qu'on rencontre un procédé semblable dans le Nouveau Testament (voir notamment p. 309-316 et 331).
4. E. Jucci, Il pesher, un ponte tra il passato e il futuro, *Henoch* 8, 1986, p. 321-338.
5. J. Schmitt, *DBS,* IX, 1979, col. 1011-1014.
6. Dt 18, 18.19 // 4Q158 6, 6-10 ; 4Q175 5-8 et Ac 3, 22-24 ; 7, 37.
7. 2 S 7, 12-14 // 4Q174 1, 10-11 et Ac 13, 23 ; Ro 1, 3.4.
8. Es 42, 6 ; 49, 6 // 1QH 6, 12.13 et Ac 13, 47 ; Lc 2, 32.
9. Es 52, 13-53, 12 // 1QH 8, 10-13 et Ac 8, 32.33 ; Ro 4, 25 ; 1 Co 15, 3 ; Ph 2, 6-11 ; 1 Pi 1, 11 ; 2, 21-24 ; 3, 18. On ajoutera ici que J. Starcky, Les quatre étapes du messianisme à Qumrân, *RB* 70, 1963, p. 492, a signalé l'existence d'un manuscrit de la grotte 4 qu'il appelait provisoirement 4QAhA et qui lui paraissait « évoquer un messie souffrant dans la perspective ouverte par les poèmes du Serviteur ». Ce personnage, grand prêtre de l'ère messianique, « fera l'expiation pour tous les fils de sa génération » mais sera en butte à l'hostilité d'adversaires qui le feront souffrir.
10. Ps 2, 1-2 // 4Q174 1, 18-2, 3 et Ac 4, 25-28.
11. 4Q173 fragment 5 et Mc 11, 9 // ; 12, 10.11 // ; Ac 4, 11 ; 1 Pi 2, 7.8.

ment de Jésus en établissant ses quartiers à Jérusalem trouve une explication assez plausible dans le cadre que nous proposons. Se souvenant des événements tragiques qui avaient conduit à la mise à mort du Nazaréen, ses disciples n'avaient aucun intérêt à provoquer d'emblée, par une attitude offensive, les autorités jérusalémites. L'organisation essénienne a pu, dans ces conditions, apparaître à leurs yeux comme un exemple dont il serait prudent qu'ils s'inspirent pour être tolérés dans la ville sainte sans renier pour autant leur identité. Les adeptes du Maître de Justice n'étaient-ils pas, comme eux, les héritiers d'un homme qui avait été victime de la « fureur » des autorités juives[1] ? N'étaient-ils pas parvenus, cependant, à reprendre pied à Jérusalem et à y fonder un établissement, tout en s'imposant un mode de vie et en affichant des convictions différentes de celles qui prévalaient dans les milieux officiels ? Pourquoi, dès lors, ne pas se constituer, comme eux, en un groupe qui vivrait à part mais pourrait, de ce fait, s'autoriser une certaine audace dans le domaine de la réflexion et s'efforcer de pénétrer et d'exprimer le mystère de la personne du Nazaréen, dans l'attente de son prochain retour en gloire ?

Telle est l'explication qui nous semble la plus satisfaisante de la métamorphose que connut le groupe des disciples de Jésus quand, convaincus que leur Maître ressuscité les engageait à poursuivre l'œuvre entamée, ces derniers regagnèrent Jérusalem et s'y établirent en une fraternité qui présente toutes les caractéristiques d'un micromillénarisme non violent. Il apparaît d'ailleurs qu'ils fournirent, consciemment ou non, des gages de bonne volonté. C'est ce qu'illustre notamment leur fréquentation régulière du Temple[2], même si leur respect pour le lieu de prière s'accompagnait sans doute d'une prise de distance à l'endroit du culte sacrificiel[3]. De même, l'intégration des aspects les plus radicaux de la prédication de Jésus dans une discipline, une catéchèse et une liturgie à usage interne eut assurément pour effet

1. 1QpHab 11, 6.
2. Ac 2, 46 ; 3, 1 ; 5, 12.20-21.42.
3. Une telle attitude s'inscrivait dans la ligne de celle de Jésus (cf. n. 7, p. 49) sans pour autant revêtir le caractère spectaculaire qu'avait affecté l'expulsion des marchands du Temple (Mc 11, 15-19 et //). Nous vous avons exposé ailleurs, C. Grappe, *RHPhR* 65, 1985, p. 109, pourquoi nous considérons que les premiers chrétiens célébraient la Pâque sans agneau (cf. surtout 1 Co 5, 7). Une telle pratique n'avait rien d'un geste de rupture définitive puisqu'il était d'usage, au temps de Jésus, d'agir de la sorte en dehors de Jérusalem. De même les esséniens ne s'abstenaient-ils pas de tout sacrifice au Temple (cf. p. 41) ? Et un texte comme le fragment 6 de l'*Evangile des Ebionites,* qui attribue à Jésus les paroles suivantes : « Je suis venu pour abolir les sacrifices. Si vous ne cessez pas de sacrifier, la colère ne cessera pas de tomber sur vous » (= Epiphane, *Panarion* 30, 16, 7), ne se situe-t-il pas dans une perspective semblable ? Est-ce à dire cependant que toute participation aux sacrifices fut d'emblée définitivement rejetée ? On ne peut l'affirmer avec certitude. Un passage tel Ac 21, 26, même s'il est en opposition trop évidente avec la théologie de Paul telle qu'elle apparaît en 2 Co 5, 21 ; Ga 3, 13 pour n'être pas considéré comme suspect, pourrait en effet nous conserver le souvenir de la participation ultérieure de certaines franges de la chrétienté jérusalémite à certains rites pratiqués au Temple.

de rendre leur présence beaucoup moins menaçante[1]. Cela leur permit d'acquérir une marge de manœuvre suffisante pour qu'ils puissent entamer une activité missionnaire dont le *Livre des Actes* nous conserve, certes amplifiée et magnifiée, la trace[2].

IV – La constitution d'un micromillénarisme

Le tournant qui s'opéra ainsi eut assurément des conséquences durables même si l'expérience qui commença fut de courte durée.

Il eut tout d'abord pour effet d'inaugurer la deuxième phase d'institutionnalisation du charisme[3] selon des modalités telles que, même si personne ne songeait alors vraiment à s'installer dans la durée, la pérennité du mouvement s'en trouverait facilitée. Désormais, le principe d'une communauté locale était posé même si la première assemblée jérusalémite se considérait sans doute, au départ, comme unique et continua assurément, par la suite, à se tenir pour centrale[4]. Parallèlement, une évolution se faisait jour par laquelle le mouvement de Jésus allait troquer, en un laps de temps étonnamment bref, son caractère essentiellement rural contre une ossature à prédominance urbaine[5]. Enfin, l'existence de l'assemblée jérusalémite et sa première ébauche d'organisation jetaient en germe les bases d'une Eglise alors que cette question était demeurée en dehors de l'horizon de Jésus[6], qui s'était attelé, nous l'avons vu, au rassemblement du peuple d'Israël dans son ensemble autour de sa proclamation de l'irruption du Règne de Dieu sans envisager aucunement de fonder une nouvelle secte ou un nouveau parti au sein du judaïsme de son temps. A cet égard, « l'adaptation du baptême de Jean-Baptiste à la foi en Jésus-Christ et la transformation en rite périodique à valeur sacramentelle du repas pris par Jésus avec ses disciples »[7], qui comptent parmi les contributions majeures de la communauté primitive, revêtent une importance fondamentale. Ces deux gestes allaient désormais faire figure de marqueurs de la vie ecclésiale et prendre leur place au cœur de l'« univers symbolique » des premiers chrétiens[8].

1. Ce point est très justement mis en évidence par E. Trocmé, in *La théologie à l'épreuve de la vérité*, p. 170, en ce qui concerne la catéchèse et la discipline. Il trouvera une illustration pour ce qui est de la liturgie dans la deuxième partie de notre travail. L'évolution qui apparaît ainsi est caractéristique de la seconde phase d'institutionnalisation du charisme que définit B. Holmberg (cf. p. 25).
2. Ac 2, 14-41 ; 3, 11-26 ; 5, 42.
3. Sur cette deuxième phase d'institutionnalisation du charisme, voir les pages 24-25 de notre étude.
4. Cf. p. 115-134.
5. Ce point est bien mis en évidence par M. Hengel, *Acts*, p. 99.
6. Nous renverrons ici aux développements de W. G. Kümmel, *Kirchenbegriff und Geschichtsbewusstsein in der Urgemeinde und bei Jesus*, Göttingen, 2. Auflage, 1968, notamment p. 38 ; de J. Blank, *Jesus von Nazareth*, p. 135, et d'E. Trocmé, in *Histoire des religions*, II, p. 194.
7. E. Trocmé, in *Histoire des religions*, II, p. 200.
8. Sur cette notion, voir p. 25.

Il faut toutefois noter que, si leur apparition fut assurément très précoce, il n'est pas toujours aisé de retracer le cheminement qui conduisit à leur adoption ni surtout de se retrouver dans le foisonnement des pratiques qui virent le jour.

Cette remarque s'avère déjà vraie pour le baptême. Si les premiers chrétiens paraissent avoir très vite adopté ce rite qu'ils ont, selon toute vraisemblance, emprunté à Jean, ce qui n'a en soi rien d'insolite puisque leur Maître avait collaboré avec le Baptiste au seuil de son activité et que certains des disciples avaient également gravité dans sa mouvance, il semble par contre que le lien entre baptême et don de l'Esprit ait été diversement envisagé à l'origine[1]. Quoi qu'il en soit, en baptisant à présent « au nom de Jésus-Christ »[2], le « peuple de l'Esprit »[3], que constituaient dorénavant les chrétiens, réinterprétait le geste baptiste. Il le reliait à la personne et à l'histoire de son Seigneur ainsi qu'à l'œuvre de salut qui s'était réalisée en lui, tout en conservant au rite sa vertu expiatoire[4] et son aspect de sceau en vue du jugement à venir[5].

Quant à la longue suite des repas de Jésus avec les siens, dont la Cène constitue le chaînon ultime, elle avait revêtu l'allure d'une figuration et d'un « don, par anticipation, de l'achèvement (Lc 22, 16 ; Mc 14, 25) »[6] et devait connaître, dans les deux premiers siècles, une postérité florissante sous des formes bien souvent insolites[7]. Il semble toutefois que, dans un premier temps, les pratiques qui virent le jour affectèrent une certaine unité, encore qu'il soit peut-être question, dès Ac 1, 4, d'un partage du sel *(sunalizomenos)* et que le *Nouveau Testament* atteste la signification particulière qui fut accordée aux repas à base de pain et de poisson[8].

Mais intéressons-nous à ce qui paraît établi dès l'origine. A travers la fraction du pain qu'ils vivaient dans la communion fraternelle (Ac 2, 42...), les premiers chrétiens suivirent la ligne tracée par leur Maître et eurent conscience de participer par avance au « banquet eschatologique que Jésus avait annoncé »[9]. Il apparaît par ailleurs clairement à travers les récits de la

---

1. Comme le note C. Perrot, Baptême, in *Dictionnaire encyclopédique de la Bible,* p. 184, si ce lien est clairement affirmé en Ac 2, 38, il l'est peut-être moins au niveau des sources de Luc dans lesquelles l'Esprit est reçu avant ou après le baptême d'eau (Ac 8, 12-14 ; 10, 44-48).

2. Ac 2, 38. En Ac 8, 16 et 19, 5, apparaît la formule « au nom du Seigneur Jésus » et, en Ro 6, 3, « en Jésus-Christ ».

3. Nous empruntons cette expression à M. Quesnel, *Baptisés dans l'Esprit,* 1985, p. 202.

4. Cf. p. 43.

5. M. Quesnel, *Baptisés dans l'Esprit,* p. 203, insiste sur ce point.

6. Joachim Jeremías, *Théologie,* p. 362.

7. Sur la diversité des pratiques, on consultera la liste proposée par C. Vogel, Les repas sacrés au poisson chez les chrétiens, in *Eucharisties d'Orient et d'Occident.* Semaine liturgique de l'Institut Saint-Serge, I (« Lex Orandi », 46), Paris, 1970, p. 89-91.

8. Ainsi Jn 21, 9-13 mais aussi les récits de multiplication des pains (Mc 6, 30-44 ; 8, 1-10 ; Mt 14, 13-21 ; 15, 32-39 ; Lc 9, 10-17 ; Jn 6, 11-14).

9. X. Léon-Dufour, *Le partage du pain eucharistique,* p. 207.

Passion (Mc 14, 22-25 ; Mt 26, 26-29 ; Lc 22, 15-20) et la vénérable tradition dont Paul fait état en 1 Co 11, 23-25, qu'il fut très tôt fait mémoire du dernier repas dans un contexte cultuel. Pourtant, ces textes pourraient nous conserver la trace d'une évolution sensible. En effet, la condamnation prononcée en 1 Co 11, 26-30 à l'encontre de ceux qui participeraient indignement à la Cène n'est pas sans évoquer la malédiction qui frappe Judas en Mc 14, 21[1]. Or si on compare la théologie qui se dégage de ces passages avec l'ouverture étonnante des repas de Jésus, qui étendait sa communauté de table aux réprouvés de son temps[2], on ne peut manquer d'être surpris par le fait que, dorénavant, l'accès au repas eucharistique, qui est apparemment devenu la célébration exclusive d'un groupe, soit réglementé par de sévères mises en garde[3]. On pourrait être en présence ici d'un nouvel indice de la tendance à se cantonner dans un micromillénarisme relativement étroit qui paraît avoir caractérisé la première communauté jérusalémite.

Est-ce à dire que, là aussi, des influences esséniennes ont pu avoir cours ? On ne peut l'exclure et la question a déjà fait l'objet d'âpres débats[4]. De nombreux rapprochements ont été ainsi effectués entre les récits d'institution et les passages où nous sont décrits les repas de la secte[5]. Sans reprendre ici ce dossier, qui fait apparaître, dans le détail, aussi bien des ressemblances que des différences[6], nous voudrions insister sur un point qui met en évidence, nous semble-t-il, une affinité fondamentale entre les deux communautés.

Cette proximité a été mise en évidence par J. Starcky et nous reprendrons ici les grandes lignes de sa démonstration[7] en la suivant parfois de très près. Il part du témoignage suivant de Flavius Josèphe : « ils [les esséniens] envoient des offrandes au Temple, mais ils n'y accomplissent pas de sacrifices, vu que les purifications qu'ils ont coutume de pratiquer sont différentes ; c'est pourquoi, s'abstenant d'entrer dans l'enceinte commune, ils accomplissent leurs sacrifices entre eux »[8]. Il en conclut que certaines au

1. C'est ce qu'a noté C. N. Peddinghaus, *Die Entstehung der Leidensgeschichte. Eine traditionsgeschichtliche und historische Untersuchung des Werdens und Wachsens der erzählenden Passionstradition bis zum Entwurf des Markus* (Masch-Diss), Heidelberg, 1966, p. 100-102.
2. Mc 2, 13-17 et // ; Mt 11, 16-19 et //.
3. Sur tout cela voir notre article, in *RHPhR* 65, 1985, p. 117.
4. On pourra consulter ici l'article fondamental de K. G. Kuhn, The Lord's Supper and the Communal Meal at Qumran, in *The Scrolls and the New Testament* (edited by K. Stendhal), New York, 1957, p. 65-93, et l'état de la question dressé par H. Braun, *Qumran und das Neue Testament,* II, p. 29-54.
5. Flavius Josèphe, *BJ,* II, 129-133 ; 1QS 6, 1-6 ; 1QSa 2, 17-22.
6. Ainsi H. Braun, *Qumran und das Neue Testament,* II, p. 31-35.
7. J. Starcky, *DBS,* IX, 1979, col. 996-998.
8. Flavius Josèphe, *AJ,* XVIII, 19, passage dont nous avons emprunté la traduction à A. Dupont-Sommer, *Les écrits esséniens,* p. 47. Nous rappellerons que ce texte pose un problème d'interprétation puisque la négation qui permet de conclure que les esséniens n'accomplissaient pas de sacrifices au Temple n'est attestée que par quelques témoins. Elle est cependant considérée comme la leçon la plus vraisemblable par de nombreux auteurs dont A. Dupont-Sommer, *op. cit.,* n. 1, p. 47, et J. Starcky, art. cit., col. 997.

moins de leurs cérémonies devaient leur tenir lieu de sacrifice. Il songe ici en premier lieu à leur repas, en raison d'un autre texte de Josèphe que nous reproduirons ici en soulignant les indices qui lui paraissent corroborer son hypothèse :

Après avoir travaillé d'un seul tenant jusqu'à la cinquième heure, ils se réunissent à nouveau dans un même lieu, et, s'étant ceints de pagnes de lin, ils se baignent ainsi le corps dans l'eau froide. Puis, après cette *purification,* ils se rassemblent dans un *bâtiment spécial où il n'est permis à nul de ceux qui n'ont pas la même foi d'accéder* ; eux-mêmes n'entrent dans le réfectoire que purs, comme dans une *enceinte sacrée.* Quand ils se sont assis tranquillement, le boulanger sert les pains dans l'ordre, et le cuisinier sert à chacun une seule écuelle avec un seul met. *Le prêtre prélude au repas par une prière,* et il n'est permis à personne de goûter à la nourriture avant la prière : au commencement et à la fin ils bénissent Dieu en tant que dispensateur de la vie. Ensuite, ils déposent leurs vêtements qu'ils ont mis pour le repas, vu que ce sont des *vêtements sacrés,* et ils s'adonnent à nouveau au travail jusqu'au soir[1].

Par ailleurs, comme les prêtres présidaient les repas esséniens après les avoir préparés[2] à l'exemple de ce qui se passait au Temple pour les pains de proposition[3] et comme les concepts d'autel et de table étaient devenus quasiment équivalents, Starcky pense que « les membres de la secte s'assimilaient plus ou moins aux fils d'Aaron qui devaient "manger dans un lieu très saint comme choses très saintes des mets consumés de Yahweh" (Lv 24, 9) »[4]. Ce rite avec lequel il ne serait possible de renouer que dans la Jérusalem rénovée[5] était toutefois conçu comme « rite de communion et non d'expiation »[6].

Starcky ajoute alors les remarques suivantes :

Cette dernière notion [celle de rite d'expiation] se retrouve plutôt dans les purifications des esséniens. Ces ablutions, véritables bains (CD 10 11), leur apparaissaient sans doute comme l'équivalent des sacrifices d'expiation, si elles étaient faites « dans un esprit de rectitude et d'humilité » (1QS 3, 4-12) (...). La purification essénienne et le repas communautaire sont ainsi des substituts des rites du Temple[7].

Or, rappelons-le, nous avons signalé qu'il nous semblait que la première communauté jérusalémite avait pris elle aussi ses distances à l'endroit du culte sacrificiel même s'il est possible que certains aient plus tard renoué avec lui[8]. Allant dans le même sens, X. Léon-Dufour pense pour sa part que « les premiers chrétiens, célébrant le repas du Seigneur comme une

1. Flavius Josèphe, *AJ,* XVIII, 129-131, toujours selon la traduction d'A. Dupont-Sommer, *op. cit.,* p. 139.
2. Flavius Josèphe, *AJ,* XVIII, 22.
3. *Bill.,* III, p. 720.
4. J. Starcky, *DBS,* IX, 1979, col. 998.
5. 2Q24, texte édité par M. Baillet, J. T. Milik et R. de Vaux, in *DJD,* III : *Les « Petites Grottes » de Qumran. Exploration de la falaise. Les grottes 2Q, 3Q, 5Q, 7Q et 10Q. Le Rouleau de Cuivre.* Avec une contribution de H. W. Baker, Oxford, 1962, p. 86-88.
6. J. Starcky, *DBS,* IX, 1979, col. 998.
7. *Ibid.*
8. Cf. n. 3, p. 68.

tôdâ, n'avaient pas de raison de procéder au Temple à quelque immolation de victime sacrificielle »[1]. Il nous paraît donc envisageable que, là aussi, le modèle essénien ait pu inspirer la communauté primitive. Dans cette perspective, il ne peut être exclu que le *huper pollôn* de Marc 14, 24 remonte à elle et ait visé à l'origine, comme à Qumrân où le terme *rabbim* était devenu une désignation des membres de la secte[2], les Nombreux, c'est-à-dire ceux qui avaient adhéré à la foi chrétienne et avaient rejoint ainsi l'Israël eschatologique. On retrouverait ainsi la conception relativement close de la communauté qui nous a semblé être de mise à d'autres endroits. Cela n'empêche pas que les résonances isaïennes du thème[3] laissaient de toute façon la porte ouverte à une interprétation beaucoup plus large — et plus conforme à la prédication de Jésus — qui n'a pas tardé à prévaloir[4] à partir du moment où le mouvement chrétien a commencé à s'étendre vers de nouveaux horizons. Enfin, nous voudrions ajouter que, quelles que puissent être les parentés qui relient les textes d'institution aux documents qumrâniens, la mise en relation de la Cène avec la personne de Jésus manifeste qu'elle a dû apparaître d'emblée comme une réalité *sui generis*.

Si l'on jette à présent un regard rétrospectif sur le parcours que nous venons d'effectuer à la rencontre de la communauté primitive de Jérusalem, on consentira sans peine à reconnaître que l'évolution qui eut ainsi cours et qui conféra au mouvement chrétien une assise nouvelle, revêtit, à bien des égards, l'aspect d'un virage brutal. On ne s'étonnera donc pas d'entendre bientôt des voix s'élever et en appeler au message du Maître face à une évolution qui leur paraissait contestable. Cependant, avant de nous intéresser au devenir de l'Eglise de Jérusalem, nous nous interrogerons sur ses origines et sur les apparitions du Ressuscité qui préludèrent à sa naissance. Il est possible en effet que l'étude de ces commencements nous fournisse une clé utile en vue de la compréhension des développements ultérieurs et nous mette d'emblée en présence d'une diversité que la belle unanimité qui prévaut dans les premiers chapitres des Actes ne permet pas de soupçonner au premier abord.

1. X. Léon-Dufour, *Le partage du pain eucharistique,* p. 207.
2. Ainsi 1QS 6, 1-7, 25 ; 8, 19-9, 2 ; CD 13, 7 ; 14, 7.12 ; 15, 8 ; 1QH 15, 11 ; 11QPs^a 21, 17. Cf. *2 Baruch* 24, 2.
3. Cf. Es 52, 14.15 ; 53, 11.12.
4. F. Werner, « Theologie », und « Philologie » — Zur Frage der Übersetzung von Mk 14, 24 : « für die Vielen » oder « für alle », *BiLi* 54, 1981, p. 228-230, conscient de l'usage technique du terme *rabbim* à Qumrân, note que la traduction doit finalement dépendre de la théologie qui sous-tend le verset. Son approche nous paraît sage. Elle permet d'envisager une évolution progressive du sens en fonction des contextes successifs dans lesquels la formule a été interprétée.

B – EN AMONT,
DES EXPÉRIENCES DIVERSES

Au seuil du *Livre des Actes,* l'auteur à Théophile énumère les noms des disciples qui, après l'ascension de leur Maître, se retrouvèrent dans la chambre haute :

Il y avait là : Pierre, Jean, Jacques et André, Philippe et Thomas, Barthélemy et Matthieu, Jacques fils d'Alphée, Simon le Zélote et Jude fils de Jacques. Tous, unanimes, étaient assidus à la prière avec quelques femmes dont Marie la mère de Jésus et avec les frères de Jésus (Ac 1, 13-14)[1].

Selon son témoignage, les onze auraient donc été flanqués, dans la première communauté jérusalémite, d'un groupe de femmes et de parents de Jésus. Or les textes néo-testamentaires relatifs aux apparitions du Ressuscité se partagent entre ces trois groupes[2] :

— L'expérience des femmes est décrite le plus souvent comme une angélophanie[3] encore que, dans le quatrième évangile, où Marie-Madeleine apparaît seule, il soit fait état d'une christophanie (Jn 20, 14-18), et que, chez Matthieu, les deux phénomènes se succèdent[4]. Elle est associée à la découverte du tombeau vîde[5], mais il vaut mieux, selon nous, disjoindre les deux événements et considérer qu'ils remontent à l'origine à des traditions et à des moments distincts.

Expliquons brièvement ce point de vue. L'historicité de la découverte du tombeau vide a fait l'objet de multiples discussions. Elle est défendue par de nombreux auteurs[6]. Nous considérons, avec J. Kremer[7], que les arguments les plus convaincants en sa faveur sont les suivants : la visite des femmes au sépulcre est conforme aux usages de l'époque ;

---

1. Traduction empruntée à la *TOB. Nouveau Testament,* p. 364. On notera que l'unanimité qui règne au sein de la première communauté n'est pas sans évoquer celle qui prévalait à Qumrân (1QS 1, 8 ; 1QM 14, 2 ; 1QH 3, 23...).
2. W. Grundmann, Das Problem des hellenistischen Christentums innerhalb der jerusalemer Urgemeinde, *ZNW* 38, 1939, p. 115-117, l'a judicieusement noté.
3. Ainsi Mt 28, 2-7 ; Lc 24, 4.23 ; Jn 20, 12. Il n'est pas certain, par contre, que le jeune homme en robe blanche de Mc 16, 5 doive être interprété comme un ange. Il se pourrait qu'il doive représenter, aux yeux de l'évangéliste, un initié nouvellement baptisé (cf. n. 4, p. 59 et C. Grappe, *RHPhR* 65, 1985, p. 121).
4. Pour la christophanie, voir Mt 28, 9-10.
5. Mc 16, 1-8 ; Mt 28, 1-10 ; Lc 24, 1-11 ; Jn 20, 1 (voir aussi *Evangile de Pierre,* 50-57).
6. Ainsi, récemment, W. L. Craig, *NTS* 31, 1985, p. 39-67 ; G. Claudel, *La confession de Pierre,* p. 88, et E. Ruckstuhl, *SNTU* 11, 1986, p. 162. Le point de vue contraire a été exposé par B. W. Henaut, Empty Tomb or Empty Argument : A Failure of Nerve in Recent Studies of Mark 16, *SR* 15, 1986, p. 177-190.
7. J. Kremer, in *Resurrexit,* p. 156 et 157.

il est difficile de se représenter pourquoi la communauté aurait inventé cet épisode alors que les femmes n'étaient pas habilitées à témoigner dans le judaïsme[1] ; la vacuité du tombeau ne semble pas avoir été mise en doute par la polémique juive[2] ; la précision chronologique, « le jour de la semaine un », avec le nombre cardinal[3], renvoie à une source ancienne tout en se distinguant de l'indication temporelle que l'on rencontre en 1 Co 15, 4 (le troisième jour), ce qui plaide en faveur d'une antiquité plus grande encore de la tradition évangélique[4]. Par ailleurs, comme nous allons le voir, le credo rapporté par Paul en 1 Co 15, 3-7 paraît supposer l'historicité du tombeau vide.

Il reste alors à s'interroger sur l'apparition dont aurait bénéficié Marie-Madeleine avec ou sans ses compagnes. Les avis sont ici très partagés. Nous en prendrons quelques exemples. J. Kremer[5] considère que l'historicité de l'angélophanie ne pourra jamais être tenue pour définitivement acquise même si son lien avec le récit du tombeau vide est assurément très ancien. W. Grundmann[6] accepte cette historicité tout en rejetant celle de la christophanie. A l'inverse, M. Albertz[7] postule la dégradation progressive de la christophanie réservée aux femmes en une angélophanie dans le but de réserver aux onze les premières apparitions du Ressuscité. J. Jeremias[8] maintient, quant à lui, l'authenticité des deux événements tout en estimant que Marie-Madeleine en fut l'unique témoin. E. Ruckstuhl[9] plaide, pour sa part, en faveur d'une apparition du Ressuscité aux femmes. Il nous semble en fait que l'hypothèse la plus convaincante est celle qu'avaient déjà ébauchée P. Benoit[10] et M. Hengel[11] et qu'a reformulée R. E. Brown de la façon suivante :

Les données complexes de Mc (Lc), Mt et Jn s'expliquent beaucoup mieux si l'on tient pour primitives d'une part la tradition qui parle de la visite des femmes au tombeau et d'autre part celle qui parle de l'apparition de Jésus à Marie de Magdala seule. Dans la suite ces deux anciennes traditions se seront influencées réciproquement. A cause de l'apparition à Marie de Magdala qui est reproduite par Jn 20, 11-18 (voir aussi Mc 16, 9), le même Jean fait de cette Marie la représentante unique des femmes venues au tombeau. En vertu d'une influence jouant en sens inverse, nous trouvons, chez Matthieu, l'apparition de Jésus au groupe des saintes femmes (Mt 28, 9 s)[12].

Il paraît naturel, si l'on accepte cette reconstruction qui ne revêt toutefois qu'un caractère hypothétique, de dissocier les deux événements, ce qui permet d'envisager que, dans un premier temps, la découverte du tombeau vide n'ait pas produit la foi[13].

1. Sur ce point, *Bill.*, III, p. 217 et 560 (§ *c*).
2. Ainsi Mt 27, 62-66 ; 28, 11-15.
3. Mc 16, 2 // Mt 28, 1 ; Lc 24, 1 ; Jn 20, 1.
4. A ce propos, W. L. Craig, *NTS* 31, 1985, p. 58.
5. J. Kremer, in *Resurrexit*, p. 155-156.
6. W. Grundmann, *ZNW* 39, 1940, p. 115.
7. M. Albertz, *ZNW* 21, 1922, p. 264 et 268.
8. J. Jeremias, *Théologie*, p. 382 et 383.
9. E. Ruckstuhl, *SNTU* 11, 1986, p. 162.
10. P. Benoit, Marie-Madeleine et les disciples au tombeau selon Jn 20, 1-18, in *Exégèse et théologie*, III (*CFi* 30), Paris, 1968, p. 270-282.
11. M. Hengel, in *Abraham unser Vater*, p. 253-256.
12. R. E. Brown, Echanges de vues, in *Resurrexit*, p. 199.
13. Voir plus loin, les p. 76-77.

— Les récits d'apparition aux Douze (cf. 1 Co 15, 5) sont situés alternativement en Galilée (Mt 28, 16-20 ; Jn 21, 1-23)[1] ou à Jérusalem (Lc 24, 36-49 ; Jn 20, 19-23), ce qui ne manque pas de soulever un problème historique qui, à notre avis, peut être tranché en faveur de la localisation galiléenne.

Les arguments suivants nous invitent à adopter ce point de vue : les passages relatifs aux apparitions jérusalémites peuvent aisément trouver une explication rédactionnelle dans l'accent qui fut placé très tôt sur la ville sainte en raison du rôle central qu'elle jouait au sein du « christianisme primitif » ; les récits qui se rapportent aux apparitions galiléennes sont par contre difficilement explicables si l'on fait abstraction d'un support historique[2]. Nous pensons donc que Mc 14, 28 et 16, 7 renvoient aux manifestations du Ressuscité dont parle la tradition, que l'on interprète ces passages comme imputables à Marc ou comme ayant déjà appartenu au récit de la Passion dont il dépend[3].

— Quant à l'événement qui fut à l'origine du retournement de Jacques et des siens, il ne fait l'objet d'aucun récit au sein du Canon mais est mentionné en 1 Co 15, 7[4]. Il paraît difficile à localiser avec précision, même si on ne peut en aucune façon — nous aurons l'occasion de le voir — en minimiser l'importance.

Parallèlement, la triple mention, en 1 Co 15, 3-4, de la mort, de l'ensevelissement et de la résurrection du Christ trouve son pendant chez Marc dans le triple témoignage des femmes à la croix, lors de la mise au sépulcre et au tombeau vide[5]. Il semble donc que ces deux versets se rapportent à ce qu'elles ont vécu. Cela invite à considérer que le *credo,* que transmet ici Paul et qui se poursuit jusqu'en 1 Co 15, 7, énumère successivement les expériences fondatrices de chacun des trois groupes : celle des femmes (v. 3 et 4) ; celle de Pierre et des Douze (v. 5 et 6) ; celle de Jacques et des siens (v. 7), encore que la première soit déjà partiellement placée sous le boisseau puisqu'aucune de celles qui l'ont vécue n'est mentionnée[6].

On peut ajouter à ces quelques données, pour essayer de les harmoniser, qu'il est pensable que la découverte du tombeau vide n'ait pas produit la foi

---

1. Cf. aussi *Evangile de Pierre,* 58-60.
2. Nous avons emprunté ces arguments à T. Lorenzen, Ist der Auferstandene in Galiläa erschienen ? Bemerkungen zu einem Aufsatz von B. Steinseifer, *ZNW* 64, 1973, p. 219-221.
3. Ainsi notamment J. Delorme, Résurrection et tombeau de Jésus : Marc 16, 1-8 dans la tradition évangélique, *in* P. de Surgy *et al., La résurrection du Christ et l'exégèse moderne* (*LeDiv* 50), Paris, 1969, p. 114, n. 26.
4. On trouve cependant une tradition qui s'y rapporte dans le fragment 7 de l'*Evangile des Hébreux* (= Jérôme, *De viris inlustribus,* 2), passage sur lequel nous aurons l'occasion de revenir (cf. p. 297).
5. C'est ce qu'a remarqué E. Lohmeyer, *Markus,* p. 353.
6. On perçoit là la tendance, déjà envisagée par M. Albertz, *ZNW* 21, 1922, p. 264 et 268, à réserver aux apôtres les premières apparitions du Ressuscité. Ainsi que l'a noté M. Hengel, *NTS* 18, 1971-1972, p. 33, n. 59, une certaine misogynie de la communauté n'a pu que la renforcer.

chez celle(s) ou ceux qui l'avaient faite[1]. Deux scénarios sont ici envisageables : selon le premier, la fuite des disciples en Galilée aurait pris place dès avant la crucifixion de Jésus[2], situation dans laquelle on ne peut accorder de valeur historique au récit de la visite, consécutive à celle des femmes, de Pierre au tombeau (Lc 24, 12 ; Jn 20, 2-10), que ce dernier ait été ou non accompagné par un autre disciple (Jn 20, 2-10) ; selon le second, les disciples seraient restés à Jérusalem au moins jusqu'au dimanche de Pâques, dans l'impossibilité où ils se trouvaient de quitter la ville un jour de sabbat[3], et ce récit pourrait avoir une base sérieuse[4]. Ce ne serait qu'après ces événements que les compagnons de Jésus auraient rejoint la Galilée où les apparitions du Ressuscité les auraient arrachés à leur découragement.

Dans ce cadre, il semble tout à fait possible que chacun des trois groupes dont nous avons décelé l'existence se soit réclamé de l'apparition à la personne qui lui servait en quelque sorte de porte-parole — que ce fût Marie-Madeleine, Pierre ou Jacques[5] — et ait revendiqué pour elle le privilège de la protophanie[6] qui pourrait, de fait, être revenu à la ressortissante de Magdala. Il convient cependant de demeurer très prudent à propos de cette dernière hypothèse car il est assez aléatoire — notre lecteur s'en sera rendu compte — de replacer les apparitions dans l'ordre chronologique. Nous pensons pourtant, avec R. E. Brown, que « la tradition selon laquelle Jésus apparut d'abord à Marie-Madeleine a de bonnes chances d'être historique »[7]. En effet, la primauté que lui accordent tous les synoptiques parmi les femmes suivant Jésus, quel que soit le moment où elles sont mentionnées dans une liste[8], pourrait trouver son explication dans le fait qu'elle avait été la première à voir le Ressuscité[9].

1. Ainsi M. Hengel, Maria Magdalena und die Frauen als Zeugen, in *Abraham unser Vater. Juden und Christen in Gespräch über die Bibel*. Festschrift für O. Michel zum 60. Geburtstag (hrsg. von O. Betz, M. Hengel, P. Schmidt) (*AGSU* 5), Leiden, Köln, 1963, p. 253-254, et R. E. Brown (XIII-XXI), p. 1000-1002.

2. En ce sens, par exemple, H. Ritt, Die Frauen und die Osterbotschaft. Synopse der Grabengeschichten (Mk 16, 1-8 ; Mt 27, 62-28, 15 ; Lk 24, 1-12 ; Joh 20, 1-18), in *Die Frau im Urchristentum* (hrsg. von G. Dautzenberg, H. Merklein, K. Müller) (QD 95), Freiburg, Basel, Wien, 1983, p. 130, n. 21.

3. Sur ce point, J. Jeremias, Echanges de points de vue, in *Resurrexit...*, p. 199, ou R. Pesch, *Simon Petrus*, p. 49, qui ajoute que telle est la version d'*Evangile de Pierre*, 58-59.

4. Ainsi R. E. Brown, *John* (XIII-XXI), p. 1000-1002.

5. Ainsi, respectivement, pour Marie-Madeleine, Jn 20, 14-18 ; Mc 16, 9, pour Pierre, 1 Co 15, 5 ; Lc 24, 34, et, pour Jacques, le fragment 7 de l'*Evangile selon les Hébreux*, conservé par Jérôme, *De viris inlustribus* 2, où l'on peut lire : « Quand le Seigneur eut donné son suaire au serviteur du prêtre, il se rendit auprès de Jacques et lui apparut » (traduction empruntée au recueil *Evangiles apocryphes*, p. 56).

6. A. von Harnack, Die Verklärungsgeschichte Jesu, der Bericht des Paulus (I. Kor. 15, 3 ff.) und die beiden Christusvisionen des Petrus, *SPAW. PH*, 1922, p. 67, émettait déjà des considérations analogues à propos des cercles de Jacques et de Pierre.

7. R. E. Brown, *La communauté*, p. 208, n. 335.

8. Lc 8, 2-3 ; Mc 15, 40 et // ; Mc 15, 47 et // ; Mc 16, 1 et // ; Lc 24, 10.

9. Ainsi R. E. Brown, *John* (XIII-XXI), p. 1003.

Mais laissons là ces questions, qui orientent notre regard non seulement vers l'origine mais aussi vers le devenir de ces traditions au sein de l'Eglise primitive de Jérusalem, pour nous intéresser de plus près à l'évolution de cette dernière. Il sera toujours temps d'y revenir, quand nous serons en possession des éléments indispensables à la poursuite de notre enquête.

C – EN AVAL, DES PARTIS SOUCIEUX DE FAIRE PRÉVALOIR LEUR POINT DE VUE

La belle unanimité qui prévalait à l'origine, du moins d'après le témoignage des cinq premiers chapitres des Actes, ne tarda pas à être troublée — on le devine à travers les dires de l'auteur à Théophile — par le surgissement des hellénistes. L'irruption de ce groupe sur la scène jérusalémite et les événements qui s'ensuivirent eurent d'ailleurs des conséquences durables pour le mouvement chrétien tout entier qui allait prendre, dans l'affaire, un étonnant essor. Ils aboutirent à l'apparition de phénomènes nouveaux qui conservèrent une actualité persistante.

Issus sans doute de la diaspora d'où ils étaient venus s'installer à Jérusalem, ces hellénistes étaient des juifs de langue maternelle grecque[1]. Si les circonstances de leur adhésion à la foi chrétienne restent difficiles à préciser[2], il n'en demeure pas moins qu'ils furent amenés très vite à se constituer en une deuxième communauté à côté de celle qui était rassem-

---

1. Dans une étude désormais classique, M. Hengel, *ZThK* 72, 1975, p. 151-206, a démontré que le point de vue de Jean Chrysostome, *Homiliae in Acta apostolorum*, XIV, 1 (à propos d'Ac 6, 1) et XXI, 1 (à propos d'Ac 9, 29) (cf. J.-P. Migne, *PG* 60, c. 113 et 164), selon lequel les hellénistes devaient leur nom au fait qu'ils parlaient le grec, était tout à fait fondé (p. 151-172). Nous ajouterons que nous considérons avec lui que les « hébreux », dont il est question également en Ac 6, 1, étaient, par opposition, des juifs dont la langue maternelle était l'araméen même s'ils savaient probablement aussi au moins un peu de grec.

2. Des auteurs, parmi lesquels O. Cullmann, *Le milieu johannique*, p. 134-135 ; F. F. Bruce, *BJRL* 67, 1985, p. 646, et F. Vouga, *A l'aube du christianisme*, p. 61, formulent l'hypothèse selon laquelle certains de ceux qui appartinrent plus tard à ce groupe des hellénistes avaient déjà fait partie du cercle élargi des disciples de Jésus avant la crucifixion. Cela ne nous paraît nullement impossible surtout si l'on tient compte du fait, corroboré par le quatrième évangile, que le Nazaréen effectua sans doute plusieurs séjours dans la ville sainte au cours de son ministère. On comprendrait ainsi d'autant mieux que les hellénistes aient pu, comme nous l'allons voir, en appeler au message du Maître pour fonder leur attitude critique à l'endroit du Temple et de la Loi.

blée autour des Douze. L'événement n'avait en soi rien d'extraordinaire puisqu'il existait à l'époque plusieurs synagogues à Jérusalem (Ac 6, 9 ; 24, 12)[1]. Cela n'empêche pas que la *pluralité des lieux de réunion* qui se fit jour constitue un premier phénomène de grande importance. L'utopie d'une assemblée unique, associée étroitement, malgré l'origine et le passé divers de ses membres, dans l'attente de la parousie prochaine avait vécu[2]. A une communauté largement conformiste, qui revêtait les allures d'une secte chaleureuse, s'adjoignait désormais une autre dont la persécution rapide indique qu'elle s'efforça de renouer avec le radicalisme de la prédication de Jésus.

Ainsi le mouvement chrétien affectait-il dorénavant une dimension plurielle non seulement de par la *pluralité* des lieux de réunion mais aussi de par celle *des tendances*. C'est là le second fait essentiel.

La minorité helléniste fut en effet persécutée comme le Nazaréen « parce qu'elle se risquait à être critique vis-à-vis du Temple et de la Torah [Ac 6, 13], c'est-à-dire des deux piliers sur lesquels reposait le judaïsme »[3]. On a ainsi pu dire qu'elle s'était maintenue dans la ligne de Jésus plus clairement que les Douze[4], ce qui nous paraît, à certains égards, justifié. En effet, alors que la communauté primitive avait intériorisé, nous l'avons remarqué, la dimension contestaire de l'enseignement de Jésus, les hellénistes reprirent le fil de sa prédication offensive en se tournant vers leurs concitoyens de langue grecque qui se retrouvaient à Jérusalem dans les synagogues où se rassemblaient les juifs issus de la diaspora[5].

Leur intrépidité leur valut donc d'être expulsés de la ville sainte (Ac 8, 1), mais elle eut aussi pour effet d'engendrer, et c'est là le troisième élément fondamental, une *dynamique missionnaire* (Ac 8, 4-8.26-40 ; 11, 19-

---

1. C'est ce qu'a noté M. Hengel, *ZThK* 72, 1975, p. 177-185.
2. Il suffit de penser à l'évolution parallèle du mouvement essénien pour se représenter la portée de cette mutation. La communauté de Qumrân y a toujours revêtu un caractère central. Elle n'a apparemment pas connu de partition. Les établissements annexes semblent s'être situés dans sa mouvance sans faire preuve d'originalité particulière, si ce n'est que la discipline qui y avait cours était un peu moins stricte. Cette situation générale paraît avoir prévalu pendant plus d'un siècle. Pour ce qui est du mouvement chrétien, par contre, au bout de quelques mois ou d'une ou deux années tout au plus, un phénomène survient qui modifie totalement le tableau. La communauté primitive, qui s'était orientée jusque-là vers un modèle d'organisation proche de celui qu'avaient adopté les sectaires des bords de la mer Morte, devrait désormais compter avec un autre groupe qui se proposait de vivre sa foi d'une manière différente. Rien ne serait plus désormais comme avant.
3. M. Hengel, *NTS* 18, 1971-1972, p. 26. La continuité existant entre l'attitude de Jésus et celle des hellénistes est bien mise en évidence par l'auteur à la p. 29. Il souligne par ailleurs que leur critique de la Torah devait viser son aspect rituel et non sa dimension éthique (p. 26), ce qui, nous l'avons vu, avait déjà été le cas de celle du Nazaréen (cf. p. 48).
4. H. Conzelmann, *Apostelgeschichte,* p. 43.
5. M. Hengel, *Acts,* p. 75.

21). Leurs efforts s'orientèrent vers des groupes qui vivaient en marge du judaïsme soit qu'ils fussent considérés comme hérétiques, tels les samaritains (Ac 8, 5-8), soit qu'ils manifestassent un intérêt pour la foi juive sans pour autant s'être agrégés pleinement à la communauté par la circoncision[1]. Ce faisant, ils s'adressèrent à des gens qui se situaient aux franges non seulement du judaïsme mais aussi du paganisme. Ils ouvraient ainsi la voie en direction de la mission aux gentils[2] tout en défrichant un terrain sur lequel la question de l'attitude par rapport à la Loi ferait figure de pierre d'achoppement.

L'actualité persistante des phénomènes qui apparurent ainsi est assez aisée à illustrer.

La pluralité des lieux de réunion connut une postérité florissante avec la multiplication des *églises domestiques* qui permirent à plusieurs communautés, qui pouvaient appartenir à des courants différents, de vivre côte à côte dans une même ville. Ce fait, dont la critique n'a vraiment pris conscience que récemment, s'avère d'une importance majeure pour la compréhension du développement du mouvement chrétien. L'auteur qui, le premier, l'a mis évidence, F. V. Filson, a relevé que l'existence de telles églises domestiques paraît attestée, en ce qui concerne Jérusalem, après l'expulsion des hellénistes, par Ac 12, 17. Dans ce passage, en effet, il est insinué que le groupe rassemblé autour de Jacques était réuni en un autre endroit que la maison de Marie, mère de Jean-Marc (Ac 12, 13), qui servait de lieu de rencontre à la communauté que vint retrouver Pierre[3]. Filson a noté par ailleurs que ces cellules de base avaient permis — notamment dans la ville sainte où, nous l'avons vu, les premiers chrétiens se trouvaient contraints, pour se maintenir, d'afficher, vis-à-vis de l'extérieur, un point de vue relativement conformiste — aux communautés d'exprimer, librement et à l'abri des regards, les aspects novateurs de leur foi, de célébrer leur culte et de partager leur repas communautaires[4]. Elles ont ainsi joué un rôle majeur dans la poursuite du processus d'institutionnalisation du charisme. Enfin, comme l'a encore remarqué Filson, la coexistence de plusieurs d'entre elles dans une même ville permet de mieux comprendre le surgissement de *partis,* les chrétiens d'une sensibilité donnée pouvant se regrouper, se conforter dans leurs certitudes et tirer quelque fierté de leur spécificité[5]. S'appuyant alors notamment sur la situation corinthienne telle qu'elle nous est décrite en 1 Co 1, 10-13, Filson

---

1. A ces craignant-Dieu pourraient avoir appartenu les Grecs au sujet desquels l'auteur à Théophile nous apprend incidemment que la bonne nouvelle de Jésus Seigneur leur fut annoncée à Antioche (Ac 11, 20).
2. Sur tout cela, M. Hengel, *Acts,* p. 75.
3. F. V. Filson, *JBL* 58, 1939, p. 106.
4. F. V. Filson, art. cit., p. 109. Cette observation rejoint ce que nous avons signalé aux p. 68-69.
5. F. V. Filson, art. cit., p. 110.

conclut qu'une « église physiquement divisée tendait inévitablement à devenir (...) mentalement divisée »[1].

Les lignes qui précèdent auront démontré qu'il est presque impossible de
prendre en compte la diversité des lieux de culte sans être amené, dans le
même temps, à envisager une *pluralité de tendances*. Chacune se caractérisait par
ses prises de position à l'endroit des piliers du judaïsme que représentaient
alors, nous l'avons vu, à côté de l'affirmation monothéiste, la Loi et le Temple. L'attitude par rapport à ce dernier était un point sensible en Judée et surtout à Jérusalem où une critique explicite du sanctuaire ne demeurerait pas sans
suite[2]. Elle pouvait s'accompagner, sans risque majeur, d'une certaine prise
de distance ailleurs en Palestine et, plus encore, dans la diaspora[3]. L'éloigne-
ment géographique concourait, avec le développement de l'institution syna-
gogale qui offrait un substitut spirituel aux sacrifices et aux rites du Temple,
à ce phénomène[4]. L'observance de la Loi était, quant à elle, partout de
rigueur dans un judaïsme que l'on a pu caractériser comme une orthopraxie[5].
On concevra donc aisément que le respect ou non des règles de pureté ait
fourni le prétexte de bien des controverses non seulement entre tendances
chrétiennes (Ac 10, 1-11, 18 ; Ga 1, 6-9 ; 2, 11-14...) mais aussi avec les autorités juives (2 Co 11, 24...). Les deux phénomènes sont d'ailleurs inséparables
puisque, le christianisme naissant se mouvant encore totalement dans la
sphère du judaïsme, les actes posés par n'importe lesquels de ses représentants pouvaient sembler, aux yeux de la grande famille juive, impliquer également les autres, qui étaient donc amenés à se définir par rapport à eux
(Ac 21, 20-22). S'ils s'en déclaraient solidaires, ils risquaient de se compromettre avec leurs frères. Dans le cas contraire, ils tendaient à les marginaliser.

---

1. F. V. Filson, *ibid.* Il nous semble que R. E. Brown, *L'Eglise héritée des apôtres,*
p. 32, résume bien le point de vue qui prévaut de plus en plus quand il écrit : « Il faut
se rappeler que la situation des chrétiens dans une grande ville devait comporter un
certain nombre d'églises domestiques, lieux de rencontre de vingt à trente fidèles, et
il n'y a pas de raison pour que ne se soient pas trouvées dans ladite ville des églises
domestiques de différentes traditions — par exemple de la tradition paulinienne, de la
tradition johannique, de la tradition pétrinienne ou apostolique, et même de la tradition ultra-conservatrice judéo-chrétienne. Même si les églises domestiques d'une tradition déterminée étaient en koinônia avec celles d'une autre tradition, le passage de
chrétiens de l'une à l'autre pouvait s'avérer délicat. »
2. C'est ce qu'illustrent les exemples de Jésus et d'Etienne. Cela n'empêche pas
qu'une critique implicite devait être possible sans engendrer de réactions violentes,
comme le manifeste déjà la présence probable d'un quartier essénien dans la ville
sainte.
3. Nous nous contenterons d'évoquer ici, outre le cas des esséniens (cf. n. 5,
p. 41), l'exemple des cercles baptistes (cf. p. 43) et bien sûr celui des milieux samaritains qui rejetaient le culte jérusalémite et adoraient sur le mont Garizim.
4. La liberté d'opinion qui était permise peut être illustrée par le cas de Philon
d'Alexandrie. Si certains de ses propos rendent justice au culte d'Israël (*De migratione
Abrahami* 92-94...), d'autres élaborent une allégorie cosmique du sanctuaire (ainsi *De
vita Mosis,* II, 101-104) ou expriment le point de vue selon lequel construire à Dieu
une maison de bois ou de pierre serait sacrilège, l'âme conforme à sa volonté étant la
seule demeure digne de lui (*De Cherubim* 99-101).
5. Ainsi M. Simon, A. Benoit, *Le judaïsme et le christianisme antique,* p. 55 et 56.

On comprendra donc que, pour éviter de se trouver dans des situations aussi délicates, des liens aient été maintenus entre communautés et que certains, surtout à Jérusalem, aient estimé de leur droit et de leur devoir d'intervenir pour éviter que la situation ne dégénère, comme l'illustre tout particulièrement l'épisode de Ga 2, 11-14 sur lequel nous aurons l'occasion de revenir.

Un tel contrôle — ou une telle coordination — s'avérait d'autant plus nécessaire que l'*élan missionnaire* auquel les hellénistes avaient donné son impulsion allait se poursuivre, en direction notamment des grands centres urbains. Ainsi le mouvement de Jésus allait-il présenter de plus en plus un aspect relativement cosmopolite.

Les considérations qui précèdent nous ont montré que l'Eglise primitive de Jérusalem s'est vue très tôt contrainte, et en partie malgré elle, de prendre position face à des développements dont elle n'était pas la cause et qu'elle n'avait sans doute pas envisagés. Le caractère sélectif de la persécution dont les hellénistes furent l'objet (Ac 8, 1) manifeste qu'elle se garda bien de soutenir l'action de ces derniers. Mais la conception très haute qu'elle avait de son rôle unique et central au sein du mouvement chrétien allait bientôt, nous aurons l'occasion d'y revenir, l'empêcher de se cantonner dans l'attentisme. Pour maintenir sa suprématie, il lui faudrait s'intéresser de près à l'essor missionnaire et y prendre part de quelque façon. Pour cela, elle devrait effectuer des choix sous la surveillance étroite des responsables juifs. On imagine aisément que différents points de vue aient alors pu s'affronter et que la menace permanente d'une répression éventuelle ait pesé de tout son poids sur le cours des débats qui virent le jour. Mais, tout autant que l'adoption d'une stratégie donnée, le contrôle de l'Eglise locale était en cause et, partant, la gestion de l'héritage du Nazaréen. Il convient donc d'envisager l'hypothèse selon laquelle des tensions ont également pu apparaître autour des questions de légitimité.

L'ascension rapide et inattendue de Jacques à la tête de l'église mère pourra nous servir ici de révélateur[1]. Associé au reste de sa famille dans le scepticisme, l'incompréhension, voire l'hostilité au ministère de Jésus[2], il joua pourtant très tôt un rôle majeur. Galates 1, 18-19 nous montre en effet que « trois ans après la conversion de Paul, un chrétien ne pouvait déjà plus séjourner à Jérusalem sans être en contact avec [lui] »[3]. Sans doute était-il, dès cette époque, à la tête d'un groupe particulier[4], que W. Pratscher décrit comme un cercle — et que nous préférons pour notre part qualifier de

---

1. Sur la figure de Jacques, frère du Seigneur, nous renverrons aux contributions récentes de trois auteurs : M. Hengel, in *Glaube und Eschatologie*, p. 71-104 ; W. Pratscher, *Der Herrenbruder*, ainsi que *EvTh* 47, 1987, p. 228-244 ; E. Ruckstuhl, Jakobus (Herrenbruder), *TRE* 16, 1987, p. 485-488. Elles permettent de se faire une excellente idée de l'état de la recherche et fournissent toutes les références bibliographiques souhaitées.
2. Cf. Mc 3, 21 ; 3, 31-35 et Jn 7, 1-10.
3. O. Cullmann, *Saint Pierre*, p. 34.
4. Ainsi F. F. Bruce, *Galatians*, p. 99.

parti — qui gravitait autour de sa personne et qui discernait en lui la figure majeure de la communauté primitive[1].

L'importance qui revint ainsi au frère du Seigneur trouve, à n'en pas douter, une partie de son explication dans l'apparition dont il bénéficia. Il est possible également que le retard de la parousie et la révision des espérances eschatologiques qu'il entraîna aient servi sa cause en fragilisant la position des Douze et de Pierre à qui l'attente initiale en la survenue prochaine de l'accomplissement des temps était plus particulièrement liée[2]. Il apparaît cependant à l'évidence que les liens de parenté étroits qui l'unissaient à Jésus ont représenté le facteur déterminant dans son ascension fulgurante. En effet, les témoins de la Résurrection n'étaient pas peu nombreux — que l'on songe ici aux cinq cents frères de 1 Co 15, 6 — et il ne pouvait suffire de brandir cette qualité pour être associé à la conduite de la communauté. Or Jacques assura bientôt sa direction seul, consécutivement au départ de Pierre et après avoir partagé, avec lui et Jean, le titre honorifique de colonne (Ga 2, 9).

Dans ce cadre, la vénérable tradition, reproduite par Paul en 1 Co 15, 3-7 et dont nous avons fait état précédemment[3], peut apparaître comme une sorte de compromis auquel seraient parvenues, pour un temps, les deux fractions les plus influentes au sein de l'Eglise de Jérusalem, à savoir celles de Pierre et de Jacques[4]. Les grands perdantes en sont à l'évidence les femmes puisque, nous l'avons vu, leur expérience est rappelée sans leur être attribuée[5]. Il n'est cependant pas certain que cette omission ait été le fruit de sombres manœuvres. Il pourrait simplement s'être agi d'une précaution d'ordre apologétique dans le contexte palestinien où seul était pris en compte le témoignage des hommes[6]. Il n'est donc pas exclu qu'elles y aient consenti sans trop de difficultés et sans imaginer surtout que cette « mise à l'écart »[7] servirait de prélude à une longue série[8]. Quant au vainqueur, il est plus difficile à désigner, même s'il ne fait guère de doute que la précédence de Pierre nous renvoie à une époque où Jacques ne l'avait pas encore relayé à la tête

1. W. Pratscher, *EvTh* 47, 1987, p. 232.
2. On notera que, dans un essai récent, W. Simonis, *Jesus von Nazareth,* p. 93, a formulé l'hypothèse selon laquelle, dès la Pâque de l'an 31, le glas fut sonné de l'attente eschatologique initiale en l'intervention de Jésus à Jérusalem afin de reconstituer l'ancien peuple des douze tribus (sur cette attente, cf. p. 51-52). Il en résulta, selon lui, une réorientation de la communauté et sa réorganisation sous la houlette de Jacques *(ibid.)*. Ce point de vue nous paraît manifestement excessif. Il a cependant le mérite de prendre en compte le fait que le retard de la parousie suscita assurément bien des interrogations. Il constitua notamment l'un des facteurs qui amenèrent à reconsidérer assez rapidement le mode de fonctionnement de l'assemblée jérusalémite (cf. p. 141-142).
3. Cf. p. 76.
4. Ainsi E. Trocmé, Naissance de l'unité ecclésiale, *LV* (L) 103, 1971, p. 6 et 7, et F. Bovon, *NTS* 30, 1984, p. 52.
5. Cf. p. 76.
6. Sur ce point, voir p. 75 et la remarque d'E. Stauffer, in *Begegnung der Christen,* p. 367, n. 44, qui considère que Marie-Madeleine n'a pas été intégrée dans la liste de 1 Co 15 parce que les femmes n'avaient pas valeur de témoin selon le droit juif.
7. Nous empruntons cette expression à F. Bovon, *NTS* 30, 1984, p. 52.
8. Sur ce point, F. Bovon, *ibid.*

de la communauté[1]. En effet, la formule du verset 7 : *ôphtè Iakôbô eita tois apostolois pasin*, calque presque parfaitement celle du verset 5 : *ôphtè Kêpha eita tois dôdeka*, et semble attester que, d'ores et déjà, le parti de Jacques manifestait sa prétention à être traité sur un pied d'égalité avec celui de Pierre. A formules parallèles correspondent donc des intérêts concurrents[2].

On ne peut, en conséquence, mésestimer le caractère légitimant que revêtait, pour les témoins qu'elle cite, la tradition que nous a conservée Paul, même s'il ne faut pas oublier qu'elle avait d'abord pour vocation d'attester et de proclamer le message de la Résurrection[3]. Dans cette perspective, il convient d'ajouter que, par l'adjonction du verset 8, l'apôtre des gentils rappelle qu'il a été au bénéfice de la même expérience que ceux qui précèdent, ce qui lui confère à son tour une légitimité du même ordre[4]. On trouve ainsi, en quelques lignes, un reflet de ce que furent les revendications concurrentes de légitimité aux origines du mouvement chrétien.

Ce phénomène a été mis en évidence il y a longtemps et c'est tout particulièrement la rivalité Pierre-Jacques, qui nous intéresse ici au premier chef, qui a retenu l'attention. La parenté étroite de ce dernier avec Jésus a même conduit certains auteurs à envisager l'émergence rapide d'un califat[5] ou, expression qui nous paraît plus heureuse, d'un christianisme dynastique[6] qui correspond à la catégorie de « charisme héréditaire » distinguée par Weber[7].

---

1. Ainsi E. Stauffer, in *Begegnung der Christen,* p. 367, n. 44. Nous maintenons donc que le compromis de 1 Co 15, 5 et 7 reflète une époque où la prééminence de Pierre est encore reconnue à Jérusalem. W. Pratscher, *Der Herrenbruder,* p. 46, peut donc estimer à bon droit, nous semble-t-il, qu'il remonte au milieu (et au plus tard à fin) des années trente.

2. Ainsi déjà A. von Harnack, *SPAW. PH,* 1922, p. 67.

3. L'aspect de légitimation est souligné, un peu trop unilatéralement, nous semble-t-il, par des auteurs comme U. Wilckens, *Auferstehung. Das biblische Auferstehungs-zeugnis historisch untersucht und erklärt* (*ThTh* 4), Stuttgart, Berlin, 1970, p. 29-30. Ils en arrivent à nier tout arrière-plan historique aux apparitions pour n'y voir que des inventions destinées à promouvoir l'autorité de leurs prétendus bénéficiaires. Il vaut mieux selon nous, avec W. Pratscher, *Der Herrenbruder Jakobus,* p. 37-38, qui le fait à propos du verset 5, maintenir une tension entre la proclamation qui constituait l'objectif premier et la légitimation qui n'était que seconde.

4. A ce propos, J. Murphy O'Connor, Tradition and Redaction in I Co 15, 3-7, *CBQ* 43, 1981, p. 589, note que « Paul, dans ce passage, revendique le fait d'être apôtre en termes d'égalité avec Pierre ». Cela nous paraît effectivement l'un des enjeux de 1 Co 15, 8-11.

5. Ainsi A. von Harnack, *Entstehung und Entwicklung der Kirchenfassung und des Kirchenrechts in den zwei ersten Jahrhunderten,* Leipzig, 1910, p. 26 ; Eduard Meyer, *Ursprung und Anfänge des Christentums,* III, p. 224-225, et E. Stauffer, *ZRGG* 4, 1952, p. 193-214, qui répond de façon convaincante aux objections formulées à l'encontre de cette hypothèse par H. Frhr. von Campenhausen, Die Nachfolge des Jakobus. Zur Frage eines urchristlichen « Kalifats », *ZKG* 63, 1950-1951, p. 133-144. On trouvera, aux p. 133 et 134 de ce dernier article, une liste plus fournie des tenants du point de vue que nous avons adopté.

6. Nous empruntons cette expression à M. Goguel, *La naissance du christianisme,* p. 132. G. Lüdemann, *Paulus, der Heidenapostel,* II, p. 168-169, parle, quant à lui, d'un principe dynastique.

7. Cf. p. 17.

Qu'une telle évolution ait eu lieu trouve confirmation dans le fait que, Jacques disparu, d'autres personnages apparentés à Jésus semblent lui avoir succédé. Ainsi Eusèbe, citant Hégésippe, rapporte le fait suivant :

> Après que Jacques le Juste eut rendu son témoignage, comme le Seigneur et pour la même doctrine, le fils de son oncle, Siméon, fils de Clopas, fut établi évêque : tous le préférèrent comme deuxième (évêque) parce qu'il était cousin du Seigneur *(onta anephion tou kuriou)*[1].

Il n'y a pas de raison de douter que le motif du choix de Siméon ait effectivement été sa parenté avec Jésus, même si le titre d'évêque qui lui est accordé dans le récit constitue un anachronisme manifeste[2]. On peut ajouter encore que, dans un autre passage, Eusèbe, toujours dépendant d'Hégésippe, relate que les deux petits-fils de Jude, frère du Sauveur selon la chair, comparurent à Rome devant Domitien avant d'être renvoyés chez eux[3]. L'épisode se termine ainsi : « Lorsqu'ils furent délivrés, ils dirigèrent les Eglises, à la fois comme martyrs et comme parents du Seigneur (...) »[4]. Il paraît raisonnable d'admettre que ce récit plus ou moins légendaire pourrait reposer sur le souvenir d'une comparution des deux hommes devant les Romains et nous transmettre, dans la conclusion que nous avons citée, des informations dignes de foi[5]. Il confirme ainsi « qu'à Jérusalem et dans les Eglises judéo-chrétiennes de Palestine, on avait une véritable vénération pour les "desposynes" »[6].

Cette apparition d'un christianisme dynastique ne doit pas surprendre dans la Palestine du début de notre ère[7]. En effet, une légitimité de type traditionnel héréditaire avait prévalu et continuait d'être de mise dans des milieux très divers de la société juive. Tel avait déjà été le cas pour la fonction de grand prêtre, de Salomon à l'épopée maccabéenne. Par la suite, la dynastie hasmonéenne, au moment où elle allait s'arroger tous les pouvoirs, émit la prétention d'être investie d'une mission particulière, dont elle était en quelque sorte dépositaire et qui devait se transmettre par le sang[8]. Désormais, quelques familles se partageaient le pontificat et accaparaient les fonctions sacerdotales les plus hautes[9]. Parallèlement, on vit apparaître, parmi les zélateurs de la Loi, une véritable « dynastie de partisans »[10] qui, à partir peut-être

---

1. Eusèbe de Césarée, *HE*, IV, 22, 4, cité selon la traduction proposée par G. Bardy *in* Eusèbe de Césarée, *Histoire ecclésiastique,* liv. I-IV, p. 200. Une tradition semblable est consignée par Eusèbe, *op. cit.,* III, 11 (p. 118 dans l'édition de Bardy).
2. Ainsi, G. Lüdemann, *Paulus, der Heidenapostel,* II, p. 168.
3. Eusèbe de Césarée, *HE,* III, 20, 1-5.
4. Eusèbe de Césarée, *HE,* III, 20, 6, traduit par G. Bardy *in* Eusèbe de Césarée, *Histoire ecclésiastique,* liv. I-IV, p. 124.
5. Ainsi, G. Lüdemann, *Paulus, der Heidenapostel,* II, p. 169-172.
6. G. Bardy, *in* Eusèbe de Césarée, *Histoire ecclésiastique,* liv. I-IV, p. 124, n. 5.
7. C'est ce qu'a fort pertinemment fait remarquer E. Stauffer, *ZRGG* 4, 1952, p. 194-200.
8. Ce fait trouve une expression en *1 M* 5, 61-62.
9. Cf. p. 36 et *Talmud de Babylone, Pesahim* 57*a*.
10. Nous empruntons cette expression à A. Paul, *Le monde des Juifs,* p. 211.

d'Ezéchias, mis à mort par Hérode en 57-46 avant notre ère[1], et en tout cas de Judas le Galiléen[2], nous mène, en passant par les trois fils de ce dernier, Jacob, Simon[3] et Menahem[4], jusqu'à Eléazar qui conduisit la résistance héroïque des irréductibles de Massada[5]. Par ailleurs, l'espérance messianique elle-même, parmi les multiples formes qu'elle a revêtues[6], pouvait être liée à différentes tribus, essentiellement celles de Lévi[7] et de Juda[8]. Enfin, encore que cela nous mène au-delà de la période qui nous concerne, on constate, en milieu pharisien, que la maison d'Hillel accapara, à partir de l'an 90 de notre ère, la présidence du grand Sanhédrin[9]. Ainsi E. Stauffer a-t-il pu écrire que « non seulement la lutte pour le sacerdoce, non seulement la lutte pour le pouvoir, mais aussi la lutte pour l'attente messianique étaient des luttes de tribus et de maisons »[10]. Il considère en conséquence que l'absence, au sein du judéo-christianisme jérusalémite le plus ancien, de toute conception dynastique constituerait une rupture dont il conviendrait de rendre compte[11], mais relève aussitôt que l'importance du rôle qui revint à Jacques atteste que ce que l'on pouvait attendre s'est produit[12].

La suite de cette étude nous donnera l'occasion de revenir sur l'ascension du frère du Seigneur au sein de l'Eglise jérusalémite et sur la rivalité qui prévalut entre lui et Pierre. Il sera temps d'analyser alors quel rôle les questions de légitimité jouèrent dans l'évolution qui eut cours et de se demander dans quelle mesure les partis en présence développèrent leur argumentation autour d'elles.

---

1. Cf. Flavius Josèphe, *BJ*, I, 204.
2. Il n'est pas certain que ce personnage, dont parle Flavius Josèphe à plusieurs reprises (notamment en *AJ*, XVIII, 4-10.23-24 ; *BJ*, II, 117-118) et dont le Nouveau Testament évoque le souvenir (Ac 5, 37), doive être identifié avec Judas, fils d'Ezéchias, dont il est question en *AJ*, XVII, 271-272 et en *BJ*, II, 56. Pour une présentation très nuancée de la question, on pourra se reporter à P. Benoit, Quirinius (Recensement de), *DBS*, IX, 1979, col. 705 et 706.
3. Ils furent crucifiés par ordre du préfet Tibère Alexandre dans les années 46 à 48 de notre ère (cf. Flavius Josèphe, *AJ*, XX, 102).
4. Cf. Flavius Josèphe, *BJ*, II, 433-448.
5. Flavius Josèphe, *BJ*, VII, 252-406. Il est précisé en *BJ*, II, 447, que cet Eléazar appartenait à la famille de Ménahem.
6. Sur la diversité de cette attente, qu'on ne saurait en aucun cas réduire aux deux exemples que nous avons choisis, on consultera le recueil de textes réunis par P. Grelot, *L'espérance juive au temps de Jésus* (Jésus et Jésus-Christ, 6), Paris, 1978.
7. Ainsi *Testament de Ruben* 6, 8-12. Elle est circonscrite parfois à la maison d'Aaron (CD 14, 19 ; CDB 1, 10-11 ; 2, 1).
8. Par exemple en *Psaume de Salomon* 17, 21. Elle est, bien entendu, liée dans ce cas à la maison de David (cf. 2 S 7, 11-16 ; Mi 5, 1-5...).
9. E. Stauffer, *ZRGG* 4, 1952, p. 195, rappelle à ce propos que, parvenue à cette haute fonction sous Gamaliel II en 90 de notre ère environ, elle l'exerça sans interruption jusqu'en 230 et s'y maintint pratiquement jusqu'au début du ve siècle.
10 E. Stauffer, art. cit., p. 197. Nous nuancerions, pour notre part, volontiers son propos en précisant, à propos des deux dernières, qu'elles ne l'étaient pas forcément, quoique souvent. Nous ferions donc nôtre sa formule en substituant un conditionnel « pouvaient être » à l'affirmatif « étaient ».
11. E. Stauffer, *ibid.*
12. E. Stauffer, art. cit., p. 198-200.

Chapitre III

Par delà les différences,
une même conception de l'éminence
et de la prééminence
de l'Eglise de Jérusalem

Jérusalem jouissait, dans le judaïsme du 1er siècle de notre ère, d'un prestige incomparable. Ville du Temple, les pèlerins y affluaient, surtout à l'occasion des trois célébrations annuelles : la Pâque, la fête des Semaines et celle des Tentes. Elle occupait ainsi une position centrale incontestée. L'œuvre de Philon d'Alexandrie, auteur issu pourtant de la métropole qui comptait alors la plus importante colonie juive, illustre bien cet état de choses : les relations entre Jérusalem et la diaspora y sont envisagées selon le modèle des liens qui unissent une cité mère aux villes demeurant sous sa tutelle[1]. Cela prouve quelle valeur symbolique était attribuée à la cité du sanctuaire par l'ensemble du monde juif[2]. Le poids accordé aux décisions du grand Sanhédrin nous a d'ailleurs déjà fourni un autre exemple de l'influence qu'elle exerçait et qui lui était naturellement reconnue[3].

Il n'est pas étonnant, dans ce contexte, que l'Eglise primitive de Jérusalem, forte, d'autre part, de la présence en son sein de personnages dont le prestige était grand, ait été à la fois consciente de son éminence et soucieuse de sa prééminence au sein du mouvement chrétien naissant. Il nous semble que, mieux que tout autre exemple, la prétention qu'elle a émise de représenter le nouveau Temple et la façon dont elle s'est efforcée de régenter l'œuvre missionnaire illustrent ces deux aspects de la haute autorité dont elle se sentait investie. Nous pensons pour notre part qu'ils peuvent aider à mieux

1. C'est ce que montre bien l'étude de H.-J. Klauck, Die heilige Stadt. Jerusalem bei Philo und Lukas, *Kairos* 28, 1986, p. 129-151.
2. On retrouvera ici les catégories, définies par A. Etzioni, dont il a été question p. 18.
3. Nous nous situons ici sur l'axe domination-autorité tracé par M. Hennen et W. U. Prigge (cf. p. 19).

comprendre le rôle qui fut attribué à Pierre en son sein ainsi que l'itinéraire qui fut finalement le sien. C'est pourquoi il nous paraît important de les envisager à présent.

A – LA COMMUNAUTÉ ENVISAGÉE
COMME LE NOUVEAU TEMPLE

I – La métaphore du fondement et celle des colonnes

Dans la *Première épître aux Corinthiens*, Paul apostrophe ainsi ses correspondants : « Ne savez-vous pas que vous êtes le Temple de Dieu et que l'Esprit de Dieu habite en vous ? Si quelqu'un détruit le Temple de Dieu, Dieu le détruira. Car le Temple de Dieu est saint et ce Temple, c'est vous » (1 Co 3, 16-17)[1].

La métaphore du Temple de Dieu se trouve appliquée ailleurs encore à la communauté ou aux croyants en général dans le Nouveau Testament[2]. Pourtant, dans le passage que nous venons de citer — et c'est ce qui le rend tout particulièrement intéressant pour notre propos —, elle apparaît juste après un développement de l'apôtre des gentils sur la construction divine et sur ceux qui y prennent part (1 Co 3, 10-15). Il y est question notamment du fondement de la bâtisse à propos duquel Paul adresse la mise en garde suivante : « Quant au fondement *(themelios),* nul ne peut en poser un autre que celui qui est en place : Jésus-Christ » (1 Co 3, 11). Cette mise au point doit être elle-même située dans le contexte général des quatre premiers chapitres de l'épître, qui voient Paul prêcher l'harmonie à une Eglise où prévalent les scissions et la discorde et où chacun proclame : « Moi j'appartiens à Paul. Moi à Apollos. Moi à Céphas. Moi à Christ » (1 Co 1, 12). Dans ce cadre, de nombreux auteurs se sont demandé si Paul ne visait pas, en 1 Co 3, 11, un parti qui aurait invité à reconnaître en Pierre le fondement *(themelios)* sur lequel doit être édifiée l'Eglise[3].

Leur point de vue nous paraît mériter la plus grande attention. En effet, Paul revient, au début du chapitre 3, à sa description des partis qui divisent

---

1. Traduction empruntée à la *TOB. Nouveau Testament,* p. 499.
2. Ainsi 2 Co 6, 16 ; Ep 2, 20-22 ; 1 Pi 2, 5.
3. Ainsi déjà M. Goguel, *RHPhR* 14, 1934, p. 478 ; Ph. Vielhauer, *OIKODOMÈ,* p. 182, n. 6 ; Id., *NTS* 21, 1974-1975, p. 348-351 ; W. Grundmann, *ZNW* 39, 1940, p. 121, n. 28 ; T. W. Manson, in *Studies,* p. 194 ; O. Cullmann, *Saint Pierre,* p. 40 ; C. K. Barrett, in *Abraham unser Vater,* p. 6 et 7 ; W. Trilling, *ThQ* 151, 1971, p. 113 ; M.-A. Chevallier, in *Paulo a una chiesa divisa,* p. 127 et 128 ; R. Pesch, *Simon Petrus,* p. 106 et 107 ; E. Schweizer, *Matthäus,* p. 222 ; G. Lüdemann, *Paulus der Heidenapostel,* II, p. 118-123 ; B. P. Robinson, *JSNT* 21, 1984, p. 95 et 96.

la ou plutôt les communautés corinthiennes[1] mais ne mentionne que ceux qui se réclament de lui ou d'Apollos (v. 4). Il recourt ensuite aux deux volets du diptyque jérémien constitué par les termes bâtir et planter[2], pour récapituler d'abord l'histoire de la plantation de Dieu à Corinthe et rappeler quels rôles furent respectivement le sien et celui d'Apollos (v. 6-9) puis pour aborder, nous l'avons vu, les règles qui doivent régir la construction de la maison de Dieu (v. 10-15). Ici, Paul ne mentionne nommément plus personne. Il prend toutefois soin de rappeler que c'est lui qui a posé, à Corinthe, le fondement (v. 10*a*). Vient ensuite la constatation qu'un autre a bâti dessus, puis une première mise en garde relative à la façon dont chacun construit (v. 10*b*). C'est alors que survient la mise au point concernant l'unique fondement, Jésus-Christ (v. 11). La suite du développement précise que, de toute manière, l'œuvre de chacun sera évaluée au jour du jugement. Elle insiste de la sorte sur la responsabilité des bâtisseurs. Ainsi, l'ensemble des versets 10*b*-15 constitue-t-il un avertissement que Paul formule avec force solennité et émotion[3]. Il va sans dire qu'il doit avoir en vue une ou plusieurs cibles, d'autant que ses « polémiques les plus virulentes (...) sont anonymes »[4]. Or on voit difficilement à quel autre fondement que Pierre l'apôtre des gentils pourrait penser au v. 11, d'autant que Mt 16, 18 fait justement de lui le roc sur lequel l'Eglise doit être construite[5]. Paul protesterait donc ici contre « l'utilisation abusive de la promesse faite à Pierre dans le premier évangile par des représentants de Céphas, accrédités ou non, [qui] semblent (...) avoir marché sur les traces de Paul pour faire valoir l'autorité première de leur maître »[6].

Mais justement, pour revenir à la problématique qui nous intéresse ici, le fait qu'il soit question du Temple de Dieu aux v. 16 et 17 peut nous alerter et nous conduire à nous demander si Paul n'emprunte pas cette image, par delà les milieux pétriniens qui en auraient été les vecteurs à Corinthe, à l'Eglise jérusalémite[7], et ce pour lui donner une extension nouvelle. Il affirmerait ici que toute communauté est, du simple fait qu'elle est fondée en Christ, semblable au sanctuaire. Cette qualité ne saurait donc dépendre de la médiation d'autorités humaines, aussi prestigieuses soient-elles, qui seules

1. Nous rappellerons ici que F. V. Filson, *JBL* 58, 1939, p. 105-112, a développé sa thèse relative à l'existence de plusieurs communautés domestiques au sein d'une même ville à partir notamment de 1 Co 1, 10-13 (p. 110). Selon lui, les différents groupes « avaient non seulement leurs slogans partisans mais aussi leurs lieux de rencontre particuliers » (cf. déjà p. 80-81).
2. Sur les métaphores associées de la plantation et de la construction, dans l'Ancien Testament, la littérature intertestamentaire et chez Paul, nous renverrons à l'étude de M.-A. Chevallier, *Esprit de Dieu, paroles d'hommes. Le rôle de l'Esprit dans les ministères de la parole selon l'apôtre Paul* (« Bibliothèque théologique »), Neuchâtel, 1966, p. 25-48.
3. Nous empruntons ces deux termes à M.-A. Chevallier, in *Paulo a una chiesa divisa*, p. 124.
4. Ph. Vielhauer, *OIKODOMÈ,* p. 182, n. 6.
5. T. W. Manson, in *Studies,* p. 194.
6. M.-A. Chevallier, in *Paulo a una chiesa divisa,* p. 127.
7. L. Gaston, *No Stone,* p. 196, s'interroge en ce sens.

pourraient la conférer, à condition qu'on leur fasse allégeance, parce qu'elles en seraient en quelque sorte les dépositaires.

L'hypothèse nous paraît d'autant plus vraisemblable qu'au v. 10 Paul prend soin de rappeler que, s'il a posé le fondement à Corinthe, c'est selon la grâce que Dieu lui a donnée *(kata tèn charin tou theou tèn dotheisan moi)*. Or il ne fait allusion à ce don particulier qu'à deux autres reprises dans ses lettres[1], en Ga 2, 9, où il rappelle que c'est en reconnaissance de cette grâce qui lui a été accordée que Jacques, Céphas et Jean lui ont confié, ainsi qu'à Barnabas, l'apostolat des incirconcis, et en Ro 15, 15, dans un passage où il est également question de sa mission spécifique auprès des païens[2]. Ainsi, il ne nous paraît pas exagéré d'extrapoler et de penser que Paul, quand il évoque ici la tâche que Dieu lui a confiée, renvoie tacitement ses interlocuteurs à l'accord conclu à Jérusalem. Il signifierait de la sorte que si, pour sa part, il l'a respecté, il semble malheureusement que ce ne soit pas le cas de tout le monde. On retrouverait ainsi l'ombre de l'Eglise de Jérusalem et de ses colonnes !

Mais, même si l'on se refusait à considérer que Paul se pose, en 1 Co 3, 10-15, en critique des conceptions jérusalémites, il n'en demeurerait pas moins que le terme de colonnes dont il fait état en Ga 2, 9 peut donner à penser qu'effectivement l'Eglise primitive de Jérusalem s'est considérée comme le Temple de la fin des temps.

Certes, cette interprétation n'est pas la seule possible et certains auteurs préfèrent accorder ici au mot *stulos* une signification cosmologique[3]. R. D. Aus s'appuie, pour ce faire, sur des textes rabbiniques dans lesquels il est question de colonnes supportant le monde[4]. Elles peuvent être au nombre de douze et ce sont alors, en référence à Dt 32, 8, les douze tribus

---

1. R. Pesch, *Simon Petrus,* p. 107, rend attentif à ce point.

2. Paul prend soin de préciser un peu plus loin qu'il a toujours mis un point d'honneur à ne bâtir que là où personne n'avait encore posé les fondations (Ro 15, 20). On retrouve une problématique semblable en 2 Co 10, 13-16 dans un développement également polémique (2 Co 10, 12-18) qui tourne dans un premier temps autour du *kanôn* qui a été attribué à Paul. Comme l'avait déjà relevé C. K. Barrett, *BJRL* 46, 1963-1964, p. 293 et 294, dont le point de vue a récemment trouvé confirmation grâce à la découverte d'un édit de Sotidius qui fut gouverneur de Galatie dans la seconde décennie du Iᵉʳ siècle de notre ère (de 13 à 15 environ) (cf. J. F. Strange, 2 Corinthians 10:13-16 Illuminated by a Recently Published Inscription, *BA* 46, 1983, p. 167-168, qui adjoint toutefois au sens retenu par Barrett celui d'inventaire des services, soit, en l'occurrence, la prédication de l'Evangile), ce terme doit être compris ici dans son acception géographique, c'est-à-dire au sens de territoire. « La polémique porte donc sur la question de savoir du domaine de l'activité apostolique de qui relève Corinthe. Cette question renvoie indéniablement à Galates 2, 1-10, où il est question du partage de l'activité apostolique. Cette répartition des tâches pouvait dans la pratique engendrer des difficultés car il y avait très peu d'endroits qui fussent purement juifs ou purement païens » (C. K. Barrett, art. cit., p. 294, et les p. 266-267 de cette étude).

3. Ainsi S. Aalen, *Die Begriffe « Licht » und « Finsterniss » im Alten Testament, im Spätjudentum und im Rabbinismus* (Skrifter utgitt av det Norske Videnskaps-Akademie i Oslo, Historisk-filosofisk klasse), Oslo, 1951, p. 285-287, et R. D. Aus, *ZNW* 70, p. 256-257.

4. R. D. Aus, art. cit., p. 254.

d'Israël[1]. Il arrive aussi qu'on en dénombre sept, en lien avec les piliers de la Sagesse de Pr 9, 1[2] ; ou bien encore — et c'est le cas le plus fréquent — trois. Pour autant que des personnages humains soient concernés, diverses triades peuvent être mentionnées mais ce sont toujours les trois patriarches qui figurent en tête[3]. Comme le relève Aus, c'est donc sans doute là la tradition la plus ancienne[4]. Enfin, il arrive qu'il ne soit question que d'un pilier unique qui est alors le juste[5].

En bonne méthode, Aus privilégie les traditions qui font état de trois colonnes puisque tel était le nombre de celles de l'Eglise de Jérusalem. Il s'intéresse donc tout particulièrement aux patriarches et relève que « les termes anciens et presque interchangeables piliers/fondations/supports doivent avoir représenté une façon usuelle de [les] désigner »[6]. Il cite à ce propos un texte où Rabbi Eliézer ben Hyrkanos, maître appartenant au groupe le plus ancien des tannaïm de la seconde génération (entre 90 et 120 de notre ère), les qualifie d'immuables fondements de la Terre[7] et un passage dans lequel Rabbi Yehuda, qui se fait ici le porte-parole de Rabbi Nehoraï, lui-même membre de la troisième génération de tannaïm, parle des trois grands piliers du monde : Abraham, Isaac et Jacob[8]. Il ajoute encore qu'Abraham peut recevoir individuellement cette appellation[9], au même titre que Jacob qui, dans le texte concerné[10], est qualifié conjointement de pilier et de fondation du monde[11]. Il conclut enfin que tous ces passages permettent de comprendre « pourquoi Jacques, Céphas (Pierre) et Jean furent considérés comme des piliers par la première communauté de Jérusalem. De même que Dieu avait déjà établi le monde, la communauté de l'alliance Israël, sur la base des trois patriarches, de même dans la période messianique, inaugurée par la résurrection de Jésus d'entre les morts, les judéo-chrétiens considéraient que Dieu avait établi le monde à nouveau, la nouvelle communauté de l'alliance, l' "Israël de Dieu", pour employer l'expression de Paul en Ga 6, 16, sur la base de nouveaux piliers »[12].

Nous nous accordons pleinement avec R. D. Aus quand il constate que différents termes, évoquant chacun un élément porteur d'une construction,

---

1. *Talmud de Babylone Hagiga* 12*b* ; *Midrash Tehillim* sur le Psaume 136, 5.
2. *Talmud de Babylone Hagiga* 12*b* ; *Pesikta Rabbati* 8, 4.
3. Ainsi *Midrash Tehillim* sur le Psaume 1, 15, où les trois fils de Coré et les trois compagnons de Daniel sont également mentionnés, et *Cantique Rabba*, VII, 8, 1, où seuls ces derniers le sont en dehors d'Abraham, d'Isaac et de Jacob.
4. R. D. Aus, *ZNW* 70, 1979, p. 254. Il faut toutefois relever l'exception que constitue *Midrash Tehillim* sur le Psaume 34, 1, où la triade Adam, Noé, Abraham est seule envisagée.
5. *Talmud de Babylone Hagiga* 12*b* ; *Midrash Tehillim* sur le Psaume 136, 5.
6. R. D. Aus, *ZNW* 70, 1979, p. 256.
7. *Talmud de Babylone Rosh-ha-Shana* 11*a*.
8. *Genèse Rabba Lech Lecha* 43, 8.
9. *Exode Rabba* 2, 6. Voir aussi, dans une perspective assez semblable, Philon, *De Migratione Abrahami*, 121-125.
10. *Genèse Rabba Vayyishlach* 75, 11.
11. Sur tout ce développement, R. D. Aus, *ZNW* 70, 1979, p. 256.
12. R. D. Aus, art. cit., p. 257.

sont ici interchangeables. Cette observation, que confirme l'étude de passages du *Livre de Job*[1] mais aussi celle de 1 Tm 3, 15, est extrêmement importante. Elle rend compte du fait que nous nous situons ici dans un domaine, celui de la métaphore, où toute image en appelle, par essence, d'autres[2]. L'attitude des auteurs qui demeurent attentifs aux harmoniques possibles entre divers passages dans lesquels différents personnages sont assimilés aux supports d'un édifice nous paraît donc tout à fait justifiée[3]. Mais il faut noter tout de suite que, de même que plusieurs images peuvent être invoquées au sein d'une même métaphore, cette métaphore elle-même est susceptible de diverses interprétations. C'est là, nous semble-t-il, ce qu'oublie Aus.

La lecture patriarcale est donc assurément envisageable, mais elle n'est pas, pour autant, la seule. On ne peut négliger la possibilité de comprendre ces passages aussi en rapport avec l'imagerie du Temple. C'est là d'ailleurs ce qu'invitent à faire les documents qumrâniens que R. D. Aus n'envisage qu'en note et congédie un peu rapidement[4].

L'un des textes les plus éclairants est sans doute celui qui, dans la *Règle de la Communauté,* traite de l'éducation des enfants et de l'âge auquel ils pourront avoir accès aux diverses fonctions. Il y est spécifié qu' « à l'âge de vingt-cinq ans, il [la nouvelle recrue] pourra venir prendre [pla]ce parmi les fondements de la congrégation sainte pour assurer le service de la congrégation »[5]. Ce passage peut jeter quelque lumière sur Ga 2, 9[6]. Le mot JSWD, qui y figure, joue d'ailleurs, avec le terme SWD qui en est proche, un rôle très important dans la littérature essénienne. H. Muszynski a ainsi pu consacrer tout un ouvrage à leur étude[7]. Il a relevé qu'ils apparaissent au sens de fondement à de nombreuses occasions. Quand ils s'appliquent, dans cette acception, à des personnages, ils peuvent désigner, suivant les cas, la communauté tout entière en tant qu'elle est établie par Dieu[8], un noyau représentatif de la congrégation[9] ou bien un indi-

1. Nous renvoyons ici à U. Wilckens, *Stulos, ThWNT,* VII, p. 733, qui cite Jb 9, 6 ; 26, 11 et 38, 6 et remarque que les termes *stulos, themelion* et *stereôma* y sont utilisés comme synonymes.
2. Rappelons ici que P. Ricœur, *La métaphore vive* (L'ordre philosophique), Paris, 1975, p. 311, définit ainsi la métaphore : « La métaphore est, au service de la fonction poétique, cette stratégie du discours par laquelle le langage se dépouille de sa fonction de description directe pour accéder au niveau mythique où sa fonction de découverte est libérée. »
3. Ainsi W. Grundmann, *ZNW* 39, 1940, p. 120, et A. Jaubert, L'image de la colonne (I Timothée 3, 15), in *Studiorum paulinorum Congressus Internationalis Catholicus 1961,* vol. II (AnBib 17-18), Roma, 1963, p. 104.
4. R. D. Aus, *ZNW* 70, 1979, p. 257, n. 46.
5. 1QSa 1, 12-13 (traduction empruntée à A. Dupont-Sommer, in *La Bible. Ecrits intertestamentaires,* p. 48-49).
6. Le parallèle avec Ga 2, 9 est retenu par H. N. Richardson, Some Notes on IQSa, *JBL* 76, 1957, p. 121 ; E. Schweizer, *Gemeinde und Gemeindeordnung im Neuen Testament (AThANT* 35), Zürich, 1959, p. 184, n. 774 ; B. Gerhardsson, *Memory and Manuscript,* p. 278, n. 3.
7. H. Muszynski, *Fundament.*
8. Ainsi 1QH 6, 26 ; 1QS 11, 8 ; 4QpIs[d] 1-3 (passages étudiés p. 174-197).
9. 1QS 8, 5 ; 1QSa 1, 12 (p. 198-206).

vidu donné[1]. Muszynski en conclut que, « dans le Nouveau Testament comme à Qumrân, le fondement est une composante essentielle de la représentation imagée de la communauté comme construction ou comme temple spirituel de la fin des temps »[2]. Il ajoute que, « dans les deux cas, il s'agit d'un concept qui est utilisé en vue de la représentation de la communauté religieuse elle-même et pour la description de son organisation »[3]. Il observe enfin que « le Christ et le Maître de Justice sont comme fondateurs appelés fondements des communautés construites par eux et ce dans un sens très proche (cf. 1 Co 3, 11 ; 1QH 2, 10 ; 5, 9.26 ; 1QS 7, 27) »[4] et qu' « il en va de même pour les personnes sur lesquelles, en raison de leur signification pour la vie de la communauté, la construction communautaire spirituelle repose dans son ensemble (Ep 2, 20 ; Ap 21, 14.19 ; 1QS 8, 5 ; 1QSa 1, 12) »[5].

La démonstration de Muszynski nous paraît convaincante. Elle manifeste combien, en ce domaine, les conceptions qumrâniennes et néo-testamentaires sont proches. Il n'y a d'ailleurs pas de difficultés majeures à attribuer à la communauté primitive de Jérusalem l'emprunt de représentations esséniennes si l'on accepte l'hypothèse que nous avons proposée quant à sa première ébauche d'organisation. Mais, nous venons de le voir, c'est surtout le concept de fondement qui a fait florès à Qumrân. Cela invite à considérer avec la plus grande attention Mt 16, 18 ainsi que les versets qui l'encadrent, c'est-à-dire le texte que le premier évangile place, dans la bouche de Jésus, en réponse à la confession de Pierre.

II – L'IMAGE DE LA CONSTRUCTION EN MATTHIEU 16, 18 : ÉCLAIRAGE FOURNI PAR ESAÏE 28, 14-18 ET PAR LES SPÉCULATIONS DONT FIT L'OBJET CE PASSAGE

Nous reproduirons d'abord la réponse attribuée à Jésus dans son ensemble en adoptant la disposition préconisée déjà par J. Jeremias[6]. Elle rend en effet bien compte de son mouvement d'ensemble :

> 17. *Apokritheis de ho Ièsous eipen autô :*
> *makarios ei, Simôn Bariôna,*
> *hoti sarx kai haima ouk apekalupsen soi*
> *all' ho patèr mou ho en tois ouranois.*

1. 1QS 7, 17 ; 10, 12 ; 1QH 1, 22 ; 2, 10 ; 3, 21 ; 5, 9.26 ; 7, 4.9 ; 11, 12 ; 13, 15 (p. 206-233).
2. H. Muszynski, *Fundament,* p. 231. Sur la conception essénienne de la communauté comme fondement du Temple eschatologique, voir la n. 5, p. 41.
3. H. Muszynski, *op. cit.,* p. 231.
4. *Ibid.* Nous avons retranché ici, aux passages allégués par Muszynski, Ro 15, 20 qui n'a pas sa place dans cette liste.
5. H. Muszynski, *op. cit.,* p. 231. On pourrait bien sûr adjoindre aux passages cités Ga 2, 9, que l'auteur leur associe d'ailleurs p. 223.
6. Joachim Jeremias, *Golgotha,* p. 68-69.

18.   *kagô de soi legô hoti su ei Petros,*
         kai epi tautè tè petra oikodomèsô mou tèn ekklèsian,
         kai pulai hadou ou katischusousin autès.

19.   *dôsô soi tas kleidas tès basileias tôn ouranôn,*
         kai ho ean dèsès epi tès gès estai dedemenon en tois ouranois,
         kai ho ean lusès epi tès gès estai lelumenon en tois ouranois.

Citons à présent les textes retrouvés parmi les manuscrits de la mer Morte qui sont le plus souvent évoqués pour éclairer le verset central de ce passage[1]. Ils sont au nombre de trois :

> — Quand ces choses arriveront en Israël,
> [5]le Conseil de la communauté sera affermi dans la vérité
> en tant que plantation éternelle :
> c'est la Maison de sainteté pour Israël
> et la Société de suprême [6]sainteté pour Aaron ;
> ils sont les témoins de vérité en vue du Jugement
> et les élus de la Bienveillance (divine)
> chargés d'*expier pour la terre*
> et de *faire retomber* [7]*les sanctions sur les impies.*
> C'est le mur éprouvé, la pierre d'angle précieuse ;
> [8]ses *fondements (JSWDWT)* ne trembleront pas
> ni ne s'enfuiront de leur place.
> C'est la demeure de suprême sainteté [9]pour Aaron
> dans la connaissance [éternelle] en vue de l'alliance du droit
> et pour faire des offrandes d'agréable odeur ;
> et la Maison de perfection et de vérité en Israël
> [10]pour établir l'Alliance selon les préceptes éternels.
> Et ils seront agréés pour *expier la terre*
> et pour *décréter le jugement de l'impiété*
> sans qu'il reste aucune perversité (1QS 8, 4-10)[2].

On retrouve ici l'idée d'une communauté semblable à une construction inébranlable et dotée de prérogatives en matière de jugement.

> — [22][Et moi, je f]us comme un marin sur un bateau :
> dans la furie [23]des mers étaient leurs vagues,
> et tous leurs flots grondèrent contre moi ;
> (il soufflait) un vent de vertige,
> [et nulle] brise pour restaurer l'âme,

---

1. Outre l'ouvrage, déjà cité, de Muszynski, *Fundament,* nous mentionnerons trois études importantes qui ont été consacrées à la discussion de ces parallèles. Il s'agit de celle d'O. Betz, *ZNW* 48, 1957, p. 49-77, de celle de L. Gaston, *No Stone,* p. 219-225, et de celle de J. M. Casciaro, El vocabulario técnico de Qumrân en relation con el concepto de Comunidad. Estudios preliminares para una eclesiologia biblica (Primera parte) puis (Segunda parte y conclusiones), *ScrTh* 1, 1969, p. 7-54 et 243-313.

2. Traduction empruntée à A. Dupont-Sommer, in *La Bible. Ecrits intertestamentaires,* p. 31-32.

et nul [24]sentier pour diriger la route sur la face des eaux.
Et l'abîme retentit de mon gémissement
et [mon âme descendit] jusqu'aux *portes de la Mort.*
Et je fus [25]comme quelqu'un qui a pénétré dans une ville fortifiée
et qui s'est retranché dans une muraille escarpée
en attendant la délivrance.
Et je me suis ap[puyé sur] ta vérité, ô mon Dieu !
Car *c'est toi qui* [26]*mettras la fondation (SWD) sur le rocher*
et la charpente sur le cordeau de justice
et le fil à plomb [de vérité] pour [contrô]ler les *pierres éprouvées*
en vue de (construire) une bâ[t]i[sse] [27]*robuste*
telle qu'elle ne soit pas ébranlée
et que *nul de ceux qui y pénètrent ne chancelle.*
Car il n'y pénétrera pas d'étranger ;
[et] il y aura des *vantaux* si bien protégés qu'on ne pourra [28]pénétrer
et des verrous si robustes qu'on ne pourra les briser.
Nulle bande n'y pénétrera avec ses armes de guerre,
tant que s'achèvera tout le dé[cret] [29]relatif aux combats de l'impiété »
    (1QH 6, 22-29)[1].

Autour du même concept de construction eschatologique se trouve arti-culé cette fois le thème des assauts à venir d'une puissance hostile, mythique. Ils seront repoussés victorieusement.

— [6]Je te rends grâce, ô Adonaï !
Car tu m'as soutenu par ta force,
et ton Esprit [7]saint, tu l'as répandu en moi,
pour que je ne chancelle pas.
Et tu m'as rendu fort en face des combats de l'impiété
et parmi tous les malheurs qu'ils me causaient
[8]tu ne m'as pas laissé déserter lâchement ton Alliance.
Mais tu m'as placé comme une tour robuste,
comme un rempart escarpé.
Et *tu as fondé sur le rocher* [9]*ma bâtisse*
et des assises éternelles me servent de fondement
et *tous mes murs sont devenus un rempart éprouvé*
que rien ne saurait ébranler (1QH 7, 6-9)[2].

On retrouve ici la même métaphore que précédemment mais la bâtisse est désormais celle de l'orant, le Maître de Justice. Il est précisé un peu plus loin que chacun sera jugé aux temps derniers en fonction de son attitude à son égard[3].

Il nous semble important de replacer tous ces textes sur l'arrière-plan

1. Traduction empruntée à A. Dupont-Sommer, *ibid.,* p. 257-258.
2. Traduction empruntée à A. Dupont-Sommer, *ibid.,* p. 260.
3. 1QH 7, 12.

d'Es 28, 16[1], et plus généralement des versets 14 à 18 de ce même chapitre :

> [14]C'est pourquoi, écoutez la parole de Iahvé,
> gens à raillerie qui gouvernez ce peuple qui est à Jérusalem !

A [15]Vous avez dit : « Nous avons conclu une alliance avec la mort,
> avec le Shéol nous avons conclu un pacte.

B Le flot inondant, lorsqu'il passera,
> ne viendra pas chez nous,
> car nous avons fait du mensonge notre abri
> et nous nous sommes dissimulés au moyen de la tromperie. »

C [16]C'est pourquoi, ainsi a dit Adonaï Iahvé :
> « *Voici que moi, je pose à Sion une pierre,*
> une pierre de granit,
> une coûteuse *pierre angulaire de fondement, bien fondée.*
> Celui qui croit ne témoignera pas d'impatience.
> [17]Je ferai du jugement un cordeau,
> de la justice un niveau

B' Mais la grêle emportera l'abri du mensonge
> et les eaux inonderont la cache.

A' [18]Votre alliance avec la mort sera annulée
> et votre pacte avec le Shéol ne tiendra pas.
> Quand le flot inondant passera,
> vous serez bons à être battus par lui »[2].

Ce texte, dont la structure chiastique (ABCB'A') apparaît à l'évidence, culmine aux versets 16-17a. Esaïe utilise ici la métaphore de la construction de façon antithétique. « D'un côté, Yahvé construit une structure très solide avec un fondement inébranlable. De l'autre, le refuge concurrent, construit par les chefs humains de Jérusalem, sera submergé par la première tem-

---

1. L. Gaston, *No Stone,* p. 219-220, et J. J. M. Roberts, *JBL* 106, 1987, p. 31, reconnaissent ainsi que 1QS 8, 7b-8a ; 1QH 6, 25d-27a et 1QH 7, 8-9 dépendent tous d'Es 28, 16. Quant au parallèle entre Mt 16, 18 et Es 28, 16, il est envisagé par de très nombreux auteurs dont déjà Hans Schmidt, *Der Heilige Fels,* p. 100. Parmi eux, O. Keel, *Die Welt der altorientalischen Bildsymbolik und das Alte Testament. Am Beispiel der Psalmen,* Neukirchen, Vluyn, 4. Auflage, 1984, p. 158-161, présente un très intéressant développement sur la symbolique biblique du rocher en relation avec la pierre du Temple.
2. Traduction empruntée à E. Dhorme, in *La Bible. Ancien Testament,* II. Edition publiée sous la direction d'E. Dhorme (« Bibliothèque de la Pléiade »), Paris, 1959, p. 92-93. Nous l'avons préférée à celle de la *TOB* parce qu'elle laisse ouverte la possibilité de comprendre la dernière partie du verset 18 de telle sorte qu'elle apparaisse comme le nom de la pierre de fondation. C'est ce que propose notamment M. Tsevat, « bḥn », *ThWAT,* Band I, col. 591-592. Selon lui, Esaïe déclare ici que Dieu va placer la pierre à la partie inférieure de l'un des angles de Sion (rempart, Temple, ville ou montagne ? — le lecteur découvrira plus loin laquelle parmi ces solutions a notre préférence). Cette pierre porterait, à l'exemple des pierres encastrées dans les coins des murs de fondation des temples et des palais mésopotamiens, une inscription qui serait à comprendre comme un nom. Pour ce qui est de ce nom, la traduction qui a notre faveur est celle que retient A. S. Herbert, *The Book of the Prophet Isaiah,* Chapters 1-39 (The Cambridge Bible Commentary on the New English Bible), Cambridge, 1973, p. 164, à savoir : celui qui croit ne vacillera pas.

pête »[1]. La double image à laquelle recourt ici le prophète a pour arrière-plan historique, d'une part, la tradition relative au Temple de Sion, et, d'autre part, un programme royal visant à fortifier Jérusalem[2]. Mais Esaïe 28, 16 a connu assez vite une interprétation messianique[3]. C'est ce que prouve déjà le témoignage de la Septante. Le verset y est en effet traduit de la façon suivante : « C'est pourquoi voici que je pose pour fondement de Sion une pierre de grand prix, choisie, angulaire, précieuse pour son fondement, et celui qui croit *en elle* n'éprouvera pas de crainte. » Quant au Targum, il paraphrase pour sa part : « C'est pourquoi ainsi parle YHVH-Dieu : Voici que je prépare en Sion un Roi, un Roi puissant, fort et redoutable. Je le rendrai puissant et énergique, dit le prophète. Et les justes qui ont cru en ces choses, lorsque viendra l'angoisse, ne seront pas épouvantés »[4].

L'interprétation personnelle dont Esaïe 28, 16 fait l'objet en 1QH 7, 8-9 ne peut donc surprendre. Elle fournit un témoignage de plus de la très haute considération dont jouissait le Maître de Justice auprès des sectaires des bords de la mer Morte. Il faut toutefois relever qu'il n'est pas assimilé à la pierre de fondation elle-même, alors que tel était le cas du conseil de la communauté en 1QS 8, 7.

Ce qui peut étonner, par contre, à première vue, c'est que Pierre soit désigné, en Mt 16, 18, comme la pierre de fondation, tandis qu'en 1 Pi 2, 6 le Christ lui-même se voit appliquer la prophétie d'Es 28, 26, ce qui paraît plus conforme à l'interprétation messianique, qui avait cours, du passage. Par ailleurs, il faut relever que le premier évangile utilise ici la métaphore de la construction à l'inverse de Paul en 1 Co 3, 10-15. En effet, pour l'apôtre des gentils, les envoyés étaient appelés à édifier sur le fondement Jésus-Christ et à prendre part ainsi à la construction divine. Dans le premier évangile, au contraire, c'est Jésus lui-même qui bâtit son Eglise sur le fondement Pierre. L'image du Christ bâtisseur, que nous rencontrons ici, trouve cependant un parallèle à Qumrân dans un passage où il est question du « Maître [de Justice, à qui] Dieu [a or]donné de se tenir debout et [qu']il a établi pour bâtir pour Lui la Congrégation [de Ses élus] »[5]. Elle est par ailleurs en harmonie avec le logion relatif à la reconstruction du Temple en trois jours (Mc 14, 58 et //) puisque Jésus en est également l'artisan. Cette parole du Nazaréen restait ouverte, nous l'avons vu, à diverses interprétations[6]. Deux lignes majeures semblent s'être dégagées, l'une christologique (Jn 2, 21), l'autre ecclésiologique dont on trouve la trace dans les textes que nous étudions ici. Un mouve-

1. J. J. M. Roberts, *JBL* 106, 1987, p. 39.
2. C'est ce que vient de rappeler J. J. M. Roberts, art. cit., p. 39-43.
3. Joachim Jeremias, « lithos », *ThWNT,* IV, p. 276, insiste sur ce point.
4. Nous empruntons cette traduction à P. Grelot, in *Les targoums.* Textes choisis traduits et présentés par P. Grelot (*CahEvSup* 54), Paris, 1985, p. 60.
5. 4QpPs37 3, 16 (traduction d'A. Dupont-Sommer, in *La Bible. Ecrits intertestamentaires,* p. 377).
6. Cf. p. 49.

ment semblable a eu cours à propos d'Es 28, 16 dont une lecture communautaire a été proposée concurremment à l'explication messianique. Un passage
comme 1 Pi 2, 4-6 montre, au demeurant, combien ces deux interprétations
ont pu être liées[1]. Il n'en va pas autrement en 1 Co 3, 10-15 et en Mt 16, 18.
Même si la métaphore fait l'objet d'une utilisation inverse, la polarité entre
christologie et ecclésiologie est chaque fois présente. C'est elle qui est assurément essentielle avec le fait que le pôle christologique l'emporte toujours sur
le pôle ecclésiologique. Que reproche en effet Paul, si l'on accepte la lecture
que nous proposons de 1 Co 3, 10-15, aux défenseurs zélés de la tradition
reflétée en Mt 16, 18, sinon qu'ils privilégient à tel point le fondement Pierre
qu'ils négligent le fondement Jésus-Christ ? Mais, ce faisant, les adversaires
de l'apôtre des gentils oubliaient sans doute que l'accent résidait, dans la tradition qu'ils véhiculaient, sur le bâtisseur. L'important nous paraît donc,
pour comprendre les passages que nous avons envisagés, de garder bien présente à l'esprit la métaphore de la construction eschatologique dans son
ensemble et de se souvenir que la place de la communauté, d'un membre éminent de l'édifice ou d'un participant zélé à la construction demeure sans cesse
subordonnée à l'action souveraine du maître d'œuvre[2].

Que cette construction doive être interprétée en référence au Temple, c'est
ce que montre, selon nous, pour Mt 16, 18, outre les indices dont nous avons
déjà fait état, les résonances que trouve la symbolique du rocher cosmique dans
le texte. Cette pierre, la *Mishna* nous en fournit une description dans le traité
Yoma, alors qu'il est question du Saint des Saints où accédait le grand prêtre lors
du rituel du jour des Expiations : « Depuis que l'arche a été enlevée, il y avait là
une pierre depuis le temps des prophètes anciens et elle était appelée Shetya ;
elle s'élevait de terre de trois doigts : c'est sur elle qu'on déposait (l'en-
censoir). »[3] Le *Talmud palestinien* précise que « la pierre est appelée Shetya
parce que c'est par elle qu'a commencé la fondation du monde, suivant Es 28, 16 »[4].
L'intérêt de cette remarque est évident pour notre propos puisque nous retrou-
vons ainsi un texte qui nous est apparu déjà à l'arrière-plan de Mt 16, 18.

Avec ces quelques renseignements ne s'épuise pas, loin de là, la symbolique liée à la roche qui affleurait dans le Saint des Saints. J. Jeremias y a
consacré une étude dans un ouvrage qui fait encore aujourd'hui office de
référence[5]. Il y a montré que ce rocher sacré apparaît dans des traditions

---

1. Si l'on considère 1 Pi 2, 4-8 dans son ensemble, on se rend compte que d'autres
passages vétérotestamentaires (ici Ps 118, 22 et Es 8, 14) sont intervenus dans le processus de relecture christologique du thème de la pierre.
2. C'est pourquoi nous renonçons à suivre L. Gaston, *No Stone,* p. 227-228,
quand il s'efforce de démontrer l'antériorité de la relecture ecclésiologique de la métaphore par rapport à la lecture christologique.
3. *Mishna Yoma* 5, 2 (traduction empruntée à J. Bonsirven, *Textes rabbiniques,*
p. 225).
4. *Talmud palestinien Yoma* 42c (traduction empruntée à J. Bonsirven, *ibid.*).
5. J. Jeremias, *Golgotha,* p. 51-68. On pourra se reporter également à Hans
Schmidt, *Der Heilige Fels.*

juives à la fois comme centre du monde, de la Palestine, de Jérusalem et du Temple, comme point culminant de la création, comme porte des cieux et lieu de la présence divine[1]. Le texte suivant illustre bien la plupart de ces aspects. Il glose à propos de la pierre dont Jacob s'était servi de chevet selon Gn 28, 18 et dont il promit de faire une maison de Dieu (Gn 28, 22) : « Que fit le Saint béni soit-il ? De son pied droit, il immergea la pierre jusqu'aux profondeurs du flot primordial et il en fit la clé de voûte du monde comme un homme qui place une clé de voûte dans une arche. Pour cette raison, elle est appelée *ében shetya* car c'est là le nombril du monde, à partir duquel la terre entière fut déployée et sur lequel se trouve le Temple »[2]. En tant que lieu où Jacob eut son fameux songe (Gn 28, 11-19), cette pierre est considérée également comme la porte du ciel[3].

D'autres textes insistent sur le fait qu'elle retient les eaux primordiales et qu'elle constitue en conséquence l'origine des sources et des fleuves et la porte du royaume de la mort[4]. Elle donne donc paradoxalement accès à la fois aux mondes céleste et souterrain[5].

Efforçons-nous à présent de récapituler les thèmes communs respectivement à Es 28, 14-18, aux documents qumrâniens que nous avons cités, à la symbolique du rocher du Temple et à Mt 16, 18. On retrouve, dans tous les cas, la métaphore de la pierre fondement d'un édifice[6], l'image d'une force hostile et plus ou moins mythique[7] et l'idée de l'immutabilité du fondement ou de la construction[8]. Quant au motif des portes de l'Hadès et de la menace éventuelle qu'elles pourraient faire planer, il n'est pas sans évoquer le pacte avec le Shéol conclu en Es 28, 15 pour se prémunir contre la mort, ni bien sûr les portes de la Mort jusqu'auxquelles sombre le psalmiste en 1QH 6, 24 avant de trouver refuge dans une bâtisse aux vantaux inexpugnables (1QH 6, 27), ni enfin le rocher cosmique, porte à la fois des cieux et du royaume de la mort. La conjonction de thèmes s'avère donc impressionnante. Elle invite, nous le pensons du moins, à prendre extrêmement au sérieux la piste que nous sommes en train d'explorer.

La comparaison avec les seuls textes esséniens permet même d'élargir le

---

1. J. Jeremias, *op. cit.,* p. 51-54.
2. *Midrash Yalqut Shim'oni sur la Genèse* 120 (sur Gen 28, 22).
3. *Ibid.* J. Jeremias, *Golgotha,* p. 53, fait état de ce fait.
4. J. Jeremias, *op. cit.,* p. 55-58.
5. J. Jeremias, *op. cit.,* p. 58.
6. Tel est le cas en Es 28, 16-17 — car le début du verset 17, avec la mention du cordeau et du niveau, montre que la pierre est capable de porter un grand édifice —, à Qumrân (1QS 8, 7-8 ; 1QH 6, 25-28 ; 7, 8-9), pour le rocher soubassement du Saint des Saints, du Temple..., et en Mt 16, 18.
7. Le flot inondant en Es 28, 15.17-18 ; la mer déchaînée en 1QH 6, 22-24 ; les eaux primordiales retenues par le rocher cosmique ; les portes de l'Hadès en Mt 16, 18.
8. Elle apparaît implicitement en Es 28, 16-17 — puisque la pierre de fondement est opposée à l'abri de mensonge qui, lui, sera emporté — et explicitement à Qumrân (1QH 6, 28 et 7, 9), à propos de la pierre de fondation du Temple et en Mt 16, 18.

champ de l'enquête puisqu'on peut envisager un rapprochement avec
Mt 16, 19. Il concerne les prérogatives dévolues, en matière d'expiation et de
condamnation, à la communauté (1QS 8, 6-7), responsabilités qui pourraient
n'être pas sans lien avec le pouvoir de lier et de délier confié à Pierre, ainsi
que nous aurons l'occasion de le voir plus loin[1]. Enfin, rappelons-le, le thème
de l'édification de la communauté, présent en Mt 16, 18, se retrouve également dans les documents essséniens[2].

Par contre, les traditions relatives à la pierre de fondation ne permettent pas,
si on les considère isolément, d'éclairer le verset 17. Une tentative a bien été
effectuée en ce sens mais elle nous paraît manquer d'appuis suffisamment solides
pour être retenue. L'auteur qui l'a faite, M. D. Goulder, part de l'apostrophe
« Simon, fils de Jonas » et suggère qu'une typologie reliant Pierre au prophète de
l'Ancien Testament sous-tende le verset 18[3]. Il faut admettre avec lui que le
psaume inséré dans la trame du récit en Jon 2, 3-10[4] trouve des échos dans notre
texte : des entrailles du poisson (v. 2), d'ailleurs comparées au Shéol (v. 2), du
fond de l'abîme (v. 6), d'au-delà des verrous de la Terre (v. 7), le regard (v. 5) et
la prière (v. 8) du fils d'Amittaï s'orientent vers le Temple. Pourtant le thème de
la pierre n'apparaît pas, si bien que, même si le psaume en question doit sans
doute être relié à la liturgie du sanctuaire[5] et repose sur une représentation de
l'univers très proche de celle que suppose la symbolique du rocher cosmique, il
ne peut être considéré comme un parallèle direct de notre texte.

Le rapide parcours que nous venons d'effectuer aura permis d'asseoir, nous
le pensons, l'hypothèse suivante : Mt 16, 18 gagne à être envisagé sur l'arrière-
plan d'une tradition selon laquelle Dieu s'apprête à établir un nouveau Temple
sur un fondement qui revêt un caractère mythique, l'ensemble de l'édifice étant
assuré de résister victorieusement à toutes les forces hostiles. La communauté
de Qumrân avait fait sienne, nous l'avons vu, cette prophétie. Mt 16, 18 nous
paraît manifester que les premiers chrétiens se l'approprièrent à leur tour.
Voilà, nous semble-t-il, un élément qui, après ce que nous avons dit déjà de la
métaphore de la construction et de ses supports ainsi que de la fortune qu'elle
nous paraît avoir connu au sein de l'Eglise de Jérusalem, pourra apporter un
indice déterminant en faveur de l'hypothèse selon laquelle cette dernière s'est

---

1. Voir p. 110-111.
2. Ainsi 1QH 6, 27-28 et 4QpPs37 3, 16.
3. M. D. Goulder, *Midrash and Lection in Matthew*, p. 387. Il est suivi par B. P. Robinson, *JSNT* 21, 1984, p. 90. Un argument qui pourrait plaider en faveur de leur
hypothèse réside dans le fait qu'à part le prophète Jonas il n'y a pas d'attestation du
prénom avant le IIIe siècle de notre ère (ainsi J. Jeremias, « Iônas », *ThWNT*, III,
p. 410).
4. L'immense majorité des auteurs voient dans ce psaume une insertion
secondaire. Les arguments retenus en faveur de cette hypothèse sont les suivants : différence de contexte (on se trouve en fait transporté au Temple) ; usage d'une langue
différente et présentation d'une autre image de Jonas.
5. En ce sens notamment H. W. Wolff, *Dodekapropheton 3. Obadia und Jona*
(*BKAT* XIV/3), Neukirchen, Vluyn, 1977, p. 104, et J. Jr. Newsome, *The Hebrew
Prophets*, Atlanta, 1984, p. 200.

bel et bien considérée comme le nouveau Temple. Mais, avant d'en arriver là, il nous reste du chemin à parcourir. Il nous faudra d'abord étudier si d'autres lectures possibles de Mt 16, 17-19 ne viennent pas invalider celle que nous avons proposée puis fournir des arguments complémentaires en faveur de l'antiquité d'une tradition dont beaucoup contestent l'ancienneté.

III – Autres éclairages possibles de la métaphore de la construction en Matthieu 16, 18

Le passage qui est allégué le plus souvent est tiré du *Midrash Yalkut Shim'oni* 1, 766 :

« Du sommet des rochers, je le vois » (Nb 23, 9). Je vois ceux qui ont procédé à la création du monde. C'est comme un roi qui voulait réaliser une construction. Il fit creuser toujours plus profond et il cherchait à poser le fondement (le mot hébreu calque ici le grec *themelios*) ; mais il trouva des marécages. De même à beaucoup d'endroits. Alors il fit encore creuser à une certaine place et il trouva en profondeur un rocher (le mot hébreu décalque le grec *petra*). Alors il dit : « C'est ici que je veux construire ! » Et il posa le fondement et il construisit. C'est ainsi que Dieu chercha à créer le monde : il s'assit et réfléchit sur la génération d'Hénoch et sur la génération du Déluge. Il dit : « Comment puis-je créer le monde puisque ces impies vont apparaître et m'irriter ? » Mais lorsque Dieu aperçut Abraham qui allait aussi paraître, il déclara : « Voici, j'ai trouvé un rocher *(petra)* sur lequel je peux construire et fonder le monde ». C'est pourquoi il dénomma Abraham rocher (ici le mot hébreu usuel SWR) selon Es 51, 1 : « Regardez le rocher duquel vous avez été taillés (...) »[1].

Il faut noter tout de suite que, parmi les thèmes figurant en Mt 16, 18, seul celui du rocher qui sert de fondement à une construction trouve ici un écho. D'autre part, la présence de mots grecs sémitisés est pour le moins suspecte[2]. Elle est l'indice que nous avons affaire ici à une « contrefaçon polémique »[3]. Enfin, et c'est un aspect important, le midrash s'appuie notamment sur Es 51, 1, mais infléchit de façon notoire le sens de ce texte puisqu'Abraham y fait figure de rocher carrière et non de rocher fondement. Tout cela fragilise la position de ceux qui supposent une influence d'Es 51, 1 sur Mt 16, 18 à travers le *Midrash Yalkut*[4].

---

1. Nous avons emprunté cette traduction française à M.-A. Chevallier, « Tu es Pierre, tu es le nouvel Abraham », *ETR* 57, 1982, p. 377. Nous lui devons également les parenthèses qui renseignent sur les particularités du texte original.
2. C'est ce que relève E. Schweizer, *Matthäus*, p. 222-223.
3. E. Schweizer, *ibid.*
4. On trouvera un aperçu de leur argumentation dans l'article de M.-A. Chevallier, *ETR* 57, 1982, p. 378-387. Il nous semble en fait que si Es 51, 1 influence directement un texte, c'est de Mt 3, 9 qu'il s'agit. On retrouve par ailleurs sans doute une référence à l'Abraham rocher d'Es 51, 1 en *LAB* 23, 5. Ce passage, où il est question du rocher scellé du patriarche, pourrait confirmer le point de vue de ceux qui pensent que le texte d'Esaïe, « loin de parler de la force d'Abraham », en souligne au contraire « l'impuissance et la stérilité » (ainsi G. Arnera, Du rocher d'Esaïe aux douze montagnes d'Hermas, *ETR* 59, 1984, p. 216, qui allègue à l'appui de son propos Ro 4, 19 et He 11, 12).

Il vaut sans doute mieux partir d'un autre texte, dont on considère souvent un peu vite qu'il représente un parallèle presque parfait du *Midrash Yalkut*[1], alors que la manière dont l'argumentation y est développée est finalement assez dissemblable :

Il est écrit : « Du sommet des montagnes, je le vois » (Nb 23, 9). Ceci renvoie aux patriarches. Car il est dit : « Ecoutez, ô vous montagnes, la controverse du Seigneur » (Mi 6, 2). Nous constatons que Dieu désirait depuis longtemps *établir le monde* mais il ne trouvait pas de moyen permettant de le faire avant que les patriarches ne naissent. Dieu était comme un roi qui cherchait à *construire une cité* et décida qu'un site devait être choisi pour sa construction. Quand, cependant, il en arriva à poser les fondations, il constata que l'eau jaillissait de la profondeur et l'empêchait de les placer là. Il essaya à nouveau de les placer ailleurs mais l'eau les recouvrit jusqu'à ce qu'il parvienne à un endroit où il trouva un *grand rocher*. Il dit alors : « Je fixerai ici la cité sur les rochers ». Ainsi, au commencement, le monde était-il plein d'eau et Dieu souhaita-t-il l'établir mais le mal ne lui permit pas de le faire. Qu'est-il écrit de la génération d'Hénoch ? « Puis ils se rebellèrent en invoquant le nom du Seigneur » (Gn 4, 26). Les eaux vinrent et les emportèrent, comme il est dit : « Il fait les Pléiades et Orion... Il appelle les eaux de la mer et les déverse sur la face de la Terre » (Am 5, 8). La génération du Déluge fut également mauvaise ; car qu'est-il écrit à leur propos ? « Qui a dit à Dieu : Détourne-toi de nous ? » (Jb 22, 17). Aussi les eaux montèrent et ne lui permirent pas de poser les fondations, comme il est dit : « dont les fondations s'écoulaient comme un fleuve » (Jb 22, 16) ; et il est écrit : « Le même jour toutes les fontaines du grand abîme furent rompues » (Gn 7, 11). Quand les patriarches vinrent et se montrèrent justes, Dieu dit : « C'est sur eux que j'établirai le monde », comme il est dit : « Car les piliers de la Terre sont au Seigneur : il a établi le monde sur eux »[2].

Ce texte, exempt de tout indice d'une éventuelle controverse dirigée contre des spéculations chrétiennes, atteste l'ancienneté de la ligne d'interprétation profane du rocher fondement. Mais le roc est destiné ici à supporter une cité et non une communauté sanctifiée, encore qu'on ne puisse exclure que la ville dont il est question ait évoqué, dans l'esprit du rédacteur ou des auteurs du passage, la cité par excellence, Jérusalem[3], et que notre passage rejoigne ainsi les spéculations relatives au rocher du Temple. Quoi qu'il en soit, toute référence directe au sanctuaire est absente, ce qui ne saurait surprendre puisqu'il est question ici des patriarches et que la construction du Temple est largement postérieure à leur geste. Il y a là un élément supplémentaire qui nous conduit à penser que la référence à Abraham n'est pas celle sur laquelle Mt 16, 18 repose de la façon la plus immédiate, encore que l'on se meuve ici dans un monde de représentations semblables.

---

1. Ainsi *Bill*, I, p. 733.
2. *Exode Rabba* 15, 7.
3. Une telle référence à la ville sainte pourrait se rencontrer aussi en Mt 5, 14-16. Tel est, en tout cas, l'avis de G. von Rad, Die Stadt auf dem Berge, *EvTh* 8, 1948-1949, p. 439-447, qui pense que la ville sise sur la montagne est la Jérusalem eschatologique entrevue par les prophètes (p. 447).

Ce même univers symbolique se retrouve encore, ainsi que l'a noté G. Claudel[1], en *Targum Amos* 9, 11. Dieu y déclare :

En ce temps-là, je relèverai le royaume de la maison de David qui était tombé ; *je rebâtirai* leurs villes fortes et *je consoliderai leur assemblée ; elle l'emportera sur tous les royaumes* ; elle exterminera et anéantira des troupes nombreuses ; quant à elle, elle sera *bâtie* et achevée comme aux jours d'autrefois[2].

Toutefois, on ne retrouve pas non plus ici la même conjonction de thèmes communs avec Mt 16, 18 qu'en Es 28, 16 et que dans les relectures esséniennes de ce passage. Il nous paraît donc de bonne méthode de privilégier, dans l'interprétation de la déclaration de Jésus à Pierre, une exégèse qui fait valoir, en premier lieu, parmi les harmoniques de la métaphore de la construction, ceux qui ont trait au sanctuaire de la fin des temps.

IV – Matthieu 16, 17-19 comme entité articulée
autour de la métaphore
de la construction eschatologique ?

Si jusque-là le verset central de Mt 16, 17-19 a reçu un éclairage très important, des liens n'ont pu être tissés qu'avec le v. 19, à travers les écrits retrouvés à Qumrân. Serions-nous donc confrontés à un morceau composé à partir d'éléments divers et faudrait-il notamment envisager le v. 17 séparément des deux suivants[3] ?

Il convient, à ce stade, de faire référence à une étude de C. Kähler qui a profondément marqué l'approche de ce verset tout en jetant des ponts en direction de la suite du récit[4]. On peut résumer les acquis de sa recherche qui nous concernent ici de la façon suivante. Si l'on adopte le point de vue de la critique des formes, on rencontre des parallèles de Mt 16, 17(-19)[5] en *4 Esdras* 10, 57, en *Joseph et Aséneth* 16, 14 et dans quelques autres

1. G. Claudel, *La confession de Pierre,* p. 354.
2. Traduction empruntée à G. Claudel, *ibid.*
3. C'est ce qu'A. Vögtle, Messiasbekenntnis und Petrusverheissung. Zur Komposition Mt 16, 13-23 Par. (2. Teil), *BZ* 2, 1958, p. 85-103 ; Id., Zum Problem der Herkunft von Mt 16, 17-19, in *Orientierung an Jesus. Zur Theologie der Synoptiker.* Für J. Schmid (hrsg. von P. Hoffmann in Zusammenarbeit mit N. Brox und W. Pesch), Freiburg, Basel, Wien, p. 372-393, s'est efforcé de démontrer. Selon lui, le verset 17 est rédactionnel alors que les versets 18 et 19 constitueraient une unité traditionnelle que Matthieu aurait insérée secondairement dans la péricope de la confession à Césarée. Certains auteurs ont proposé de fractionner également ces versets 18 et 19. Ainsi P. Hoffmann, in *Neues Testament und Kirche,* p. 97-98, qui y distingue trois éléments distincts issus de la tradition, et J. Schmitt, *Revue de Droit canonique* 28, 1978, p. 7, qui considère le verset 19 dans son ensemble comme rédactionnel ou antérieur de très peu à la composition de l'évangile.
4. C. Kähler, *NTS* 23, 1976-1977, p. 36-58.
5. Les parenthèses sont de notre fait.

sources[1]. Ils se présentent sous l'aspect d'un macarisme à la deuxième personne du singulier. Ce macarisme est prononcé lors d'une vision par un
personnage céleste et est conforté par des signes de révélation[2].

Mais étudions plutôt les deux textes que Kähler invoque plus particulièrement.

C'est lors de sa quatrième vision[3], celle de la femme en deuil, qu'Esdras
est proclamé bienheureux. D'abord témoin de la souffrance provoquée chez
cette femme par la perte de son fils (9, 38-10, 4), il lui rétorque que son malheur n'est rien en comparaison de celui qui frappe Sion (10, 4-17). Suit un
bref dialogue qui précède un discours d'Esdras sur la douleur de Jérusalem
(10, 21-24). C'est alors que la femme se métamorphose en « une *cité bâtie* et
[en] un emplacement aux *importantes fondations* » (10, 27). La vision emplit
d'effroi Esdras, mais un ange vient le réconforter (10, 27-40) et la lui expliquer en ces termes : « Cette femme que tu as vue, c'est *Sion,* que tu aperçois
maintenant comme une cité bâtie » (10, 44). Il lui révèle enfin que Dieu lui a
montré de grandes choses (10, 52) puisque la cité du Très-Haut lui est apparue (10, 54), avant de conclure par le macarisme suivant : « Tu es (...) plus
heureux que beaucoup et tu es nommé devant le Très-Haut comme il y en a
peu » (10, 57)[4].

Quant à Aséneth, c'est au terme d'une prière de confession au Seigneur[5]
qu'un ange lui apparaît (14, 8-9). Il l'invite à quitter sa parure noire pour
revêtir une robe neuve et immaculée (14, 11-17), avant de lui révéler qu'à
compter de ce jour elle sera incorruptible, immortelle (15, 4). Il lui annonce
alors en ces termes qu'elle va changer de nom : « Tu ne seras plus appelée
Aséneth, mais *ton nom sera ville-de-refuge (polis kataphugès), car en toi se réfugieront des nations nombreuses, et dans ta forteresse seront gardés ceux qui
s'attachent à Dieu par la repentance » (15, 6). Toute à sa joie, elle l'invite à se
restaurer et dresse la table (15, 12-14). Cela fait, l'ange lui réclame un rayon
de miel, alors qu'il n'y en a pas dans la maison. Sur ses indications, elle en
trouve pourtant un, d'une parfaite blancheur et au parfum de vie. Elle soup-
çonne qu'il sort en fait de la bouche de l'envoyé céleste. Ce dernier lui confie
alors : « *Heureuse es-tu, Aséneth, car les mystères de Dieu t'ont été révélés (makaria
ei su, Aseneth, hoti apekaluphthè soi ta aporrèta tou theou),* et heureux sont ceux
qui s'attachent à Dieu dans la repentance, car ils mangeront de ce rayon. Car

---

1. Ce sont essentiellement les suivantes : *Hénoch* (hébreu) 4, 9 ; *Memar Mar-
qah* 2, 9 ; *Evangile de Barthélemy* 1, 8 ; *Apocalypse de Paul* ; *Apocalypse (éthiopienne) de
Marie.* L'auteur les étudie aux p. 50-55 de son article. Il faut remarquer cependant que
les deux parallèles que nous citons ici sont les plus probants. C'est d'ailleurs ceux que
Kähler produit en premier lieu et étudie le plus longuement (p. 47-50).
2. C. Kähler, art. cit., p. 55.
3. *4 Esdras* 9, 38-10, 59.
4. Les citations sont empruntées à la traduction de P. Geoltrain, in *La Bible. Ecrits
intertestamentaires,* p. 1444 et 1445.
5. *Joseph et Aséneth* 12-13.

ce miel, ce sont les abeilles du paradis de délices qui le font, les anges de Dieu en mangent, et quiconque en mangera ne mourra jamais » (16, 7-8)[1].

Ces deux passages peuvent, nous semble-t-il, se révéler éclairants à double titre en vue de l'approche de Mt 16, 17-19. D'une part, les macarismes qu'ils contiennent sont prononcés dans un contexte de révélation ; d'autre part, et le fait nous paraît important à observer, l'expérience qu'ils nous narrent a pour objet ou pour aboutissement quelque chose qui ressortit au domaine de la construction eschatologique. C'est vrai en *4 Esdras* où la vision conduit à la métamorphose de Jérusalem qui, dévastée jusque-là, apparaît reconstruite sur d'imposantes fondations ; mais ça l'est également en *Joseph et Aséneth* où l'héroïne voit son nom transformé en « ville de refuge ». Par delà l'allusion aux cités confiées jadis aux lévites (Nb 35, 6-13)[2], la jeune vierge devient en effet une figure de Sion[3], ainsi que l'indiquent notamment les nombreuses correspondances entre JosAs 15, 6 et la version qu'offre la *Septante* de Za 2, 15[4]. Elle apparaît, de fait, comme une image de la Jérusalem à venir où trouveront asile les prosélytes de tous les peuples[5]. Le parallèle que l'on peut établir avec Mt 16, 17-18[6] devient encore plus instructif quand on constate que les passages respectifs où la fille de Pentéphrès reçoit un nom nouveau et est proclamée bienheureuse sont reliés par une expression qui leur est quasiment commune : « Ceux qui s'attachent à Dieu par (ou dans) la repentance *(hoi proskeimenoi [kuriô] tô theô dia metanoias [ou en metanoia])*. »[7]

Le témoignage commun de *4 Esdras* et de *Joseph et Aséneth* fait donc bien apparaître un lien entre une expérience qui est de l'ordre de la révélation, puisqu'elle dévoile au héros du récit des réalités ultimes, et un macarisme qui concerne ce personnage. Dans les deux cas aussi, la cité eschatologique fait irruption au cours même du processus de révélation. Il n'en va pas autrement

---

1. Les citations sont empruntées à la traduction de M. Philonenko, in *La Bible. Écrits intertestamentaires,* p. 1586-1588.

2. Cette référence est bien vue par M. Philonenko, *Joseph et Aséneth,* Introduction, texte critique, traduction et notes *(StPB* 13), Leiden, Brill, 1968, p. 183, note relative à 15, 6.

3. C'est ce qu'a démontré C. Burchard, *Untersuchungen zu Joseph und Aseneth* (*WUNT* 8), Tübingen, 1965, p. 118-120.

4. Za 2, 14-15 (LXX) peut être traduit de la manière suivante : « Crie de joie, réjouis-toi, fille de Sion, car voici je viens et j'habiterai au milieu de toi, dit le Seigneur, et des peuples nombreux se réfugieront, en ce jour-là, en le Seigneur et ils seront son peuple et ils habiteront au milieu de toi. »

5. Jérusalem apparaît, dès l'Ancien Testament, fréquemment personnifiée sous les traits d'une femme. Cela est vrai à la fois de la Jérusalem actuelle (Es 10, 32 ; 16, 1 ; 37, 22 ; 52, 2 [fille de Sion] ; Jr 4, 31 ; 6, 2.23 ; 46, 24 ; 50, 42 ; 51, 33 [fille-Sion] ; Ez 16 ; 23 [Jérusalem et ses amours coupables]...) et de la Jérusalem à venir (Es 49, 18 ; 61, 10 ; 62, 5 [épouse]). Dans la littérature intertestamentaire, on pourra mentionner, outre les deux passages qui retiennent ici notre attention, *Oracles sibyllins,* III, 785. Enfin, dans le Nouveau Testament, on relèvera Mt 24, 37 // Lc 13, 34 (?) ; Ga 4, 21-31 ; Ap 19, 7 ; 21, 2.9 ; 22, 17.

6. Il a été effectué en premier lieu par C. Burchard, *Untersuchungen zu Joseph und Aseneth,* p. 121.

7. *Joseph et Aséneth* 15, 6 et 16, 7. L'ajout et la variante que l'on rencontre dans le second passage sont signalés entre crochets.

dans la péricope matthéenne où la Jérusalem de la fin des temps n'est toutefois évoquée, si notre hypothèse est exacte, qu'à travers le Temple. Il y a là
un schéma commun qui mérite, selon nous, qu'on lui accorde quelque attention, même si les textes que nous avons rapprochés de Mt 16, 17-19 sont,
selon toute vraisemblance, postérieurs à ce passage[1]. Ce schéma pourrait
trouver son origine par exemple en Jr 1, 11-18 où le prophète, au terme de
deux visions qui ont entre autres pour effet de lui dévoiler le malheur qui va
fondre sur Jérusalem, est érigé par Dieu en place forte, pilier de fer, rempart
de bronze inébranlable[2].

On ne saurait cependant affirmer ici se mouvoir sur un terrain bien ferme
et prétendre parvenir à des conclusions assurées. Il nous semble simplement
que les remarques qui précèdent devraient inviter à la prudence ceux qui
s'empressent de dissocier Mt 16, 17 de ce qui suit et permettent d'envisager
une lecture cohérente des trois versets autour du thème de la construction
eschatologique, ici décrite à travers l'image du Temple.

Il nous reste à étudier à présent si la ville sainte et les premiers chrétiens
qui s'y installèrent peuvent bien être considérés respectivement comme le lieu
d'émergence et les auteurs de la tradition rapportée en Mt 16, 17-19.

V – ARGUMENTS PLAIDANT EN FAVEUR DE L'ANTIQUITÉ DE MATTHIEU 16, 17-19

Le premier argument qui peut plaider en faveur de la grande ancienneté
de la péricope est l'abondance des sémitismes qu'elle recèle. Deux auteurs ont
récemment pu dire qu'on n'en rencontre nulle part ailleurs dans les Evangiles
une telle accumulation[3]. Dressons à leur suite[4] la liste de la plupart de ceux
qui ont été recensés :

— le macarisme à la deuxième personne, négligé par les auteurs grecs[5] et qui
   apparaît plus fréquent dans les écrits de langue sémitique ou d'inspiration
   juive comme l'attestent les passages allégués ci-dessus et la littérature
   rabbinique[6] ;

---

1. Les auteurs s'accordent en général pour dater l'original juif et hébreu de *4 Esdras* entre les années 100 et 120 apr. J.-C. Ce sont également les premières années du
IIe siècle qui sont le plus souvent retenues aujourd'hui pour la rédaction de *Joseph et
Aséneth*.
2. L'existence de telles spéculations nous paraît attestée par les *Paralipomènes de
Jérémie*. L'écrit commence par une référence à Jr 1, 18 puisque le prophète est prié par
Dieu de quitter la ville sainte en compagnie de Baruch parce que leur présence fait
obstacle à la destruction de la ville. Leurs prières, en effet, font office, pour la cité, de
rempart d'acier (1, 3).
3. J.-M. Van Cangh, M. Van Esbroeck, *RTL* 11, 1980, p. 320.
4. J.-M. Van Cangh, M. Van Esbroeck, art. cit., p. 320-321.
5. Sur ce point, E. Norden, *Agnostos Theos. Untersuchungen zur Formgeschichte religiö-
ser Rede*, Leipzig, Berlin, 1913, n. 1, p. 100-101.
6. A ce propos, *Bill.*, I, p. 189.

— l'expression Simon, bar Iona, dont l'origine, quelque controversée que demeure son interprétation[1], est évidemment sémitique ;

— l'emploi absolu du verbe *apokaluptein*[2] ;

— la locution chair et sang usitée pour désigner l'homme par opposition à Dieu[3] ;

— le jeu de mots que propose le texte grec sur les termes *Petros* et *petra* et qui repose sur une interprétation particulière du terme araméen *kyp'*[4] ;

— la métaphore de la construction communautaire et de son fondement, qui trouve, nous l'avons vu, d'impressionnants parallèles à Qumrân mais aussi dans la littérature rabbinique[5], et à partir de laquelle peut être comprise la mention des portes de l'Hadès, qui remonte à un original araméen *tare'ey Sheôl*[6] ;

— les clés du royaume des cieux, expression dont les parallèles juifs s'avèrent nombreux[7] ;

— le couple lier et délier, fréquent en araméen[8], utilisé ici dans une phrase construite autour d'un double parallélisme antithétique, tournure sémitique s'il en est[9].

Même si le poids de certains de ces aramaïsmes a pu être contesté, leur abondance est telle qu'il paraît impossible de situer l'origine de la tradition

---

1. Depuis les travaux de R. Eisler, *IÉSOUS BASILEUS OU BASILEUSAS* (« Religionswissenschaftliche Bibliothek », 9/1-2), Heidelberg, 1929-1930, ici t. II, p. 67-68, un certain nombre d'auteurs sont tentés de trouver son explication dans le fait que Simon aurait été un hors-la-loi, un bandit, un anarchiste révolutionnaire (*barjona* en araméen). Mais il est très douteux que les rebelles juifs aient jamais été qualifiés de *barjona* au sens de hors-la-loi par leurs contemporains avant la guerre juive (cf. M. Hengel, *Die Zeloten*, p. 57. Par ailleurs, considérer que Pierre aurait hérité de cette désignation indépendamment de toute connotation politique mais en raison de la condition de marginal qui aurait été la sienne après qu'il eut choisi de suivre Jésus (ainsi G. Theissen, *Le christianisme de Jésus*, p. 30), se heurte au fait qu'il ne coupa jamais les ponts avec sa famille (cf. p. 220-221 et 1 Co 9, 5). Faut-il alors voir dans Jona une abréviation de *Iôannès* (Jn 1, 42 ; 21, 15-16) selon l'opinion la plus communément admise ou une allusion au prophète de l'Ancien Testament (cf. p. 100) ? La première solution paraît la plus sage d'autant qu'elle se recommande également du témoignage de l'*Evangile des Nazaréens* (fragments 14 et 16) et que le recours à une typologie Pierre-Jonas n'éclaire pas vraiment Mt 16, 17-19, nous l'avons vu.
2. J.-M. Van Cangh, M. Van Esbroeck, *RTL* 11, 1980, p. 320, notent ici l'intéressant parallèle que fournit Mt 11, 27, passage provenant lui-même de la source Q.
3. Voir à ce sujet les exemples produits in *Bill.*, I, p. 730-731.
4. On se reportera au développement qui suit p. 113.
5. On pourra consulter à ce propos les textes rassemblés in *Bill.*, I, p. 732-736.
6. Sur les différentes significations qui ont été proposées de cette expression, C. Brown, The Gates of Hell : An Alternative Approach, *SBLSP*, 1987, p. 357-367.
7. Cf. déjà G. Dalman, *Die Worte Jesu mit Berücksichtigung des nachkanonischen jüdischen Schrifttums und der aramäischen Sprache*. Band I : *Einleitung und wichtige Begriffe*, Leipzig, 1898, p. 174-178.
8. Voir les exemples cités in *Bill.*, I, p. 738-747.
9. Cf. C. F. Burney, *The Poetry of Our Lord. An Examination of the Formal Elements of Hebrew Poesy in the Discourses of Jesus Christ*, Oxford, 1925, p. 83-84 ; J. Jeremias, *Théologie*, p. 22-30.

ailleurs que dans un milieu à forte coloration sémitique, comme le suggère déjà le rythme du passage tout entier avec ses trois strophes de trois vers chacune[1]. Mais cela ne nous aide pas forcément à situer dans le temps son apparition puisque le premier évangile émane, selon toute probabilité, d'un tel milieu[2].

Il nous semble cependant que les allusions à Mt 16, 17-19 que l'on rencontre dans les épîtres pauliniennes plaident en faveur de la grande antiquité du passage.

On trouve en effet, en Ga 1, 15-17, des tournures qui rappellent étonnamment Mt 16, 17 :

[15]Mais lorsque *Celui* qui m'a mis à part dès le sein de ma mère et m'a appelé par sa grâce a jugé bon [16]de *révéler* en moi son *Fils* afin que je l'annonce parmi les païens, aussitôt, sans recourir à aucun conseil humain [littéralement sans recourir *à la chair et au sang*], [17]ni monter à Jérusalem auprès de ceux qui étaient apôtres avant moi, je suis parti pour l'Arabie, puis je suis revenu à Damas[3].

On constatera qu'il est fait état, dans les deux cas, d'une révélation dont l'auteur et l'objet sont les mêmes : le verbe employé est, à chaque fois, *apokaluptô* (Mt 16, 17 ; Ga 1, 16) ; le révélateur est Dieu (Mt 16, 17 ; Ga 1, 15) et la personne révélée est Jésus en sa qualité de Fils de Dieu (Mt 16, 16 ; Ga 1, 16)[4]. Par ailleurs, l'expression la chair et le sang, rare dans le Nouveau Testament[5], apparaît dans les deux passages pour souligner soit que la révélation en question n'est nullement humaine (Mt 16, 17) soit qu'elle se dispense de tout contrôle humain (Ga 1, 16-17)[6]. On peut ajouter, et le fait nous paraît important, que Paul, dans les deux premiers chapitres de l'*Epître aux Galates,* défend son apostolat et fait valoir l'importance de la mission qui lui a été

1. Sur le caractère sémitique de ce rythme, voir A. Oepke, Der Herrnspruch über die Kirche Mt 16, 17-19 in der neuesten Forschung. Ein kritischer Bericht, *StTh* 2, 1947-1948, p. 150-151, et O. Cullmann, *Saint Pierre,* p. 168.
2. La grande majorité des auteurs s'accorde, rappelons-le, pour reconnaître que l'*Evangile de Matthieu* a été rédigé en Syrie ou dans son voisinage immédiat.
3. Traduction empruntée à la TOB. *Nouveau Testament,* p. 552.
4. Ainsi que l'a relevé J. Dupont, *RSR* 52, 1964, p. 419, que nous citerons ici : « Il faut noter que Paul n'attribue jamais au Père la révélation eschatologique du Fils ; il en parle toujours comme d'un acte du Christ. L'expression s'écarte donc de la manière habituelle de Paul par deux traits : la révélation du Fils est attribuée à Dieu [1 Co 2, 10 et Ph 3, 15 attribuent à Dieu des révélations d'un autre genre], et elle perd en même temps son caractère strictement eschatologique [Ro 1, 17-18 parle d'une révélation déjà actuelle de la justice et de la colère (eschatologique) de Dieu]. C'est précisément par ces deux traits aussi qu'elle se rapproche de Mt 16, 17 (...). Nous pouvons conclure de ces deux observations que les deux expressions par lesquelles Ga 1, 16 ressemble à Mt 16, 17 ont un sens différent de celui dans lequel Paul les emploie ailleurs. » J. Dupont discerne là, avec raison selon nous, un argument en faveur de « la dépendance de Paul à l'égard du logion évangélique ».
5. En dehors de Mt 16, 17 et de Ga 1, 16, on ne la rencontre qu'en 1 Co 15, 50, en Ep 6, 12 et en He 2, 14.
6. Ces correspondances sont bien mises en évidence par A. Feuillet, « Chercher à persuader Dieu » (Ga I 10*a*). Le début de l'Epître aux Galates et la scène matthéenne de Césarée de Philippe, *NT* 12, 1970, p. 355.

confiée en propre, en n'ayant de cesse de souligner son indépendance vis-à-vis des autorités jérusalémites, qui pourtant ont été amenées à reconnaître cette mission (Ga 2, 7-9). Parallèlement, la question de ses rapports avec Pierre revient comme un *leitmotiv* (Ga 1, 18-20 ; 2, 7-9. 11-14) et se trouve posée aux franges mêmes des versets qui présentent de si troublantes similitudes avec Mt 16, 17. « Le rappel est si opportun du point de vue de Paul qu'on a de la peine à l'attribuer au hasard »[1]. Ne s'efforce-t-il pas ici, en narrant son investiture apostolique en des termes qui évoquent celle du prince des apôtres, de démontrer que sa propre mission fait de lui un autre Pierre[2] ?

Il nous paraît donc vraisemblable que Paul fasse allusion ici à Mt 16, 17 et ce dans un contexte qui rappelle à bien des égards celui dans lequel il se trouve quand, en 1 Co 3, 11, il polémique contre la pose de tout autre fondement que Jésus-Christ, dans un passage qui fournit, selon nous, le second indice en faveur de la connaissance de la tradition reproduite en Mt 16, 17-19 par l'apôtre des gentils[3].

Nous estimons donc tout à fait raisonnable d'envisager que le fond de Mt 16, 17-19 remonte à tout le moins au début des années 50 de notre ère[4]. Or « trois milieux communautaires [peuvent être] pris en considération dès lors qu'est posée la question de la provenance et de la transmission du donné christiano-araméen "initial" »[5]. Ce sont : l'Eglise de Jérusalem ; « la communauté d'Antioche, fondée et organisée dès les années 37 à 40 » ; et « dans l'arrière-pays d'Antioche — le judéo-christianisme dit "syro-palestinien" dont l'action a dû se faire sentir dès les environs de l'an 50 »[6]. Ces trois milieux d'origine peuvent entrer en ligne de compte, d'autant que nous savons que Pierre s'est rendu à Antioche (Ga 2, 11-14) et qu'il a entrepris une œuvre missionnaire (Ac 8, 14-25 ; 9, 32-11, 18 ; Ga 2, 7-9), si bien que l'on peut imaginer « quelques "prophètes" judéo-chrétiens reportant sur [lui] leurs propres prérogatives ecclésiales »[7].

Pourtant, il nous semble que la communauté primitive de Jérusalem est le lieu de surgissement le plus plausible de cette tradition. A l'appui de cette hypothèse, on peut faire valoir, nous le croyons, les nombreux échos aux conceptions communautaires qui apparaissent dans les textes retrouvés à Qumrân,

1. C'est ce que souligne J. Dupont, *RSR* 52, 1964, p. 420.
2. Cf. B. Gerhardsson, *Memory and Manuscript*, p. 266-270. La progression même du propos de l'apôtre laisse entrevoir la portée polémique du passage dans son ensemble. Comme l'a relevé en effet F. F. Bruce, Further Thoughts on Paul's Autobiography. Galatians 1:11-2:14, in *Jesus und Paulus*. Festschrift für W. G. Kümmel (Hrsg. von E. E. Ellis und E. Gräßer), Göttingen, 1975, p. 26, « en Ga 1, 18-20, Paul est l'hôte de Céphas ; en Ga 2, 1-10, il est son compagnon dans l'apostolat ; en Ga 2, 11-14, il est son critique ».
3. Cf. p. 88-90.
4. Par un raisonnement semblable, R. Pesch, *Simon Petrus*, p. 99-100, parvient à la même conclusion.
5. J. Schmitt, *Revue de Droit canonique* 28, 1978, p. 8.
6. J. Schmitt, *ibid.*
7. Nous empruntons cette formulation à J. Schmitt, *ibid.*

représentations qui, avec les allusions au rocher cosmique, confèrent à la métaphore de la construction tout son sens. Or, autant il est possible de rendre compte de cette affinité avec les conceptions esséniennes dans le cadre de la communauté mère[1], autant il paraît difficile de l'expliquer à Antioche ou quelque part en Syrie[2]. De même, nul lieu mieux que la ville du Temple n'entre en ligne de compte pour des spéculations autour du rocher cosmique. Enfin, comme certains auteurs l'ont judicieusement noté, l'image de Pierre que l'on rencontre en Mt 16, 19 pourrait trouver un reflet en Ac 5, 1-11, dans la mesure où, dans ce dernier passage, l'apôtre met en quelque sorte en œuvre la promesse qui lui a été faite[3]. Le couple lier-délier aurait ainsi trouvé, aux origines de la communauté, son application dans le domaine disciplinaire[4], et, plus largement, dans un contexte d'anticipation du jugement eschatologique[5]. Tout comme le pouvoir des clés, il aurait ainsi désigné l'autorité de dispenser la parole de grâce et de jugement[6], ce que pourrait illustrer l'intervention de Pierre en Samarie (Ac 8, 14-24)[7] et ce qui nous rapproche, rappelons-le, des prérogatives de la construction communautaire qumrânienne, elle-même appelée à « expier pour la terre » et à « faire retomber les sanctions sur les impies »[8].

Si notre hypothèse est exacte, la communauté jérusalémite aurait donc

1. Ainsi W. Grundmann, *Matthäus*, p. 385, qui pense, pour cette raison, à la communauté de langue araméenne.
2. Rappelons, pour étayer ce point de vue, la part qu'ont prise les hellénistes à la mission dans cette région. Leur conception offensive de l'évangélisation ne les rapprochait aucunement des représentations communautaires esséniennes. De plus, il est malaisé d'imaginer qu'avant la guerre juive et la réorganisation qui s'ensuivit un afflux massif de recrues esséniennes se soit produit dans une communauté chrétienne de cette zone.
3. En ce sens, notamment, O. Cullmann, *Saint Pierre*, p. 29 ; 49 et 203. Le rapprochement entre les deux textes était déjà effectué par Tertullien, *De pudicitia* 21, 12.
4. Son sens a fait et fait encore l'objet d'âpres discussions. Les deux verbes sont employés côte à côte dans la littérature rabbinique dans deux secteurs principaux : le domaine disciplinaire (il s'agit ici d'exclure de la communauté ou d'admettre en son sein) et le domaine doctrinal (définition de ce qui est permis et de ce qui est défendu). C'est ce que montrent les exemples produits in *Bill.*, I, p. 738-741. La plupart des auteurs se partagent entre ces deux interprétations : les uns privilégient la première ; d'autres la seconde ; certains renoncent à choisir.
5. La connotation judiciaire de la double expression a été soulignée notamment par A. Schlatter, *Matthäus*, p. 511.
6. Cf. J. Jeremias, « kleis », *ThWNT*, III, p. 751.
7. Le rapprochement est effectué par W. Grundmann, *Matthäus*, p. 394.
8. 1QS 8, 6 et 7 (cf. encore 1QS 8, 10). O. Betz, *ZNW* 48, 1957, p. 75, note en ce sens : « A Qumrân, la juridiction en usage dans la secte est certes intermédiaire (1QS 9, 10-11 ; CD 5, 10-11), mais comme l'alliance, qu'elle représente, est éternelle, son application vaut pour toujours et une décision prononcée maintenant a une valeur eschatologique et définitive. Ainsi en est-il pour la partition entre justes et impies [cf. 1QS 6, 13-16 ; 8, 16-19], c'est-à-dire pour l'admission ou l'exclusion d'un homme par la communauté. Le pouvoir des clés de Pierre, celui de lier et d'expier, s'applique de la même façon à l'admission et à l'expulsion mais à propos de l'Eglise eschatologique. » De son côté, A. Dupont-Sommer, *Les écrits esséniens*, p. 173, n. 1, rapproche CD 12, 10, passage dans lequel il est précisé que l'inspecteur du camp déliera toutes les chaînes qui lient les Nombreux, de Mt 16, 19, et pense que ces chaînes sont celles du péché.

revendiqué, à travers la figure emblématique de Pierre, le pouvoir d'accorder ou non le pardon des péchés et affirmé le caractère sans appel de sa décision[1]. Il convient de mesurer la portée d'une telle affirmation. Une prérogative qui ressortissait à la souveraineté de Dieu[2], et que Jésus avait déjà faite sienne[3], se trouvait désormais entre les mains de ses disciples, et plus particulièrement du premier d'entre eux[4].

Si la reconstruction que nous proposons s'avérait exacte, elle montrerait que le processus d'institutionnalisation du charisme que décrit Holmberg[5] a déjà eu cours ici et qu'il s'est déroulé, en la matière, sans solution de continuité. Elle conforterait par ailleurs le point de vue de ceux qui maintiennent l'origine palestinienne de Mt 16, 17-19[6].

Pour nous résumer, il nous semble que ces trois versets trouvent une

1. Il va de soi que cela ne préjuge en rien de l'usage qui a été fait de cette parole dans la tradition ni de la compréhension qu'en avait le rédacteur matthéen. Ainsi on ne peut exclure, bien au contraire, que des prophètes chrétiens se la soient appropriés ou réappropriés ailleurs à leur tour (cf. p. 109), et ce bien avant que Matthieu ne l'insère dans son évangile. On ne peut évacuer par ailleurs, chez ce dernier, la dimension disciplinaire ainsi que le montre le parallèle de Mt 18, 18 ; mais d'autre part un infléchissement en direction d'une compréhension doctrinale ne saurait être exclu. L'attaque que contient Mt 23, 13 contre les scribes et les pharisiens, accusés de barrer aux hommes l'entrée du Royaume des cieux, en raison, selon toute vraisemblance, de leurs exigences, et menacés de ne pas y accéder eux-mêmes, sans doute parce qu'ils ne se conforment pas aux règles qu'ils édictent, permet d'envisager en effet que Mt 16, 19 ait revêtu, au stade rédactionnel, une connotation doctrinale. Il se serait agi de définir à présent une *hallaka* chrétienne, et Pierre semble avoir été associé, dans la communauté d'où est issu le premier évangile, à une telle élaboration ainsi que le montrent des passages tels que Mt 15, 15 ; 17, 24-27 ; 18, 21-22. On notera encore que, tout récemment, R. H. Hiers, *JBL* 104, 1985, p. 233-250, a proposé l'hypothèse selon laquelle la logion trouverait son origine dans le ministère de Jésus : il se serait agi, à travers ces paroles, d'accréditer les disciples afin qu'ils puissent, eux aussi, exorciser les démons (p. 244-249). La suggestion est loin d'être inintéressante. Si elle était exacte, cela supposerait qu'une première réinterprétation de la promesse du Maître aurait eu lieu au sein de la communauté jérusalémite, qui en aurait élargi la portée (cf. encore p. 207). Sur le fait que le pouvoir judiciaire et disciplinaire reconnu à Pierre était vraisemblablement étendu aux Douze dans leur ensemble, on se reportera à la n. 2, p. 148.

2. Mc 2, 7. On notera que, dans la *Prière de Nabonide* (4QPrNab), écrit retrouvé à Qumrân, il est question d'un exorciste juif qui remet ses péchés au roi de Babylone. Ce texte confirme que le point de vue essénien différait en la matière de celui qui prévalait en milieu pharisien et sadducéen (cf. A. Dupont-Sommer, *Les écrits esséniens,* p. 340-341).

3. Mc 2, 10 ; Mt 9, 6 ; Lc 5, 24.

4. On comparera, ici encore, avec les documents esséniens. Dans l'*Ecrit de Damas,* il est précisé en effet que l'inspecteur du camp « déliera toutes les chaînes qui les [les Nombreux] lient » (CD 13, 10) (traduction empruntée à A. Dupont-Sommer, in *La Bible. Ecrits intertestamentaires,* p. 176, qui rapproche, dans la n. 10a, ce texte de Mt 16, 19).

5. Cf. p. 24-25.

6. Ainsi, notamment, W. G. Kümmel, *StTh* 7, 1953, p. 25 ; O. Betz, *ZNW* 48, 1957, p. 76 ; L. Goppelt, *Die apostolische und nachapostolische Zeit,* A. 18 ; P. Bonnard, *Matthieu,* p. 244 ; L. Gaston, *No Stone,* p. 224 ; R. Bultmann, *Histoire,* p. 177-179 ; P. Vielhauer, *NTS* 21, 1974-1975, p. 349 ; F. W. Beare, *Matthew,* Oxford, 1981, p. 354 ; E. Schweizer, *Matthäus,* p. 218.

explication fort satisfaisante dans le contexte de la première communauté jérusalémite et de l'organisation essénisante qu'elle nous paraît avoir adoptée[1]. Par ailleurs, comme nous l'avons noté, Jésus a cherché, pendant son ministère, à rassembler le peuple de Dieu dans son ensemble sans se limiter à fonder, à l'instar de ce qui s'était produit dans le cas du pharisaïsme ou de la secte de Qumrân, une ou des communautés particulières[2]. Nous estimons donc difficile de faire remonter à lui des propos[3] qui portent la marque de la réinterprétation d'un projet, celui de rassembler l'Israël eschatologique tout entier, au sein d'un groupe qui se définit désormais comme la congrégation messianique mais qui, ce faisant, se démarque également vis-à-vis de l'extérieur[4] et revêt ainsi les caractéristiques d'un micromillénarisme[5].

VI – Conclusion

Il nous semble raisonnable d'envisager, au terme de cette enquête, que cette communauté, consciente de l'importance de son rôle, a revendiqué le privilège d'être le véritable Temple, s'appropriant de la sorte la promesse, qu'avait faite Jésus, de reconstruire un nouveau sanctuaire. Elle aura été encouragée, selon nous, sur cette voie par les spéculations qui avaient cours dans les milieux esséniens. Le terme *ekklèsia* gagne ainsi, comme l'a fort pertinemment relevé E. Schweizer[6], à être éclairé par des passages comme 4QpPs37 3, 16 où il est fait état, rappelons-le, de la *congrégation ('édah)* que Dieu a demandé au Maître de Justice de *bâtir* pour lui[7] ou comme 4QFlor 1, 6-7 où il est précisé que Dieu « a ordonné de *construire* pour Lui un *sanctuaire* (fait de main) d'homme ». Il pourrait donc avoir pour substrat hébreu le vocable *'édah*[8] dont l'équivalent araméen est *qenishta* et par lequel la communauté qumrânienne, qui se considérait, rappelons-le, comme le véritable Temple, exprimait son caractère eschatologique[9]. C'est en tout cas ce que

1. Pour un panorama synthétique des autres explications qui ont été proposées, on pourra consulter E. Fascher, Petrus, in *Sokrates und Christus. Beiträge zur Religionsgeschichte,* Leipzig, 1959, p. 210-211.

2. Voir p. 69.

3. O. Cullmann, *Saint Pierre,* lui-même défenseur de l'authenticité des trois versets qu'il rattache au cadre du dernier repas de Jésus avec ses disciples (p. 167-191), dresse un bon état de la question (p. 143-154).

4. Cf. notamment W. G. Kümmel, *StTh* 7, 1953, p. 25-26.

5. Cf. p. 69-73.

6. E. Schweizer, *Matthäus,* p. 222.

7. Ce texte a été cité p. 97. Il est également mis en parallèle avec Mt 16, 18 par G. Jeremias, *Der Lehrer der Gerechtigkeit(SUNT* 2), Göttingen, 1963, p. 138, et par J. Jeremias, *Théologie,* p. 212-213.

8. Ainsi notamment L. Gaston, *No Stone,* p. 227 ; J. Jeremias, *Théologie,* p. 213, et J. M. Casciaro Ramírez, *Qumrán y el Nuevo Testamento (Aspectos eclesiológicos y soteriológicos)* (Colección Teológica, 29), Pamplona, 1982, p. 128-142, qui retient ce terme ou *swd.*

9. En ce sens W. Schrage, « sunagôgè », *ThWNT,* VII, p. 809, suivi par G. Claudel, *La confession de Pierre,* p. 362.

nous pensons puisqu'il nous semble que les premiers chrétiens installés à Jérusalem ont développé une conception communautaire étonnamment proche de celle qui prévalait en milieu essénien.

C'est également dans la perspective de la communauté-Temple que l'on peut, croyons-nous, rendre compte de la valorisation du surnom accordé à Simon par Jésus, à savoir *kyp'*, dont la forme grécisée est *Kèphas*[1]. Non attesté jusqu'ici en tant que nom propre à l'époque qui nous intéresse, ce vocable apparaît toutefois comme tel dans un texte araméen exhumé à Eléphantine et daté de la huitième année du roi Darius, c'est-à-dire de l'an 416 avant notre ère[2]. On ne peut donc totalement exclure qu'il ait fait office de nom propre même si le point de vue classique, qui y voit un simple surnom, paraît aujourd'hui encore la solution la plus sage[3]. Il convient donc, pour en comprendre le sens, d'établir la signification du terme araméen *kyp'* au début de notre ère. Or cette dernière est controversée. Il semble toutefois que la tentative réductrice de Lampe, qui prétendait que l'image de la pierre était seule évoquée, à l'exclusion de celle du roc, par l'usage du mot dans l'araméen palestinien du Ier siècle[4], ait fait long feu. En effet dans les *Targumim*, à l'exception de celui des Proverbes, et dans les écrits retrouvés à Qumrân, *kyp'* correspond en fait à l'hébreu *sl'* et au grec *petra*[5]. Il n'y a donc pas de solution de continuité entre le vocable araméen et le terme grec que l'on rencontre en Mt 16, 18.

La plupart des apostrophes de Jésus à son disciple que nous ont conservées les évangiles semblent cependant démontrer que le Maître a continué à appeler Simon par son nom d'origine[6]. Il ne nous paraît pas trop hardi d'en inférer que le surnom de Képha, que lui avait attribué Jésus, ne s'était pas encore transformé en nom propre avant Pâques[7]. Par contre, le témoignage

1. Que ce surnom ait bien été attribué à l'apôtre par son maître, c'est ce que tend à montrer le témoignage concordant de Mc 3, 13, Lc 6, 14 et Jn 1, 42, même s'il est très difficile de dire à quelle occasion cela se produisit.
2. Voir, sur ce point, J. A. Fitzmyer, Aramaic Kepha' and Peter's Name in the New Testament, in *Text and Interpretation*. Studies in the New Testament presented to M. Black (edited by E. Best, R. McL. Wilson), Cambridge, 1979, p. 127.
3. En ce sens, R. Pesch, *Simon Petrus*, p. 29.
4. P. Lampe, Das Spiel mit dem Petrusnamen. Matt. XVI. 18, *NTS* 25, 1979, p. 227-245.
5. C'est ce qu'a montré G. Claudel, *La confession de Pierre*, p. 341-342. Il a confirmé ainsi les conclusions qu'avait atteintes, à partir de l'étude des textes syriaques, A. F. J. Klijn, Die Wörter « Stein » und « Felsen » in der syrischen Übersetzung des Neuen Testaments, *ZNW* 50, 1959, p. 99-105.
6. Au total, dans les évangiles synoptiques, on ne rencontre que trois fois l'appellation Pierre sur la bouche de Jésus (Mc 16, 7 qui n'est cependant pas une apostrophe ; Mt 16, 18 ; Lc 22, 34 qui apparaît comme une retouche rédactionnelle de l'évangéliste en raison de l'absence du nom dans les parallèles marcien [Mc 14, 30] et matthéen [Mt 26, 34]) alors que Simon y revient à quatre ou cinq reprises (Mc 14, 37 ; Mt 16, 17 ; 17, 25 ; Lc 22, 31 [deux fois]) selon la manière de compter que l'on adopte. On ajoutera que, dans le quatrième évangile, les trois apostrophes de Jésus à son disciple, qui surviennent, il faut le préciser, dans la même péricope, s'adressent également à Simon (Jn 21, 15.16.17).
7. Avec R. Pesch, *Simon Petrus*, p. 32.

de Paul[1] montre qu'il s'est rapidement imposé par la suite. La tradition dont il fait état en 1 Co 15, 5 rend d'ailleurs vraisemblable que tel était déjà le cas au sein de l'Eglise primitive de Jérusalem[2]. L'hypothèse suivante nous paraît donc pouvoir être avancée : la communauté primitive serait le lieu où a été valorisé le surnom de Simon ; il y aurait été réinterprété dans le cadre de la métaphore de la construction eschatologique.

Le groupe qui s'était rassemblé dans la ville sainte autour de Pierre et qui se reconnaissait dans l'apparition du Ressuscité dont il avait été le bénéficiaire aurait ainsi exprimé, en façonnant la tradition que nous restitue Mt 16, 18, sa prétention d'être le nouveau Temple, édifié par le Christ sur le fondement Céphas[3]. Mais il n'allait pas demeurer le seul à revendiquer cet honneur et l'image des colonnes (Ga 2, 9) nous semble manifester que l'Eglise de Jérusalem dans son ensemble s'est approprié la métaphore en affirmant que les chefs de ses principales composantes représentaient en fait ensemble les piliers de l'édifice[4].

Il va de soi cependant que l'interprétation communautaire que nous proposons ici n'est pas exclusive d'une lecture patriarcale. Cette dernière trouvait d'ailleurs également ses racines, et plus directement encore, dans le ministère de Jésus, à travers le choix des Douze, qui symbolisait, nous l'avons vu, le projet du Maître de rassembler désormais l'Israël eschatologique[5]. On pourrait même envisager que les deux symboliques se soient superposées[6] comme c'est le cas dans une tradition des *Pirqé de Rabbi Eliézer* où « les douze fils de Jacob, rassemblés dans la pierre de l'unique Israël, sont soutien et fondement du sanctuaire de Jérusalem, nombril du monde »[7]. Il nous semble cependant,

---

1. 1 Co 1, 12 ; 3, 22 ; 9, 5 ; 15, 5 ; Ga 1, 18 ; 2, 9.11.14, passages dans lesquels il est question de *Kèphas,* et Ga 2, 7.8 où la traduction grecque du nom, *Petros,* est employée.
2. Ainsi R. Pesch, *Simon Petrus,* p. 32. Sur l'origine jérusalémite probable de cette formule, on se reportera aux développements qui précèdent (p. 75-76 et 83-84).
3. Le fait que Pierre puisse être compris en Mt 16, 18 comme le rocher du nouveau Temple est envisagé notamment par C. K. Barrett, in *Studia Paulina,* p. 13-14 ; O. Betz, *ZNW* 48, 1957, p. 59-60 ; H. Muszynski, *Fundament,* p. 188 ; J.-M. Van Cangh, M. Van Esbroeck, *RTL* 11, 1980, p. 316 ; R. Pesch, *op. cit.,* p. 102 ; B. P. Robinson, *JSNT* 21, 1984, p. 91.
4. C. K. Barrett, art. cit., p. 12-14 ; L. Goppelt, *Die apostolische und nachapostolische Zeit,* A. 20 ; L. Gaston, *No Stone,* p. 194-195 ; R. Pesch, *op. cit.,* p. 102 ; F. F. Bruce, *Galatians,* p. 122-123 ; Id., *BJRL* 67, 1985, p. 659-660 ; B. P. Robinson, *JSNT* 21, 1984, p. 95, estiment tous que la représentation de l'Eglise de Jérusalem comme le nouveau Temple sous-tend l'image des colonnes en Ga 2, 9.
5. Cf. p. 46.
6. C'est ce que propose W. Grundmann, *Matthäus,* p. 388, à propos de Mt 16, 18, et ce que fait R. Pesch, *Simon Petrus,* p. 80, au sujet des colonnes de Ga 2, 9.
7. *Pirqé de Rabbi Eliézer* 35, dont on trouvera la traduction dans *Pirqé de Rabbi Eliézer.* Leçons de Rabbi Éliézer. Traduit de l'hébreu et annoté par M.-A. Ouaknin et E. Smilévitch suivi d'une étude de P.-H. Salfati (coll. « Les Dix Paroles »), Paris, 1983, p. 207-211. Cette tradition est analysée par A. Jaubert, « La symbolique des Douze », in *Hommage à A. Dupont-Sommer* (éd. A. Caquot, M. Philonenko), Paris, 1971, p. 454 et 455. Nous avons reproduit ici le résumé qu'elle en propose p. 455. On ajoutera que les *Pirqé de Rabbi Eliézer* sont une œuvre relativement récente (VIIIe ou IXe siècle de notre ère) mais qu'ils reposent sur des traditions fort anciennes (ainsi H. L. Strack, G. Stemberger, *Introduction au Talmud et au Midrash,* p. 373-374).

à la lumière du développement qui précède, qu'à l'origine l'harmonique de la communauté Temple a été dominant.

Nous espérons être parvenu ainsi à « fonder » l'hypothèse selon laquelle la première assemblée jérusalémite, et à sa suite l'Eglise réunie dans la ville sainte, s'est considérée comme le véritable sanctuaire et à montrer qu'au sein de cet édifice Pierre s'est vu accorder, d'abord seul puis en compagnie de Jacques et de Jean, une place éminente. Le rôle unique et central que s'assignait l'Eglise jérusalémite apparaît encore dans la manière dont elle s'efforça de régenter l'œuvre missionnaire, thèse que nous nous efforcerons d'étayer à présent.

B – L'ÉGLISE LOCALE COMME RESPONSABLE DU MOUVEMENT CHRÉTIEN DANS SON ENSEMBLE

Il est aisé d'imaginer que la prétention d'être le nouveau et véritable Temple qu'émit la communauté primitive de Jérusalem dut avoir pour corollaire une conception plutôt centripète[1] de la mission, conformément à l'attente du pèlerinage eschatologique des nations vers Sion[2]. Le fait que Jésus lui-même ait considéré que son activité devait se limiter au rassemblement des brebis perdues de la maison d'Israël (Mt 15, 24) pourrait d'ailleurs trouver une explication fort satisfaisante dans cette perspective qui n'exclut pas l'accès des païens au salut mais le réserve pour les temps ultimes qui verront Dieu appeler les gentils à affluer vers la montagne sainte[3]. De toute manière,

1. Sur cette notion de représentation centripète du monde et, partant, de la mission, on se reportera à B. Sundkler, *Jésus et les païens*, RHPhR 16, 1936, p. 489 ; S. Aalen, *Die Begriffe*, p. 204-205, 209, 212-221, 228, 301-302 ; J. Jeremias, *Jésus et les païens*, p. 54, et L. Goppelt, *Théologie*, II, p. 339-340, qui oppose, comme nous le ferons, conceptions centripète et centrifuge de la mission.
2. On consultera à ce sujet J. Jeremias, *op. cit.*, p. 50-65. Le thème vétéro-testamentaire du pèlerinage eschatologique vers Sion, notamment illustré en Es 2, 2-4 (Mi 4, 1-4) ; 25, 6-9 ; 45, 20-25 ; 49, 22-23 ; 55, 1-5 ; 56, 6-8 ; 60-62 ; 66, 18-24 ; Jr 3, 17 ; Ag 2, 6-9 ; So 3, 8-9 ; Za 2, 10-17 ; 8, 20-23 ; 14, 16 ; *Tb* 13, 9-18 ; 14, 5-7, a été récemment envisagé par J. Vermeylen, *Du prophète Isaïe à l'apocalyptique. Isaïe I-XXXV, miroir d'un demi-millénaire d'expérience religieuse en Israël*, t. I *(EtBi)*, Paris, 1977, p. 128-129 (avec bibliographie à la n. 4, p. 114-115). Pour ce qui est de son devenir dans les littératures intertestamentaire, où il est attesté en *1 Hénoch* 90, 30-36 ; *4 Esdras* 13, 13 ; *2 Baruch* 68, 5 ; *Psaumes de Salomon* 17, 30-31 ; *Oracles sibyllins*, III, 710-726, et rabbinique, on se reportera à P. Volz, *Die Eschatologie der jüdischen Gemeinde im neutestamentlichen Zeitalter*, p. 171-172, 358, et à Bill., IV, 2, p. 895-896.
3. C'est ce qu'a montré J. Jeremias, *op. cit.*, p. 55-65. Une perspective assez semblable avait déjà été proposée par A. Schweitzer, *La mystique de l'apôtre Paul*. Traduit de l'allemand par M. Guéritot. Introduction du Pasteur G. Marchal, Paris, 1962 [1930], p. 160-161.

l'espérance d'une parousie prochaine devait rendre inutile la mise sur pied de grands projets. Or, nous l'avons vu, l'expulsion des hellénistes hors de Jérusalem produisit un effet centrifuge. Les héritiers d'Etienne ne tardèrent pas, en effet, à se répandre dans les cités de Palestine (Ac 8, 5-8.40) et de Syrie (Ac 11, 19-21). Une dynamique nouvelle était ainsi créée. En dehors du fait qu'elle allait progressivement déboucher sur l'annonce de l'Evangile à des cercles situés au-delà des franges traditionnelles du judaïsme, elle eut pour conséquence immédiate de placer devant un difficile dilemme les tenants du point de vue jérusalémocentrique. Soit ils campaient sur leur position initiale et restaient murés dans la ville sainte au risque de voir le mouvement chrétien se développer pour une large part indépendamment d'eux, soit, au prix d'une révision de leurs représentations eschatologiques, ils relevaient le défi qui leur était adressé et s'efforçaient de contrôler l'évolution nouvelle en la supervisant. Une telle attitude les contraindrait à renoncer à un comportement attentiste mais pourrait leur permettre, en cas de réussite, de réaffirmer efficacement leur rôle unique et central par un habile contrôle des communautés qui se développaient ici et là. C'est cette seconde solution qui, nous semble-t-il, finit par s'imposer.

I – Le témoignage ambigu du « Livre des Actes »

Le *Livre des Actes* laisse entendre qu'à diverses reprises l'Eglise de Jérusalem a envoyé des délégués dans des communautés qui avaient vu le jour à la suite de l'œuvre missionnaire entreprise par les hellénistes[1]. Cependant, malgré la fidélité globale de l'auteur à Théophile envers les sources dont il dispose[2], bien des indices invitent ici à une relative méfiance envers son témoignage. En effet, son projet d'ensemble l'a sans doute conduit à aménager le donné de la tradition.

Intéressons-nous d'abord au récit de l'intervention de Pierre et Jean en Samarie (Ac 8, 14-25). Il s'intègre dans un ensemble bien organisé qui traite de l'annonce de la Parole en terre samaritaine. La première partie de cet ensemble, qui peut elle-même être décomposée en trois moments, relate successivement l'œuvre de Philippe (v. 5-8) et celle de Simon le magicien (v. 9-11) pour culminer avec la mention du succès total remporté par Philippe qui rallie à la cause de l'Evangile à la fois la population locale et Simon lui-même (v. 12 et 13). La seconde, dont la disposition parallèle peut évoquer un schéma de surenchère[3], décrit d'abord l'intervention de Pierre et Jean, qui

---

1. Ainsi surtout Ac 8, 14-17 et 11, 22, passages auxquels on peut adjoindre, implicitement, Ac 9, 32.
2. On consultera sur ce point E. Trocmé, *Le « Livre des Actes »*, p. 76-121 (not. p. 116).
3. Cf. W. Dietrich, *Petrusbild*, p. 258 et 259.

permet de transmettre aux baptisés l'Esprit Saint dont ils avaient été privés jusque-là (v. 14-17), puis la tentative de Simon de monnayer auprès des deux apôtres ce don du souffle divin (v. 18-19) ; elle s'achève sur la confusion du mage qui se heurte au refus catégorique et à la sévère condamnation du prince des apôtres (v. 20-24).

Personne ne met en doute que l'auteur à Théophile ait disposé, pour rédiger cet ensemble, d'un récit relatif à l'œuvre missionnaire de Philippe en Samarie[1]. L'événement qu'il rapporte se trouve en effet en décalage par rapport au programme d'évangélisation progressive du monde entier tel qu'il apparaît défini en Ac 1, 8, dans la mesure où la responsabilité de l'exécution de ce dernier était confiée aux apôtres. Or ici les hellénistes apparaissent comme les précurseurs, même si Luc s'efforce de leur faire partager avec Pierre le mérite que la tradition leur attribuait[2].

Ce récit comprenait-il la relation de la conversion de Simon le magicien, qui en eût constitué le point d'orgue[3], ou faut-il supposer que le rédacteur des Actes a disposé de données indépendantes relatives à ce personnage[4] ? Il paraît délicat de trancher ici avec certitude. Toutefois le décalage existant entre l'image de Simon le converti au v. 13 et celle du sombre individu qui cherche à acheter l'Esprit Saint au v. 19 paraît difficilement imputable à Luc, dans la mesure où il se contredirait à quelques lignes d'intervalle. Peut-être vaut-il donc mieux supposer que l'auteur à Théophile a composé la première partie de son récit à partir d'une tradition qui mettait déjà en scène les deux personnages qui en sont les héros.

Quant aux v. 14-25, il semble raisonnable d'y voir le développement d'un donné relatif à un conflit entre Pierre et Simon le magicien[5]. Nous pensons qu'on peut y rattacher les détails qui contribuent à la présentation de Simon comme un fondateur de religion aux v. 9 et 10[6]. Ce dernier, impressionné par le pouvoir de transmettre l'Esprit Saint possédé par Pierre, cherchait à se l'approprier non par la conversion mais contre rétribution. Il se voyait opposer une réplique qui le condamnait sans appel (v. 20-21) et que la conclusion édifiante des v. 22-24 édulcore dans la rédaction lucanienne[7]. Ainsi reconstituée, cette source nous présente Pierre dans un rôle juridico-charismatique

---

1. Ainsi E. Trocmé, *Le « Livre des Actes »*, p. 183 ; H. Conzelmann, *Apostelgeschichte*, p. 53 ; G. Schneider, *Apostelgeschichte*, I, p. 484 ; J. Roloff, *Apostelgeschichte*, p. 132 ; A. Weiser, *Apostelgeschichte 1-12*, p. 199-201 ; D.-A. Koch, *ZNW* 77, 1986, p. 70 ; G. Lüdemann, *Das frühe Christentum*, p. 103.
2. Pour une argumentation similaire, voir D.-A. Koch, *ibid.*
3. En ce sens, E. Trocmé, *Le « Livre des Actes »*, p. 183 ; J. Roloff, *Apostelgeschichte*, p. 132.
4. Tel est l'avis que partagent G. Schneider, *Apostelgeschichte,* I, p. 484 ; A. Weiser, *Apostelgeschichte 1-12*, p. 199-201 ; D.-A. Koch, *ZNW* 77, 1986, p. 72, et G. Lüdemann, *Das frühe Christentum*, p. 103.
5. Avec O. Bauernfeind, *Apostelgeschichte*, p. 124 ; E. Trocmé, *Le « Livre des Actes »*, p. 183 ; M. Hengel, *Acts,* p. 93 ; A. Weiser, *ibid.* ; D.-A. Koch, *ibid.*
6. Avec E. Trocmé, *op. cit.,* p. 183, et D.-A. Koch, *art. cit.,* p. 77-78.
7. Sur ce dernier point, E. Trocmé, *ibid.*

qui n'est pas sans évoquer celui qui lui est attribué dans l'épisode d'Ananias et Saphira[1]. Dans les deux récits, en effet, l'apôtre est confronté à des personnages qui mésusent de l'argent et sa parole se fait annonciatrice de leur condamnation. Il y a là une coïncidence intéressante qui peut éclairer, nous l'avons déjà dit, le pouvoir de lier et de délier que Mt 16, 19 attribue à Pierre[2].

Mais que deviennent dans tout cela les v. 14-17 ? Remontent-ils à la tradition et faut-il les tenir pour un donné historique avéré qui confirmerait l'existence d'une mission d' « inspection » jérusalémite en Samarie[3] et attesterait qu'aux premiers temps de la communauté de Jérusalem a prévalu une règle selon laquelle la transmission de l'Esprit relevait du monopole des apôtres[4] ? Pareille conclusion se heurte à de nombreuses difficultés dont la principale provient du fait que l'auteur à Théophile tend à exagérer le rôle de Jérusalem tout au long de son œuvre[5] et qu'il semble bien s'efforcer ici de rattacher la mission des hellénistes à celle des Douze, en l'y subordonnant[6]. Son intention apparaît assez clairement quand on relève les liens qui relient l'ensemble des v. 14-24 à d'autres passages qui jouent un rôle clé dans le *Livre des Actes*. Ainsi le mot *dôrea,* qui apparaît au v. 20, se retrouve — et ce sont là ses seules autres occurrences dans l'œuvre à Théophile — d'une part, à l'occasion du discours de Pierre qui prolonge le récit de l'effusion de l'Esprit Saint lors de la Pentecôte (Ac 2, 38) et, d'autre part, en Ac 10, 45 et 11, 17 pour souligner que le don gracieux qui avait déjà été offert aux circoncis l'est désormais aux nations païennes[7]. Ainsi sont reliés trois épisodes, tous placés sous l'égide de Pierre, qui font figure de Pentecôtes respectives des juifs, des samaritains et des païens[8] et qui inaugurent chacune des grandes étapes fixées en Ac 1, 8.

Un autre lien encore est suggéré entre ces épisodes par la récurrence du verbe *epipiptô,* attesté dix fois dans l'œuvre à Théophile[9] mais associé à l'Es-

1. R. Pesch, *Simon Petrus,* p. 70, le relève fort à propos.
2. Cf. p. 110-111.
3. Ainsi K. Lake, H. J. Cadbury, *Beginnings,* I/IV, p. 92 ; O. Cullmann, *Saint Pierre,* p. 30 et 31 ; J. Munck, *Acts,* p. 74 ; R. Pesch, *Apostelgeschichte,* I, p. 272.
4. Cette conclusion, déjà proposée par F. Overbeck, *Apostelgeschichte,* p. 122, et par K. Lake, in *Beginnings,* I/V, p. 108, a été reprise à leur compte par des auteurs comme O. Cullmann, *op. cit.,* p. 30 ; J. Munck, *Acts,* p. 75 ; W. Dietrich, *Petrusbild,* p. 249, et R. Pesch, *Simon Petrus,* p. 69.
5. Nous renverrons, sur ce point, à la démonstration d'E. Trocmé, *Le « Livre des Actes »,* p. 67-68 et 85-86.
6. Cf. E. Trocmé, *op. cit.,* p. 182.
7. C'est W. Dietrich, *Petrusbild,* p. 214, qui a relevé ainsi que toutes les occurrences lucaniennes de ce terme s'effectuent en lien exprès avec la mention de l'Esprit Saint.
8. Cette séquence est reconnue notamment par W. Dietrich, *op. cit.,* p. 295 ; M.-A. Chevallier, *RSR* 69, 1981, p. 301-313, qui y ajoute une Pentecôte des johannites (Ac 19, 1-7) ; M. Gourgues, *RB* 93, 1986, p. 382-383 ; Id., *Mission et communauté (Actes des Apôtres 1-12) (CahEv* 60), Paris, 1987, p. 17-35 ; R. Pesch, *Apostelgeschichte,* I, p. 272.
9. Lc 1, 12 ; 15, 20 ; Ac 8, 16 ; 10, 10.44 ; 11, 15 ; 13, 11 ; 19, 17 ; 20, 10.37.

prit Saint en seulement trois endroits (Ac 8, 16 ; 10, 44 ; 11, 15) qui correspondent à la description des deux dernières Pentecôtes. Mais comme, en
Ac 11, 15, Pierre rend compte à ses frères jérusalémites de celle des païens en
ces termes : « l'Esprit Saint tomba sur eux comme il l'avait fait sur nous au
commencement »[1], les trois semblent bien associées à nouveau[2]. Notons enfin
que des phénomènes extraordinaires, qui sont de l'ordre de la perception
visuelle ou auditive, paraissent encore les unir[3].

Il y a donc tout lieu de penser que la main de Luc a largement façonné les
v. 14-17 afin de relier entre eux les éléments traditionnels qu'il possédait tout
en les annexant à son propre dessein : en associant les trois Pentecôtes — et
partant l'initiative de la mission aux païens — à la personne de Pierre, il légi-
timait l'action future de Paul qui se trouvait désormais dans la ligne de la tradition la plus pure. L'apôtre des gentils ne serait-il pas lui-même, si l'on suit
une proposition de M.-A. Chevallier[4], l'agent d'une nouvelle et dernière Pentecôte à la suite de son illustre devancier ?

Notre lecteur comprendra, à la lumière des développements qui précèdent, que nous renoncions à une exploitation d'Ac 8, 14-17 comme preuve
historique[5]. Il faut cependant reconnaître que ceux qui se livrent à une telle
utilisation parviennent à des conclusions qui sont loin d'être invraisembla-
bles. Il est en effet tout à fait possible que la volonté d'exalter le pouvoir en
même temps que la mémoire des apôtres et le souci de souligner l'unité ecclésiale qui caractérisent la rédaction lucanienne nous placent dans une situation
qui n'est pas si différente de celle qui prévalait au moment où les événements
qui nous sont narrés ici se sont produits[6]. Ainsi E. Käsemann a-t-il pu
écrire :

> Philippe a entamé la mission en Samarie de sa propre initiative et sans
> recommandation expresse. Il a connu un grand succès. Le résultat fut le surgisse-
> ment d'une Eglise indépendante par rapport à celle de Jérusalem. Cela fut insup-
> portable au christianisme ultérieur car une telle situation semblait menacer l'unité
> de l'Eglise. Cette dernière s'est donc déclarée solidaire de la revendication de pri-
> mauté sans doute émise à Jérusalem. Pierre et Jean devaient donc aller à Samarie
> pour visiter la communauté qui y était apparue et l'intégrer dans la communion de
> l'Eglise apostolique[7].

---

1. Traduction empruntée à la *TOB. Nouveau Testament,* p. 391-392.
2. En ce sens, M. Gourgues, *RB* 93, 1986, p. 382.
3. Ac 2, 4.11*b* ; 8, 18 (?) ; 10, 44-46 ; 19, 6.
4. Cf. n. 8, p. 118.
5. Dans le même sens, H. Conzelmann, *Apostelgeschichte,* p. 55, qui parle de
construction *ad hoc* ; C. K. Barrett, Light on the Holy Spirit from Simon Magus, in
Les Actes des Apôtres. Tradition, rédaction, théologie par J. Kremer (BEThL 48),
Gembloux, Leuven, 1979, p. 285 ; M. Hengel, *Acts,* p. 93 ; A. Weiser, *Apostelgeschichte* 1-12, p. 200-201 ; W. Schmithals, *Apostelgeschichte,* 1982, p. 80 ; F. Bovon, in
Evangiles synoptiques, p. 239 ; D.-A. Koch, *ZNW* 77, 1986, p. 69-70 ; G. Lüdemann,
Das frühe Christentum, 1987, p. 101.
6. Cf. K. Lake, H. J. Cadbury, *Beginnings,* I/IV, p. 92.
7. E. Käsemann, *Exegetische Versuche,* I, p. 165.

Le raisonnement que Käsemann attribue au christianisme ultérieur a très bien pu être déjà celui d'une partie au moins de l'Eglise jérusalémite qui, confrontée au problème nouveau que posait l'œuvre missionnaire des hellénistes, aurait décidé de réagir sans trop attendre, un certain délai devant sans doute être maintenu entre les deux événements. Pareille hypothèse nous semble trouver un appui indirect dans le témoignage de deux textes, à savoir Ga 2, 1-10 — passage sur lequel nous aurons l'occasion de revenir[1] — et Jn 4, 38[2]. Jésus, qui se trouve en terre samaritaine, s'y adresse aux disciples en ces termes : « Je vous ai envoyé moissonner ce qui ne vous a coûté aucune peine ; d'autres [*alloi*] ont peiné et vous avez pénétré dans ce qui leur a coûté tant de peine »[3]. Les *alloi* sont sans doute les hellénistes eux-mêmes dont serait rappelé ici le mérite d'avoir été les pionniers d'une œuvre dans laquelle Pierre et les siens ne sont entrés que postérieurement[4]. Notons enfin que Mt 10, 5 pourrait nous conserver le souvenir du fait que les choses n'allèrent pas de soi quand il s'agit de décider de la conduite à tenir au sein de l'Eglise jérusalémite et nous préserver la trace des débats passionnés qui virent le jour parmi les judéo-chrétiens[5]. Ce logion, par lesquel Jésus défend notamment aux Douze de se rendre en Samarie et auquel la mention de « la ville de Samarie » en Ac 8, 5 semble faire écho[6], peut contenir en effet une dimension polémique et énoncer le point de vue d'un groupe demeuré réfractaire à toute extension du champ missionnaire[7]. Ce refus d'une annonce de l'Evangile au-delà du champ bien enclos des brebis perdues de la maison d'Israël pourrait avoir été motivé par l'attente eschatologique du pèlerinage des peuples vers Sion[8], dont il a été question plus haut[9] et qu'envisage un passage tel que Mt 8, 11-12. Dans la perspective de cet événement, dont la réalisation imminente incombait, nous l'avons vu, à la toute-puissance de Dieu, il ne pouvait sans doute être question, pour certains judéo-chrétiens, d'entreprendre une œuvre qui empiéterait sur les prérogatives divines. Mais à leurs réticences s'opposa — c'est là du moins le témoignage des Actes — la hardiesse de ceux qui se laissèrent entraîner « sur un chemin nouveau par l'enthousiasme des événements de Pâques et de la réception de l'Esprit »[10].

1. Cf. p. 124-126 et 264-267.
2. Nous suivrons l'interprétation que propose O. Cullmann, *Le milieu johannique*, p. 76-77, de ce verset.
3. Traduction empruntée à la *TOB. Nouveau Testament*, p. 300.
4. Ainsi O. Cullmann, *Le milieu johannique*, p. 76.
5. En ce sens, O. Bauernfeind, *Apostelgeschichte*, p. 122-123 ; E. Trocmé, *Le « Livre des Actes »*, p. 181 ; W. Grundmann, *Matthäus*, p. 289 ; E. Käsemann, *Exegetische Versuche*, II, p. 87-88 (= *Essais*, p. 179) ; F. Vouga, *A l'aube du christianisme*, p. 19.
6. Ainsi O. Bauernfeind et E. Trocmé, *ibid.*
7. Cf. E. Käsemann, *Exegetische Versuche*, II, p. 87 (= *Essais*, p. 179), et G. Schille, Anfänge der christlichen Mission, *KuD* 15, 1969, p. 331-332.
8. C'est ce qu'ont suggéré fort à propos E. Käsemann, *op. cit.*, p. 87-88 de l'édition allemande et p. 180 de l'édition française, et W. Grundmann, *Matthäus*, p. 289.
9. Cf. p. 115.
10. E. Käsemann, *Exegetische Versuche*, II, p. 88 (= *Essais*, p. 180).

L'envoi de Barnabas à Antioche (Ac 11, 22) nous inspirera des considérations assez semblables à celles que nous a suggérées l'analyse d'Ac 8, 14-17. Certes, d'aucuns maintiennent l'historicité de l'épisode[1] et on peut faire valoir, à l'appui de leur point de vue, que Barnabas paraît avoir bénéficié de la confiance de l'Eglise de Jérusalem et avoir fait en quelque sorte office, à ses yeux, de « personnage qui garantissait que l'on ne s'égarait pas trop sur les rives de l'Oronte »[2]. On ne peut toutefois exclure que, à partir des données que lui fournissait la tradition, à savoir, d'une part, que Barnabas avait participé aux premiers développements de la communauté jérusalémite, vendant même son champ à son profit (Ac 4, 36), et, d'autre part, qu'il avait joué un rôle majeur au sein de l'Eglise antiochienne (Ac 13, 1), l'auteur à Théophile ait fait de lui le représentant mandaté par la première pour surveiller l'évolution de la seconde, alors qu'il pourrait avoir été en fait amené à quitter antérieurement la ville sainte à l'occasion de la persécution des hellénistes[3].

Il nous reste encore à envisager le témoignage d'Ac 9, 32-11, 18. Cet ensemble nous montre, à travers trois récits tous localisés dans la plaine côtière palestinienne, Pierre sous l'aspect d'un missionnaire itinérant. Mais cette présentation est-elle conforme à la réalité historique ? Il nous semble que la question peut trouver une réponse globalement positive. Certes, la remarque qui inaugure la section (Ac 9, 32*a*) en insistant sur les déplacements continuels de l'apôtre doit être imputée au travail rédactionnel de l'auteur à Théophile[4]. Il appert cependant que ce dernier a réuni ici des traditions localisées dans un périmètre donné, à savoir la plaine du Saron, et qu'il n'y a pas de raison de douter de sa fidélité dans la transcription des noms de cités qu'il mentionne[5]. Luc aura donc simplement « transformé en récit de voyage une série d'anecdotes localisées dans les parages »[6] et qui conservaient le souvenir du passage de Pierre en ces lieux. Il nous paraît difficile de préciser davantage, à partir des données des Actes[7]. C'est pourquoi nous nous tournerons à présent vers l'*Epître aux Galates*.

1. Ainsi R. Pesch, *Die Apostelgeschichte,* I, p. 352, qui émet l'hypothèse selon laquelle les apôtres de Jérusalem, non encore familiarisés avec la mission aux païens, ont préféré ne pas apposer la légitimation spirituelle de cette entreprise en personne mais par l'intermédiaire d'un légat proche à la fois des hellénistes d'Antioche et d'eux-mêmes.

2. Nous devons cette formule, prononcée à l'occasion d'un entretien, à E. Trocmé.

3. Ainsi E. Haenchen, *Apostelgeschichte,* p. 315-316.

4. Sur ce point, notamment, A. Weiser, *Apostelgeschichte* 1-12 p. 239.

5. Ainsi E. Trocmé, *Le « Livre des Actes »,* p. 169-170 ; R. Pesch, *Simon Petrus,* p. 68 et 75 ; J. Roloff, *Apostelgeschichte,* p. 159 ; A. Weiser, *op. cit.,* p. 237 ; G. Lüdemann, *Das frühe Christentum,* p. 129.

6. E. Trocmé, *ibid.*

7. Pour une hypothèse plus précise quant au séjour de Pierre dans cette région, on se reportera à E. Trocmé, Pierre à Césarée Maritime, *MdB* 27, 1983, p. 30, qui envisage que Pierre pourrait avoir eu pendant un certain temps sa demeure à Joppé, où la proximité de la mer (Ac 10, 6) lui aurait permis d'exercer, en même temps que son activité missionnaire, son métier de pêcheur.

II – Le témoignage de l' « Epître aux Galates »

Quand Paul dicte ou rédige l'*Epître aux Galates,* il est confronté à une situation qui lui est tellement douloureuse qu'il ne prend pas même le temps de faire suivre la salutation qu'il adresse aux destinataires de sa lettre de l'habituelle action de grâce. Il en vient sans attendre au fait, apostrophe avec véhémence les Galates et entame un plaidoyer dont la logique apparaît davantage depuis les travaux d'H. D. Betz[1]. Au sein de ce plaidoyer, la partie qui nous intéresse plus particulièrement ici et qui va de 1, 15 à 2, 10 appartient à la *narratio,* dans laquelle sont exposés les faits qui doivent établir le bien-fondé de la cause défendue. Même si nous nous garderons d'entrer dans le détail d'une structure dont on peut douter que les destinataires de Paul l'aient tous perçue, le cadre qui se dégage ainsi montre le soin avec lequel Paul a composé cette section et confirme son caractère polémique[2].

Or il était confronté en Galatie à des adversaires judaïsants[3] qui semblent avoir mis en question l'authenticité de son apostolat[4] et qu'il accuse d'annoncer un autre Evangile (1, 6-9). La menace très sérieuse qu'ils font planer sur son œuvre ne s'explique que s'ils se prévalaient d'une autorité qu'ils estimaient supérieure à la sienne et qui était susceptible d'être reconnue comme telle par les Galates. Dans ces conditions, le fait que l'apôtre des Gentils décrive en détail les relations qu'il a entretenues avec l'Eglise mère, et plus particulièrement avec Pierre[5], invite à penser que c'est de Judée[6], et plus précisément de Jérusalem[7], que ces missionnaires provenaient et qu'ils prétendaient agir sous le couvert des autorités jérusalémites[8], et plus particulièrement de Céphas[9]. Ce dernier point peut être envisagé grâce au raisonnement suivant. Les verbes à la première personne du singulier, qui abondent en Ga 2, 1-10, donnent l'impression trompeuse que Paul a négocié seul à Jéru-

---

1. H. D. Betz, The Literary Composition and Function of Paul's Letter to the Galatians, *NTS* 21, 1975, p. 353-379 ; Id., *Galatians,* p. 16-23. Il retrouve dans l'épître, entre la préface (1, 1-5) et la postface (6, 11-18), le schéma rhétorique du plaidoyer tel que le décrit Quintillien : *exordium* (1, 6-11) ; *narratio* (1, 12-2, 14) ; *propositio* (2, 15-21) ; *probatio* (3, 1-4, 31) ; parénèse qui vient en lieu et place de la *refutatio* (5, 1-6, 10).
2. Dans le même sens, J. D. G. Dunn, *NTS* 28, 1982, p. 461.
3. C'est ce que démontrent les faits suivants : ils veulent imposer la pratique de la Loi de Moïse (3, 2 ; 4, 21 ; 5, 4) et en particulier la circoncision ([2, 3-4] ; 5, 2 ; 6, 12) ; ils inculquent l'observance des jours, des mois, des années (4, 10).
4. Le témoignage conjoint de Ga 1, 1 et 1, 12-16 l'indique.
5. Sur ce point, cf. déjà p. 108-109.
6. En ce sens, R. Jewett, *NTS* 17, 1971, p. 198-212.
7. Ainsi, déjà, F. C. Baur, *Paulus. Erster Theil,* p. 287.
8. C'est ce qu'avait déjà relevé A. Ritschl, *Die Entstehung der altkatholischen Kirche. Eine kirchen- und dogmengeschichtliche Monographie,* 2. Auflage, Bonn, 1857, p. 147.
9. Tel est l'avis de l'équipe œcuménique d'exégètes américains in *Saint Pierre,* p. 35.

salem. Or c'est en compagnie de Barnabas, et en représentant comme lui de l'Eglise d'Antioche, que l'apôtre des Gentils s'est rendu dans la ville sainte. De la même façon, c'est avec les colonnes et non avec Pierre seul que l'accord a été conclu, comme le rappelle opportunément le v. 9. Le point de vue adopté par Paul se comprend pourtant à la lumière de la situation présente. En effet, il lutte désormais seul, ayant rompu ses liens avec Antioche à la suite de l'incident qu'il rapporte aux v. 11-14. Mais, s'il ne mentionne plus face à lui que Pierre, ne serait-ce pas parce que ce dernier était devenu, de son côté, le symbole par excellence de la mission dirigée vers les Juifs, et parce que c'était de son autorité que se prévalaient les adversaires auxquels Paul avait affaire en Galatie ?

Ainsi peut-on envisager avec quelque vraisemblance que, en Galatie comme à Corinthe[1], l'apôtre des Gentils s'est trouvé confronté à une opposition qui se réclamait, à bon droit ou non, de Pierre[2].

Averti de nous méfier de la distance qui sépare le délégué antiochien à l'assemblée de Jérusalem et le rédacteur de l'*Epître aux Galates* — qui avait aussi été amené, consécutivement à sa rupture, à développer une conception de son apostolat telle qu'il fût dépendant de Dieu seul et ne pût être remis en question par aucune autorité humaine ou institutionnelle (Ga 1, 1.12-13) — revenons à Ga 1, 15-2, 10 pour reconnaître que « le décalage entre être indépendant de et être reconnu par Jérusalem est la note dominante de ce texte important »[3]. Une étude attentive des verbes utilisés dans ce passage permet de mieux analyser cette tension[4].

Dans un premier temps, Paul souligne, en employant, en 1, 16, le verbe *prosanatithèmi,* dont on ne peut exclure qu'il vise ici, selon son sens technique, une consultation de gens qualifiés en vue de l'interprétation d'un signe[5], que la révélation du Fils de Dieu dont il a bénéficié et qui lui enjoignait d'évangéliser les païens se suffisait à elle-même. Il n'a, par conséquent, pas eu besoin de venir à Jérusalem pour y prendre conseil auprès des autorités compétentes, à savoir ceux qui avaient été apôtres avant lui (v. 17). Ainsi sont affirmées d'emblée la totale indépendance, l'absolue validité et l'incontestable autorité de son Evangile et de son apostolat[6], en même temps qu'est implicitement reconnu le rôle central et éminent de Jérusalem.

En utilisant ensuite le verbe *historeô,* dont la construction avec un accusatif de personne seul a fait récemment l'objet d'une étude approfondie de la

---

1. Cf. p. 88-90.
2. Nous aurons l'occasion de revenir sur cette question, p. 303-305.
3. B. Holmberg, *Paul and Power,* p. 15.
4. C'est ce qu'a bien montré J. D. G. Dunn, *NTS* 28, 1982, p. 461-478.
5. J. D. G. Dunn, art. cit., p. 462-463, cite, à l'appui de cette hypothèse, des passages empruntés à Chrysippe, Philodème et Diodore de Sicile.
6. Nous paraphrasons ici une formule de Dunn, art. cit., p. 470, qui dit pour sa part que « Paul maintient l'indépendance de son Evangile et de son apostolat quant à leur validité et à leur autorité ».

part d'O. Hofius[1], il semble bien que Paul affirme simplement que, trois ans après avoir reçu sa révélation particulière, il a rendu visite à Céphas dans le but de faire sa connaissance. Il ne laisserait donc pas entendre explicitement qu'il est venu s'informer auprès de lui[2]. Mais le fait qu'il précise que son séjour à Jérusalem s'est étalé sur deux semaines invite à penser qu'il ne cherche pas à minimiser l'importance de cette rencontre[3] et que, durant toute cette période, les deux apôtres ne se sont pas contentés de « parler de la pluie et du beau temps »[4]. On ne peut donc exclure que Paul se soit rendu à Jérusalem, entre autres choses, pour y recueillir à la source de plus amples détails sur la tradition[5].

A propos de l'assemblée dont il est question en Ga 2, 1-10 et qui fut, rappelons-le, d'abord un débat entre Eglises au cours duquel fut tranchée la question de savoir si la communauté antiochienne pouvait continuer à dispenser de la circoncision les païens convertis (v. 3-5), Paul, recourant au verbe *anatithèmi* (v. 2), indique qu'il y a exposé l'Evangile qu'il prêche aux païens[6]. Cette présentation avait assurément pour but une approbation[7] de la part de ceux qui bénéficiaient de considération *(hoi dokountes)*. Toutefois, la distance que Paul prend à l'égard de ces derniers tout au long du texte[8] lui permet, tout en reconnaissant le rôle qu'ils jouent de fait, de ne pas compromettre son affirmation fondamentale que Dieu et le Christ constituent la seule autorité dont dépend son Evangile[9]. Ainsi peut-on exclure que la si problématique conclusion du v. 2 *(mè pôs eis kenon trechô è edramon)* suggère qu'il attendait de la part des autorités jérusalémites une réponse quant à la validité de son message[10]. Il s'agit en fait soit d'une interrogative indirecte appelant

---

1. O. Hofius, Gal 1, 18 : *historèsai Kèphan, ZNW* 75, 1984, p. 73-85.
2. Nombreux sont cependant ceux qui traduisent ainsi, à la suite de H. G. Lidell, R. Scott, *A Greek-English Lexicon,* Ninth edition, Oxford, 1968 [1940], p. 842.
3. Ainsi O. Bauernfeind, Die Begegnung zwischen Paulus und Kephas, *ZNW* 47, 1956, p. 268-276, suivi par P. Bonnard, *Galates,* p. 140-141.
4. La formule est de C. H. Dodd, *The Apostolic Preaching and its Developments. Three Lectures. With an Appendix on Eschatology and History,* London, 1936, p. 26.
5. En ce sens, W. D. Davies, *The Setting of the Sermon on the Mount,* p. 453-455, qui envisage cette possibilité à partir de parallèles rabbiniques ; E. Trocmé, in *Histoire des religions,* II, p. 209 ; M. Hengel, *Acts,* p. 85 ; J. Ernst, Simon, Kephas, Petrus. Historische und typologische Perspektiven im Markusevangelium, *ThGl* 71, 1981, p. 448. Notons à ce propos qu'A. Bailly, *Dictionnaire grec français,* 26ᵉ éd., Paris, 1963, p. 983, rend l'expression *istoreô tina* par questionner, interroger quelqu'un.
6. Ainsi que le rappelle opportunément J. D. G. Dunn, *NTS* 28, 1982, p. 466-467, la construction *anatithesthai tina ti* ne préjuge en rien du statut respectif des parties en présence. On se gardera donc de traduire ici par soumettre, comme pourrait encourager à le faire une certaine compréhension de la suite du verset.
7. B. Holmberg, *Paul and Power,* p. 22, qui fournit, à la n. 58, une liste d'auteurs qui partagent ce point de vue.
8. Voir encore v. 6 et 9. A la suite de C. K. Barrett, in *Studia Paulina,* p. 1-4 ; H. D. Betz, *Galatians,* p. 86-87, a souligné, à partir surtout de l'usage qui en est fait dans l'*Apologie* de Platon, 21B.C.D.E ; 22A.B ; 29A ; 36D ; 41E, la possible dimension ironique de l'expression *hoi dokountes.*
9. Nous paraphrasons ici une remarque de H. D. Betz, *op. cit.,* p. 87.
10. En ce sens, pourtant, H. Schlier, *Galater,* p. 67-68.

une réponse négative[1], soit, plus vraisemblablement, d'une finale[2]. Paul se serait donc entretenu avec les « notables » en « prévoyant que, si son Evangile n'était pas reconnu, son œuvre en serait dans l'avenir pratiquement compromise »[3]. Par conséquent, son souci ne porte pas sur la qualité de son Evangile mais sur la reconnaissance de la mission auprès des païens qu'il a entreprise, en ce sens que celle-ci deviendrait « en quelque sorte une course vaine dans la mesure où elle ne serait pas acceptée à Jérusalem comme annonce de l'unique bonne nouvelle »[4]. Dans cette éventualité, en effet, les Eglises déjà fondées par l'apôtre se trouveraient rejetées de fait en dehors de l'Israël croyant et ne seraient plus « en continuité avec la religion (...) des prophètes et des premiers disciples de Jésus »[5].

Il semble donc bien que « tandis que Paul défendait une position à Jérusalem, les trois piliers délivraient [pour leur part] un verdict »[6] dont le v. 6 rapporte la substance. Le verbe *prosanatithèmi* revient ici, mais dans une acception différente de celle qui était la sienne en 1, 16. Il signifie sans doute soit que les « notables » n'imposèrent rien à Paul[7], soit, tout simplement, qu'ils n'ajoutèrent rien à son message[8]. Même dans l'hypothèse où la traduction la plus atténuée est retenue, le contexte précédent (v. 3-4) indique à l'évidence que l'ajout éventuel aurait eu trait à des recommandations relatives à la circoncision[9]. On retrouve ainsi le problème auquel Paul est confronté au moment où il rédige sa lettre (Ga 5, 2). On comprend donc sans mal qu'il rappelle ici l'attitude modérée des autorités jérusalémites à son égard pour disqualifier les agissements de ses adversaires, surtout si ces derniers se réclamaient des colonnes et de Pierre. Mais, si Paul s'abrite ici derrière les « notables » de Jérusalem, il ne persiste pas moins à maintenir

1. M.-J. Lagrange, *Galates, p.* 27, traduit ainsi « [pour savoir] si je ne courais pas ou n'avais pas couru en vain ». On trouvera une liste d'auteurs qui rendent le texte de cette façon dans le commentaire de F. Mußner, *Galaterbrief, p.* 103, n. 16, qui adopte lui-même cette solution. Selon cette ligne d'interprétation, Paul, convaincu de la validité de son ministère, acculerait les « notables » à une reconnaissance de son apostolat.

2. Telle est la solution déjà retenue par J. B. Lightfoot, *Galatians, p.* 103, qui, pour ce faire, considère *trechô* comme un subjonctif (// 1 Th 3, 5), le passage subséquent à l'indicatif *(edramon)* étant rendu nécessaire par le changement de temps, les conséquences du passé n'étant plus réversibles mais inéluctables. Elle conduit à traduire « de peur que je coure ou aie couru en vain ».

3. P. Bonnard, *Galates, p.* 38.

4. D. Lührmann, *Der Brief an die Galater* (Zürcher Bibelkommentare, *NT* 7), Zürich, 1978, p. 37.

5. J. D. G. Dunn, *NTS* 28, 1982, p. 468.

6. J. D. G. Dunn, *JSNT* 18, 1983, p. 7. Cette interprétation trouve un appui dans le fait, relevé par B. Holmberg, *Paul and Power, p.* 23, que les versets qui suivent (Ga 2, 3-5) « contiennent un grand nombre de termes appartenant au champ sémantique du pouvoir et de la subordination : *ènagkasthè, kataskopèsai tèn eleutherian hèmôn, katadoulôsousin, oude pros hôran eixamen tè hupotagè* ».

7. Ainsi, par exemple, P. Bonnard, *Galates, p.* 40 ; B. Holmberg, *Paul and Power, p.* 23.

8. En ce sens, J. D. G. Dunn, *NTS* 28, 1982, p. 469.

9. Cf. H. D. Betz, *Galatians, p.* 95.

une distance à leur endroit comme l'atteste la parenthèse embarrassée par laquelle il indique comment il se situe vis-à-vis d'eux. Avec son changement de temps — « ce qu'ils étaient (alors) m'importe peu (maintenant) ; Dieu ne regarde pas à la situation des hommes » — elle paraît « tout entière destinée à relativiser l'autorité des apôtres de Jérusalem dans la situation présente en Galatie et à réduire la signification de son acceptation antérieure de leur autorité »[1].

La défiance de Paul à l'endroit des « notables » jérusalémites ne l'empêche cependant pas d'exposer, aux v. 7-9, les résultats positifs auxquels aboutit la conférence. Nous pensons en fait, toujours en raison du décalage historique existant entre l'époque où les événements se sont produits et celle où l'apôtre des Gentils entreprend de les rappeler, que, quand Paul affirme, aux v. 7 et 8, que son Evangile et son envoi vers les Gentils furent reconnus, il interprète les résultats de son propre point de vue. Le v. 9, qui envisage une partition des champs missionnaires entre Jérusalémites et Antiochiens, s'avérerait ainsi plus proche de l'accord effectivement conclu[2]. En tout cas, et même si Paul s'efforce, une dernière fois, au v. 9, de donner l'impression qu'il a été reconnu à Jérusalem par les colonnes davantage qu'il ne les a reconnues *(hoi dokountes stuloi)*[3], il apparaît assez clairement que la décision prise lui importait, en vertu sans doute de son caractère symbolique et de sa portée pratique. Il faut noter par ailleurs que l'accord avait beau être mutuel et placé sous le signe de la communion *(koinônia :* v. 10), il ne résultait pas pour autant de relations symétriques[4]. C'est ce qu'illustre déjà le fait que la rencontre eut lieu à Jérusalem, où les délégués antiochiens étaient manifestement venus chercher une reconnaissance officielle — même si elle n'était qu'humaine — de leur mission. C'est ce que montre également le fait qu'ils s'engagèrent, en contrepartie de cette reconnaissance, à « se souvenir des pauvres » (v. 10).

III – SIGNIFICATION DE LA COLLECTE

Paul revient à différentes reprises sur cette collecte dans ses épîtres[5]. Avant de nous intéresser à la façon dont cette entreprise a été envisagée des deux côtés, arrêtons-nous sur la manière dont Paul parle de ses bénéficiaires. Elle pourrait en effet ne pas être sans importance pour comprendre la conscience de soi qu'avait l'Eglise primitive de Jérusalem.

L'expression *hoi ptôchoi,* qui apparaît en Ga 2, 10, est considérée par beau-

1. J. D. G. Dunn, *JSNT* 18, 1983, p. 6.
2. Ainsi M. Hengel, *Acts,* p. 119, dont on consultera l'argumentation avec profit.
3. Cf. H. D. Betz, *Galatians,* p. 96.
4. En ce sens, B. Holmberg, *Paul and Power,* p. 27.
5. Ro 15, 25-32 ; 1 Co 16, 1-4 ; 2 Co 8-9.

coup comme une autodésignation de la communauté jérusalémite[1]. De fait, il nous semble bien qu'à travers ce titre honorifique elle a exprimé, dans la lignée des pieux d'Israël et tout particulièrement des milieux esséniens, sa conviction d'être le véritable Israël[2]. Rappelons à ce propos que certains écrits découverts à Qumrân emploient le terme pour désigner les membres de la secte[3], qui est même appelée la Congrégation des pauvres[4]. Dans l'un des deux passages où cette expression est certainement attestée[5], les pauvres se voient annoncer la possession de la « sublime montagne d'Isra[ël] » et promettre que « dans Son sanctuaire » — c'est-à-dire, à l'évidence, dans le Temple — « ils se délecteront »[6]. Ce texte s'avère plus intéressant encore si on le replace dans son contexte. Il est en effet immédiatement suivi par un passage, que nous avons déjà cité[7], dans lequel est soulignée la haute dignité présente de l'assemblée qumrânienne puisqu'il y est rappelé que Dieu a établi le Maître de Justice afin qu'il édifie pour Lui la congrégation de ses élus. Il apparaît ainsi que la communauté-Temple des bords de la mer Morte s'est désignée comme assemblée des pauvres en attendant le jour où Dieu livrerait à sa louange le sanctuaire jusque-là profané. Des similitudes troublantes semblent donc bien se faire jour, une nouvelle fois, avec la communauté primitive de Jérusalem, dont une fraction, rappelons-le, avait d'ailleurs choisi, à l'origine, la pauvreté en pratiquant, comme à Qumrân, la communauté des biens. Cela invite à accorder toute sa valeur à un titre qui devait tellement marquer les judéo-chrétiens palestiniens que les ébionites tinrent à le conserver en s'en parant[8].

En dehors du vocable *ptôchoi,* Paul utilise également l'expression *hoi hagioi* pour appeler les bénéficiaires de la collecte[9]. Certes, ce vocable lui est familier pour désigner les destinataires de ses lettres ou les chrétiens en général[10]. Il faut toutefois se souvenir que, davantage encore que le terme de « pauvres », auquel il est cependant associé dans les *Psaumes de Salomon* pour désigner ceux qui loueront le Seigneur au jour de sa visite[11], il a servi à désigner le reste de Sion (Es 4, 3), la fraction du peuple demeurée fidèle

---

1. Ainsi, déjà, K. Holl, in *Gesammelte Aufsätze,* II, p. 58-60.
2. Cf. D. Georgi, *Kollekte,* p. 23 ; G. Bornkamm, *Paul,* p. 80-81, et H. Schlier, *Römerbrief,* p. 436.
3. 1QH 5, 22 ; (CD 6, 16) ; 1QM 11, 9.13 ; 13, 14 ; 1QpHab 12, 3.6.10. Voir encore PsSal 5, 2.11 ; 10, 6 ; 15, 1 ; 18, 2.
4. 4QpPs37 2, 10 ; 3, 10.
5. A. Dupont-Sommer, in *La Bible. Ecrits intertestamentaires,* p. 379, la rétablit également en 4QpPs37 4, 20.
6. 4QpPs37 3, 11, dont les fragments cités le sont selon la traduction d'A. Dupont-Sommer, *op. cit.,* p. 377.
7. Cf. p. 97.
8. Ainsi M. Hengel, *Acts,* p. 118.
9. Ro 15, 25.26.31 ; 1 Co 16, 1 ; 2 Co 8, 4 ; 9, 1.12.
10. Ainsi Ro 1, 7 ; 8, 27 ; 12, 13 ; 16, 2.15 ; 1 Co 1, 2 ; 6, 1.2 ; 14, 33 ; 16, 15 ; 2 Co 1, 1 ; 13, 12 ; Ph 1, 1 ; 4, 21.22 ; Phm 5.7.
11. *Psaumes de Salomon* 10, 6.

et promise au salut[1]. Ainsi, à Qumrân, la communauté a-t-elle pu revendiquer l'honneur d'être l'Assemblée des Saints[2], un passage comme 1QS 11,
6-9 illustrant combien la possession de ce privilège — lié à celui de l'élection — s'accompagnait de la certitude d'avoir déjà part au salut final :

[6]La source de la justice et le réservoir [7]de la puissance, ainsi que la demeure de
gloire, sont refusés à l'assemblée de la chair : c'est à ceux qu'Il a élus que Dieu les a
donnés en possession éternelle. Et Il leur a accordé un partage dans le lot [8]des Saints,
et avec les Fils du ciel il a réuni leur assemblée, celle du Conseil de la Communauté ;
et l'assemblée du saint Edifice appartiendra à la plantation éternelle durant tout [9]le
temps à venir[3].

Il nous semble donc que considérer que Paul recourt en fait à une appellation adoptée à l'origine par l'Eglise de Jérusalem[4] et étendue ensuite à l'ensemble des chrétiens[5], c'est aller dans le sens de la vraisemblance historique.
On conçoit en effet aisément comment la communauté primitive, dans la ferveur apocalyptique des commencements, a pu s'approprier à son tour un titre
d'une signification si riche et que les esséniens tenaient en si grand honneur[6].
La façon dont Paul parle des destinataires de la collecte nous paraît, en

1. Ainsi, par exemple, Es 62, 12 ; Dn 7, 18.21.25.27 ; *Psaumes de Salomon* 8, 23 ;
11, 1. Des passages tels que *1 Henoch* 25, 4-5 ; 38, 4 ; 48, 1.7 ; 49, 9 ; 50, 1 ; 51, 2 ;
58, 3 ; 62, 8 ; 100, 5 ; 104, 12 ; *Psaumes de Salomon* 3, 7-8 ; *Oracles sibyllins*, V, 426-433
montrent que dans certains milieux les termes justes, élus et saints étaient devenus
interchangeables. Sur tout cela, ainsi que sur la postérité du thème au sein du mouvement chrétien, on consultera le remarquable excursus de H. Lietzmann, *Römer,*
p. 121-123.
2. 1QH 4, 25. On notera encore qu'il est question du camp des saints de Dieu en
1QM 3, 5, qu'on peut lire, en 1QM 6, 6, que « la royauté appartiendra au Dieu d'Israël, et [que], par les saints de son peuple, Il déploiera sa valeur » (traduction empruntée à A. Dupont-Sommer, in *La Bible. Ecrits intertestamentaires,* p. 203), et qu'en
4QFlor 1, 5 il est fait mention de la Maison où n'entreront que « ceux qui portent le
nom de saints » (*ibid.,* p. 409). Par contre, il nous paraît quelque peu aventureux de
conjecturer, avec A. Dupont-Sommer, *op. cit.,* p. 9, que la *Règle de la Communauté* fasse
mention, dès sa première ligne (1QS 1, 1), de l'instruction des saints.
3. Traduction empruntée à A. Dupont-Sommer, *op. cit.,* p. 43-44.
4. Ainsi K. Holl, in *Gesammelte Aufsätze,* II, p. 58-59 ; H. Lietzmann, *Römer,*
p. 121-123 ; E. Käsemann, *Römer,* p. 384 ; O. Michel, *Römer,* p. 464 ; H. Schlier,
Römerbrief, p. 436 ; D. Zeller, *Römer,* p. 240.
5. Outre les références déjà citées à la n. 10, p. 127 et tirées des lettres pauliniennes incontestées, on pourra mentionner Ac 9, 32.41 ; 26, 10 ; Ep 1, 1.15 ; 3, 8.18 ;
4, 12 ; 5, 3 ; 6, 18, Col 1, 2.4.26 ; 3, 12 ; 1 Tm 5, 10 ; He 6, 10 ; 13, 24 ; Jude 3 ;
Ap 5, 8 ; 8, 3.4...
6. On notera à ce propos l'intérêt d'une remarque de K. G. Kuhn, *Qumrân,*
RGG, V[3], col. 753, qui relève la correspondance entre les dénominations que s'attri-
buèrent les esséniens et celles qu'adoptèrent les premiers chrétiens : saints, appelés,
élus, pauvres, fils de lumière. Selon lui, pareille coïncidence ne peut être un hasard.
Ajoutons encore que, dans la perspective que nous avons adoptée, il nous paraît logique d'interpréter le génitif, dans la curieuse expression que l'on rencontre en
Ro 15, 26 : *tous ptôkous tôn hagiôn,* non pas comme un génitif partitif mais comme un
génitif épexégétique (ayant valeur d'apposition). Comme le relève P. Stuhlmacher,
Das paulinische Evangelium, I, p. 103, n. 1, même si la première solution est *a priori* la
plus évidente grammaticalement, il reste à expliquer, si on l'adopte, pourquoi Paul
parle ici brusquement de manière limitative alors qu'en amont (v. 25) et en aval
(v. 27-31) tel n'est pas le cas.

conséquence, déjà refléter la haute conscience qu'avait d'elle-même l'Eglise primitive de Jérusalem. Voyons à présent si l'étude de la signification même de l'entreprise permet de recueillir des indices venant confirmer ce point de vue.

Paul recourt, pour évoquer la collecte, à un vocabulaire extraordinairement varié[1]. Parmi tous ces termes, K. Holl s'était efforcé de distinguer entre ceux qui étaient simplement édifiants *(koinônia, diakonia, charis, eulôgia)* et d'autres qui auraient eu une connotation plus juridique *(hadrotès, leitourgia, logeia)*[2]. Cette distinction subtile n'a pas emporté la conviction, et pour de bonnes raisons[3]. Il vaut mieux en fait s'intéresser une nouvelle fois aux verbes ainsi qu'à un adjectif. En Ro 15, 27, Paul introduit en effet, à partir de l'emploi d'*opheilein* et du qualificatif *opheiletès,* l'idée d'une obligation, d'une dette qui serait à honorer à travers la réalisation de la collecte.

C'est surtout l'usage de l'adjectif *opheiletès* qui nous paraît révélateur. Nous l'éclairerons à partir des occurrences de ce terme dans la littérature paulinienne. Il y revient en effet, construit chaque fois avec le verbe être, à trois autres reprises : en Ro 1, 14, où l'apôtre explique qu'il se doit aux Grecs comme aux barbares, aux sages comme aux ignares ; en Ro 8, 12, où il rappelle à ses frères qu'ils ne sont pas débiteurs envers la chair[4] ; en Ga 5, 3, où il atteste que tout homme circoncis se doit de pratiquer toute la Loi. De ces trois passages, les deux premiers nous paraissent les plus topiques, d'une part, parce qu'ils appartiennent à la même épître et, d'autre part, parce que l'adjectif y apparaît simplement construit avec l'auxiliaire sans qu'une infinitive ne vienne compléter la phrase.

Or, dans les deux cas, nous sommes introduits au cœur même de l'histoire du salut. En Ro 1, 14, « Paul, serviteur de Jésus-Christ, appelé à être apôtre (...) pour conduire à l'obéissance de la foi (...) tous les peuples païens »[5], explicite la dette qu'il a contractée à travers son appel en mission. En Ro 8, 12, il affirme implicitement que quiconque se trouve désormais sous l'empire de l'Esprit a contracté une dette envers Lui. Dans ce contexte, l'affirmation de l'apôtre, en Ro 15, 26-27, s'éclaire : « La Macédoine et l'Achaïe ont jugé bon de manifester leur communion à l'égard des pauvres, c'est-à-dire des saints qui sont à Jérusalem. Oui, elles [l']ont jugé bon et elles le leur devaient, car si les païens ont communié à leurs [biens] spirituels, ils devaient aussi apporter leur contribu-

---

1. Il emploie les termes suivants : *hadrotès* (2 Co 8, 20) ; *diakonia* (Ro 15, 31 ; 2 Co 8, 4 ; 9, 1.12.13) ; *eulogia* (2 Co 9, 5) ; *koinônia* (Ro 15, 26 ; 2 Co 8, 4 ; 9, 13) ; *leitourgia* (2 Co 9, 12) ; *logeia* (1 Co 16, 1) ; *charis* (1 Co 16, 3 ; 2 Co 8, 4.6.7.19). A cela on peut ajouter les verbes *diakonein* (Ro 15, 25) ; *leitourgein* (Ro 15, 27) ; *mnèmoneuein* (Ga 2, 10) ; *opheilein* (Ro 15, 27) et l'adjectif *opheiletès* (Ro 15, 27).
2. K. Holl, *Gesammelte Aufsätze,* II, p. 60.
3. Il est assez hasardeux en effet de tirer des conclusions à partir de l'emploi de deux *hapax legomena* (*hadrotès* et *logeia*) et d'un mot *(leitourgia)* que Paul emploie ailleurs dans un contexte qui exclut toute acception juridique (Ph 2, 25.30).
4. Le contexte indique qu'ils le sont en fait envers l'Esprit mais cela demeure sous-entendu, le deuxième membre de l'antithèse n'étant pas exprimé.
5. Ro 1, 1 et 5 (traduction empruntée à la *TOB. Nouveau Testament,* p. 449-451).

tion à leurs [biens] matériels. » On se trouve, une fois de plus, en perspective d'histoire sainte. Sur cet horizon, P. Stuhlmacher a qualifié l'obligation qui se dégage de juridico-eschatologique[1], expression intéressante, encore que le premier terme ne doive peut-être pas en être retenu, comme nous aurons l'occasion de le voir[2]. Or, ainsi qu'il l'a noté, le verbe *mnèmoneuein,* qu'emploie Paul en Ga 2, 10, trouve toute sa signification sur le même arrière-plan[3]. Il se rattache au thème du « faire mémoire » qui, de la première à la nouvelle Pâque, joue un rôle essentiel dans l'histoire du salut[4]. Par ailleurs, des passages comme Ap 2, 5, où l'Eglise d'Ephèse est appelée à se souvenir de son premier amour pour le Seigneur qu'elle a désormais abandonné, Ap 3, 3, où celle de Sardes est exhortée à se souvenir de la Parole, ou encore 1 Th 1, 3, où Paul rend grâce pour la foi, l'amour et l'espérance en Jésus-Christ des Thessaloniciens, peuvent être rapprochés de Ga 2, 10[5]. Tous, en effet, indiquent que la réception même du salut et ses conséquences sont sujettes à mémoire. Dans ces conditions, la nécessité de se souvenir des pauvres de Jérusalem pourrait relever du fait que l'Eglise rassemblée dans la ville sainte occupait une place à part dans l'histoire de la révélation, dans la mesure où s'y trouvaient rassemblés la plupart des disciples de Jésus et conservée la tradition relative au Maître, dans la mesure aussi où c'était ultimement à partir d'elle qu'avait pris son essor, par-delà, bien sûr, l'action du Nazaréen et de l'Esprit, le mouvement chrétien[6].

Il reste à expliciter pourquoi ce souvenir a dû prendre également la forme d'un don d'argent, les difficultés économiques qu'a rapidement connues l'Eglise mère[7] ne constituant assurément pas la seule motivation d'un geste qui revêtait une portée symbolique et dont on ne saurait rendre compte simplement à travers les nécessités, certes réelles, de l'heure.

De nombreux auteurs[8] ont mis la collecte en parallèle avec l'impôt du Temple[9]. Certains parlent carrément, et sans doute un peu rapidement, d'un

---

1. P. Stuhlmacher, *Das paulinische Evangelium,* I, p. 103.
2. Cf. n. 2, p. 134.
3. P. Stuhlmacher, *Das paulinische Evangelium,* I, p. 103.
4. On mentionnera ici Ex 13, 3 (et aussi Ex 12, 14 ; 13, 9) ainsi que 1 Co 11, 24-25 et Lc 22, 19. Sur l'importance du verbe *mnèmoneuô* dans la littérature biblique et apparentée, on consultera la bonne présentation d'O. Michel, *ThWNT,* IV, p. 685-687.
5. C'est ce qu'a bien vu P. Stuhlmacher, *Das paulinische Evangelium,* I, p. 104. On peut ajouter à ces textes Ep 2, 11-12 où les fidèles sont appelés à se souvenir du temps où ils étaient sans Messie.
6. Dans une perspective semblable, O. Michel, *ThWNT,* IV, p. 686, et M. Hengel, *Acts,* p. 118.
7. Cf. p. 141-142.
8. A ceux qui seront cités aux n. 1 et 2, p. 131, on adjoindra notamment les noms d'E. Schweizer, *pneuma.* E. Das Neue Testament, *ThWNT,* VI, p. 412, qui pense que tel était le point de vue paulinien — ce qui nous paraît très problématique —, et de M. Hengel, *Acts,* p. 118, qui estime que c'était là la compréhension jérusalémite.
9. Avec X. Léon-Dufour, *Dictionnaire du Nouveau Testament,* 2ᵉ éd. revue, Paris, 1975, p. 52, rappelons que cet impôt, « équivalent à un demi-siècle, ou à un didrachme (Mt 17, 24), devait être versé durant le mois qui précédait la Pâque par tous les Juifs, y compris ceux de la diaspora. Il servait à l'entretien du sanctuaire et des prêtres en service ».

impôt ecclésiastique prélevé par la communauté centrale de Jérusalem[1]. D'autres préfèrent insister sur la parenté des deux gestes, en quoi ils discernent
d'abord la manifestation de l'unité et de la solidarité d'un peuple par delà les
frontières[2]. Leurs considérations ont le mérite de mettre en évidence un harmonique qui ne pouvait échapper à personne à cette époque. Pourtant, le
caractère non répétitif de la collecte suggère, à lui seul, l'existence d'une
différence.

Faut-il alors la relier à la pratique des aumônes pour Israël[3] ? Attestée
dans le Nouveau Testament (Ac 10, 2 ; Lc 7, 5), elle offrait la possibilité à
des païens, désireux de se convertir et d'obéir à la Loi mais souhaitant éviter
la circoncision, de démontrer leur lien avec le peuple juif. Marque de leur
condition nouvelle de sympathisants ou de craignant-Dieu, elle leur permettait par ailleurs, en vertu du caractère expiatoire qui lui était conféré, de
racheter leurs péchés[4]. Mais on voit mal comment elle aurait pu servir de modèle à l'accord qui fut conclu à Jérusalem. Il est difficile d'imaginer en effet
que Paul et, avec lui, la délégation antiochienne, se soient contentés de l'attribution d'un statut de craignant-Dieu pour les pagano-chrétiens[5]. Une telle
disposition n'eût fait qu'avaliser une séparation des croyants en deux zones[6]
tout en proposant aux païens convertis un moyen de reconnaissance totalement étranger à la justification par la foi.

Faut-il enfin s'orienter vers une explication en lien avec le pèlerinage
eschatologique des nations, dans la mesure où ce dernier s'accompagne d'un
apport d'offrandes à Jérusalem[7] ? Cette hypothèse[8] permet d'éclairer le
voyage de Paul et des émissaires pagano-chrétiens, porteurs des dons de
leurs communautés respectives, à Jérusalem à la lumière des prophéties
vétéro-testamentaires qu'il viendrait accomplir[9], ou auquel il servirait de prélude[10]. Sur son arrière-plan, les explications de sa captivité prêtées à l'apôtre
des Gentils par l'auteur à Théophile prennent, elles aussi, un relief particulier

1. En ce sens, K. Holl, in *Gesammelte Aufsätze,* II, p. 62, et surtout E. Stauffer, in
Begegnung der Christen, p. 370.
2. Ainsi O. Cullmann, *Saint Pierre,* p. 37-38, et H. Chadwick, The Circle and the
Ellipse. Rival Concepts of Authority in the Early Church, in *History and Thought of the
Early Church* (Collected Studies 164), London, 1982, p. 5.
3. Ainsi K. Berger, *NTS* 23, 1977, p. 180-204.
4. Dn 4, 27.33-37 (LXX).
5. Ainsi, pourtant, K. Berger, *NTS* 23, 1977, p. 200.
6. K. Berger, art. cit., p. 203, reconnaît lui-même que la question se pose.
7. Ainsi Es 60, 6-17 ; So 3, 9-10 (où le lien avec Jérusalem n'est cependant pas
précisé) ; Ag 2, 6-9 ; *Tb* 13, 13 et *Oracles sibyllins,* III, 710-718 et 772-773. Pour
d'autres références, tirées de la littérature rabbinique, on se reportera à *Bill.,* I, p. 84,
et IV, 2, p. 937-938.
8. Proposée par J. Munck, *Paulus,* p. 298-300, elle a trouvé un certain écho chez
F. Hahn, *Mission,* p. 93 ; D. Georgi, *Kollekte,* p. 84-87 ; D. Lührmann, *Der Brief an die
Galater,* p. 40 ; H. Merklein, *Jesu Botschaft,* p. 168. Mais c'est surtout chez R. D. Aus,
NT 21, 1979, p. 232-262, qu'elle est développée.
9. J. Munck, *op. cit.,* p. 298, suivi par D. Georgi, *op. cit.,* p. 85.
10. H. Merklein, *Jesu Botschaft,* p. 168.

(Ac 26, 6.7 ; 28, 20)[1]. Il en va de même pour les chapitres 9 à 11 de l'*Epître aux Romains* dans lesquels Paul expose sa vision de l'histoire du salut en renversant[2] l'ordre traditionnel du pèlerinage eschatologique, puisque l'afflux des païens à Sion précède désormais le salut d'Israël[3]. Dans ce cadre, on peut se demander si le *mustèrion* qu'il communique à partir de Ro 11, 25 ne pourrait renvoyer à une révélation particulière, à travers laquelle Dieu lui aurait fait entendre que le salut des nations n'était pas remis au dernier jour mais devait s'accomplir, dès maintenant, par la prédication missionnaire, au terme de laquelle Il viendrait Lui-même sauver « tout » Israël.

Cette interprétation nous semble séduisante et rendre bien compte du point de vue paulinien. Elle confère d'autre part à l'entreprise un caractère provocateur[4] qui permet de mieux comprendre les appréhensions de Paul avant son voyage (Ro 15, 31)[5]. L'apôtre avait en effet tout à craindre des zélateurs juifs dont il prenait le contre-pied absolu mais plaçait en même temps l'Eglise de Jérusalem dans une situation très embarrassante car accepter, dans ces conditions, la contribution des communautés pagano-chrétiennes, c'était s'affirmer, de manière un peu trop voyante, comme la nouvelle Sion, destinataire des largesses des nations, et se montrer, par la même occasion, complice des vues de Paul.

Il nous semble en conséquence inconcevable que les Jérusalémites aient pu partager la conception paulinienne. Mais, en même temps, il apparaît assez clairement que Paul n'avait pas encore, au moment où l'accord dont il est question en Ga 2, 1-10 fut conclu, l'idée qu'il se fit plus tard de la collecte[6]. Ce n'est en effet qu'en 2 Co 9 que l'on rencontre les prémices de ce qui s'épanouit dans l'*Epître aux Romains*[7]. Parallèlement, il est clair que, après l'incident d'Antioche (Ga 2, 11-14) et la rupture qui s'ensuivit tant avec l'Eglise locale qu'avec celle de Jérusalem, la première préoccupation de l'apôtre ne fut pas de récolter des fonds pour les saints mais au contraire de se constituer, en Asie Mineure, une base missionnaire indépendante[8]. Sans doute espérait-il ainsi se donner les moyens de lutter contre les menées des nombreux adversaires qu'il comptait désormais dans son propre camp et qui

1. J. Munck, *Paulus,* p. 298-299.
2. Sur les renversements que Paul effectue par rapport à la conception classique du pèlerinage eschatologique, on consultera essentiellement D. Georgi, *Kollekte,* p. 84-86, mais aussi E. Käsemann, *Exegetische Versuche,* II, p. 244 (= *Essais,* p. 261), et R. D. Aus, *NT* 21, 1979, p. 241.
3. Pour un essai d'explication de Ro 9-11 sur l'arrière-plan d'une réinterprétation du pèlerinage eschatologique, on se reportera à J. Munck, *Paulus,* p. 299 ; D. Georgi, *ibid.,* et R. D. Aus, art. cit.
4. Ce point est bien mis en évidence par D. Georgi, *Kollekte,* p. 84-86.
5. D. Georgi, *op. cit.,* p. 85-86.
6. D. Georgi, *op. cit.,* p. 84-85, l'a clairement montré.
7. D. Georgi, *op. cit.,* p. 73, interprète ainsi, à la lumière d'Os 10, 12, 2 Co 9, 10 dans le sens suivant : « Le Créateur permet au miracle eschatologique qu'est le pèlerinage des peuples vers Jérusalem de prendre son essor à travers la collecte des pagano-chrétiens en faveur de la communauté jérusalémite. »
8. Ainsi E. Trocmé, *RHPhR* 61, 1981, p. 345.

ne manquèrent pas de se manifester, aussitôt qu'il eut entrepris d'évangéliser les grands centres urbains des pourtours de la mer Egée[1]. Il dut alors se rendre à l'évidence : le combat étant par trop inégal, il n'y avait désormais plus de place pour lui dans ces contrées (Ro 15, 23)[2]. Il lui fallait donc, pour pouvoir poursuivre son action et l'étendre à la lointaine Espagne, s'efforcer de renouer préalablement avec Jérusalem. La collecte pouvait lui en fournir l'occasion. 2 Co 8, 10 montre que l'entreprise fut menée sur un intervalle relativement bref. Il n'est peut-être pas illusoire de penser que, pendant ce laps de temps, Paul s'est ingénié à l'intégrer au sein de sa perspective globale afin que sa réalisation ne passât pas simplement pour une forme de reddition. Ce serait ainsi qu'il aurait progressivement discerné le lien qu'il pouvait établir entre ce geste et la mission aux païens qui lui avait été confiée, lien qui paraît solidement effectué en Ro 15, 16[3]. Désormais, non seulement la collecte se trouvait parée de vertus nouvelles, mais Jérusalem, elle-même, par delà les désagréments qu'avait eu à connaître Paul du fait de ses émissaires, devait être réhabilitée comme point de départ et d'arrivée de l'histoire du salut. Ainsi pourrait s'expliquer, nous le pensons du moins, la surprenante affirmation de Ro 15, 19, à travers laquelle l'apôtre prétend avoir assuré l'annonce de l'Evangile en rayonnant depuis la ville sainte, et le rappel, qu'il effectue en Ro 15, 27, de la dette contractée par tous les païens à l'endroit de l'Eglise mère. Dans la mesure où ce verset s'avère très proche, dans sa tonalité, des termes de l'accord conclu initialement[4], il nous paraît envisageable que Paul, désormais bien assuré de la pertinence théologique de la collecte, ait choisi de rappeler ici quelle avait été sa motivation à l'origine. Dans sa pensée, en effet, les païens ne peuvent plus être seulement obligés envers Jérusalem en raison de leur dépendance à son égard au niveau de l'histoire du salut, ils sont en passe de poser un geste qui constitue une étape obligée et décisive de cette même histoire[5].

Nous inclinons donc à penser que la collecte reposait, dans son principe même et en dehors des nécessités de l'heure, sur la reconnaissance d'une primauté de l'Eglise de Jérusalem sur le plan de l'histoire du salut.

Ainsi nous paraît confirmé le rôle dominant, de nature purement symbo-

---

1. Sur ces adversaires, voir p. 88-90 ; 122-123 et 303-305.
2. Comme l'indique justement E. Trocmé, *RHPhR* 61, 1981, p. 346, il faut se garder de mettre trop rapidement cette remarque au seul compte de la hâte eschatologique de Paul et tenir compte de la part que les contraintes indépendantes de sa volonté ont pu faire peser sur lui.
3. Sur ce point, R. D. Aus, *NTS* 21, 1979, p. 235-237.241.261, qui propose de comprendre ce verset à la lumière d'Es 66, 20. On pourra ajouter à ces remarques qu'il pourrait être intéressant de rapprocher l'emploi qui est fait ici du terme *leitourgos* de celui de *leitourgia* en 2 Co 9, 12.
4. Nous renvoyons ici à ce que nous avons dit à propos du verbe *mnèmoneuô* (p. 130).
5. En ce sens également, U. Wilckens, *ThWNT*, VII, p. 735 ; R. Bultmann, *Théologie*, p. 64 ; B. Holmberg, *Paul and Power*, p. 39-40 ; J. Eckert, in *Kontinuität und Einheit*, p. 80.

lique au départ[1], qui était reconnu à la communauté mère. Mais il faut ajouter immédiatement que la collecte indique que cette domination ne s'est pas cantonnée dans cette sphère symbolique, dans la mesure où elle a revêtu une expression concrète et a été matérialisée par un geste. Ce geste lui-même ne peut, nous semble-t-il, être assimilé sans plus à aucune des marques d'allégeance envers le Temple ou Israël qu'étaient amenés à poser juifs et craignant-Dieu. Il ne pouvait cependant que les évoquer et conforter le rôle clé de l'Eglise jérusalémite[2]. Cette dernière, nous l'avons vu, n'a d'ailleurs pas hésité elle-même à jeter un regard sur l'œuvre missionnaire et, plus encore, à s'efforcer de la contrôler et de l'infléchir.

C – REPRISE D'UN POINT DE VUE SOCIOLOGIQUE

L'autorité qui fut reconnue à l'Eglise de Jérusalem, durant les premières décennies du mouvement chrétien, a présenté deux pôles : traditionnel et charismatique.

En rejoignant la ville sainte, les disciples de Jésus s'installèrent dans le haut lieu du judaïsme, dont le prestige était lié essentiellement à la présence du Temple, mais aussi à l'espérance eschatologique qui était rattachée à Sion. En se proclamant, en cet endroit même, nouveau Temple, et en y attendant la venue imminente de la parousie, la communauté primitive s'appropria les promesses de l'Ancien Testament. Ce faisant, elle se substituait à ceux qui se considéraient concurremment comme les bénéficiaires de ces promesses, sans rompre le fil d'une tradition millénaire.

En même temps, de par les différents groupes qui la constituaient, l'Eglise primitive de Jérusalem se trouvait être la dépositaire de la tradition relative à Jésus et du message central de la Résurrection. Elle apparaissait en conséquence comme l'héritière quasi exclusive de la prophétie d'origine du Nazaréen, sa position se trouvant encore renforcée du fait qu'elle revendiquait le privilège d'avoir bénéficié de la première effusion de l'Esprit.

A partir de là, on ne peut s'étonner qu'une autorité incontestée lui ait été reconnue par les autres communautés[3]. Pourtant, son implantation géographique, si elle rehaussait encore son prestige parmi les chrétiens, réduisait

1. Nous employons ici les catégories d'A. Etzioni (cf. p. 18).
2. U. Wilckens, *ThWNT*, VII, p. 735 ; P. Stuhlmacher, *Das paulinische Evangelium*, I, p. 103-105 ; B. Holmberg, *Paul and Power*, p. 39-40, parlent comme nous d'une domination enracinée dans l'histoire du salut. Ils considèrent tous qu'elle revêt concrètement un caractère *sakral-rechtlich*. Cette terminologie ne nous satisfait pas pleinement en ce sens qu'elle nous paraît peut-être trop précise ou sujette à malentendu. Nous devons cependant reconnaître que nous n'en avons pas d'autre à proposer.
3. Nous nous plaçons sur l'axe influence-acceptation défini par Hennen et Prigge (cf. p. 19).

considérablement sa marge de manœuvre. Dépourvue, en effet, comme la plupart des mouvements de renouveau au sein du judaïsme de l'époque, de toute représentation au sein de l'instance officielle que constituait le Sanhédrin, elle devait se garder, sous peine de représailles, de toute forme de provocation. Elle le comprit fort bien et réinterpréta, dans un premier temps, le message macromillénariste de Jésus dans le cadre d'un micromillénarisme, qui lui permettait certes d'affirmer sa spécificité, mais dans une sphère relativement restreinte. Une telle attitude engendra un phénomène de latence charismatique, dans la mesure où les aspects les plus radicaux de la prédication publique du Maître se trouvèrent estompés, qu'ils fussent gommés ou prudemment réservés à la méditation propre du groupe. Pareille évolution risquait de ne pas contenter tout le monde, et, de fait, l'Eglise jérusalémite fut confrontée à plus hardi qu'elle.

Le mouvement helléniste résulta, dans un premier temps, de ce phénomène de latence charismatique. Ce groupe, en effet, en reprenant à son compte l'attitude ouvertement critique de Jésus par rapport au Temple et à la Loi, fit valoir, à plus haute voix que ses héritiers naturels, certaines facettes du message du Nazaréen. L'expulsion des hellénistes de Jérusalem permit à la crise de trouver une résolution rapide. Mais la dynamique missionnaire qui en résulta contraignit l'Eglise jérusalémite à reconsidérer ses positions et à penser l'existence du mouvement chrétien en dehors du cadre restreint de la ville sainte ou du territoire d'Israël. Le micromillénarisme qu'elle avait pratiqué jusque-là se trouvait remis en question et des tensions naquirent quand il s'agit de définir jusqu'à quel point il devait être réorienté en direction du macromillénarisme avec lequel avaient renoué les Sept et leurs émules.

Le cas de Paul s'avère ici tout à fait particulier. En effet, il se proclama, au nom d'une révélation particulière dont il avait bénéficié et qu'il plaçait au-dessus de tout contrôle humain — puisque Dieu et le Christ étaient à son origine —, détenteur d'un charisme personnel privé. Une telle prétention nécessite, pour être assumée sans trop de heurts, une politique de compensation[1]. Or Paul n'était pas forcément disposé au compromis[2]. Il affirmait en effet haut et fort que, en raison de l'origine de son appel, aucune autorité humaine ne pouvait remettre en question la légitimité de la mission aux païens et de l'annonce de l'Evangile libre par rapport à la circoncision et à la Loi qu'il se savait confiées. Il conférait ainsi, à la pratique d'un macromillénarisme, étendu désormais aux dimensions du monde et détaché de toute attache avec l'orthopraxie juive, la valeur d'un principe intangible.

Il ne put cependant faire abstraction du fait que la sphère d'influence potentielle de l'Eglise jérusalémite s'étendait en tout lieu et qu'elle pouvait

---

1. Cf. p. 28.
2. Sa détermination apparaît à l'évidence lors de l'incident d'Antioche (Ga 2, 11-14). Autant les autres responsables de l'Eglise locale se montrèrent prêts à composer, autant une telle perspective lui parut insupportable.

donc interférer à tout moment avec son activité, par l'intermédiaire d'émissaires, officiels ou non, qui mettaient en jeu, contre la sienne, l'autorité des colonnes et particulièrement celle de Céphas.

Ainsi fut instaurée une partie de bras de fer entre Paul et son charisme personnel privé et ceux qui étaient unanimement tenus pour les héritiers légitimes du charisme personnel prophétique de Jésus. Au moment de céder, l'apôtre, si l'on accepte la reconstitution historique que nous avons ébauchée, sut transformer ce qui eût pu être une simple reddition en une entreprise qui contenait également une part de défi, annexant, à son tour, Jérusalem et les promesses vétéro-testamentaires dans une perspective nouvelle. Mais si Sion demeurait au cœur de l'histoire du salut, à son origine et à son terme, un incroyable détour était envisagé entre ces deux extrêmes, espace dans lequel le macromillénarisme inhérent au message de Jésus pourrait désormais se dilater. Et Paul eut beau voir ses projets s'évanouir, le fait était là : « La main forcée par Dieu et par les activités irresponsables de prédicateurs sans mandat, (...) l'Eglise de Jérusalem [était] sortie d'elle-même et s'[était] lancée à la conquête du monde. »[1]

Cette mutation de l'Eglise mère ne s'effectua pourtant pas sans heurt. Sans cesse, il lui fallait compter, en effet, avec les conséquences possibles de ses décisions. Amenée à aborder des questions qui, à l'origine, étaient bien au-delà de son horizon, elle fut donc acculée à des choix difficiles. Son évolution montre que, avec le temps, elle se reconnut de plus en plus dans la ligne prônée par Jacques, frère du Seigneur. Il appartiendra entre autres à la suite de cette étude d'éclairer pourquoi elle s'orienta vers un christianisme dynastique en prenant peu à peu ses distances vis-à-vis de la lignée des disciples qu'incarnait, par excellence, la figure de Pierre.

1.   E. Trocmé, *RHPhR* 61, 1981, p. 349.

DEUXIÈME PARTIE

Place et autorité de Pierre au sein de l'Eglise primitive de Jérusalem

La première partie de notre travail a mis en place un cadre à l'intérieur duquel nous préciserons désormais quelle fut l'importance de Pierre au sein de l'Eglise primitive de Jérusalem avant d'éclaircir les raisons de son départ. Nous avons certes eu l'occasion déjà de rencontrer souvent le prince des apôtres sur notre route. Mais nous voudrions à présent reprendre les données glanées au passage et les organiser autour de quelques grands axes, tout en nous efforçant de les compléter. Nous n'ignorons pas la part d'aléa inhérente à une reconstitution de ce genre. Il nous semble cependant que c'est en affinant les hypothèses que l'on progresse, dans la mesure où les résultats que l'on atteint offrent davantage prise à la discussion et à une éventuelle critique. C'est donc conscient des risques que notre démarche comporte que nous voudrions proposer une esquisse de synthèse.

Chapitre IV

Part prise par Pierre
à l'organisation
de l'Eglise primitive de Jérusalem

Le retour des disciples de Jésus à Jérusalem et leur installation dans la ville sainte constituèrent, nous l'avons vu, un tournant majeur dans l'histoire du mouvement chrétien. Mais, de la fraternité chaleureuse et teintée d'essénisme des origines à l'Eglise mère dont la responsabilité s'étendait désormais à des communautés qui voyaient le jour un peu partout dans l'Empire romain, une nouvelle transformation s'effectua qui ne fut pas moins importante.

Or le témoignage des cinq premiers chapitres des Actes nous montre que l'organisation de la communauté primitive, même si elle fut assurément une œuvre collective, a fait place à une contribution personnelle de Pierre. Elle semble par ailleurs avoir conduit, partiellement au moins, à une impasse, comme l'atteste notamment l'abandon progressif du modèle idéal de la communauté des biens qui avait été proposé à l'origine. On peut donc se demander si le prestige de l'apôtre n'a pas été quelque peu terni — voire remis en question — par ce qui pouvait apparaître, avec le recul, comme un choix peu réaliste et inadapté à la situation. Toutefois, même dans cette hypothèse, il ne faudrait pas accorder une importance démesurée à ce qui pourrait passer pour un échec. Il convient de se souvenir, en effet, que l'organisation d'un groupe ne se résume pas à la forme concrète qu'il revêt, son « ecclésiologie » étant susceptible de lui conférer une valeur symbolique largement indépendante de cette dernière. C'est dans le but de maintenir en tension ces deux aspects d'une réalité plus complexe qu'on ne l'imagine souvent au premier abord que nous étudierons successivement la part prise par Pierre à l'organisation de l'Eglise de Jérusalem au niveau concret et au niveau symbolique.

I – AU NIVEAU CONCRET

a | *La communauté des biens*

Par delà la description idéalisée et généralisante qu'effectue l'auteur à Théophile de la communauté des biens qui prévalait au sein de la première assemblée jérusalémite (Ac 2, 44-45 ; 4, 34-35)[1], nous avons reconnu, dans les récits qui l'illustrent (Ac 4, 36-37 ; 5, 1-11), les vestiges d'une pratique qui s'inspirait librement de la mise en commun des biens telle qu'elle est attestée à Qumrân et qui pourrait avoir été inspirée par un même idéal de perfection[2]. En dehors de ces ressemblances, qui invitent à rapprocher l'usage adopté par les premiers chrétiens de celui des esséniens, nous avons noté quelques différences dont la principale réside assurément dans le caractère non obligatoire du geste au sein de la communauté primitive. Selon M. Hengel, il convient d'en relever encore une autre : au contraire de ce qui se passait à Qumrân[3], rien n'indique que la première assemblée jérusalémite ait eu recours à un système de production organisé[4] qui eût permis à la communauté de subvenir à ses besoins dans la durée. Cette absence de perspective à long terme trouverait, d'après lui, son explication dans « l'attente enthousiaste de la venue prochaine du Fils de l'Homme »[5].

Que penser d'une telle hypothèse ? Il nous semble parfaitement envisageable que, confrontés à l'imminence de la parousie, certains aient jugé illusoire de s'encombrer de possessions qui ne leur seraient bientôt plus d'aucun secours[6]. Ils n'hésitèrent donc pas à se dessaisir de leurs biens au profit

1. Sur le caractère généralisant et idéalisé de ces sommaires, on consultera notamment H.-J. Degenhardt, *Lukas, Evangelist der Armen. Besitz und Besitzverzicht in den lukanischen Schriften*. Eine traditions- und redaktionsgeschichtliche Untersuchung, Stuttgart, 1965, p. 160-172, et H.-J. Klauck, *RdQ* 11/41, 1982, p. 48-52.

2. Cf. p. 57-60. Nous ajouterons encore que la tradition sous-jacente à Mc 10, 29-30 // Mt 19, 29 pourrait trouver, elle aussi, son lieu d'origine dans la communauté primitive. Tels sont, en tout cas, l'avis exprimé par W. Grundmann, *Das Evangelium nach Markus* (*ThHK* 2), erweiterte Nachdruck der zweiten, neubearbeiteten Auflage, Berlin, 1962, p. 214, et l'hypothèse envisagée par E. Best, *Following Jesus. Discipleship in the Gospel of Mark* (*JSNTSup* 4), Sheffield, 1981, p. 118, n. 46.

3. Flavius Josèphe, *BJ*, II, 129 et 131 ; 1QS 9, 22. On songera également à la découverte, faite à Aïn Feshkha, d'un établissement agricole qui était relié au « monastère » qumrânien (cf. R. de Vaux, Fouilles de Feshkha. Rapport préliminaire, *RB* 66, 1959, p. 225-255).

4. M. Hengel, *ZThK* 72, 1975, p. 181 ; Id., *Eigentum und Reichtum*, p. 42.

5. M. Hengel, art. cit., p. 181, suivi notamment par A. Weiser, *Apostelgeschichte* 1-12, p. 165.

6. Ainsi P.-H. Menoud, *La vie de l'Eglise naissante* (Foi vivante 114), 2ᵉ éd., Neuchâtel, Paris, 1969, p. 64, qui souligne l'analogie avec la situation décrite en 2 Th 3, 6-16.

du groupe. Il convient cependant de ne pas imaginer trop vite une
« communauté-cigale » unie dans la seule attente du retour de son Maître.
Comme le remarque M. Hengel lui-même, rien n'interdit de penser, en
effet, que les premiers chrétiens se soient efforcés de gagner leur vie en
exerçant leur métier d'artisan ou en cherchant à se faire embaucher comme
journaliers[1]. On ne peut non plus exclure qu'ils se soient organisés pour
travailler en atelier coopératif[2]. De toute façon, l'exercice d'une activité
professionnelle ne pouvait que contribuer à une intégration qui leur évitait
de passer pour des oisifs forcément suspects aux yeux des autorités. Leur
insertion dans le circuit économique revêtait donc vraisemblablement pour
eux l'aspect d'une nécessité.

Nous manquons bien sûr de documents permettant d'étayer pareil point
de vue. Les circonstances étranges qui préludèrent à la naissance de la
communauté helléniste pourraient toutefois lui conférer quelque appui. Il est
rappelé, en effet, en Ac 6, 1, que « les hellénistes se mirent à récriminer
contre les Hébreux parce que leurs veuves étaient oubliées dans le service
quotidien »[3]. Or on peut envisager que, vu la disparité de condition entre les
premiers chrétiens réunis dans la ville sainte, les Juifs de langue grecque,
dont la situation était assurément moins précaire que celle de pêcheurs ou
d'artisans galiléens déracinés, avaient largement contribué à alimenter la
caisse commune[4], comme en témoigne le geste généreux de Barnabas (Ac 4,
36-37). Parmi eux, les veuves qui s'étaient dépouillées de leurs possessions, et
pour lesquelles une insertion dans la vie économique devait être quasiment
exclue, se trouvaient totalement dépendantes du service quotidien destiné à
assurer la subsistance de chacun[5]. On comprend d'autant mieux leur mé-
contentement spécifique que l'on suppose que leur situation était différente
de celle de la plupart des membres de la communauté.

b | Pierre, lié à un type d'organisation qui ne va pas s'imposer

La parousie tardant à survenir, « les conséquences de largesses multi-
pliées » ne pouvaient être, en l'absence d'une mise en valeur économique des
biens mis au service de la communauté, que « l'appauvrissement de l'ensem-

---

1. M. Hengel, *ZThK* 72, 1975, p. 181-182.
2. Nous devons cette suggestion, transmise oralement, à E. Trocmé.
3. Traduction empruntée à la *TOB. Nouveau Testament,* p. 376-377.
4. Ainsi R. Pesch, *Apostelgeschichte,* I, p. 231.
5. Il faut maintenir, notamment avec E. Haenchen, *Apostelgeschichte,* p. 215 ;
J. Jeremias, *Jérusalem,* p. 187-188, et A. Weiser, *Apostelgeschichte* 1-12, p. 165, que la
communauté primitive avait mis en œuvre son propre système d'assistance aux pauvres. Le *Testament de Job,* où il est question d'une distribution de biens aux veuves
(9, 5) et d'un repas des veuves (14, 2-5), peut fournir un intéressant parallèle à cette
pratique.

ble du groupe »[1]. Ainsi, les membres de la communauté primitive, qui s'étaient approprié le titre de pauvres, n'allaient-ils pas tarder à en partager la condition. Dans cette perspective, la collecte qui fut décidée au profit de l'Eglise mère a sans doute répondu à un besoin[2], en dehors de la signification théologique qu'elle revêtait.

Parallèlement, la dynamique missionnaire insufflée par les hellénistes à la suite de leur expulsion de la ville sainte a, selon toute vraisemblance, amené la communauté jérusalémite, en la contraignant à élargir son horizon, à se distancer d'un modèle qui s'accommodait mieux d'une pratique évangélisatrice centripète que d'une mission centrifuge.

Elle dut donc tôt ou tard revenir sur l'orientation qu'elle avait prise à l'origine, même si, en l'absence de renseignements, il est difficile de préciser quand cette révision de trajectoire, qui s'effectua sans doute progressivement, eut lieu.

L'autorité de Pierre allait-elle se trouver partiellement ébranlée par cet échec ? L'ascension rapide de Jacques parmi les responsables qui comptaient au sein de l'Eglise jérusalémite peut plaider en faveur d'une réponse positive à cette question[3]. Elle manifeste, en effet, que des réaménagements ne tardèrent pas à s'opérer. Pourtant, un certain nombre d'éléments indique que le prince des apôtres conserva un prestige considérable.

c | Autorité éminente qui demeure cependant la sienne

L'autorité éminente qui demeura attachée à Pierre apparaît d'abord dans le domaine disciplinaire. Comme nous avons eu l'occasion de le voir, en effet, le pouvoir de lier et de délier qui lui est confié en Mt 16, 19 trouve son expression non seulement dans la tradition sous-jacente à Ac 5, 1-11, où sa parole juge sans appel Ananias et Saphira, puisqu'elle les tue littéralement, mais encore en Ac 8, 20-21, où elle voue à la mort Simon le magicien[4]. Ainsi nous paraît illustré le fait que la figure de Simon est restée associée à l'exercice de prérogatives juridico-charismatiques que l'on est tenté de qualifier d'absolues. Certes, nous aurons l'occasion de revenir sur ce point, les autres responsables de la communauté, à commencer par les Douze dans leur ensemble, avaient, selon toute vraisemblance, part à cette même responsabilité d'ordre disciplinaire[5], mais il est important de relever qu'elle est restée liée plus particulièrement à la personne de Pierre.

---

1. J. Dupont, in *Etudes sur les Actes des Apôtres,* p. 512.
2. Ainsi J. Dupont, *op. cit.,* p. 511-512, et M. Hengel, *Eigentum und Reichtum,* p. 42.
3. Cf. p. 82-83.
4. Cf. p. 110 et 117-118.
5. Cf. p. 147-148.

Il faut noter d'autre part que le seul fait qu'il ait été compté au nombre des colonnes montre que l'apôtre a conservé, au moins jusqu'à l'assemblée décrite en Ga 2, 1-10, une place éminente au sein de l'Eglise jérusalémite. Le terme même de *stuloi,* dont nous avons eu l'occasion d'apprécier la signification métaphorique, invite d'ailleurs à discerner, par delà les infléchissements concrets qu'elle a pu connaître, une continuité profonde de l'ecclésiologie jérusalémite. C'est là une donnée que le chapitre précédent a déjà mise en évidence et qui mérite d'être soulignée à nouveau. Elle révèle, nous le pensons du moins, que la haute conscience d'elle-même qu'avait l'Eglise mère s'est développée sur les bases qu'avait jetées, sous l'égide de Pierre, la communauté primitive. Il nous paraît possible, dans cette mesure, de parler de la part prise par le prince des apôtres à l'organisation de l'Eglise de Jérusalem — et plus largement de l'Eglise en général — au niveau symbolique.

II – Au niveau symbolique

a | La reconstitution du groupe des Douze

En pourvoyant au remplacement de Judas, la communauté primitive signifiait d'abord que la mission de rassemblement de l'Israël eschatologique entreprise par Jésus ne se trouvait pas remise en question et qu'il s'agissait, au contraire, de la poursuivre[1].

Un logion comme Mt 19, 28 // Lc 22, 30 atteste par ailleurs le rôle éminent qui fut attribué aux Douze dans la perspective du jugement à venir. Il faut noter que « l'horizon particulariste de [cette] promesse (le jugement des douze tribus d'Israël) est l'indice d'un judéo-christianisme qui ne compte pas encore avec l'ouverture de la mission aux païens »[2]. Nous pensons donc que la communauté primitive peut être tenue pour le lieu où a été mise en valeur une telle tradition[3], à l'origine de laquelle se trouvait sans doute une parole attribuée au Christ ressuscité[4].

Il est à noter, d'autre part, que ce logion des douze trônes survient, chez

---

1. En ce sens, J. Roloff, Apostel / Apostolat / Apostolizität. I. Neues Testament, *TRE*, III, Berlin, New York, 1978, p. 434 ; id., *Apostelgeschichte*, p. 35.
2. D. Marguerat, *Le jugement,* p. 462.
3. En ce sens, R. Bultmann, *L'histoire*, p. 202-203, qui écrit : « Il s'agit en toute hypothèse d'une formation de la communauté primitive car ce n'est qu'en elle que les douze furent considérés comme devant être les chefs d'Israël à la fin des temps. »
4. Ainsi R. Bultmann, *op. cit.,* p. 202, et D. Marguerat, *Le jugement,* p. 462, qui fournit une liste d'auteurs partageant ce point de vue à la n. 44 de la même page.

Matthieu, en réponse à une question de Pierre (Mt 19, 27) et qu'on peut envisager que, en rétablissant ici un passage laissé de côté par Marc, le premier évangile renoue en fait avec la forme originelle de la tradition partiellement amputée par le second[1].

Or les prérogatives conférées ici aux Douze en matière de jugement trouvent un écho dans l'un des fragments du *Commentaire d'Esaïe* que l'on a retrouvé à Qumrân, à savoir 4QpIs^{d} [2]. Ce texte, malheureusement lacunaire et dépourvu de ses fins de lignes, fournit, en s'inspirant également d'Ez 48, 31[3], une explication d'Es 54, 11-12, passage relatif à la Jérusalem eschatologique. En voici la traduction :

> [1](...) Je ferai tes [f]ondations avec des saphi[rs. Ceci s'interprète (du fait)]
> [2][qu]e [les p]rêtres et le peu[ple] ont fondé le conseil de la Communau[té...]
> [3]la congrégation de son Elu, comme une pierre de saphir au milieu des pierres. [Je ferai (en) rubis]
> [4]tous les crénaux. Ceci s'interprète au sujet des douze [...]
> [5]illuminant grâce au jugement par l'urim et le tummim [...]
> [6]manquantes parmi eux, comme le soleil dans toute sa lumière. Et [tout son pourtour en pierres précieuses.]
> [7]Ceci s'interprète au sujet des chefs des tribus d'Israël pour [...]
> [8]son lot, sa faction [...]*.

Les douze personnages dont il est fait mention à la ligne 4 sont sans doute des prêtres[5], identification que recommande leur association aux sorts sacrés, *urim* et *tummim,* que contenait, rappelons-le, le pectoral du grand

---

1. En ce sens, déjà, A. Loisy, *L'Evangile selon Marc,* Paris, 1912, p. 301, qui relevait que le logion des douze trônes correspond bien plus exactement à la demande formulée par Pierre en Mc 10, 28 // Mt 19, 27, que Mc 10, 29-30 // Mt 19, 29.
2. C'est ce qu'a pertinemment noté D. Flusser, in *Initiation,* p. 134-146, surtout p. 139-141. Prolongeant son analyse, on mentionnera l'intéressante contribution d'A. Jaubert, in *Hommages à A. Dupont-Sommer,* p. 453-460, qui souligne que l'hypothèse de Flusser, trouve, par-delà le témoignage de 4QpIs^{d}, un appui dans le fait qu' « à Qumrân les élus ont la prérogative d'exercer les jugements de Dieu » (p. 459) — elle renvoie à ce propos à 1QH 6, 18, 1QM 11, 10 et 1QpHab 5, 4 —, et qui rappelle qu'en 4Q159 on trouve, dans un contexte de jugement, un passage, malheureusement lacunaire, dans lequel est indiqué qu' « ils seront jugés devant ces douze », sans que l'on puisse savoir qui sera jugé ni qui sont ces douze (p. 457).
3. C'est à partir de ce passage, qui fait mention des douze portes de la ville nommées d'après les tribus d'Israël, que l'on peut comprendre le recours à la symbolique de ce nombre dans notre texte (ainsi D. Flusser, in *Initiation,* p. 135).
4. Traduction empruntée, avec de légères retouches, à l'ouvrage collectif *Les textes de Qumrân traduits et annotés**,* p. 74 et 76.
5. C'est ce que font valoir, fort pertinemment selon nous, J. Carmignac..., *in op. cit.,* p. 75, n. 7, et J. M. Baumgarten, *JBL* 95, 1976, p. 61 et 63. Ils relèvent notamment l'intéressant parallèle que constitue 1QM 2, 1-3, passage dans lequel il est question successivement des douze chefs des prêtres, des lévites et des tribus affectés au service du Temple. Ici, les lévites manqueraient à l'appel comme ce peut être le cas ailleurs (ainsi 1QS 8, 1).

prêtre[1]. Cette pièce de vêtement se trouvait ainsi liée au jugement, si bien qu'elle pouvait être appelée « pectoral du jugement » (Ex 28, 15) et qu'Ex 28, 30 relate qu'Aaron « portait (...) perpétuellement le jugement des fils d'Israël sur son cœur »[2]. Elle était d'autre part ornée de douze pierres précieuses, dont la liste est dressée en Ex 28, 17-20 et 39, 10-12. Ces gemmes de l'éphod réapparaissent en deux autres endroits. Tout d'abord, neuf d'entre elles resurgissent en Ez 28, 13, dans un passage où il est question du roi de Tyr (Ez 28, 12-19) qui, comparé à un héros céleste, évolue en Eden, dans le jardin de Dieu, enclos de murs en pierres précieuses (v. 13) et situé sur la montagne sainte de Dieu (v. 14), avant d'être ravalé au rang profane et expulsé loin de ladite montagne. Ensuite, huit de ces pierreries, et en fait davantage, se retrouvent en Ap 21, 19-20[3], passage dans lequel sont décrits les douze assises des remparts de la Jérusalem nouvelle et les matériaux qui la composent.

La convergence de thèmes est étonnante entre 4QpIs[d] et ce dernier texte, replacé dans le contexte plus vaste d'Ap 21, 9-27 : il est question, dans les deux cas, de la nouvelle Jérusalem ; les fondations de la ville ou de ses remparts sont représentées par une ou des pierres précieuses ; les douze prêtres en chef (?) se trouvent, d'un côté, affectés au jugement par les *urim* et *tummim* tandis que, de l'autre, les douze apôtres confèrent leurs noms respectifs aux assises des murailles dont la composition minérale évoque le pectoral du grand prêtre ; enfin, les douze tribus se voient associées à la construction, soit par leurs chefs qui en constituent le pourtour, soit par leurs noms qui sont attribués aux portes de la cité[4].

Par ailleurs, Ez 28, 12-19 pourrait confirmer que l'image des gemmes ornant l'éphod du grand prêtre était associée, depuis une époque relativement ancienne, aux prérogatives de ce haut personnage[5]. En effet, ce passage voit

---

1. On consultera, à propos de ces deux objets aussi mystérieux qu'importants, R. de Vaux, *Les institutions de l'Ancien Testament. I : Le nomadisme et ses survivances. Institutions familiales. Institutions civiles,* Paris, 1958, p. 243, et II : *Institutions militaires. Institutions religieuses,* Paris, 1960, p. 201-206.

2. Traduction empruntée à la *TOB. Ancien Testament,* p. 179 et 180.

3. Comme le relève P. Prigent, *L'Apocalypse de saint Jean* (*CNT,* 2ᵉ série, XIV), 2ᵉ éd. corrigée, Genève, 1988, p. 340, on arrive à huit gemmes communes si on compare la liste d'Ex 28, 17-20, telle qu'elle est consignée dans la Septante, avec celle d'Ap 21, 19-20. Mais deux correspondances supplémentaires apparaissent si l'on se réfère au Targum. Il ne reste donc que deux termes qui s'avèrent sans parallèle apparent : *sardonix* et *chrusoprasos.* Ils se substituent à *onuchion* et *achatès.* Cependant, ainsi que le note P. Prigent, la sardoine est une variété d'onyx et la chrysoprase, une agathe colorée. La similitude est donc tout à fait frappante.

4. D. Flusser, in *Initiation,* p. 142, présente un tableau récapitulatif de ces correspondances.

5. Rappelons que, pour la plupart des auteurs, cette liste de pierreries est un ajout postérieur au texte primitif (ainsi J. W. Wevers, *Ezekiel* [*NCeB* Commentary], Grand Rapids, London, 1969, p. 157, et W. Zimmerli, *Ezechiel.* 2, p. 673). Le fait que la Septante l'ait complétée et l'ait restituée dans sa totalité et dans le même ordre qu'en Ex 28, 17-20 montre cependant à l'évidence que les allusions au grand prêtre présentes dans la description d'Ez 28, 12-19 furent perçues très anciennement.

se superposer et s'entrecroiser deux métaphores : l'une articulée autour du mythe adamique ; l'autre autour du Temple et du grand prêtre[1]. Les versets 13 et 14 l'illustrent déjà qui assimilent jardin d'Eden et montagne sainte de Dieu. De même, les versets 14 et 16, en comparant le souverain de Tyr à un chérubin évoquent à la fois les personnages affectés à interdire l'accès à l'arbre de vie en Gn 3, 24 et ceux qui, sculptés, étaient destinés à protéger de leurs ailes le propitiatoire[2] de l'Arche, cette fonction protectrice étant évoquée par la racine *skk* dans les textes qui se rapportent à la description du coffre sacré[3] comme dans le nôtre[4]. Nous ajouterons qu'il se pourrait que les énigmatiques pierres de feu, dont il est également question aux versets 14 et 16, aient, parmi d'autres harmoniques envisageables[5], remémoré les charbons ardents dont le grand prêtre emportait une pleine cassolette, le jour du *Kippur,* au Saint des Saints, pour y accomplir le rite le plus solennel de la fête[6]. Il ne nous paraît donc nullement exclu qu'Ez 28, 12-19 ait, dans l'entrelacement des métaphores, fait valoir, à propos du roi de Tyr, l'image du prêtre en chef pour montrer, à travers le renversement de situation qui s'opère, que, loin d'être juge, le souverain phénicien serait finalement jugé et anéanti (v. 16-19). Dans cette perspective, peut-être conviendra-t-on que la mention, au v. 13, des pierres qui garnissaient le pectoral du souverain sacrificateur n'est pas totalement fortuite.

La notice de Flavius Josèphe que nous reproduirons à présent nous semble fournir un appui supplémentaire à cette hypothèse :

[216](...) au moyen des douze pierres, que le grand prêtre portait sur la poitrine insérées dans la trame de l'*essên,* Dieu annonçait la victoire à ceux qui se disposaient à combattre. [217]En effet, une telle lumière s'en échappait, tant que l'armée ne s'était pas ébranlée, qu'il était constant pour tout le peuple que Dieu était là pour les secourir. De là vient que ceux des Grecs qui vénèrent nos usages parce qu'ils n'ont rien à leur opposer appellent l'*essên logion* (oracle)[7].

---

1. C'est ce qu'a montré C. A. Newsom, *Interp.* 38, 1984, p. 160-164.
2. Rappelons que ce mot provient selon toute vraisemblance de la racine *kpr* et désignait d'abord le couvercle placé sur l'Arche. Cependant, comme le signale F. Michaeli, *Le livre de l'Exode* (*CAT* II), Neuchâtel, Paris, 1974, p. 230, n. 1, le verbe luimême « a surtout été employé dans un sens religieux : couvrir les péchés, c'est-à-dire les pardonner, les expier », si bien que l'on peut dire, avec B. S. Childs, *Exodus. A Commentary* (*OTL*), London, 1974, p. 524, que « la signification fondamentale de la racine *kpr* est faire l'expiation ». Ces remarques nous semblent de quelque intérêt dans la perspective qui est ici la nôtre. En effet, elles permettent d'envisager que, à travers l'application de l'adjectif « protecteur » au roi de Tyr, nous soyons renvoyés à la dimension expiatrice de la fonction du grand prêtre qui, rappelons-le, avait seul accès au Saint des Saints le jour du *Kippur* (cf. p. 168-169).
3. Ex 25, 20 ; 37, 9 ; 1 R 8, 7 ; 1 Ch 28, 18.
4. C. A. Newsom, *Interp.* 38, 1984, p. 162-163, insiste sur ce rapprochement.
5. Sur ces sens possibles, W. Zimmerli, *Ezechiel.* 2, p. 685-686.
6. Cf. p. 168-169.
7. Flavius Josèphe, *AJ,* III, 216-217 (traduction empruntée aux *Œuvres complètes de Flavius Josèphe,* t. I, p. 192). Le mot *essên* qui apparaît dans le texte est la transcription du terme hébreu désignant le pectoral.

Elle atteste, en effet, l'existence d'une tradition, qui provient sans doute de milieux en rupture avec le sacerdoce officiel[1], dans laquelle « le "jugement d'urim et de tummim", c'est-à-dire l'oracle, était donné par les douze pierres du pectoral »[2].

Ainsi se trouve renforcé, nous le pensons du moins, le parallèle entre 4QpIs[d] et Ap 21, 19-20, dans la mesure où l'association des apôtres aux gemmes de l'éphod semble pouvoir être interprétée sur l'horizon des responsabilités dont on les estimait investis en vue du jugement à venir. De même, le rapprochement que l'on peut établir entre Mt 19, 28 et Ap 21, 9-27 nous paraît plus profond que ne le donne à penser une approche superficielle de ces deux textes. Nous croyons donc qu'il est légitime d'expliquer les représentations sous-jacentes à ces deux passages par le recours à une symbolique développée en milieu essénien[3] et qui aurait été mise en valeur, au sein de la communauté primitive de Jérusalem, par le cercle des Douze[4].

Dans cette perspective, on peut rendre compte de l'évolution de ce groupe[5]. Elle ne peut se comprendre, en effet, qu'à la lumière de la double signification, présente et eschatologique, des Douze qui font office à la fois de noyau de l'Israël de la fin des temps et de juges à venir des douze tribus. Il en résulte que la mission de chacun d'entre eux ne s'achève pas avec sa propre mort. C'est ce qu'illustre le fait que Jacques, le zébédaïde, dont la fin tragique nous est rapportée en Ac 12, 2, ne fut pas remplacé. En revanche, l'apostasie de Judas créa un vide au sein du groupe et il importa d'attribuer à nouveau « sa part d'héritage » pour que ne fussent pas mises en péril l'existence et la signification du cercle tout entier[6]. Peut-être d'ailleurs, en la circonstance, le recours au tirage au sort, par delà les analogies déjà envisagées avec les pratiques esséniennes[7], s'explique-t-il aussi comme une manière de

---

1. Ce point nous semble pouvoir être établi grâce à une indication incluse dans la suite du récit de Flavius Josèphe, *AJ*, III, 218. Il y est précisé que le phénomène de brillance s'est interrompu deux cents ans plus tôt, ce qui, même si la remarque est assurément approximative, nous renvoie en tout cas à la période maccabéenne. Or les milieux rabbiniques situaient l'événement bien antérieurement (*Mishna Sota* 9, 14 et *Talmud Sota* 48*b*). La tradition qui nous est relatée ici en retarde donc la date. On peut imaginer que c'est pour souligner que des faits très graves, affectant le sacerdoce officiel, sont survenus sous les Hasmonéens. On est ainsi conduit à envisager la provenance essénienne de cette tradition dont la naissance s'explique au mieux à la lumière des origines du mouvement dont la maison mère était sise au bord de la mer Morte (cf. p. 41-42).

2. A. Jaubert, in *Hommages à A. Dupont-Sommer*, p. 459.

3. Ainsi D. Flusser, in *Initiation*, p. 143.

4. *Ibid*. Notons cependant ici que Flusser penche plutôt en faveur du recours à cette idéologie symbolique des Douze par Jésus lui-même. Il constate cependant que son raisonnement garde sa validité si on le reporte au stade de la communauté primitive. Dans cette éventualité, comme il le note lui-même, l'auteur de l'Apocalypse recourrait ici à une tradition proprement apostolique.

5. Avec P.-H. Menoud, Les additions au groupe des douze apôtres, d'après le livre des Actes, *RHPhR* 37, 1957, p. 71-81.

6. Nous avons reformulé les principales conclusions auxquelles parvient P.-H. Menoud, art. cit., p. 75.

7. Cf. p. 53-54.

s'en remettre au jugement de Dieu, que symbolisaient *urim* et *tummim,* pour désigner celui qui devait compléter le cercle de ceux qui auraient pour vocation ultime de juger Israël.

Quoi qu'il en soit de ce dernier point, le développement qui précède invite à ne pas conclure trop prématurément à une perte d'importance précoce des Douze, même si le groupe, assurément plus large, des apôtres ne tarda pas à jouer un rôle essentiel au sein de l'Eglise jérusalémite[1]. Il incite au contraire à souligner la portée symbolique que revêt la reconstitution de cet éminent collège, à laquelle Pierre pourrait avoir pris une part essentielle (Ac 1, 15-26 ; Mt 19, 27). A travers ce geste, la communauté signifiait en effet, comme le laisse entendre le logion des douze trônes, que la destinée d'Israël, dont les responsables s'étaient discrédités, se trouvait reprise en main. Aux chefs historiques et reconnus du peuple juif se substituaient désormais ceux qui étaient appelés à être, « avec le Fils de l'homme, les régents de l'Israël eschatologique pour exercer avec lui le règne et le jugement »[2]. De même, les institutions officielles, qui avaient pour fonction d'offrir l'accès au pardon à travers le culte sacrificiel, se trouvaient relayées, comme l'illustre le thème de la communauté nouveau-Temple qui nous retiendra à présent.

b | *La communauté envisagée comme le nouveau Temple*

Il convient de relever que Mt 16, 18 n'est pas sans évoquer, de par le thème de Pierre, fondement de la communauté, 4QpIs[d] et Ap 21, 14, passage dans lequel il est spécifié que les assises des remparts de la Jérusalem nouvelle portent les noms des douze apôtres[3]. Or, nous avons essayé d'étayer ce point de vue, Mt 16, 18-19 paraît reposer sur la représentation de la communauté conçue comme le nouveau Temple, ce qui nous rapproche beaucoup de l'image de la nouvelle Jérusalem[4]. D'autre part, le pouvoir de lier et de délier,

---

1. La vénérable tradition que rapport en 1 Co 15, 3-7 (cf. p. 83-84), et qui fait mention à la fois des Douze (v. 5) et des apôtres (v. 7), montre que les deux groupes ont joui conjointement d'un grand prestige.
2. D. Marguerat, *Le jugement,* p. 464, qui situe cette responsabilité dans le futur. On notera toutefois que, pour E. Schweizer, *Jesus Christus,* p. 64, des textes comme Mt 16, 19 ; 18, 18 et Jn 20, 23 conservent le souvenir du fait que l'on considérait, au sein de la communauté jérusalémite, que la toute-puissance judiciaire *(richterlich)* leur avait déjà été confiée. Cela nous semble en tout cas vrai de Mt 16, 19 qui, nous l'avons vu, paraît trouver son sens sur l'arrière-plan de l'autorité de dispenser la parole de grâce et de jugement et du pouvoir disciplinaire reconnus à Pierre et exercés par lui au sein de la première communauté jérusalémite (cf. p. 110). Il est tout à fait vraisemblable que ces prérogatives ne lui étaient pas réservées même si les traditions que nous a conservées l'auteur à Théophile les associent tout particulièrement à sa personne. Le logion des douze trônes (Mt 19, 28) montre en effet que les Douze avaient ensemble vocation de l'assurer.
3. Ainsi D. Flusser, in *Initiation,* p. 141.
4. Un texte comme Ep 2, 19-21 qui utilise successivement l'image de la cité de Dieu (v. 19 : *sumpolitai*) et celle de son temple (v. 21) montre combien il est aisé de passer de l'une à l'autre.

que se voit conférer Pierre au v. 19, nous situe dans la sphère du jugement[1], jugement qui était confié aux prêtres en chef en 4QpIs[d] et aux Douze en Mt 19, 28. Certes l'apôtre est appelé à l'exercer ici-bas mais il est précisé qu'il a valeur eschatologique. Mt 16, 19 pourrait ainsi nous préserver le souvenir du fait que les prérogatives reconnues aux Douze à l'horizon du dernier jour trouvaient déjà une anticipation dans la vie concrète de la communauté en lien tout particulier avec la personne de Pierre[2].

Il nous semble donc que Mt 16, 18-19 s'inscrit dans le même univers de représentations que les traditions relatives aux Douze que l'on rencontre à Qumrân et dans le Nouveau Testament. Il apparaît ainsi que se sont développées, en milieu essénien puis au sein de la communauté primitive de Jérusalem, des spéculations très semblables autour de la métaphore de la communauté envisagée comme la construction eschatologique dont les membres sont les fondements tout en étant destinés à faire office de juges[3].

De la sorte, s'affirmait une ecclésiologie très haute articulée autour du thème de l'assemblée — nouveau Temple ou nouvelle Jérusalem. Elle demeurait cependant susceptible de nombreuses interprétations et surtout d'innombrables variations quant à la place, au nombre et à la nature des « matériaux ». C'est ce qu'illustre l'application successive de la métaphore des fondements, à Pierre et aux Douze dans un premier temps, aux colonnes un peu plus tard[4]. On ne saurait donc dire que, sous l'égide de Pierre, la communauté primitive a défini des ministères précis auxquels étaient assignées des fonctions particulières. Ce serait là un grave anachronisme. On ne peut nier

---

1. Cf. p. 110.
2. C'est ce qu'a reconnu E. Schweizer (cf. n. 2, p. 148).
3. A. Jaubert, in *Hommages à A. Dupont-Sommer,* p. 460, aboutit à des conclusions semblables, sans faire explicitement allusion à Mt 16, 18 mais en intégrant le thème de la pierre à partir de 4QpIs[d].
4. Cf. p. 114. On ne peut exclure toutefois qu'un glissement se soit effectué, au sein même de l'Eglise de Jérusalem, qui aurait conduit à mettre progressivement sous le boisseau l'affirmation selon laquelle la communauté était le Temple véritable. Deux indices nous semblent inviter à conclure en ce sens. Il s'agit tout d'abord du fait que certaines franges au moins de l'Eglise jérusalémite paraissent avoir renoué, au bout d'un temps donné, avec certains rites pratiqués au Temple (cf. n. 3, p. 68). Il s'agit ensuite de l'évolution qu'a connue l'organisation de l'Eglise mère. Ainsi que l'a relevé A. Lemaire, *Les ministères aux origines de l'Eglise. Naissance de la triple hiérarchie : évêques, presbytres, diacres* (*LeDiv* 68), Paris, 1971, p. 65, en effet, le chapitre 15 des Actes montre que les presbytres dont était flanqué Jacques avaient un « rôle délibératif et législatif ». Comme la tradition postérieure fit du frère du Seigneur un grand prêtre (Eusèbe de Césarée, *HE,* II, 23, 6, citant Hégésippe ; Epiphane, *Haer.,* XXIX, 4 ; LXXVIII, 13), il est possible que ces anciens aient été censés, avec lui, « posséder les mêmes pouvoirs que le grand Sanhédrin de Jérusalem dont l'influence s'étendait même sur les juifs de la diaspora » (A. Lemaire, *ibid.* ; cf. déjà A. von Harnack, *Entstehung,* p. 26). On serait ainsi passé, à Jérusalem, du modèle d'une communauté-Temple à celui d'une « Eglise-Sanhédrin ». Cependant, nous aurons l'occasion d'insister encore sur ce point, l'attribution des prérogatives reconnues au grand prêtre au(x) chef(s) du groupe tout entier paraît avoir constitué une constante durant ces phases d'organisation successives. Quant au concept de la communauté-Temple, il connut ailleurs une extraordinaire postérité (ainsi 1 Co 3, 16-17 ; 2 Co 6, 16 ; Ep 2, 21 ; 1 Pi 2, 4-10...).

cependant que, en valorisant la figure des Douze et du premier d'entre eux, elle a tracé la voie qui conduirait progressivement à la constitution d'une hiérarchie[1]. Il suffirait pour cela que le temps fasse son œuvre et que, l'horizon d'une parousie prochaine s'éloignant, une institutionnalisation des fonctions s'avère nécessaire.

1. Ainsi E. Trocmé, in *Histoire des religions,* II, p. 201.

CHAPITRE V

Part prise par Pierre
à la réflexion christologique
de l'Eglise primitive de Jérusalem

Avant de nous intéresser à la réflexion christologique de l'Eglise primitive de Jérusalem et de nous demander s'il est possible de préciser quelle part y prit Pierre, il nous faudra rappeler deux évidences fondamentales.

Il convient de souligner d'abord que, déjà durant son ministère, Jésus, de par sa revendication d'autorité et sa conscience d'inaugurer le royaume de Dieu, avait suscité bien des spéculations, ce qu'illustre notamment le fait qu'il ait été crucifié en tant que messie prétendu[1]. On ne saurait donc envisager les origines de la christologie sans tenir compte de la place que « la première venue de Jésus » occupa dans l'esprit des disciples qui furent amenés à formuler leur foi[2]. Mais, justement, cette venue avait conduit le Nazaréen au gibet et il est manifeste que « sans Pâques la vie de Jésus aurait été un naufrage »[3] auquel n'aurait survécu aucune des spéculations antérieures relatives à sa personne. L'élaboration christologique visa donc à rendre compte à la fois de la vie, de la mort et de la résurrection de Jésus[4].

Ensuite, il ne faut en aucun cas perdre de vue que la Palestine connaissait, au début de notre ère, dans certains milieux, une véritable effervescence messianique[5]. Nous avons déjà mesuré à ce propos tout l'appui que la richesse des spéculations messianiques esséniennes avait pu apporter aux élaborations christologiques de la communauté primitive de Jérusalem[6]. On ne saurait donc, sans se tromper lourdement, considérer que ces dernières naquirent de rien ou surgirent en plein désert.

A – LES DÉBATS
RELATIFS AUX ORIGINES DE LA CHRISTOLOGIE

Ils nous semblent porter essentiellement sur trois grands domaines qui ne sont pas sans importance pour notre propos : les modalités d'approche ; les milieux d'origine ; la rapidité du processus.

1. Sur tout cela, cf. p. 50.
2. O. Cullmann, *Christologie*, p. 279, a particulièrement insisté sur ce point.
3. Nous empruntons cette formule à P. Pokorny, *Entstehung*, p. 50.
4. Ainsi E. Trocmé, *Passion*, p. 88.
5. Cf. n. 6, p. 86.
6. Cf. p. 66-67.

I – Les modalités d'approche

Les travaux classiques, et qui font encore référence, ont eu tendance à privilégier l'analyse des titres[1]. Une telle approche est certes essentielle mais, à devenir exclusive, elle s'avère assurément réductrice. C'est ainsi qu'un auteur comme L. E. Keck a pu inviter la christologie néo-testamentaire à se libérer de « la tyrannie des titres »[2]. Mais son appel avait été entendu avant même d'avoir été émis. En effet, des travaux récents, renouant avec la critique des formes, ont placé l'accent sur les genres littéraires à travers lesquels s'exprime la réflexion christologique et se sont efforcés, en dégageant le *Sitz im Leben* auquel chaque mode d'expression correspond, de rendre compte de la façon dont s'élabora le discours relatif au Ressuscité dans les premières communautés[3]. Exemplaire à cet égard nous paraît la présentation d'E. Schweizer qui distingue trois grands lieux où se constitue ce discours : les confessions de foi qui véhiculent un enseignement destiné à annoncer le salut, protègent le message contre d'éventuelles mécompréhensions et le déploient dans des situations nouvelles ; les hymnes qui restituent sous forme de louange les émotions que ressent, en vivant l'expérience du salut, la communauté, émotions qui dépassent les limites de ce qui est intellectuellement exprimable ; la tradition narrative qui relie ce qui est cru à ce qui s'est historiquement passé et qui exhorte toujours à nouveau à recevoir le salut, tout en l'actualisant et en en développant la dimension parénétique[4]. Une telle approche incite à prendre en compte la relation dialogale qui existe entre les différentes traditions christologiques[5], parmi lesquelles nous distinguerions encore, ainsi que le montreront les développements qui vont suivre, celle qui fut forgée en vue de la prédication missionnaire destinée à ceux du dehors et celle qui visa à rendre compte de la destinée de Jésus sous l'angle de l'accomplissement des Ecritures.

II – Les milieux d'origine

La distinction traditionnelle entre communauté primitive, christianisme hellénistique prépaulinien et christianisme paulinien proprement dit comme lieux respectifs d'élaboration des grandes affirmations christologiques a été

---

1. Ainsi V. Taylor, *The Names of Jesus,* London, 1953 ; O. Cullmann, *Christologie,* et F. Hahn, *Hoheitstitel.*
2. L. E. Keck, Toward the Renewal of New Testament Christology, *NTS* 32, 1986, p. 370.
3. Ainsi P. Pokorny, *Entstehung,* notamment p. 73-80, et surtout E. Schweizer, *TRE,* XVI, 1987, p. 677-684.
4. E. Schweizer, art. cit., p. 684, que nous avons suivi de fort près.
5. En ce sens, L. Goppelt, *Theologie,* II, p. 352-353.

affinée par F. Hahn qui raisonnait pour sa part en termes de judéo-christianisme araméen, de judéo-christianisme hellénistique et de pagano-christianisme hellénistique[1]. Il envisageait cependant lui-même la possibilité qu'une telle partition s'avérât délicate à maintenir dans la mesure où l'influence de l'hellénisme avait pu se faire sentir sur le judaïsme palestinien[2]. Dans cette perspective, M. Hengel, dont les travaux ont montré l'ampleur de cette influence[3], a insisté sur le fait que les Gréco-Palestiniens bilingues tels Barnabas, Philippe, Jean-Marc... ont pu jouer un rôle non négligeable, dès l'origine, dans l'élaboration christologique et qu'il est donc aventureux de vouloir établir des distinctions trop tranchées[4]. On ne peut exclure, par ailleurs, que certains au moins parmi les Douze aient eu une connaissance au moins approximative du grec. L'hypothèse a été échafaudée, non sans de bonnes raisons nous semble-t-il, à propos de Pierre[5]. Il convient donc de demeurer prudent face à la tentation d'établir des clivages, certes commodes, mais qui pourraient occulter une réalité plus complexe qu'on ne se l'est représentée pendant longtemps.

1. F. Hahn, *Hoheitstitel,* notamment p. 11-12.
2. F. Hahn, *op. cit.,* n. 5, p. 11-12.
3. M. Hengel, *Judentum und Hellenismus. Studien zu ihrer Begegnung unter besonderer Berücksichtigung Palästinas bis zur Mitte des 2. Jh. v. Chr.* (WUNT 10), 2, durchgesehene und ergänzte Auflage, Tübingen, 1973.
4. M. Hengel, Christologie und neutestamentliche Chronologie. Zu einer Aporie in der Geschichte des Urchristentums, in *Neues Testament und Geschichte. Historisches Geschehen und Deutung im Neuen Testament.* O. Cullmann zum 70. Geburtstag (Hrsg. von H. Baltensweiler und B. Reicke), Zürich, Tübingen, 1972, p. 59.
5. Ainsi R. Pesch, *Simon Petrus,* p. 10-12. Il prend au sérieux l'indication selon laquelle l'apôtre Pierre était originaire de Bethsaïda (Jn 1, 44), ville qu'il aurait quittée pour gagner Capernaüm et rejoindre ainsi sa belle-famille à la suite de son mariage (cf. Mc 1, 29-30) (p. 10-12). Il rappelle que ce port de pêche, sis à l'embouchure du Jourdain dans le lac de Tibériade (sur la rive orientale), avait été transformé, deux ans avant le début de notre ère, en ville de commerce hellénistique (p. 10). Il lui paraît manifeste que la famille de Simon, qui appartenait à la fraction juive de la population de la cité mais qui vivait en bordure d'une région à majorité païenne et sous la férule d'un souverain promouvant la culture hellénistique, ne pouvait faire abstraction de son environnement. C'est ce qu'attesterait notamment le choix d'un prénom grec pour André, frère de Pierre. De même, d'ailleurs, Philippe, natif de la même localité (Jn 1, 44), s'était-il vu attribuer un nom de la même origine. Or il savait le grec (Jn 12, 21). Il est donc tout à fait vraisemblable, selon Pesch, que Simon et André en aient eu également connaissance. En conséquence, il n'hésite pas à les placer au rang des « Gréco-Palestiniens bilingues qui furent d'une importance particulière pour le rayonnement de l'Eglise primitive dans la sphère judéo-hellénistique » (p. 11). Certes, cet ingénieux raisonnement ne peut être tenu pour infaillible et est difficilement vérifiable. Il n'est cependant nullement invraisemblable. De toute façon, ainsi que le fait valoir l'exégète allemand, le grec était largement utilisé en Palestine au temps de Jésus. C'est ce qu'a démontré J. N. Sevenster, *Do you Know Greek ? How Much Greek Could the First Jewish Christians Have Known ?* (NT. S 19), Leiden, 1968, qui, au terme de son étude, estimait « avoir établi, surtout à partir des données archéologiques, que toutes les couches de la population juive palestinienne des premiers siècles de notre ère avaient une connaissance plus ou moins étendue du grec » (p. 189-190). Enfin l'itinéraire ultérieur de Pierre, que nous aurons l'occasion d'évoquer dans la dernière partie de cette étude, s'expliquerait difficilement si le prince des apôtres n'avait eu connaissance que de l'araméen.

III – La rapidité du processus

Au terme de sa christologie du Nouveau Testament, O. Cullmann établissait le constat suivant :

Il est faux de rappeler constamment dans les exposés de christologie de la théologie du Nouveau Testament que la première Eglise palestinienne ne se serait intéressée qu'au Fils de l'homme ou au Messie qui vient. Comme s'il n'y avait pas de différence entre la doctrine juive et la doctrine judéo-chrétienne du Messie ; comme si la réflexion christologique des chrétiens palestiniens n'avait pas été conditionnée par la première venue de Jésus, par sa vie et par sa mort ; comme si c'était seulement plus tard, dans les Eglises pagano-chrétiennes et chez Paul, qu'on aurait commencé à se demander ce que signifiaient la vie terrestre et la mort de Jésus. Il serait vraiment temps de ne plus attribuer à l'Eglise jérusalémite une telle incapacité naïve de poser les problèmes[1].

Il affirmait un peu plus loin :

Les thèmes principaux de la christologie du Nouveau Testament sont déjà formés et présents au sein de l'Eglise naissante ; c'est là qu'en relation avec les événements qui s'étaient déroulés après la mort de Jésus, sont nées toutes les affirmations christologiques importantes, comme le prouvent les confessions de foi et les hymnes issus de la communauté primitive[2].

D'éminents historiens du christianisme primitif se sont ralliés à ses conclusions[3], seule la question de la préexistence demeurant, le plus souvent, à leurs yeux, en suspens[4]. Il nous semble que l'on peut faire valoir différents arguments en faveur de leur point de vue. Il y a d'abord l'existence de ces « doctrines juives du Messie » que les premiers chrétiens dépassèrent certes, comme le relevait Cullmann, mais qui leur furent cependant d'une aide précieuse, stimulant leur réflexion et les poussant à explorer des pistes très variées. Il y a ensuite la nécessité dans laquelle ils se trouvèrent de « réfuter les objections juives contre un Messie crucifié (Dt 21, 23) »[5] pour pouvoir appliquer ce titre, qui exprime bien leur état d'esprit conquérant[6], à Jésus. Ils

1. O. Cullmann, *Christologie*, p. 279.
2. O. Cullmann, *op. cit.*, p. 282.
3. Ainsi M. Simon, *Le Christianisme antique,* p. 325-326, et M. Hengel, in *Neues Testament und Geschichte,* p. 63-66, qui rejoignent implicitement son point de vue, ou E. Trocmé, *Passion,* n. 147, p. 107, qui en reconnaît explicitement la justesse.
4. M. Simon, *op. cit.,* p. 326, n'hésiterait pas à la faire remonter à la première communauté jérusalémite, mais M. Hengel, art. cit., p. 66, y renonce. On pourra consulter encore à ce sujet la monumentale enquête de J. D. G. Dunn, *Christology in the Making. A New Testament Inquiry into the Origins of the Doctrine of the Incarnation,* Philadelphia, 1980, ou les propos très nuancés de R. E. Brown, *L'Eglise héritée des apôtres* (« Lire la Bible », 76), Paris, 1987, p. 139.
5. M. Hengel, in *Neues Testament und Geschichte,* p. 66.
6. Nous paraphrasons ici E. Trocmé, in *Histoire des religions,* II, p. 200.

durent, pour cela, solliciter hardiment les Ecritures. Il y a enfin, nous semble-t-il, un argument non négligeable, que l'on peut emprunter à l'histoire des religions. L'épopée de Sabbataï Svi montre en effet qu' « en contexte messianique une dimension nouvelle d'union entre Dieu et l'homme »[1] s'est fait jour, relativement près de nous, en milieu juif[2]. Le fait est d'autant plus remarquable et étonnant que la mystique de la *Merkaba,* malgré les visions extraordinaires qu'elle décrit, avait toujours maintenu antérieurement un fossé infranchissable entre Dieu et l'homme[3]. Là, par contre, il se comble : Sabbataï Svi est régulièrement appelé par ses adeptes « notre Seigneur » et Nathan de Gaza, qui fut à la fois son prophète et son interprète[4], n'hésite pas à affirmer qu'en lui le monde entier sera sauvé[5]. Ce parallèle, assurément lointain dans le temps et qu'il convient donc de manier avec prudence, invite en tout cas à ne pas conclure trop vite à l'impossibilité de spéculations que l'événement messianique semble, au contraire, catalyser.

On peut donc, selon toute vraisemblance, envisager une sorte de foisonnement christologique dès les premières années du mouvement chrétien. Mais faut-il considérer que tous ces essais ont été concurrents et se sont exclus mutuellement[6] ? Ce serait là une grave erreur d'appréciation[7]. En effet, « l'homme antique ne raisonnait pas dans le domaine du mythe en faisant comme nous des différenciations analytiques, mais en combinant et en accumulant une "multitude d'approches" »[8]. De ce fait, il résultait de la multiplication des titres christologiques « une glorification cumulative de Jésus »[9] qui n'avait d'autre but que de « faire ressortir la singularité de l'œuvre de salut »[10].

Muni de ces quelques données, nous nous demanderons à présent s'il est possible de rapporter à Pierre tel ou tel aspect de la christologie des origines.

---

1. W. D. Davies, *JBL* 95, 1976, p. 533.
2. *Ibid.*
3. *Ibid.*
4. W. D. Davies, art. cit., p. 537.
5. W. D. Davies, art. cit., p. 533.
6. M. Hengel, in *Neues Testament und Geschichte,* p. 60, n. 54, cite une série d'auteurs qui partagent ce point de vue.
7. Ainsi M. Hengel, art. cit., p. 60 ; Id., *Jésus, Fils de Dieu,* p. 96.
8. M. Hengel, *Jésus, Fils de Dieu,* p. 96.
9. M. Hengel, in *Neues Testament und Geschichte,* p. 60.
10. Sur le fait que le logos (Philon d'Alexandrie, *De confusione linguarum,* 146), la Sagesse (Id., *Legum allegoricae,* I, 43), Dieu (Philon, *De Decalogo,* 94 [*poluônumos*] ; *Targum Ct* 2, 17 ; *Midrash Ha-Gadol* sur Gn 46, 8 ; *3 Hénoch* 48B ; 48C, 9) ou des personnages occupant un rang élevé, tel Métatron (3 Hénoch 3, 2 ; 4, 1 ; 48D) étaient parés de nombreux noms, on consultera M. Hengel, *Jésus, fils de Dieu,* p. 96, et E. R. Goodenough, *By Light, Light. The Mystic Gospel of Hellenistic Judaism,* New Haven, London, 1935, p. 227, n. 193.

B – PIERRE, CHANTRE DE LA PERSONNE DE SON MAÎTRE
DANS LES DISCOURS DES ACTES

Tous les essais tendant à préciser la place prise par Pierre à la réflexion christologique partent d'une analyse des discours qui sont placés sur ses lèvres dans le *Livre des Actes*[1]. C'est là une démarche parfaitement logique. Elle permet d'ailleurs d'étudier un nombre appréciable de textes qui peuvent satisfaire l'appétit du chercheur puisque Jésus s'y voit paré de titres divers et que la structure même des discours laisse entrevoir un schéma kérygmatique.

Relevons d'abord les titres qu'on y rencontre : Nazôréen (*Nazôraios* : Ac 2, 22 ; 3, 6 : 4, 10) ; Seigneur (*kurios* : Ac 2, 36 ; 15, 11) ; Messie ou Christ (*Christos* : Ac 2, 31.36 ; 3, 18.20) ; Jésus-Christ (Ac 2, 38 ; 3, 6 ; 4, 10) ; Serviteur (*pais* : Ac 3, 13.26) ; le Saint (*ho hagios* : Ac 3, 14) ; le Juste (*ho dikaios* : Ac 3, 14) ; le Prince de la vie (*ho archègos tès zôès* : Ac 3, 15) ou simplement le Prince (Ac 5, 31) ; Sauveur (*sôtèr* : Ac 5, 31) ; Seigneur Jésus-Christ (Ac 10, 36 ; 11, 17)[2]. On ajoutera à cela qu'en Ac 2, 30 Jésus est décrit comme descendant de David et qu'en Ac 3, 22 il est reconnu implicitement comme le Prophète.

L'ordonnancement des discours missionnaires des Actes a fait l'objet de nombreuses études[3]. M. Dibelius a bien repéré quels en sont les temps forts, à savoir l'énoncé du kérygme, le recours à la preuve scripturaire et l'exhortation à la repentance[4]. De nombreux auteurs ont essayé, à sa suite, d'affiner la segmentation et nous reproduirons ici celle que propose J. Dupont[5] : exorde de circonstance[6] ; évocation du ministère de Jésus[7] ; rappel des circonstances

---

1. Ac 1, 16-22 ; 2, 14-36 (ou 14-40) ; 3, 12-26 ; 4, 8-12 ; 5, 29-32 ; 10, 34-43 ; 11, 5-17 ; 15, 7-11.

2. On aurait pu adjoindre à cette liste le terme oint, appliqué à Jésus en Ac 4, 27, dans le contexte d'une prière communautaire (4, 24-30) à laquelle participe Pierre et au cours de laquelle l'appellation Serviteur revient, nous aurons l'occasion d'insister sur ce point, à deux reprises (4, 27.30).

3. F. Bovon, *Luc le théologien. Vingt-cinq ans de recherches (1950-1975)*, 2ᵉ éd. augmentée (« Le Monde de la Bible »), Genève, 1988, p. 146-160, fournit un bon état de la question, que l'on actualisera par M. Rese, Die Aussagen über Jesu Tod und Auferstehung in der Apostelgeschichte - ältestes Kerygma oder lukanische Theologumena, *NTS* 30, 1984, p. 335-353.

4. M. Dibelius, *Die Formgeschichte des Evangeliums*, Dritte, durchgesehene Auflage mit einem Nachtrag von G. Iber, hrsg. v. G. Bornkamm, Tübingen, 1959, p. 15. Il illustre cette partition à travers quatre exemples, empruntés pour les trois premiers à Pierre et pour le dernier à Paul (Ac 2, 14-40 ; 3, 12-26 ; 10, 34-43 ; 13, 16-41). On y rencontre de fait énoncé du kérygme (2, 22-24 ; 3, 13-16 ; 10, 37-41 ; 13, 23-31), renvoi au témoignage des Ecritures (2, 25-36 ; 3, 22-26 ; 10, 43*a* ; 13, 32-37), appel à la conversion (2, 38-39 ; 3, 17-21 ; 10, 42.43*b* ; 13, 38-41).

5. J. Dupont, in *Nouvelles études*, p. 62. Il fournit, à n. 7 de la même page, une liste des tenants respectifs d'une fragmentation en 5, 6, 7, ou même 9 points.

6. Ac 2, 14-21 ; 3, 12 ; 4, 9 ; 5, 29 ; 10, 34-35 (introduction d'un autre type en Ac 13, 16-23).

7. Absente en Ac 3 ; 4 et 5 mais présente en 2, 22 et 10, 38 (passage par le témoignage du Baptiste en Ac 13, 24-25).

de sa mort[1] ; proclamation de sa résurrection[2] ; éclairage du sens de cet événement par le recours à l'Ecriture[3] ; annonce du pardon des péchés à ceux qui se convertissent[4].

Comme l'indique, à elle seule, l'existence d'une logique commune aux discours de Pierre et à celui de Paul à Antioche de Pisidie, l'auteur à Théophile a assurément pris une part essentielle à leur composition, ce qui est conforme à l'habitude des historiens antiques[5]. Il est donc illusoire d'interpréter les paroles prêtées à Pierre comme d'authentiques proclamations de l'apôtre[6] ou même comme des résumés nous livrant la substance des harangues qu'il prononça dans les situations qui nous sont décrites[7]. Faut-il, pour autant, tenir les discours de Simon pour de simples morceaux rédactionnels qui exprimeraient la conception du salut propre à Luc[8] ? Ce serait aller bien vite en besogne. Il convient en effet de remarquer que « suivant l'usage, [l'auteur à Théophile] rédige lui-même, mais n'invente pas. Historien, il met sur la bouche de Pierre ce qu'il estime avoir été la substance de son discours »[9]. Dans ces conditions, comme nous l'allons voir, il est ardu de faire la part entre tradition et rédaction[10], en raison de l'intrication des deux phénomènes[11].

Certains, cependant, se sont efforcés de discerner tel ou tel point particulier dont la paternité reviendrait en tout cas à la première communauté et peut-être même à Pierre.

Envisageons d'abord les principaux titres christologiques.

Il ne fait de doute pour quasiment personne que la dénomination *kurios* remonte à la communauté palestinienne à travers l'invocation *Maranatha*[12]. Le

---

1. Ac 2, 23 ; 3, 13-15*a* ; 4, 10*a* ; 5, 30*b* ; 10, 39 ; 13, 27-29.
2. Ac 2, 24 ; 3, 15*b* ; 4, 10*b* ; 5, 30*a* ; 10, 40-42 ; 13, 30-31.
3. Ac 2, 24*b*-36 ; 3, 22-24 ; 4, 11 ; 5, 31*a* ; 10, 43*a* ; 13, 32-37.
4. Ac 2, 37-40 ; 3, 19-21.25-26 ; 5, 31*b* ; 10, 43*b* ; 13, 38-39.
5. Sur ce point, E. Trocmé, *Le « Livre des Actes »*, p. 108-109, et F. Bovon, in *Evangiles synoptiques*, p. 234-235.
6. Ainsi, cependant, W. Barclay, Great Themes of the New Testament — 4. Acts ii, 14-40, *ET* 70, 1959, p. 196-199.
7. En ce sens, F. F. Bruce, *Acts*, p. 21.
8. Ainsi U. Wilckens, *Die Missionsreden des Apostelgeschichte. Form- und traditionsgeschichtliche Untersuchungen* (*WMANT* 5), 2. Auflage, Neukirchen, Vluyn, 1963. L'auteur a toutefois largement modifié ses conclusions aux p. 187-224 de la 3ᵉ édition de son ouvrage, parue en 1974.
9. F. Bovon, in *Evangiles synoptiques et Actes des Apôtres*, p. 235. Il renvoie à l'exemple de Thucydide, *Histoire de la guerre du Péloponnèse*, I, 22, qui recomposait les allocutions de ses héros tout en en respectant l'esprit ou l'intention. M. B. Dudley, The Speeches in Acts, *EvQ* 50, 1978, p. 147-155, s'est appuyé sur ce même précédent pour émettre des considérations semblables.
10. M. Hengel, *Acts*, p. 61.
11. Sur ce dernier point, A. Weiser, *Apostelgeschichte* 1-12, p. 100. Dans une perspective similaire, nous renverrons aux développements de J. Roloff, *Apostelgeschichte*, p. 49, et de M. Rese, *NTS* 30, 1984, p. 347.
12. Ainsi O. Cullmann, *Christologie*, p. 186 ; L. Goppelt, *Theologie*, II, p. 348 ; M. Hengel, *Acts*, p. 105 ; E. Schweizer, *TRE*, XVI, p. 677-678, et notre développement antérieur (p. 66).

contexte liturgique, et plus précisément eucharistique, dans lequel il convient, selon toute vraisemblance, de situer l'origine de cette dernière[1] invite à la lire *Marana Tha* et à l'interpréter comme un appel adressé à l'impératif : « Notre Seigneur, viens ! »[2]. L'horizon eschatologique de cette prière ne doit pas faire oublier que la célébration du repas du Seigneur se caractérisait par la certitude de sa présence au sein même de la communauté[3]. Parallèlement, on peut noter que l'invitation à venir qui lui est adressée est précédée, en 1 Co 16, 22 comme en *Didachè* 10, 6, d'un avertissement lancé à celui qui participerait au repas sans être mû par une démarche sincère[4]. Un tel individu est placé sous la malédiction de Dieu. Un passage comme 1 Co 11, 27-30, qui fustige quiconque se rend à la table du Seigneur indignement, se situe dans une perspective semblable[5]. Or les personnes visées par Paul dans son épître sont promises à une condamnation (v. 29) qui revêt des formes aussi diverses que la maladie, l'infirmité ou la mort (v. 30) mais qui affecte l'être dans sa vie présente. Le témoignage convergent des textes invite donc à ne pas négliger une autre dimension de l'invocation *Marana Tha,* à savoir l'appel à la sanction de l'anathème[6]. Le jugement invoqué n'est pas seulement le verdict eschatologique[7]. Le juge à venir est en effet celui dont la présence se manifeste déjà dans la communauté[8], notamment à travers la bénédiction et la malédiction qui anticipent le jugement final[9]. Ainsi se trouve à nouveau mis en évidence le fait que, pour les premiers chrétiens et déjà pour l'assemblée jérusalémite initiale, la communauté était le lieu où, dans l'attente de celui qui vient, la sanction du comportement de chacun, suscitée par la parole qui était prononcée au sein du groupe, scellait en quelque sorte sa destinée ultime[10].

Il apparaît à l'évidence que l'arrière-plan sur lequel se détachait, à l'ori-

---

1. Une telle hypothèse se recommande à partir du témoignage de la *Didachè* 10, 6, où l'on rencontre l'invocation au terme d'une prière destinée à clore l'eucharistie, mais aussi de celui de 1 Co 16, 22, où elle survient à la fin de l'épître au cœur d'un ensemble dans lequel sont évoqués également le baiser de paix (v. 20) et la grâce du Seigneur (v. 23) et qui paraît, en conséquence, influencé par la liturgie eucharistique (sur ce point, K. G. Kuhn, *ThWNT,* IV, p. 475 ; C. F. D. Moule, *NTS* 6, 1959-1960, p. 307 [avec bibliographie complémentaire à la n. 1] ; C. Senft, *Corinthiens,* p. 220).

2. Cette lecture a la préférence de la majorité des interprètes (ainsi O. Cullmann, *Christologie,* p. 181-182 ; E. Schweizer, *Jesus Christus,* p. 59 ; L. Goppelt, *Theologie,* II, p. 348 ; M. Hengel, *Acts,* p. 105 ; P. Pokorny, *Entstehung,* p. 61). Elle est confortée par la traduction grecque de la formule araméenne que l'on rencontre en Ap 22, 20.

3. Ainsi, notamment, K. G. Kuhn, *ThWNT,* IV, p. 475.

4. On retrouve une perspective semblable en Ap 22, 18-20.

5. Ainsi, K. G. Kuhn, *ThWNT,* IV, p. 474.

6. Sur ce point, C. F. D. Moule, *NTS* 6, 1959-1960, p. 307-310.

7. Ainsi, E. Schweizer, *TRE,* XVI, p. 678.

8. *Ibid.*

9. E. Käsemann, *Exegetische Versuche,* II, p. 72 (= *Essais,* p. 230).

10. Cf. p. 110-111 et 148-149. On relèvera qu'E. Schweizer, *Jesus Christus,* p. 63-64, rapproche également l'invocation *Maranatha,* de textes tels Mt 19, 28 ; Mt 16, 19 ; Ac 5, 1-11 (mais aussi 1 Co 5, 3-5 ; 11, 30 ; Mt 18, 18 et Jn 20, 23).

gine, l'invocation *Maranatha* ne transparaît plus qu'épisodiquement dans les discours des Actes[1]. Ainsi, en Ac 2, 36, l'auteur à Théophile a-t-il préféré associer la seigneurie du Christ à sa seule élévation, sans la relier à sa venue. On pourrait discerner là une illustration de la manière dont il intègre des éléments traditionnels dans la perspective qui est la sienne. Il faut convenir cependant qu'il s'appuie en fait sur le Ps 110, 1, texte qui a dû jouer très tôt un rôle essentiel dans l'élaboration christologique[2] et qui a l'exaltation du Seigneur pour seul horizon.

Le titre Messie ou Christ nous renvoie également aux origines de la communauté jérusalémite[3] qui rendit compte, à travers lui, du scandale de la Croix, puisque Jésus avait été mis à mort en tant que messie prétendu[4]. Les spéculations relatives au Prophète eschatologique[5] sont, elles aussi, très anciennes[6]. Elles illustrent le fait que la réflexion autour de la personne de Jésus ressuscité revêtit des aspects très divers, certains étant destinés à tomber dans l'oubli ou à n'être exploités que dans des cercles bien circonscrits[7]. Il est possible également que le titre de prince *(archègos)*[8] remonte fort loin dans le temps et présuppose des représentations très proches de celles qui se trouvent attestées à Qumrân quant à la personne du Prince de la Congrégation[9]. De même, la mise en valeur du thème du Juste a toutes les chances d'avoir été très précoce[10]. Elle est, en effet, attestée déjà, peu avant

---

1. W. Thüsing, Erhöhungsvorstellung und Parusieerwartung in der ältesten nachösterlichen Christologie, *BZ* 11, 1967, p. 102-103, et 12, 1968, p. 234-235, et J. Dupont, in *Nouvelles études,* p. 78-80, ont insisté sur ce point.
2. A ce propos, M. Hengel, *Jésus, Fils de Dieu,* p. 130 ; Id., *Acts,* p. 105.
3. Ainsi O. Cullmann, *Christologie,* p. 97-117 ; E. Trocmé, in *Histoire des religions,* II, p. 200 ; M. Hengel, *op. cit.,* p. 101-102 ; H. Merklein, Die Auferweckung Jesu und die Anfänge der Christologie (Messias bzw. Sohn Gottes und Menschensohn), *ZNW* 72, 1981, p. 1-26, et P. Pokorny, *Entstehung,* p. 65-67, dont l'argumentation est tout à fait convaincante.
4. M. Hengel, *ibid.,* émet des considérations qui vont en ce sens.
5. On pourra consulter sur ce thème O. Cullmann, *Christologie,* p. 18-47, ou J. Coppens, Le prophète eschatologique. L'annonce de sa venue. Les relectures, *EThL* 49, 1973, p. 5-35 ; Id., La relève prophétique et l'évolution spirituelle de l'attente messianique et eschatologique d'Israël, *EThL* 49, 1973, p. 775-783.
6. Ainsi, notamment, C. Perrot, *Jésus et l'histoire,* p. 183, et J. A. Fitzmyer, *NRTh* 103, 1981, p. 45.
7. En dehors de Jn 6, 14 ; 7, 40, d'Ac 3, 22 ; 7, 37, et, implicitement, de Mc 9, 7 et // (cf. p. 189), Jésus n'est nulle part, dans le Nouveau Testament, décrit comme le Prophète eschatologique. Cette christologie fleurira cependant dans la littérature pseudo-clémentine (sur ce point O. Cullmann, *Christologie,* p. 38-41). O. Cullmann, *op. cit.,* p. 42-47, a bien montré que, si elle avait pu convenir à certains milieux, ses insuffisances ont conduit la plupart des autres à l'abandonner.
8. On se reportera à son propos à la monographie de P.-G. Müller, *Christos Archegos. Der religionsgeschichtliche und theologische Hintergrund einer neutestamentlichen Christusprädikation (EHS. T 28),* Bern, 1973, et à l'article de G. Johnston, Christ as Archegos, *NTS* 27, 1981, p. 381-385.
9. Ainsi G. Johnston, art. cit., p. 384, qui rappelle qu'il est question du Prince de la Congrégation en CD 7, 20 ; 1QM 5, 1 ; 1QSb 5, 20 ; 4QpGn 49, 10, et que le titre de prince fut également attribué à Bar Kochba.
10. Ainsi G. Schneider, « dikaios », *EWNT,* II, p. 783.

le début de notre ère, au sein du judaïsme, dans une perspective étonnamment semblable à celle qu'elle connaîtra dans les développements chrétiens ultérieurs, en tout cas par le *Livre de la Sagesse*[1] et peut-être par *1 Hénoch*[2], si toutefois l'on accepte de faire remonter le livre des paraboles aussi loin dans le temps[3].

On notera par contre que les spéculations, assurément archaïques, autour du titre Fils de l'Homme ou des notions de filiation divine ou davidique ne trouvent aucune place dans les discours de l'apôtre, si ce n'est, pour la dernière de ces représentations — et encore indirectement — à travers la mention de l'ascendance davidique de Jésus (Ac 2, 30)[4]. C'est un nouvel indice du fait que les allocutions de Pierre ne peuvent être tenues sans plus pour le reflet des premières élaborations christologiques[5].

Intéressons-nous à présent à la reproduction éventuelle d'un schéma de prédication archaïque par l'auteur à Théophile.

L'hypothèse la plus récente est à mettre ici au compte de J. Roloff. S'appuyant sur les travaux relatifs à l'organisation des discours placés sur les lèvres de Pierre, il retrouve à leur arrière-plan une opposition fondamentale et estime qu'elle remonte à l'annonce de la communauté jérusalémite à Israël[6]. Selon lui, dans un premier temps, la mort de Jésus était présentée comme le résultat de l'opposition des juifs à l'agir divin tel qu'il s'était manifesté dans l'histoire du Nazaréen[7]. Mais, à cette action funeste, était opposée, dans un deuxième mouvement, celle, salvifique, de Dieu, à travers la Résurrection[8]. Enfin, l'appel à la conversion résultait de cette double proclamation[9]. La communauté primitive aurait ainsi eu recours, pour expliciter la destinée de son Maître, à l'idée, déjà répandue dans l'Ancien Testament et dans la littérature intertestamentaire, selon laquelle le

1. *Sg* 2, 12-20 ; 5, 1-7.
2. *1 Hénoch* 38, 2 ; 47, 1 ; 53, 6.
3. Ainsi, notamment, M. Philonenko, in *La Bible. Ecrits intertestamentaires,* p. LXVII, qui plaide en faveur d'une rédaction légèrement postérieure à l'an 40 avant notre ère.
4. Il y a là une lacune qui nous épargnera de citer l'impressionnante bibliographie relative à ces sujets. Nous rappellerons simplement que filiations davidique et divine sont déjà reliées dans la très ancienne confession de foi citée par Paul en Ro 1, 3-4 et que le titre Fils de Dieu faisait l'objet à Qumrân de spéculations fort semblables à celles qu'il paraît avoir connues au sein de la communauté primitive (cf. p. 66-67).
5. Nous ne nous attarderons pas sur les autres titres christologiques appliqués à Jésus dans les discours de Pierre. Nous renverrons simplement, à propos du vocable Nazôréen, aux considérations émises par P. Ternant, La Galilée dans le message des Evangiles et l'origine de l'Eglise en Galilée, *POC* 30, 1980, n. 47, p. 100-101, et p. 128-131, et à la présentation de H. Kühli, « Nazarènos, Nazôraios », *EWNT,* II, 1981, col. 1117-1121 (avec bibliographie), et, à propos des vocables Serviteur et Sauveur, aux développements qui suivront et qui traiteront respectivement du premier de ces termes et de l'élaboration d'une histoire du salut au sein de la communauté primitive de Jérusalem.
6. J. Roloff, *Apostelgeschichte,* p. 49-51.
7. Ac 2, 23*b* ; 3, 13*b*-15*a* ; 4, 10 ; 5, 30 ; 10, 38-39.
8. Ac 2, 24.36 ; 3, 13*a*.15*b* ; 4, 10 ; 5, 31*a* ; 10, 40.
9. Ac 2, 38 ; 3, 19 ; 4, 12 ; 5, 31*b* ; 10, 42-43.

rejet des envoyés de Dieu, juste(s) ou prophète(s), était une expression de la désobéissance d'Israël[1]. Ce *Kontrastschema* se différencie nettement de la présentation paulinienne classique car la mort de Jésus n'y est pas, comme telle, événement de salut. Toute allusion à son caractère « pour nous » ou « pour nos péchés », pourtant déjà présente dans l'antique formulation de 1 Co 15, 3*b*, fait en effet défaut, de même que manque toute référence à un dessein mystérieux de Dieu dont il est fait état notamment en Mc 8, 31 et 9, 31[2]. Ainsi le tournant véritable est-il la résurrection de Jésus, son élévation auprès de Dieu. C'est par elle que Jésus est définitivement justifié et en elle que l'appel à la conversion trouve sa légitimation[3].

L'hypothèse de Roloff est ingénieuse et on peut envisager que ce *Kontrastschema* soit la relique d'un discours chrétien primitif[4]. On se gardera cependant d'opposer trop vite la logique d'une prédication missionnaire à celle d'une confession de foi ou d'un récit pour conclure à la plus grande ancienneté de l'une par rapport aux autres. Ce serait négliger le fait que le kérygme primitif se développa sous des formes variées qui s'adressaient elles-mêmes à des destinataires distincts[5] et qu'il est par conséquent vraisemblable que la prédication *ad extra* et les productions destinées à la vie interne de la communauté aient eu chacune leur spécificité.

Un trait commun qui, en dehors du rappel de la Croix et de la proclamation de la Résurrection, unissait ces différents aspects du message était l'argumentation scripturaire. Celle-ci apparaît en effet à l'arrière-plan tant de 1 Co 15, 3-4 que de la prédication missionnaire[6], ce qui s'explique aisément car elle permettait au groupe à la fois d'étayer ses propres convictions et de fournir ses armes apologétiques face aux objections des dirigeants juifs[7].

A ce propos, on notera que, pour lever le scandale de la proclamation d'un Messie pendu au bois (Dt 21, 23), les premiers chrétiens mirent le Ps 22

---

1. J. Roloff, *Apostelgeschichte*, p. 50, que nous suivons de fort près, tout en le paraphrasant quelque peu. Il trouve une illustration de cette lecture des événements ailleurs dans le Nouveau Testament en Mt 23, 29-36 // Lc 11, 47-51 ; Mc 12, 1-9 ; Ac 7, 52, et en 1 Th 2, 15-16, texte important puisque fort ancien lui-même et se différenciant de la prédication paulinienne usuelle.
2. Cf. J. Roloff, *ibid.*
3. J. Roloff, *op. cit.*, p. 51.
4. Ainsi, L. Schenke, Die Kontrastformel Apg 4, 10*b*, *BZ* 26, 1982, p. 1-20 ; E. Schweizer, *TRE*, XVI, p. 679.
5. En ce sens, notamment, L. Goppelt, Das Osterkerygma heute, in *Christologie und Ethik. Aufsätze zum Neuen Testament*, Göttingen, 1968, p. 87-88. On se reportera également aux développements qui précèdent (p. 152).
6. Nous mentionnerons ici les principaux textes que l'on trouve évoqués dans une perspective christologique à l'occasion des discours de Pierre, en faisant précéder ceux qui font également l'objet d'une interprétation messianique à Qumrân d'un astérisque (cf. n. 5-11, p. 67) : *Dt 18, 15.18-19 et Lv 23, 29 cités en Ac 3, 22-23 ; *2 S 7, 12-13 en Ac 2, 30 ; *Ps 2, 1-2 en Ac 4, 25-28 ; Ps 16, 8-11 en Ac 2, 25-28.31 ; Ps 110, 1 en Ac 2, 34*b*-36 ; *Ps 118, 16 et 22 en Ac 5, 31 et 4, 11.
7. Sur ce dernier point, M. Hengel, in *Neues Testament und Geschichte*, p. 66, et E. Trocmé, in *Histoire des Religions*, II, p. 200-201.

et Es 53 à contribution[1] et on remarquera que l'on rencontre deux allusions à Dt 21, 23 dans les discours de Pierre (Ac 5, 30 et 10, 39) et que le titre de Serviteur y revient également en deux occasions (Ac 3, 13.26).

Cette dernière appellation mérite de retenir notre attention. En effet, O. Cullmann s'est efforcé de la rattacher à Pierre en y discernant son apport spécifique à la réflexion christologique[2]. Selon lui, « l'apôtre, qui avait voulu détourner Jésus de son chemin de souffrance, a été, après Pâques, le premier à comprendre la nécessité de ce scandale. Il ne pouvait mieux exprimer cette conviction qu'en désignant Jésus comme l'"Ebed Jahvé" »[3]. Cullmann allègue deux autres arguments en faveur de son point de vue : les mentions du Serviteur faites en lien avec la personne de Jésus dans la prière que prononce la communauté de Jérusalem en présence de Pierre (Ac 4, 27.30) ne seraient nullement fortuites ; la présence de l'hymne de 1 Pi 2, 22-25 au cœur de la lettre attribuée à l'apôtre s'expliquerait par le fait que son auteur se souvenait de la prédilection de Pierre pour le titre de Serviteur souffrant de Dieu[4]. Le résultat de son enquête demeure cependant bien fragile[5]. Il repose, de fait, essentiellement sur une intuition et sur une reconstitution du cheminement intellectuel de Simon. Mieux vaut sans doute, une fois encore, se contenter de constater que la christologie du Serviteur de Dieu relève d'une tradition fort ancienne[6] et qu'elle remonte, selon toute vraisemblance, à la communauté primitive[7].

On peut, dès lors, envisager que cette dernière ait relu les poèmes du Serviteur, et notamment Es 42, 1-4 et 52, 13-53, 12, à la lumière des événements de la Passion et de la Résurrection malgré la discrétion relative du Nouveau Testament à ce propos[8]. Il se pourrait cependant que la proclamation de la

1. Ainsi M. Hengel, *ibid.*
2. O. Cullmann, Jésus, serviteur de Dieu, *Dieu vivant,* n° 16, 1950, p. 17-34 ; Id., *Saint Pierre,* p. 57-60 ; Id., *Christologie,* p. 66-68.71.
3. O. Cullmann, *Saint Pierre,* p. 60.
4. O. Cullmann, *op. cit.,* p. 59.
5. C'est ce que note E. Trocmé, *MdB* 27, 1983, p. 30, n. 1.
6. Ainsi notamment, J. Roloff, *Apostelgeschichte,* p. 72 ; A. Weiser, *Apostelgeschichte* 1-12, p. 113-114 ; J. Dupont, *Nouvelles études,* p. 94 ; G. Lüdemann, *Das frühe Christentum,* p. 59.
7. C'est ce que reconnaissent explicitement, parmi d'autres auteurs, L. Goppelt, *Theologie,* II, p. 346, et J. A. Fitzmyer, *NRTh* 103, 1981, p. 45.
8. Rappelons que seul le troisième évangile applique explicitement un élément de cet ensemble au récit de la Passion (Lc 22, 37 où est cité Es 53, 12, la mention de ce dernier verset en Mc 15, 28, contraire à la manière de Marc, étant à imputer à un copiste sous l'influence du passage de Luc). On peut cependant déceler un certain nombre d'allusions discrètes aux poèmes du Serviteur dans le récit marcien de la Passion (E. Trocmé, *Passion,* p. 57-59, en relève sept : Mc 14, 24 // Es 53, 4.12 ; Mc 14, 49*b* [référence bien générale toutefois] ; Mc 14, 61*a* et 15, 4-5 // Es 53, 7 ; Mc 14, 65 et 15, 19 // Es 50, 6 ; Mc 15, 27 // Es 53, 12). Réparties régulièrement au fil du texte, elles suggèrent que si « les hymnes ne furent pas perçus comme des textes ayant valeur de preuve pour les souffrances et la mort du Christ, ils furent néanmoins lus par les premiers chrétiens comme une prophétie de la Passion » (E. Trocmé, *op. cit.,* p. 58, avec des références complémentaires à la n. 86, p. 102). Sur les antécédents possibles d'une mise en valeur du thème du Messie, Serviteur souffrant, à Qumrân, on se reportera à la n. 9, p. 67.

dimension expiatoire de la mort de Jésus ait été réservée à l'usage interne de la communauté, ce qui serait conforme à ce qui nous a paru être le sens premier et restreint de l'expression *huper pollôn* dans les récits d'institution de la Cène (Mc 14, 24)[1] mais aussi à l'horizon de la confession de foi reproduite en 1 Co 15, 3[2]. La prédication missionnaire aurait préféré, dans la perspective envisagée par Roloff, mettre l'accent sur l'exaltation du Serviteur (Es 52, 13) auparavant rejeté (Ac 3, 13) ; élévation à partir de laquelle auraient été offerts à Israël la conversion et le pardon des péchés (Ac 5, 31).

Nous voilà ainsi parvenu au terme de notre étude des discours de Pierre dans les Actes. Une première constatation s'impose, qui apparaîtra sans doute décevante. Ces allocutions nous apprennent bien peu de chose sur la personnalité ou sur la pensée propre de l'apôtre[3]. Par contre, elles confirment que la communauté primitive de Jérusalem a connu un bouillonnement christologique très précoce, stimulée en cela par les spéculations messianiques qui avaient cours alors, particulièrement dans les milieux esséniens. Grande productrice de titres, lectrice et interprète hardie de l'Ecriture, il nous est apparu qu'elle avait fait valoir le message de la Croix et de la Résurrection sous des formes très variées, l'adaptant au public et aux circonstances. Les discours placés sur les lèvres de Pierre permettent ainsi de retrouver, nous a-t-il semblé, les caractéristiques principales de la première annonce missionnaire. Tout cela n'est pas rien et il faut convenir, en raison de l'autorité éminente qui lui était reconnue au sein de la première assemblée jérusalémite, qu'il est impensable que tous ces développements aient vu le jour sans que Céphas ne les ait cautionnés de quelque manière. On peut ajouter qu'il a, selon toute vraisemblance, pris une part à la réflexion collective même s'il est bien aléatoire de déterminer laquelle[4].

Tel est, selon nous, le bilan que l'on peut dresser à l'issue d'une enquête que l'on pourrait qualifier de classique et qui vise à préciser la christologie de Pierre et en tout cas de la communauté primitive à partir des prédications attribuées à l'apôtre dans l'œuvre à Théophile. Mais n'est-il pas possible d'élargir le champ de l'enquête et de proposer une approche différente, susceptible de fournir de plus amples renseignements ? Il nous semble que tel est le cas si l'on prend le temps d'examiner attentivement la tradition narrative dont E. Schweizer souligne, rappelons-le, qu'elle est l'un des lieux essentiels de l'élaboration christologique[5]. Attelons-nous sans plus tarder à cette tâche.

---

1. Cf. p. 73.
2. On y lit en effet « Christ est mort pour nos péchés », de même qu'on rencontre en Ro 4, 25 l'expression « livré pour nos fautes » qui s'applique prioritairement aux membres du groupe.
3. Dans le même sens, parmi de nombreux autres auteurs, E. Trocmé, *MdB* 27, 1983, p. 30, et J. Dupont, *Nouvelles études,* p. 110.
4. R. Pesch, *Simon Petrus,* p. 64, émet des considérations qui vont dans le même sens.
5. Cf. p. 152.

C – PIERRE ET LES TRADITIONS
RELEVANT DE L'ÉTIOLOGIE CULTUELLE
AU SEIN DE L'ÉGLISE PRIMITIVE DE JÉRUSALEM

Parmi les traditions narratives qui se trouvent être de quelque ampleur et communes aux Evangiles synoptiques, deux au moins voient Pierre jouer un rôle essentiel. Il s'agit, d'une part, de l'ensemble constitué par sa confession à Césarée de Philippe et par la Transfiguration et, d'autre part, du récit de la Passion. Ces textes, tout le monde en convient, sont d'une extrême richesse en matière christologique. Il nous semble que, dans l'âpre débat qui prévaut autour des questions relatives à leur authenticité ou de la place qu'occupent respectivement tradition et rédaction en leur sein, on néglige trop souvent de les étudier tels qu'ils sont et d'accorder toute l'importance qu'ils méritent à certains détails qu'ils recèlent. Ils invitent, nous le pensons du moins, à envisager l'hypothèse de leur origine liturgique et à situer cette dernière au sein de l'Eglise primitive de Jérusalem.

I – LES INDICES CONTENUS DANS LES TEXTES

a | Le complexe confession de Pierre - Transfiguration

Dans une étude qui a fait date, H. Riesenfeld a souligné combien l'arrière-plan de la fête juive des Tabernacles — encore appelée fête des Tentes — aidait à mieux comprendre les récits évangéliques de la Transfiguration[1]. Son souci de rattacher cette fête de pèlerinage à l'ensemble des célébrations automnales dans le cadre d'une unique fête de l'instauration royale de Yahvé qui eût été célébrée avant l'exil a cependant compliqué sa thèse et fragilisé, aux yeux de certains, sa démonstration. En effet l'existence d'une telle cérémonie n'est pas établie[2]. D'autre part, son rituel et sa signification

---

1. H. Riesenfeld, *Jésus transfiguré.* Avant lui, E. Lohmeyer, Die Verklärung Jesu nach dem Markus-Evangelium, *ZNW* 21, 1922, p. 191-196, et G. H. Boobyer, St. Mark and the Transfiguration, *JThS* 41, 1940, p. 133-135, avaient émis des considérations allant dans le même sens et proposé d'expliquer la proposition de Pierre en Mc 9, 5 et // sur l'arrière-plan des espérances eschatologiques reliées à la fête des Tabernacles.
2. On consultera sur ce point les remarques prudentes de R. Martin-Achard, *Essai biblique,* p. 82-83.

hypothétiques ne nous renseigneraient pas forcément sur ceux qui prévalaient au début de notre ère et qui importent seuls, en dernière analyse, pour rendre compte des traditions évangéliques. Cela explique sans doute en partie que d'assez nombreux auteurs émettent des réserves ou se montrent hostiles à l'encontre de son hypothèse[1], même si beaucoup maintiennent à sa suite que bien des motifs présents en Mc 9, 2-8 et // trouvent leur explication en relation avec la fête des Tentes[2].

Avant de nous prononcer à notre tour dans ce débat, rappelons brièvement quels étaient le déroulement et le sens de la fête des Tabernacles, dont Flavius Josèphe souligne l'importance particulière[3], au début de notre ère[4].

Originellement fête des récoltes, *Sukkot* avait été reliée au souvenir de l'Exode à travers le rite de l'habitation sous des huttes (Lv 23, 42) destinées à remémorer les abris que Dieu avait assignés aux fils d'Israël après la sortie d'Egypte (Lv 23, 43)[5]. Mais elle fut aussi associée au jour où Dieu manifesterait sa toute-puissance, comme l'atteste Za 14, chapitre dont nous reproduirons quelques versets. Ils illustrent l'espérance qui était reliée à la fête tout en faisant allusion à quelques aspects importants du rituel qui l'accompagnait :

[4]En ce jour-là, ses pieds [du Seigneur] se poseront sur le *mont des Oliviers* qui est en face de Jérusalem, à l'orient (...). [7]Ce sera un jour unique — le Seigneur le connaît. Il n'y aura plus de jour et de nuit, mais à l'heure du soir brillera *la lumière*. [8]En ce jour-là, des *eaux-vives* sortiront de Jérusalem, moitié vers la mer orientale, moitié vers la mer occidentale. Il en sera ainsi l'été comme l'hiver. [9]Alors *le Seigneur se montrera le roi de toute la terre*. En ce jour-là, le Seigneur sera unique et son nom unique. (...) [16]Alors tous les survivants des peuples qui auront marché contre Jérusalem monteront d'année en année pour se prosterner devant le roi, le Seigneur, le tout-puissant, et pour célébrer la *fête des Tentes*. Mais pour les familles de la terre qui ne monteront pas à Jérusalem se prosterner devant le roi, le Seigneur, le tout-puissant, il ne tombera pas de *pluie...*[6].

1. Ainsi Ch. Masson, La transfiguration de Jésus (Mc 9, 2-13), *RThPh* 14, 1964, p. 6 ; W. L. Lane, *The Gospel according to Mark*. The English Text with Introduction. Exposition and Notes (*NICNT* 2), Grand Rapids, 1974, p. 317 ; R. Schnackenburg, *Matthäusevangelium 16, 21-28, 20* (« Die Neue Echter Bibel », 1), Würzburg, 1987, p. 161...
2. En ce sens, notamment, Th. Zielinski, De Transfigurationis sensu, *VD* 26, 1948, p. 335-343 ; J. Daniélou, *Bible et liturgie*, p. 457-460 ; Id., *Irénikon* 31, 1958, p. 26 ; H. Baltensweiler, *Die Verklärung* ; R. Le Déaut, *RSR* 52, 1964, p. 87-90 ; W. F. Albright - C. S. Mann, *Matthew*, p. 207 ; R. Martin-Achard, *Essai biblique*, p. 88 ; B. D. Chilton, The Transfiguration : Dominical Assurance and Apostolic Vision, *NTS* 27, 1981, p. 124 ; J. A. Fitzmyer, *Luke* (I-IX), p. 797, 801 ; G. Claudel, *La confession de Pierre*, p. 404.
3. Flavius Josèphe, *AJ*, VIII, 100.
4. On consultera sur ce point J. Daniélou, *Irénikon* 31, 1958, p. 19-40 ; G. Mac Rae, The Meaning and Evolution of the Feast of Tabernacles, *CBQ* 22, 1960, p. 251-276 ; H. Hruby, La fête des Tabernacles à la Synagogue et dans le Nouveau Testament, *OrSyr* 7, 1962, p. 163-174 ; R. Martin-Achard, *Essai biblique*, p. 75-92.
5. On se reportera à ce sujet à R. Martin-Achard, *op. cit.*, p. 77-79.
6. Traduction empruntée à la *TOB. Ancien Testament*, p. 1242-1243.

Ce texte, avec son insistance sur la lumière, les eaux-vives et la pluie, développe des thèmes que l'on retrouve dans le rituel de l'eau qui se répétait quotidiennement à Jérusalem, à l'occasion de la fête, au début de notre ère. La foule, réunie dès le soir au Temple, y attendait, la nuit durant, à la lueur de grands candélabres[1], le chant du coq. Quand il retentissait, les prêtres sonnaient de la trompette[2] et donnaient ainsi le signal de la procession, scandée par les instruments à vent, qui conduisait d'abord le peuple à la fontaine de Siloé où était remplie d'eau une cruche en or[3]. De là, on remontait au Temple à l'heure du sacrifice du matin. On gagnait l'autel autour duquel les participants à la cérémonie, munis chacun du bouquet liturgique composé d'une branche de palmier pas encore totalement déployée *(lulab)*, d'un cédrat parfumé *(etrog)* ainsi que de rameaux de myrte et de saule[4], tournaient aux cris de *Hosanna* (Ps 118, 25)[5], exclamation chargée d'espérance messianique comme l'indique le verset qui suit et qui proclame : « Béni soit celui qui vient au nom du Seigneur » (Ps 118, 26)[6]. Auparavant, un prêtre avait effectué la libation de l'eau recueillie à Siloé dans un bassin censé être relié, par des conduites, aux profondeurs insondables[7]. Tous ces rites avaient notamment pour fonction d'attirer la pluie[8] à l'occasion d'une fête qui conservait ainsi son caractère agraire tout en étant avant tout « une célébration du Seigneur en reconnaissance de ses dons passés et dans l'attente de ses bénédictions futures »[9]. Ce dernier trait trouve une confirmation dans un commentaire de Jérôme qui déplore que les juifs voient dans la fête des Tentes, « par une fallacieuse espérance, la figure des choses qui arriveront dans le règne millénaire »[10].

Revenons à présent aux récits évangéliques de la Transfiguration. C'est bien entendu la question de Pierre (Mc 9, 5 et //), apparemment si déplacée, qui trouve d'abord un éclairage à la lumière de *Sukkot*. Sa proposition de « faire des tentes » se comprend en effet fort bien si l'on se souvient que les cabanes de la fête des Tabernacles « étaient conçues non seulement comme une réminiscence de la protection divine dans le désert mais aussi (...) comme une préfiguration des *sukkot* dans lesquelles les justes habiteraient dans le siè-

---

1. *Mishna Sukka* 5, 2.
2. *Mishna Sukka* 5, 4.
3. *Mishna Sukka* 4, 9.
4. *Mishna Sukka* 3, 4.
5. *Mishna Sukka* 4, 5.
6. En ce sens, J. Daniélou, *Bible et liturgie*, p. 453-454.
7. *Talmud de Babylone Sukka* 49*b*. On retrouve ainsi les spéculations reliées au rocher du Temple. C'est ce que note fort justement H. Hruby, *OrSyr* 7, 1962, p. 169, qui suppose que ce rite, « le plus important de toute la fête, a été accompli, le plus souvent, par le grand prêtre en personne ». Il cite, à l'appui de son point de vue, Flavius Josèphe, *AJ*, III, 372, et *BJ*, I, 73.
8. Cf. *Mishna Rosh ha-Shanah* 1, 2 et *Talmud de Babylone Rosh ha-Shanah* 16*a*.
9. R. Martin-Achard, *Essai biblique*, p. 87.
10. Jérôme, *Commentarius in Zachariam prophetam ad Exsuperium tolosanum episcopum* III, 14, 6, que nous citons dans la traduction qu'en propose J. Daniélou, *Irénikon* 31, 1958, p. 22.

cle à venir »[1]. C'est ce qu'illustre déjà un passage du livre d'Esaïe qui récapitule les principaux thèmes associés à l'Exode dans une description de la Jérusalem à venir :

> Il créera en tout lieu de la montagne de Sion, sur les assemblées, une nuée le jour et la nuit une fumée avec l'éclat d'un feu de flamme. Et au-dessus de tout, la gloire du Seigneur sera un dais, une *hutte (sukka)* de feuillage, donnant de l'ombre les jours de grande chaleur et servant de refuge et d'abri contre l'orage et la pluie[2].

L'utilisation de ce texte pour appuyer la croyance dans le fait que la *sukka* jouerait le rôle de demeure eschatologique est attestée dans les écrits rabbiniques[3]. Pareille conception permet d'interpréter la suggestion de Pierre comme une traduction de « sa foi dans l'accomplissement actuel des temps messianiques »[4], dont l'apparition était déjà signifiée par la présence de Moïse et d'Elie[5].

Un autre document mérite encore d'être cité. Il applique, cette fois à rebours, l'image de la gloire de Yahvé à la geste exodale :

> Pendant sept jours vous demeurerez dans des huttes ; tous les indigènes en Israël demeureront dans des huttes, afin que vos générations sachent que j'ai fait demeurer les enfants d'Israël dans les nuées de la gloire de ma *Shekinah,* sous l'image des huttes, au temps où je les fis sortir, libérés, du pays d'Egypte[6].

Il illustre le rapprochement qui avait été effectué, dans le judaïsme, entre *sukkot* et nuée glorieuse[7]. Dans cette perspective, le mouvement du récit de la Transfiguration apparaît plus clairement : le projet de Pierre de construire des tentes est rendu dérisoire par l'arrivée de la nuée qui représente elle-même la Tente tant attendue[8].

Tels sont, au cœur du récit, les indices qui plaident, selon nous, en faveur de sa lecture sur l'arrière-plan de la symbolique de *Sukkot*. Mais la notice tem-

---

1. H. Riesenfeld, *Jésus transfiguré,* p. 188-189.
2. Es 4, 5-6 (traduction empruntée à la *TOB. Ancien Testament,* p. 752).
3. C'est ce que souligne H. Riesenfeld, *Jésus transfiguré,* p. 188, qui cite à l'appui de son propos *Genèse Rabba* 48, 10 ; *Nombres Rabba* 14, 2 ; *Ecclesiaste Rabba* 11, 1, § 1. Selon H. Riesenfeld, *op. cit.,* p. 187-189, et J. Daniélou, *Irénikon* 31, 1958, p. 25, que nous citerons ici, Es 32, 18 représenterait également « la vie des justes dans le royaume messianique comme une habitation dans les tabernacles, figurés par les tentes du désert ». On remarquera encore que l'expression « les tentes éternelles » apparaît en Lc 16, 9.
4. J. Daniélou, art. cit., p. 26.
5. Ainsi, notamment, R. Le Déaut, *RSR* 52, 1964, p. 90. Cf. encore p. 189.
6. *Targum Lévitique* 23, 42-43 (Neofiti 1), reproduit dans la traduction que propose R. Le Déaut, in *Targum du Pentateuque.* Traduction des deux recensions palestiniennes complètes avec introduction, parallèles, notes et index par R. Le Déaut avec la collaboration de J. Robert. T. II : *Exode et Lévitique* (*SC* 256), Paris, 1979, p. 484 et 487.
7. R. Le Déaut, *RSR* 52, 1964, p. 89, rappelle que « R. Aqiba (mort en 135) entend le nom de lieu Sukkot d'Ex 13, 20 au sens de "nuée de gloire", citant même à ce propos Is 4, 5 et 35, 10 (*Mekhilta sur l'Exode* 13, 20) ».
8. Sur ce dernier point, A. Oepke, « nephelè, nephos », *ThWNT,* IV, p. 911, qui note qu'ici « la nuée est la tente de Dieu (Ps 18, 12 = 2 S 22, 12) et la manifestation de sa présence promise à la fin des temps (Ap 21, 3 : *skènè*) », et J.-M. Van Cangh, M. Van Esbroeck, *RTL* 11, 1980, p. 317.

porelle qui l'inaugure prend également une signification particulière à sa lumière. Il est précisé en effet que l'événement eut lieu six jours plus tard (Mc 9, 2 // Mt 17, 1)[1]. Or cet intervalle, qui sépare, dans la trame narrative, l'épisode de la confession de Pierre à Césarée de l'apparition de Jésus en gloire, est aussi celui qui relie, sur le calendrier, si toutefois on compte à la manière sémitique, la fête du *Kippur* à celle des Tentes, la première ayant lieu le dixième jour du mois de *Tishri* et la seconde commençant le quinzième. Une telle donnée permet-elle de mieux comprendre Mc 8, 27ss et // ?

Pour se faire une idée, il faudra d'abord rappeler quelques éléments relatifs à la célébration du *Kippur* au début de notre ère[2]. Cette fête est marquée par l'accomplissement d' « un ensemble de pratiques qui visent à garantir la purification annuelle d'Israël, de son clergé et de son Temple »[3]. Elle « comprend des éléments anciens mais n'est mentionnée que dans des textes récents, postérieurs à l'exil »[4].

Le rituel que décrit le *Mishna* à son propos se rattache très étroitement à celui de Lv 16, avec quelques variations de détail toutefois. Le grand prêtre, qui a subi une préparation spécifique d'une semaine, opère le sacrifice, pour son propre péché et pour celui de sa maison, d'un taurillon et, pour les fautes du peuple, d'un bouc, tiré au sort parmi deux bêtes, l'autre étant vouée à Azazel. Au cours de la cérémonie, il est amené à faire mention à plusieurs reprises du nom divin[5]. Comme le note H. Hruby, « il semble certain que le *Yom Kippur* [était] le seul jour de l'année où, au cours du service sacré, en dehors de la bénédiction[6], le tétragramme continuait d'être prononcé à haute voix par le Grand Prêtre »[7]. C'est là une des particularités qui révèle la solennité de la fête. Un autre signe distinctif de ce jour était l'accès du souverain sacrificateur au Saint des Saints. Il y entrait, dans un premier temps, muni d'une poêle emplie de braises et d'une cassolette garnie d'encens, et y déposait la poêle, dans laquelle il versait l'encens, sur l'*eben shetya,* nombril du

---

1. Luc n'aura plus compris l'intérêt de cette remarque ce qui explique qu'il l'ait remplacée par la mention d'un intervalle vague d'environ huit jours (Lc 9, 28).
2. On consultera notamment à ce sujet H. Hruby, *Or.Syr* 10, 1965, p. 41-74 ; 161-192 ; 413-442 ; R. Martin-Achard, *Essai biblique,* p. 105-119 ; M. Carrez, in *Dictionnaire encyclopédique de la Bible,* Turnhout, 1987, p. 461-462.
3. R. Martin-Achard, *op. cit.,* p. 109.
4. M. Carrez, in *Dictionnaire encyclopédique de la Bible,* p. 461.
5. *Mishna Yoma* 3, 8 ; 4, 1 . 2 ; 6, 2. Selon le *Talmud de Babylone Yoma* 40*d* et le *Talmud de Jérusalem Yoma* 39*b*, on parvient au total à dix énonciations du tétragramme, ce dernier étant prononcé trois fois lors de chacune des deux confessions des péchés dites en lien avec le taureau, une fois lors du tirage au sort entre les deux boucs, et à nouveau trois fois lors de la confession des péchés qui prélude à l'envoi du bouc émissaire dans le désert. On notera que le texte de la *Mishna* (3, 8 ; 4, 2 ; 6, 2) ne contient que deux mentions du nom sacré à chacune des occasions où le *Talmud* en compte trois.
6. Le tétragramme était quotidiennement prononcé à l'occasion de la bénédiction des prêtres qui se tenait le matin après le *tamid* (sacrifice perpétuel) (*Mishna Tamid* 7, 2). On se reportera sur ce point à H. Hruby, *Or.Syr* 10, 1965, p. 167-168.
7. H. Hruby, art. cit., p. 168-169.

monde et ancien support de l'Arche[1]. Ainsi le local s'emplissait-il de fumée, ce qui permettait au grand prêtre d'effectuer un peu plus tard les aspersions de sang nécessaires à l'expiation à l'abri de la présence divine. On notera que l'offrande des parfums au Saint des Saints constituait « le moment le plus solennel de la liturgie »[2]. Le cérémoniel à observer faisait l'objet d'âpres discussions[3], ce qui se comprend aisément puisque la moindre entorse qui était faite au rituel, à ce moment plus particulièrement important ou à un autre, avait pour effet d'invalider l'expiation dans son ensemble[4].

A la lumière de ces données, il apparaît clairement que, si l'une des versions de la confession de Pierre à Césarée gagne à être envisagée sur l'arrière-plan de la fête du *Kippur,* c'est bien celle de Matthieu[5].

En effet, l'imagerie déployée en Mt 16, 18-19 fait valoir, si toutefois l'on accepte l'interprétation que nous en avons proposée, la métaphore de la construction eschatologique sous l'aspect du Temple reposant sur le rocher cosmique. Il y a là une coïncidence pour le moins troublante. De même, la transmission à Pierre du pouvoir de remettre ou non les péchés[6] semble adaptée à un cadre inspiré par le *Kippur*[7]. Envisagé sous cet angle, le récit suggère que l'institution officielle, représentée par le Temple et par le sacerdoce, se trouve désormais relayée par la communauté nouvelle qui est appelée, d'une autre manière, à exercer les mêmes prérogatives qu'elle.

Peut-on aller plus loin encore dans le rapprochement et considérer que la confession de Pierre : « Tu es le Christ, le fils du Dieu vivant » (Mt 16, 16) prend un singulier relief « dans le contexte de la célébration annuelle du Nom »[8] ? On ne saurait, bien sûr, comparer sans plus la titulature messiani-

---

1. *Mishna Yoma* 5, 2 (cf. p. 98).
2. H. Hruby, art. cit., p. 190.
3. Sur ce point, H. Hruby, art. cit., p. 177-192.
4. *Mishna Yoma* 5, 7.
5. C'est ce qu'ont relevé, avant nous, E. Burrows, in *The Labyrinth,* p. 43-70, et, à sa suite, H. Riesenfeld, *Jésus transfiguré,* p. 276-277. Récemment, J.-M. Van Cangh, M. Van Esbroeck, *RTL* 11, 1980, p. 310-324, ont développé cette hypothèse sans renvoyer toutefois aux suggestions de leurs devanciers. Enfin J. Galot, *CivCatt* 132 (n° 3139), 1981, p. 24-40 (cf. La première profession de foi chrétienne, *EeV* 97, 1987, p. 593-597), Id., *CivCatt* 132 (n° 3145), 1981, p. 15-29 (cf. Le pouvoir donné à Pierre, *EeV* 98, 1988, p. 33-40), a repris à son compte les conclusions de Van Cangh et Van Esbroeck.
6. Cf. p. 110.
7. Nous tenons à préciser ici que l'argumentation de J.-M. Van Cangh, M. Van Esbroeck, *RTL* 11, 1980, p. 324, nous semble pour le moins suspecte quand ils concluent que Pierre se voit remettre « le pouvoir de "lier et de délier" en matière doctrinale et disciplinaire », après avoir affirmé que « Jésus lui attribue la fonction de grand prêtre dans une liturgie de l'Expiation dont la réalité est appelée à remplacer le sacrifice cultuel du grand prêtre Caïphe au Temple de Jérusalem » (p. 316-317). Il y a entre ces deux affirmations un saut qualitatif manifeste. Et si l'arrière-plan du *Kippur* conforte l'interprétation disciplinaire ou judiciaire des attributions conférées à l'apôtre, nous ne voyons absolument pas comment il pourrait être invoqué à l'appui d'une lecture qui cherche à tout prix à le voir paré de compétences doctrinales.
8. Ainsi J.-M. Van Cangh, M. Van Esbroeck, art. cit., p. 315, suivis par J. Galot, *CivCatt* 132 (n° 3139), 1981, p. 35-38.

que qu'attribue Céphas à son maître avec le Tétragramme, objet de tant de vénération et de tant de crainte, sans lui conférer une dimension blasphématoire qu'elle ne revêt assurément pas. Cependant il ne peut être totalement exclu, nous semble-t-il, que le cadre festif qui lui fut assigné ait contribué, de quelque manière, à souligner l'importance de la déclaration de Pierre.

Il nous semble par contre plus que problématique que le texte mette en parallèle direct, à travers les deux noms qu'il lui assigne, *Simôn Bariôna* et le vocable araméen *Kêpha'* sous-jacent au grec *Petros,* Pierre avec deux éminents grands prêtres : Simon, fils de Yohanân, et Caïphe[1]. Certes, il s'agissait là de deux personnages fort connus. Le premier est le héros du chapitre 50 du *Siracide,* texte qui évoque en détail le cérémoniel de la fête du *Kippur*[2] et dont on ne saurait minimiser l'importance, même s'il est sans doute un peu exagéré d'y voir, au Ier siècle de notre ère, une « illustration canonique » de la célébration[3]. Quant au second, il exerça son long pontificat de l'an 18 à l'an 37 de notre ère environ, c'est-à-dire sur une période qui recouvre à la fois le ministère de Jésus et les premières années de l'histoire du mouvement chrétien. Mais si l'on peut envisager un jeu d'assonances et constater que Simon Bar Iona n'est pas très éloigné de Simon Ben Yohanan[4], il est pour le moins aventureux d'assimiler le vocable *kêpha',* qui signifie, rappelons-le, pierre, roc, au nom *Kaiaphas,* qui a une tout autre étymologie puisqu'il correspond au terme araméen *qajjapha* dont le sens est interprète, visionnaire, inquisiteur[5]. Tout rapprochement excessif entre les deux vocables est rendu impossible en effet par la métaphore de la construction eschatologique qui gouverne la signification du passage.

Ainsi, autant on peut dire, nous semble-t-il, que Pierre se voit transférer ici les attributions du grand prêtre et que de nombreux harmoniques le suggèrent au sein du récit, autant il faut éviter de confondre les niveaux et les genres en poussant trop loin un parallèle qui pourrait confiner à l'absurde. Quel intérêt y aurait-il eu, en effet, par exemple, à assimiler littéralement Pierre à un personnage dont la réputation au sein de la communauté devait être des plus mauvaises en raison notamment du rôle qu'il avait joué lors de l'arrestation et du procès de Jésus[6] ?

On notera enfin que la première annonce de la Passion (Mt 16, 21-23), qui suit immédiatement le récit de la confession de Pierre, peut paraître bien

---

1. C'est ce que s'efforcent de démontrer J.-M. Van Cangh et M. Van Esbroeck, art. cit., p. 314-315, auxquels J. Galot, *CivCatt* 132 (n° 3145), 1981, p. 15-17, emboîte à nouveau le pas.
2. Sur ce point notamment E. Dhorme, in *La Bible. Ancien Testament II,* p. 1877, n. 5.
3. Ainsi J.-M. Van Cangh, M. Van Esbroeck, art. cit., p. 314.
4. J.-M. Van Cangh, M. Van Esbroeck, art. cit., p. 314-315, le font apparaître de manière convaincante.
5. A ce propos, W. Schenk, « Kaiaphas, a », *EWNT,* II, p. 562. J.-M. Van Cangh, M. Van Esbroeck, art. cit., p. 315, vont donc un peu vite en besogne quand ils affirment que le « nom » que son maître confère à Simon est celui « du grand prêtre en exercice au moment où Jésus parle ».
6. Cf. notamment Jn 11, 49 ; Mt 26, 3 ; Mc 14, 53.54.60.61.63.64 et //.

en situation si l'on opte pour une lecture de la péricope à la lumière de la célébration du *Kippur*[1]. L'expiation des péchés supposait en effet le sacrifice. Or, ici, le pouvoir de les remettre est promis à Pierre dans l'avenir, Mt 16, 19 étant au futur, et cet avenir semble déterminé par la mort préalable de Jésus (Mt 16, 21) dont il pourrait être ainsi suggéré qu'elle vient relayer non seulement le sacrifice pascal[2] mais encore le plus essentiel de tous, celui qui avait lieu au dixième jour du mois de *Tishri*.

Nous ajouterons à ces remarques que la localisation de la scène dans la région de Césarée de Philippe (Mt 16, 13), jette peut-être quelque lueur sur le jeu subtil de superposition des niveaux qui sous-tend le récit. Cette contrée était célèbre, en effet, pour receler les sources du Jourdain, dont l'emplacement, une grotte sise au pied d'une falaise, était voué au culte du dieu Pan et était considéré comme la porte des enfers[3]. Elle avait, par ailleurs, une signification profonde dans l'apocalyptique juive et était considérée comme un lieu privilégié de révélation[4]. Ainsi *1 Hénoch* 13, 7-8 précise que le héros antédiluvien eut un songe et des visions près des eaux de Dan, tandis que *Testament de Lévi* 2, 3-6 accorde au fils de Jacob le même privilège, assorti de son intronisation céleste[5], à Abel Maïm, localité qu'il convient sans doute d'identifier avec celle, homonyme, qui est citée en 2 Ch 16, 4, juste après Dan, dans une liste de villes sises largement au nord du lac Houlé[6]. Il semble bien que les auteurs de ces récits trouvent « aux sources du Joudain, lesquelles sont en communication avec l'enfer, et en face de l'Hermon, dont le sommet touche les portes du ciel, (...) le cadre approprié à d'importants événements en rapport avec les destinées humaine et angélique »[7]. A partir de cette constatation, un parallèle avec Mt 16, 13-20, voire 17, 1-9, peut être effectué[8]. Il n'est pas forcément exclu qu'un tel rapprochement éclaire la portée du récit.

---

1. En ce sens, J.-M. Van Cangh, M. Van Esbroeck, *RTL* 11, 1980, p. 316-317.
2. Cf. n. 3, p. 68.
3. Sur tout cela, O. Immisch, Matthäus 16, 18. Laienbemerkungen zu der Untersuchung Dells, ZNW 15, 1914, 1ff, *ZNW* 17, 1916, p. 18-26. On trouvera une description du lieu chez Flavius Josèphe, *AJ,* XV, 363-364 ; *BJ,* I, 404-406 ; III, 509-515.
4. Ce point a été développé notamment J. T. Milik, *RB* 62, 1955, p. 398-406, essentiellement p. 405 ; P. W. Skehan, Qumrân et découvertes au désert de Juda. IV : Littérature de Qumrân. B. Apocryphes de l'Ancien Testament, *DBS,* IX, 1979, col. 825 ; G. W. E. Nickelsburg, *JBL* 100, 1981, p. 590-592 ; B. P. Robinson, *JSNT* 21, 1984, p. 100, n. 16 ; G. Claudel, *La confession de Pierre,* p. 192-195.
5. *Testament de Lévi* 2, 7-5, 6.
6. C'est ce que font, à la suite de J. T. Milik, qui est toutefois revenu sur son opinion première dans un article plus récent, Ecrits esséniens de Qumrân : d'Hénoch à Amran, *in* M. Delcor, *Qumrân, sa piété, sa théologie et son milieu* (BEThL 46), 1978, p. 96, tous les auteurs cités à la n. 4 de cette page en produisant une argumentation qui nous paraît convaincante.
7. J. T. Milik, *RB* 62, 1955, p. 405.
8. Ainsi J. T. Milik, art. cit., p. 405, n. 2, qui a été approuvé par G. W. E. Nickelsburg, *JBL* 100, 1981, p. 590-592 ; D. Hill, *The Gospel of Matthew,* p. 262 ; T. Fornberg, Petrus — det nya förbundets överstepräst ?, *Religion och Bibel* [Uppsala] 42-43, 1983-1984, p. 39-44 ; B. P. Robinson, *JSNT* 21, 1984, p. 100, et G. Claudel, *La confession de Pierre,* p. 195.

Il est assez étrange, en effet, que la scène ne soit pas située à Jérusalem puisqu'elle se comprend sur l'arrière-plan d'un rituel qui se déroule dans la ville sainte. Mais justement son association à une autre région, à laquelle étaient attachées des spéculations plus ou moins semblables, crée une distance vis-à-vis des institutions officielles et montre bien que la communauté qui a élaboré la tradition se situait dans un ailleurs par rapport à elles tout en revendiquant l'occupation du même champ symbolique. Décalage et parallélisme apparaissent en effet constants tout au long du récit matthéen : au sanctuaire soutenu par le rocher cosmique se substitue la communauté reposant sur son chef ; aux prérogatives du grand prêtre, celles promises à Pierre ; au rôle joué par le bouc émissaire, celui tenu par Jésus qui va devoir mourir.

On constatera que tous ces thèmes prennent un relief particulier sur l'arrière-plan de la célébration du *Kippur*. Il nous semble donc que la mention des six jours en Mc 9, 2 et surtout en Mt 17, 1 n'est nullement fortuite et a bien pour fonction de relier les deux volets du diptyque confession de Pierre - Transfiguration[1], tout en les associant aux temps forts de la liturgie juive que représentaient, d'une part, la fête des Expiations et, d'autre part, celle des Tabernacles[2].

En conséquence, rien ne s'oppose, nous semble-t-il, à ce que le lieu d'élaboration de l'ensemble traditionnel sous-jacent à Mt 16, 13-23 et 17, 1-9 soit l'Eglise primitive de Jérusalem qui nous a déjà paru être à l'origine de Mt 16, 17-19[3]. Le rôle qu'il alloue à Pierre, les allusions qu'il fait au cérémoniel des fêtes d'automne dans la ville sainte, la distance qu'il prend à l'égard des autorités juives officielles tout en affirmant que ces dernières sont désormais relayées dans l'exercice de leurs prérogatives, représentent autant d'éléments qui nous paraissent plaider en faveur d'une telle hypothèse.

b | Le récit de la Passion

L'arrière-plan pascal est commun aux quatre récits évangéliques de la Passion, même si un décalage d'une journée sépare les chronologies synoptique et johannique. Parallèlement, les critiques ont constaté depuis longtemps que ces textes relèvent d'un genre particulier : ils relatent des faits qui s'enchaînent de façon continue et rapprochée dans le temps et dans l'espace, l'en-

---

1. Que ces deux récits constituent un diptyque fort archaïque est reconnu, indépendamment de l'hypothèse de leur arrière-plan liturgique commun, par de nombreux auteurs parmi lesquels A. Schlatter, *Matthäus*, p. 525 ; M. Sabbe, La rédaction du récit de la Transfiguration, in *La venue du Messie. Messianisme et eschatologie* (*RechBib*, VI), Bruges, Paris, 1962, p. 95-96 ; R. Pesch, *Simon Petrus*, p. 42 ; G. W. E. Nickelsburg, art. cit., p. 599 ; G. Claudel, *op. cit.*, p. 405.
2. Ainsi notamment E. Burrows, in *The Labyrinth*, p. 58-59 ; H. Riesenfeld, *Jésus transfiguré*, p. 276-277 ; H. Baltensweiler, *Die Verklärung*, p. 49-51 ; P. Bonnard, *Matthieu*, p. 254 ; N. Hillyer, « Rock Stone » Imagery in I Peter, *TynB* 22, 1971, p. 80 ; J.-M. Van Cangh, M. Van Esbroeck, *RTL* 11, 1980, p. 310-311 ; J. Galot, *Civ-Catt* 132 (n° 3139), 1981, p. 27.
3. Cf. p. 106-115.

semble constituant un tout cohérent sans équivalent dans la tradition évangélique[1] ; ils voient le quatrième évangile, d'habitude si original, recoller largement à la trame générale des trois premiers[2]. On comprend donc que de nombreux auteurs aient discerné, dans les récits de la Passion, un bloc traditionnel fort ancien et qu'ils aient été amenés à postuler l'existence d'un récit précanonique d'une ampleur et d'une forme très variables[3]. Depuis G. Bertram[4], des critiques supposent qu'il serait né dans le cadre du culte de l'Eglise primitive de Jérusalem.

Ainsi G. Schille estime-t-il que, très tôt, s'est développée, à Jérusalem, une commémoration des événements relatifs à la Passion. Elle se serait organisée autour de trois pôles : une anamnèse de la dernière nuit de Jésus sans doute liée à une agape annuelle (Mc 14, 18-72) ; une liturgie scandée par les trois heures de la prière juive pour le rappel de la Crucifixion (Mc 15, 2-41) ; une célébration au matin de Pâques qui comportait peut-être une visite au tombeau de Jésus (Mc 15, 42-16, 8)[5].

Parallèlement, Ph. Carrington a proposé de voir dans le récit évangélique de la Passion, chez Marc en particulier, une *megillah,* c'est-à-dire un rouleau destiné à la lecture publique, dont la première communauté aurait fait usage pour la Pâque chrétienne[6].

E. Trocmé a repris en partie cette thèse à son compte. Il considère que l'archétype des récits de la Passion « était la lecture canonique faite à Jérusalem lors du déroulement de la liturgie qui, vers la fête de la Pâque juive, et peut-être aussi à l'occasion d'autres pèlerinages annuels, commémorait la souffrance, la mort et la résurrection de Jésus »[7]. Il trouve donc le *Sitz im Leben* du récit original dans cette commémoration liturgique jérusalémite[8]. L'ensemble de la célébration aurait été divisé en deux ou trois parties qui se déroulaient à différents moments et probablement à deux ou trois endroits distincts dans et autour de Jérusalem[9].

---

1. Ainsi surtout K. L. Schmidt, *Rahmen,* 1919, p. 303-309, qui a parlé le premier de *lectio continua* à propos des récits de la Passion.
2. Ainsi J. Jeremias, *La dernière Cène,* p. 99-100.
3. Ainsi déjà K. L. Schmidt, *Rahmen,* p. 303-306 ; R. Bultmann, *Die Geschichte der synoptischen Tradition* (FRLANT 29), 2. Auflage, Göttingen, 1931, p. 297-308 ; M. Dibelius, *Formgeschichte,* p. 178-218, et, tout récemment, E. Trocmé, *Passion,* et J. B. Green, *The Death of Jesus. Tradition and Interpretation in the Passion Narrative* (WUNT 2. Reihe, 33), Tübingen, 1988.
4. G. Bertram, *Die Leidensgeschichte Jesu und der Christuskult. Eine formgeschichtliche Untersuchung* (FRLANT 32), Göttingen, 1922.
5. G. Schille, ZThK 52, 1955, p. 161-205. Cette suggestion a trouvé bon accueil auprès d'auteurs tels que W. Grundmann, *Das Evangelium nach Markus* (ThHK, II), Erweiterte Nachdruck der zweiten, neubearbeiteten Auflage, Berlin, 1962, p. 274, et L. Schenke, *Der gekreuzigte Christus. Versuch einer literarkritischen und traditionsgeschichtlichen Bestimmung der vormarkinischen Passionsgeschichte* (SBS 69), Stuttgart, 1974, p. 140.
6. Ph. Carrington, *Christian Calendar,* I, p. 204-206.
7. E. Trocmé, *La formation,* p. 50.
8. E. Trocmé, *Passion,* p. 82.
9. E. Trocmé, *op. cit.,* p. 85.

Dans la ligne de ces travaux, nous avons eu l'occasion déjà de nous intéresser plus particulièrement aux récits de la dernière nuit de Jésus[1] dans lesquels le rôle de Pierre s'avère essentiel[2]. Confronté au problème que pose la discordance des calendriers synoptique et johannique, il nous a semblé que l'on pouvait le résoudre de la façon suivante.

A l'origine, les premiers chrétiens faisaient mémoire du dernier repas de leur Maître la nuit où il fut livré (1 Co 11, 23) et de sa mort survenue à l'heure de l'immolation des agneaux au Temple (1 Co 5, 7 ; Jn 19, 14.29. 31-36). Ils furent amenés, à partir de là, à confesser que Jésus était le véritable agneau pascal. Tel serait le stade le plus ancien de la tradition, attesté chez Paul et transmis encore par Jean. Mais, très tôt, la communauté primitive de Jérusalem fut conduite à affirmer sa propre identité non seulement dans des formules mais aussi à travers sa liturgie. Tout en continuant à fêter la Pâque à la même date que les autres partis juifs — exception faite des esséniens bien sûr — elle se serait alors livrée à la transposition narrative de son énoncé kérygmatique initial. Désormais, elle célébrerait la Pâque sans agneau et décrirait le dernier repas de Jésus comme un repas pascal, mais dont seraient étrangement absents certains éléments caractéristiques du rituel juif[3]. Elle relirait également les événements ayant précédé et suivi l'arrestation du Nazaréen à la lumière de la liturgie qu'elle observait lors de la vigile pascale.

Il nous a semblé possible de reconstituer avec quelque vraisemblance cette liturgie en comparant les cérémoniels juif et quartodéciman[4], ce dernier, qui atteste une célébration de la Pâque le 14 Nisan, apparaissant remonter aux temps les plus anciens et prolonger l'usage de la communauté primitive. Selon nous, les nombreux accords entre les deux pratiques montrent leur continuité et peuvent être tenus comme autant de traits qui caractérisaient déjà la fête des premiers chrétiens. Ainsi leur célébration concomitante (du 14 Nisan au soir au 15 Nisan à 3 heures du matin), leur caractère de fête de libération et de salut[5], la lecture d'Ex 12, l'explication du motif de l'agneau pascal — avec toutefois, du côté quartodéciman, l'insistance sur le fait que l'agneau désigne le Christ[6] —, l'importance du

---

1. C. Grappe, *Essai sur l'arrière-plan pascal des récits de la dernière nuit de Jésus.* Mémoire présenté à l'Académie des Inscriptions et Belles-Lettres, Jérusalem, 1984, étude dont on retrouvera les grandes lignes, in *RHPhR* 65, 1985, p. 105-125.

2. Mc 14, 26-31 et // ; Mc 14, 37 et // ; Mc 14, 66-72 et //.

3. Sur ce point, on se reportera notamment à H. Anderson, *The Gospel of Mark (NeCB Commentary),* Grand Rapids, London, Softback Edition, 1981, p. 309.

4. On trouvera une étude approfondie de ces deux rituels dans les études magistrales que R. Le Déaut, *La Nuit pascale,* et B. Lohse, *Das Passafest der Quartadecimaner* (*BFChTh.* 2. Reihe. Sammlung wissenschaftlicher Monographien, 54. Band), Gütersloh, 1953, leur ont respectivement consacrées.

5. On comparera ici *Mishna Pesahim* 10, 5, et Méliton de Sardes, *Sur la Pâque,* 68.

6. Cf. Méliton de Sardes, *op. cit.,* 67-69.

thème de la nuit de veille, l'attente d'une parousie pascale[1] liée tout particulièrement au milieu de la nuit[2].

Muni de toutes ces données, il nous est apparu que les faits se succèdent, dans les récits synoptiques et plus particulièrement dans l'*Evangile de Marc,* en correspondance assez étroite avec le déroulement de la première Pâque chrétienne que nous avions ainsi reconstitué. Dans un premier temps, le soir est consacré à la Cène dans laquelle on découvre sans peine une allusion au repas pascal des premiers chrétiens. Le cœur de la nuit est ensuite voué à l'attente, comme l'atteste l'exhortation à la vigilance qu'adresse Jésus à ses disciples à Gethsémané (Mc 14, 34.38 : « veillez ! »)[3]. Ensuite le récit s'étire jusqu'au chant du coq.

Nous avons constaté par ailleurs que la trame narrative est traversée par une dialectique entre prophétie et accomplissement. A des annonces destinées à recevoir une réponse lors de la nuit même[4] s'ajoutent des paroles qui jettent un pont vers l'au-delà des événements de la Passion[5], les premières ayant pour effet de garantir les secondes, promesses qui demeurent en attente et qui orientent le regard en direction de la Pâque eschatologique.

Il nous a semblé également que le récit basculait entre Mc 14, 42 et 43, versets qui se répondent d'ailleurs de façon troublante, du versant de la prophétie à celui de l'accomplissement. Dans cette perspective, le thème de l'heure, qui sous-tend la péricope de Gethsémané tout entière, nous a paru prendre une dimension particulière puisque celle, tragique, du Fils de l'Homme survient (Mc 14, 41) au moment même où l'on attendait sa parousie glorieuse. Ainsi, entre annonce et réalisation des promesses, le

1. Nous renverrons, d'un côté, au poème des quatre nuits (*Targum Ex* 12, 42) et, de l'autre, à Jérôme, *Commentaire de l'Evangile de Matthieu* 4, 25, 6.
2. Ce point paraît attesté par le fait que la tradition rabbinique fixe ce terme à la consommation de la Pâque (*Mishna Zebahim* 5, 8 ; *Mishna Pesahim* 10, 9 ; *Mekhilta Ex* 12, 8 ; *Targum Ex* 12, 8 [Tj I] ; *Targum Dt* 16, 6 [Tj I]), contrairement au texte biblique qui l'autorisait jusqu'au matin (Ex 12, 10), et par un détail que fournit Flavius Josèphe, *AJ,* XVII, 29, à savoir qu'on ouvrait les portes du Temple à ce moment précis, usage qu'il faut sans doute rattacher, avec R. Le Déaut, *La Nuit pascale,* p. 288, à l'idée d'une apparition du Messie lors de la nuit pascale.
3. Ainsi que nous l'avons signalé in *RHPhR* 65, 1985, p. 119-120, le couple *grègoreô-katheudô* pourrait refléter l'attente communautaire qui accompagnait la vigile. Le sommeil qui accable les disciples a en effet été rapproché de celui qui menace les participants à la fête juive (*Mishna Pesahim* 10, 8 ; *Talmud de Babylone Pesahim* 120*b*) et il est possible que l'insistance sur ce danger qui guette les compagnons de Jésus nous renvoie au rituel de la célébration des premiers chrétiens.
4. Il s'agit successivement de la prédiction de la trahison de l'un des Douze (Mc 14, 18), qui est précisée (Mc 14, 20-21) et renouvelée (Mc 14, 41-42) avant de s'accomplir (Mc 14, 43-47), de celle de la fuite des disciples (Mc 14, 27), qui se réalise en Mc 14, 50, et de celle du reniement de Pierre (v. 30) qui se concrétise en Mc 14, 66-72.
5. Jésus dévoile d'abord à ses disciples la perspective du festin eschatologique (Mc 14, 25), leur prédit ensuite qu'il les précédera en Galilée (Mc 14, 28) et annonce enfin la royauté céleste du Fils de l'Homme et sa venue en gloire (Mc 14, 62).

récit primitif soulignait-il sans doute l'union paradoxale du Crucifié et du Ressuscité[1].

Enfin, nous avons suggéré que la comparution de Jésus devant le Sanhédrin pourrait avoir été transférée à dessein, et en forçant un peu les faits, lors de la nuit pascale pour permettre au Nazaréen d'annoncer en toute solennité son retour attendu à cette occasion (Mc 14, 62)[2].

Tous ces arguments nous paraissent étayer l'hypothèse du *Sitz im Leben* liturgique du récit primitif de la Passion, et tout particulièrement de la section relative à la dernière nuit de Jésus[3]. Son origine jérusalémite nous semble difficilement contestable[4]. Déjà la mention régulière des protagonistes[5] et des lieux de l'action[6] plaide en sa faveur puisqu'elle présuppose un intérêt pour le nom des acteurs et une connaissance de la topographie locale de la part des auditeurs du récit[7]. De son côté, l'abondance des traductions et des appositions destinées à expliciter le sens d'un mot (Mc 14, 36 ; 15, 42) ou d'une expression (Mc 15, 34), à préciser l'identité d'un personnage[8] ou à identifier avec exactitude un endroit (Mc 14, 32 ; 15, 22) peut attester sa transmission ultérieure dans des milieux où il a fallu ajouter, à un texte qu'on vénérait, des gloses interprétatives.

---

1. Sur tout cela, C. Grappe, *RHPhR* 65, 1985, p. 113.
2. C. Grappe, art. cit., p. 116-117.
3. Il paraît plus difficile de reconstituer le cadre et le déroulement de la liturgie qui commémorait la Crucifixion même si, comme l'a pertinemment relevé G. Schille, le rappel des heures de la prière juive qui rythme le récit plaide en faveur de son existence (cf. p. 173). En ce qui concerne le récit du tombeau vide, nous rappellerons ici les conclusions de L. Schenke, *Le tombeau vide et l'annonce de la Résurrection (Mc 16, 1-8)* traduit de l'allemand par F. Grob (*LeDiv* 59), Paris, 1970, p. 89 : « Le récit primitif de la visite des femmes au tombeau le matin de Pâques est une légende étiologique liée au tombeau vide de Jésus, lequel était connu et vénéré dans la communauté primitive de Jérusalem ; cette légende servait de fondement à un culte de la communauté qui avait lieu au tombeau vide au moins une fois par an, le jour anniversaire de la résurrection de Jésus, au lever du soleil, et qui commémorait et célébrait solennellement la résurrection du Crucifié ; la légende enfin accompagnait cette célébration. » Cette reconstitution, pour hypothétique qu'elle soit, nous semble aller dans la bonne direction.
4. G. Theißen, *Lokalkolorit und Zeitgeschichte in den Evangelien. Ein Beitrag zur Geschichte der synoptischen Tradition* (« Novum Testamentum et Orbis Antiquus » 8), Freiburg, Göttingen, 1989, p. 209-221, vient encore de conclure en ce sens, sans recourir toutefois à l'hypothèse liturgique mais en insistant beaucoup sur les indices fournis par les noms de personnes (p. 186-200). Il rejoint ainsi plus ou moins l'argumentation de R. Pesch dont nous allons faire état.
5. Ainsi Simon le lépreux de Béthanie (Mc 14, 3), Simon de Cyrène, le père d'Alexandre et de Rufus (Mc 15, 21), Joseph d'Arimathée (Mc 15, 43) et les femmes galiléennes (Mc 15, 40.41.47 ; 16, 1).
6. Il est question à la fois de Béthanie (Mc 14, 3), du mont des Oliviers (Mc 14, 26), de Gethsémané (Mc 14, 32), du Golgotha (Mc 15, 22), du palais du grand prêtre (Mc 14, 54) et du prétoire (Mc 15, 16).
7. C'est ce qu'a justement relevé R. Pesch, *Markusevangelium*, II, p. 21.
8. Mc 14, 3.10.37.53.61.67 ; 15, 21.40.40.43.47.47 ; 16, 1.1.6.

II – PREMIER BILAN

Au terme de cette première approche nous voudrions tirer deux enseignements provisoires.

Tout d'abord, il nous paraît que les blocs traditionnels que nous avons étudiés présentent une certaine cohérence et que, au sein du diptyque que constitue l'ensemble confession de Pierre - Transfiguration, Mt 16, 17-19 est bien à sa place, même si, comme nous aurons l'occasion de le préciser, ces trois versets, qui furent cependant, selon nous, très tôt associés dans la tradition, ne s'y trouvèrent pas d'emblée côte à côte[1]. Ce fait nous conduit à rejoindre le camp de ceux qui concluent à leur omission au sein de l'*Evangile de Marc*[2]. Il ne nous semble pas exclu par ailleurs que la tradition primitive ait pu englober également l'essentiel des v. 20-23. Nous avons vu déjà en effet que l'annonce de sa passion par Jésus était susceptible de bien s'intégrer dans la scène si on la relisait sur l'arrière-plan de la fête du *Kippur*. D'autre part, le v. 23 se trouve en parallèle antithétique quasi parfait avec le v. 17. Dans les deux cas, en effet, on a affaire à l'énonciation d'un verdict qui est communiqué à Pierre à l'aide d'une proposition que gouverne le verbe être employé à la deuxième personne du singulier. La sentence est explicitée dans la subordonnée qui suit, elle-même introduite par *hoti* et bâtie autour d'une antithèse *(alla)* qui fait valoir, dans le premier cas, que Pierre doit sa révélation non aux hommes mais à Dieu et, dans le second, que ses pensées ne sont pas celles de Dieu mais celles des hommes. Certes, il est possible de voir, dans cette correspondance, la marque du sens de la composition de l'auteur du premier évangile[3], mais cela ne nous paraît pas absolument certain.

Ainsi, si le motif du scandale lui est cher[4], de sorte que la plupart des auteurs concluent ici à son caractère rédactionnel[5], l'écho qu'il trouve dans

---

1. Cf. p. 229.
2. On trouvera une liste des tenants de ce point de vue, minoritaire au sein de la recherche mais défendu notamment par R. Bultmann et E. Trocmé, et des partisans de la thèse, majoritaire, de l'insertion matthéenne dans l'article d'O. Da Spinetoli, I problemi letterari di Matteo 16, 13-20, in *San Pietro. Atti della XIX Settimana Biblica* (« Associazione Biblica Italiana »), Brescia, 1967, p. 79-92. On la complétera grâce à G. Claudel, *La confession de Pierre*, p. 32-33.
3. C'est ce que pense notamment J. Kahmann, Die Verheissung an Petrus. Mt., XVI, 18-19 im Zusammenhang des Matthäusevangeliums, in *L'Evangile selon Matthieu. Rédaction et théologie* (par M. Didier *et al.*) (BEThL 29), Gembloux, 1972, p. 262.
4. Il emploie à quatorze reprises le verbe *skandalizô* qui ne revient que huit fois sous la plume de Marc et deux sous celle de Luc. Quant au substantif *skandalon,* il l'utilise en cinq occasions alors qu'il est absent du second évangile et qu'on ne le rencontre qu'une fois dans le troisième.
5. En ce sens J. Zumstein, *La condition du croyant dans l'Evangile selon Matthieu* (OBO 16), Fribourg, Göttingen, 1977, p. 177, et G. Claudel, *La confession de Pierre,* p. 296-297.

la péricope de l'annonce de la défection des disciples et du reniement de Pierre[1] nous incite à penser que Matthieu l'a peut-être rétabli en cet endroit dans sa fidélité à une tradition qu'il suit plus fidèlement que Marc et qui présente une image de Simon très semblable à celle que nous offre le récit de la Passion.

Nous ajouterons à cette remarque qu'un passage du *Talmud de Babylone* nous paraît montrer la cohérence des v. 21-23 dans leur présentation matthéenne. Il s'agit d'une explication de Za 12, 12, texte dans lequel il est fait état d'un deuil qui frappera le peuple. La question qui est posée est celle de la cause de ce deuil. Pour Rabbi Dosa, c'est la mise à mort du Messie, fils de Joseph, et, pour les autres, celle de l'inclination mauvaise qui aurait elle-même sept noms, dont celui de pierre de scandale[2]. Ainsi la première réponse, nettement plus évidente en raison du contexte[3], est-elle réfutée par le plus grand nombre, signe que l'idée d'un messie mis à mort n'allait pas de soi. Cependant, il est précisé au passage que le Messie, fils de David, apparemment échaudé par la fin tragique du Messie de Joseph, demandera à Dieu la vie. Ce texte nous paraît étonnamment proche de Mt 16, 21-23, et par-delà de Mt 16, 13-23 dans son ensemble. En effet, on y rencontre la problématique de la destinée, tragique ou non, de l'envoyé divin et l'idée d'un Messie souffrant s'y trouve en concurrence notamment avec le concept de scandale. Nous nous demandons si des spéculations de ce genre ne pourraient pas contribuer à expliquer la forme qu'a prise la tradition en insistant sur la nécessité de la souffrance de Jésus et sur le fait que le refus de la mort du Messie est imputable à l'inclination mauvaise, cette dernière n'étant autre que Satan lui-même selon un autre passage du Talmud[4].

Notons encore que le double visage de Pierre qui est présenté par la tradition telle que nous la restituons s'inscrit dans une perspective nettement dualiste[5]. Cet horizon, déterminé par l'opposition Dieu-homme (v. 17 et 23) et renforcé par la mention de Satan (v. 23), nous rapproche de l'anthropologie essénienne telle qu'elle se dessine dans l'instruction sur les deux Esprits et plus particulièrement en 1QS 3, 21-25, passage que nous citerons à présent :

> [21]Et c'est à cause de l'Ange des ténèbres
> que s'égarent [22]tous les fils des justes ;
> et tout leur péché, toutes leurs iniquités, toute leur faute,
> toutes les rébellions de leurs œuvres sont l'effet de son empire,

---

1. Mc 14, 27 // Mt 26, 31 ; Mc 14, 29 (1x) // Mt 26, 33 (2x).
2. *Talmud de Babylone Sukka* 52a.
3. C'est ce que montre Za 12, 10, verset que Jn 19, 37 applique au Crucifié. On notera qu'Ap 1, 7 relit Za 12, 10-14 dans son ensemble à la lumière de la Croix.
4. *Talmud de Babylone Baba Batra* 16a.
5. De nombreux auteurs l'ont noté avant nous. Ainsi O. Betz, *ZNW* 48, 1957, p. 72-73 ; H. Braun, *Qumran und das Neue Testament*, I, p. 37 ; W. Grundmann, *Matthäus*, p. 399 ; B. A. E. Osborne, Peter : Stumbling-Block and Satan, *NT* 15, 1973, p. 188-189.

[23]conformément au mystère de Dieu jusqu'au terme fixé par Lui.
Et tous les coups qui les frappent, tous les moments de leurs détresses
sont l'effet de l'empire de son hostilité.
[24]Et tous les esprits de son lot
font trébucher les fils de lumière.
Mais le Dieu d'Israël, ainsi que son Ange de vérité,
viennent en aide à tous [25]les fils de lumière[1].

La thématique selon laquelle l'Ange des ténèbres et les esprits de son lot font trébucher les fils de lumière évoque de fait Mt 16, 23 tandis que la fin du passage laisse entrevoir une condamnation qui n'est pas sans appel mais qui demeure ouverte à une réhabilitation éventuelle. Une telle perspective contrastée — sur laquelle nous aurons l'occasion de revenir[2], se trouve également à l'arrière-plan des récits de la dernière nuit de Jésus et pourrait constituer un fond commun à certaines traditions fort anciennes mettant en scène la figure de Pierre. Elle suppose par ailleurs une familiarité avec des représentations esséniennes qui sous-tendent également, nous l'avons vu, autour du pôle ecclésiologique cette fois, l'usage qui est fait de la métaphore de la communauté en Mt 16, 17-19[3].

Venons-en à présent au deuxième enseignement que nous voudrions tirer de la recherche que nous avons menée jusqu'ici.

Si l'on adjoint le récit de la Pentecôte (Ac 2, 1-13) aux deux traditions narratives que nous venons d'étudier, nous nous trouvons désormais en possession de trois textes dont l'arrière-plan nous a paru correspondre aux trois fêtes juives de pèlerinage (Pâque, Semaines, Tabernacles) et qui mettent en scène la figure de Pierre. Il y a là un fait d'autant plus remarquable et intéressant pour nous que les traditions qui les sous-tendent nous ont toutes paru remonter à l'Eglise primitive de Jérusalem[4]. Fort de ces données, il nous faudra à présent nous efforcer de préciser encore l'origine de ces textes pour en mieux apprécier la portée.

III — L'HYPOTHÈSE D'UNE ORIGINE LITURGIQUE

a | Le concept d'étiologie cultuelle

La catégorie d'étiologie cultuelle est celle qui se présente le plus immédiatement pour rendre compte de l'émergence des traditions narratives qui nous intéressent dans la mesure où l'on renonce à y voir la relation exacte d'événe-

---

1. Traduction empruntée à A. Dupont-Sommer, in *La Bible. Ecrits intertestamentaires,* p. 17.
2. Cf. p. 208-212.
3. Cf. p. 93-100.
4. Cf. pour Ac 2, 1-13, p. 54-57, pour Mc 14, 1-16, 8, p. 172-176, et pour le complexe confession de Pierre - Transfiguration, p. 172.

ments qui se seraient passés aux jours dits lors de la vie de Jésus ou, pour Ac 2, 1-13, aux tout premiers temps de l'Eglise. Il nous faudra cependant clarifier ce concept relativement peu employé dans les études néo-testamentaires avant de nous prononcer quant à la pertinence de son usage.

La notion d'étiologie est appliquée aux récits bibliques depuis les travaux d'H. Gunkel[1] qui a envisagé l'existence d'étiologies ethnologiques, étymologiques, cultuelles et géologiques[2]. M. Dibelius a développé à son tour, dans le domaine néo-testamentaire, le concept de légende cultuelle étiologique[3]. Il le trouvait illustré par le récit de la Passion. En effet, ce dernier « veut représenter les événements infamants du jugement et de l'excution de Jésus de telle sorte que l'auditeur ou le lecteur y reconnaisse l'expression de la volonté de Dieu ». Il manifeste ainsi que « les chrétiens ont le droit de fêter cette passion »[4]. A sa suite, R. Bultmann a employé l'expression « légende cultuelle »[5], mais en la déconnectant du domaine de l'histoire sous prétexte que la légende « n'est en rien une relation historique au sens moderne », même s' « il peut y avoir au fondement des légendes des données historiques »[6]. Un tel rétrécissement paraît avoir hypothéqué durablement l'intérêt pour la catégorie de l'étiologie au sein de la recherche néo-testamentaire, les récits de l'institution de la Cène, dont il est communément reconnu qu'ils y émargent puisqu'ils « fondent et reflètent à la fois l'usage des communautés »[7], constituant en son sein le dernier bastion où elle pourrait développer sa validité[8].

Toutefois, isolé parmi ses pairs, G. Schille s'est efforcé d'élargir considérablement le champ d'application du concept d'étiologie cultuelle au sein du Nouveau Testament[9]. Il l'a jugé opérationnel dans cinq grands domaines : le récit de la Passion ; les récits d'épiphanie, au sein desquels il distingue, par ordre d'apparition, ceux du baptême, de la Transfiguration et de l'enfance ; la péricope de la Pentecôte ; les étiologies baptismales, qui pourraient être un développement secondaire de l'étiologie épiphanique du baptême ; les étiolo-

1. H. Gunkel, *Genesis* (*HKAT* I, 1), 3. neubearbeitete Auflage, Göttingen, 1910. On se reportera essentiellement au deuxième chapitre de son introduction dont on trouvera une traduction française *in* P. Gibert, *Une théorie de la légende : Hermann Gunkel (1862-1932) et les légendes de la Bible suivi de H. Gunkel. Les légendes de la Genèse (1910)* traduit de l'allemand par P. Gibert. Préface de Marc Soriano (« Bibliothèque d'Ethnologie historique »), Paris, 1979, p. 263-284.

2. On trouvera ces quatre catégories développées aux p. 274-281 de la traduction de P. Gibert.

3. M. Dibelius, *Formgeschichte*, p. 101-102.

4. M. Dibelius, *op. cit.*, p. 102.

5. R. Bultmann, *L'histoire*, p. 299-300.

6. R. Bultmann, *op. cit.*, p. 300, n. 1.

7. F. Hahn, Die alttestamentlichen Motive in der urchristlichen Abendmahlsüberlieferung, *EvTh* 27, 1967, p. 339.

8. L. Schenke, *Studien zur Passionsgeschichte des Markus. Tradition und Redaktion in Markus 14, 1-42* (FB 4), Würzburg, 1971, n. 5, p. 312-313, fournit une liste de dix-sept auteurs dont le point de vue est comparable à celui de F. Hahn.

9. G. Schille, *JLH* 10, 1965, p. 35-54.

gies de repas[1]. Toutes ces traditions lui semblent avoir été composées en fonction du culte, caractéristique qui lui paraît devoir représenter le seul préalable en vue de l'emploi de la notion d'étiologie cultuelle[2].

L'intérêt de la catégorisation qu'opère Schille pour notre propos n'échappera à personne. Il rattache en effet les trois traditions narratives qui retiennent plus particulièrement notre attention au domaine de l'étiologie cultuelle. Il effectue même un parallèle entre récits de la Passion et de la Pentecôte dans la mesure où ils furent, selon lui, sans doute créés l'un et l'autre comme substituts des traditions festives juives[3] au sein de l'Eglise primitive de Jérusalem[4], en vue d'une célébration chrétienne de la Pâque et des Semaines. Toutefois, influencé par son hypothèse fort contestable relative à la fondation première de la communauté chrétienne dans la ville sainte indépendamment de Pierre et des Douze[5], il propose une curieuse alternative quant à l'origine de la couche qu'il estime être la plus ancienne de la tradition sous-jacente au récit de la Pentecôte (Ac 2, 1-4). En effet, elle ne serait pas apostolique mais remonterait soit à la constitution de la communauté antérieurement à l'installation de Simon dans la ville du Temple soit, et c'est là l'option qui a sa préférence, à la période qui a suivi son départ[6]. Il s'agirait toutefois bel et bien d'un mémorial de la fondation de l'assemblée jérusalémite qui se serait transformé plus tard, mais toujours à Jérusalem, en fête missionnaire par l'adjonction du catalogue des nations (Ac 2, 9-10)[7].

La complexité et la difficulté d'une telle hypothèse apparaissent au premier regard. Pourquoi l'Eglise mère aurait-elle attendu si longtemps pour créer son récit de fondation et comment imaginer, dans cette perspective, qu'elle ait volontairement renoncé à revendiquer le patronage des figures éminentes qui avaient marqué jusque-là son histoire ? De quelle façon, si l'on conclut à une origine tardive de la tradition, expliquer qu'elle n'ait pas d'emblée revêtu un horizon missionnaire ? Pourquoi inférer de l'absence de la mention de Pierre en Ac 2, 1-4 que le récit lui est totalement étranger alors que l'on reconnaît par ailleurs qu'il a pour but de commémorer la constitu-

1. G. Schille, art. cit., traite de ces cinq catégories respectivement aux p. 39-41 ; 41-42 ; 42 ; 42-43 et 43-51 de son article. À propos de la seconde, il renvoie à son ouvrage *Frühchristliche Hymnen,* Berlin, 1962, p. 114 s. et surtout 133 s. Quant à la quatrième, elle a fait l'objet d'une étude fort intéressante de la part de M.-A. Chevallier, *NTS* 32, 1986, p. 528-543.

2. G. Schille, art. cit., p. 52.

3. G. Schille, *Anfänge der Kirche. Erwägungen zur apostolischen Frühgeschichte* (BEvTh 43), München, 1966, p. 157.

4. G. Schille, *JLH* 10, 1965, p. 42, rattache explicitement l'origine d'Ac 2, 1-4 à l'Eglise primitive de Jérusalem. On pourra également se reporter sur ce point à son récent commentaire des Actes, *Apostelgeschichte,* p. 156-157. Pour sa thèse relative à l'origine jérusalémite du récit de la Passion, cf. p. 173.

5. Cf. G. Schille, *Apostelgeschichte,* p. 136-137.

6. G. Schille, *op. cit.,* p. 156.

7. G. Schille, *op. cit.,* p. 157-158.

tion du groupe tout entier et ne devrait pas, en conséquence, mettre en avant l'un de ses membres ?

Il faut bien admettre que tous ces obstacles sont levés si l'on suppose que le récit est né assez tôt au sein de l'Eglise primitive de Jérusalem et que, avec la compréhension de la fête des Semaines qui le sous-tend[1], il atteste une relecture de la fondation de la communauté qui s'inscrit assez naturellement dans la ligne de la première organisation, teintée d'essénisme, qu'elle nous paraît avoir connu sous l'égide de Pierre.

Il nous semble donc que le cadre que nous proposons permet de mieux rendre compte du surgissement de traditions relevant de l'étiologie cultuelle au sein de l'Eglise primitive de Jérusalem que celui que reconstitue Schille. Par contre, cette catégorie nous paraît, telle qu'il la met en pratique, fort utile pour rendre compte du processus d'élaboration de ces récits. En substituant les termes de traditions festives à ceux de légendes cultuelles, Schille permet en effet d'envisager les rapports qu'entretiennent ces traditions avec l'histoire dans une dialectique plus subtile et en ne négligeant pas qu'à l'origine des relectures qui furent opérées se trouvent des événements bien réels qui ont paru si importants à ceux qui en furent témoins qu'ils en rendirent compte d'une manière qui en soulignait la portée éminente.

Comme nous allons tenter de le démontrer à présent, il faut sans doute envisager ici l'hypothèse selon laquelle fut élaborée une nouvelle histoire sainte.

b | L'hypothèse de l'élaboration d'une nouvelle histoire sainte

Tout au long de son œuvre, O. Cullmann a souligné l'importance du thème de l'histoire du salut pour une juste appréciation de la christologie[2]. Illustrant son propos notamment par l'exemple de l'antique confession de foi de 1 Co 15, 3 s. qui relie « les événements centraux de la mort sur la croix et de la résurrection à l'Ancien Testament »[3] tout en incorporant le témoignage des bénéficiaires des apparitions dans l'œuvre de salut[4], il a pu conclure que, « dans le Nouveau Testament, la transformation du kérygme se fait selon la triple règle [suivante] : 1 / L'événement récent et la nouvelle révélation sont incorporés dans l'ancien kérygme. 2 / A partir de là, l'ancien kérygme est réinterprété. 3 / L'homme ou les hommes qui ont été l'objet de cette révélation sont reçus dans le kérygme avec la fonction qu'ils exercent, ce dont les témoins de la résurrection nous fournissent un excellent exemple »[5].

---

1. Cf. p. 54-57.
2. Ainsi déjà O. Cullmann, *Christologie,* entre autres p. 279-280 ; et surtout Id., *Le salut dans l'histoire.*
3. O. Cullmann, *Le salut dans l'histoire,* p. 81.
4. O. Cullmann, *op. cit.,* p. 95.
5. *Ibid.*

De son côté, L. Goppelt a insisté sur le fait que, au sein de la communauté primitive, « la tradition de Jésus fut retravaillée christologiquement à partir du kérygme pascal »[1] et qu'elle fut censée, dès le départ, « représenter l'origine de l'histoire du salut »[2], propos que nous nuancerions pour notre part en disant qu'elle fut conçue comme son moment décisif ou son nouveau sommet dans l'attente de son glorieux achèvement.

Une telle interprétation des événements nous paraît d'autant plus vraisemblable que déjà à Qumrân de semblables conceptions prévalaient. Comment expliquer autrement que CDB 2, 12 qualifie, dans une formule redondante, l'alliance et le pacte conclus au pays de Damas de Nouvelle Alliance[3] et que cette même expression se retrouve, selon toute probabilité, derrière un passage, malheureusement lacunaire, du *Commentaire d'Habaquq*[4] ?

Ainsi la communauté des bords de la mer Morte se considérait-elle comme le lieu où s'accomplissait la prophétie enclose en Jr 31, 31-34[5], tout en demeurant dans l'attente du grand rassemblement à venir.

On se souviendra par ailleurs de l'importance de la cérémonie qui marquait à Qumrân, le jour de la fête des Semaines, l'entrée des novices dans l'alliance et la réitération de cette dernière (1QS 1, 16-3, 12). Son rituel solennel calquait fort étroitement le cérémonial, décrit en Dt 29, par lequel Moïse avait conclu, avec le peuple d'Israël, au pays de Moab, les paroles de l'alliance qui s'ajoutaient à celles déjà scellées à l'Horeb (Dt 28, 69). Il revêtait l'aspect le plus légaliste[6].

Il est intéressant de rappeler ici que le récit de la Pentecôte (Ac 2, 1-13) fait allusion pour sa part aux prodiges qui ont accompagné la théophanie du Sinaï[7] tout en insistant sur l'irruption de l'Esprit (v. 4). S'il se dégage ainsi une compréhension commune de la fête des Semaines en milieux essénien et chrétien comme célébration de l'alliance désormais renouvelée, il apparaît aussi une nette différence d'accent : d'un côté sont prêtés en vase clos des serments dont le respect ou la violation susciteront bénédiction ou malédiction, selon le schéma deutéronomique ; de l'autre, l'effusion du souffle divin provoque l'apparition d'un parler nouveau qui va s'adresser à la foule bigarrée présente à Jérusalem pour l'occasion.

On constatera toutefois que les deux aspects sur lesquels insistent respectivement 1QS 1, 16-3, 12 et Ac 2, 1-13 se trouvent réunis dans un passage du *Livre des Jubilés,* lui-même en lien avec la fête des Semaines puisqu'il relate

1. L. Goppelt, *Theologie,* II, p. 352.
2. L. Goppelt, *op. cit.,* p. 353.
3. Il est par ailleurs question de la Nouvelle Alliance au pays de Damas en CD 6, 19 ; 8, 21 et CDB 1, 33.
4. 1QpHab 2, 3.
5. Ainsi A. Jaubert, *La notion d'alliance dans le judaïsme aux abords de l'ère chrétienne* (« Patristica Sorbonensia », 6), Paris, 1977 (1963), p. 235.
6. Cf. A. Jaubert, *op. cit.,* p. 213.
7. Cf. p. 56.

l'entretien qui eut lieu entre Dieu et Moïse sur le mont Sinaï peu après que le conducteur du peuple fut monté sur la montagne sainte ce jour-là (*Jubilés* 1, 1). Yahvé y fait cette promesse à Moïse rendu inquiet par les errements de ceux dont il est responsable :

> Après cela, ils se tourneront vers Moi en toute droiture, de tout (leur) cœur et de toute (leur) âme, Je circoncirai leur cœur et celui de leur descendance, Je leur créerai un esprit saint, Je les purifierai en sorte qu'ils ne se détournent plus de Moi, depuis ce jour et jusque dans l'éternité. Leurs âmes s'attacheront à Moi et à tous Mes commandements, et Je serai leur père et ils seront mes enfants[1].

Il est clair que les premiers chrétiens se situèrent comme les esséniens dans cet après. L'ampleur de la transformation qu'induisit en eux la certitude d'être désormais au bénéfice de l'Esprit Saint est illustrée par l'aspect très ouvert de la tradition sous-jacente au récit d'Ac 2, 1-13. Cette dernière souligne, en effet, que la communauté nouvelle vit à un tournant de l'histoire du salut mais qu'elle n'entend demeurer ni enfermée dans les catégories du passé ni repliée sur elle-même. Elle témoigne en même temps d'un premier effort de narration des événements fondateurs en relation avec les origines de la communauté qui, installée à Sion, lieu d'accomplissement ultime de toutes les promesses encloses dans l'alliance, est, en tant que nouveau Temple, l'endroit où elles commencent à se réaliser[2].

La tentative de rendre compte des commencements en termes d'histoire du salut allait affecter également la vie de Jésus dans laquelle elle trouvait son enracinement comme le montre, à soi seule, la présence du thème de l'alliance dans le récit d'institution de la Cène (Mc 14, 24 et //)[3]. Le complexe confession de Pierre - Transfiguration et le récit de la Passion nous semblent bien illustrer cette entreprise. Ils attestent, comme s'efforceront de le montrer les deux sections à venir, qu'une relecture, de type *heilsgeschichtlich,* du ministère de Jésus fut effectuée en fonction des grandes fêtes juives.

1. *Jubilés* 1, 23-24 (traduction empruntée à A. Caquot, in *La Bible. Ecrits intertestamentaires,* p. 639). G. Kretschmar, *ZKG* 66, 1954-1955, p. 252, met ce passage en parallèle avec Ac 2, 1-13 et pense que les premiers chrétiens ont pu revenir à Jérusalem dans l'espoir d'y voir s'accomplir cette promesse (voir note suiv.).

2. G. Kretschmar, *ibid.,* insiste sur le fait que Jr 31, 31-40 situe, comme *Jubilés* 1, 29, à Sion le rassemblement définitif de l'Alliance et souligne l'importance qu'a pu revêtir ce fait pour les premiers chrétiens.

3. On notera qu'A. Diez-Macho, Le Targum Palestinien, in *Exégèse biblique et judaïsme* (édité par J.-E. Menard), Strasbourg, 1973, p. 55-56, a montré que l'étrange construction « mon sang de l'alliance », que l'on rencontre en Mc 14, 24 et qui n'est pas admissible en grec, trouve des correspondants araméens. Il a repris pour ce faire des parallèles déjà mis en évidence par J. A. Emerton, The Aramaic Underlying *to haima mou tès diathèkès* in Mk. XIV. 24, *JThS* 6, 1955, p. 238-240 ; Id., *TO HAIMA MOU TÈS ΔIATHÈKÈS* : The Evidence of the Syriac Version, *JThS* 13, 1962, p. 111-117 ; Id., Mark XIV. 24 and the Targum to the Psalter, *JThS* 15, 1964, p. 58-59, à savoir, dans la traduction syriaque de la *Peshitto,* Ps 16, 11 ; 69, 29 et 73, 23, et, dans le *Talmud, Berakhot* 18*b*. Il a ajouté à ces passages Dn 2, 34. Il apparaît ainsi très vraisemblable que la formule remonte à la communauté primitive de Jérusalem.

c | Une relecture de la vie de Jésus,
  envisagée comme étape décisive de l'histoire du salut...

Pour exprimer qu'une étape nouvelle et décisive de l'histoire du salut s'était déroulée avec la venue de Jésus, différents moyens s'offraient aux premiers chrétiens.

Ils pouvaient raisonner en termes d'accomplissement des prophéties vétérotestamentaires. C'est déjà ce que montre l'antique credo de 1 Co 15, 3 s., mais aussi ce que manifeste le récit de la Passion, notamment avec les affirmations suivantes : Jésus est le Serviteur souffrant décrit dans les poèmes isaïens[1] et dans le Ps 22[2] ; il est également le Fils de l'Homme désormais assis à la droite de Dieu et dont il convient d'attendre le retour en gloire (Mc 14, 62)[3].

Pareille démarche avait déjà été effectuée par les esséniens qui, grâce à la technique du *midrash pesher,* faisaient valoir que les prophéties vétérotestamentaires s'appliquaient à la communauté de la Nouvelle Alliance au sein de laquelle elles se trouvaient accomplies[4]. On notera ainsi que, en 1QpHab 7, 4, Hab 2, 2, passage dans lequel il est fait état de la mise par écrit de la vision du prophète « afin que lise couramment qui la lit », est expliqué en fonction du « Maître de Justice, à qui Dieu a fait connaître tous les Mystères des paroles de Ses serviteurs les Prophètes »[5]. Toutefois, si les cénobites des bords de la mer Morte voyaient s'accomplir dans le présent bien des promesses encloses dans l'Ecriture, il n'est pas certain, quelle qu'ait été leur vénération pour celui qui avait été leur guide, qu'ils aient vu en lui une figure proprement messianique. Certes, ils relisaient eux aussi sa vie à la lumière du thème du Serviteur de Yahvé, souffrant et persécuté, et l'honoraient comme restaurateur de l'alliance et fondateur de la communauté, traits qui constituent autant de rapprochements possibles avec la figure de Jésus[6]. Ils lui conféraient aussi une importance sotériologique puisque l'obéissance à sa voix et la foi en lui garantissaient respectivement la victoire finale et la délivrance[7]. Mais, même ainsi, il apparaît clairement que les premiers chrétiens furent encore plus hardis que leurs prédécesseurs. C'est ce que montrent toutes les spéculations qui, autour du thème du Fils, mirent en valeur la rela-

---

1. Cf. n. 8, p. 162.
2. Le récit de la Crucifixion fait, à trois reprises, référence à ce psaume (Mc 15, 24 // Mt 27, 35 et Lc 23, 34 ; Mc 15, 29 // Mt 27, 39 ; Mc 15, 34 // Mt 27, 46).
3. Ps 110, 1 et Dn 7, 13 — textes auxquels on peut ajouter Tg Ex 12, 42 — trouvent ainsi leur accomplissement.
4. Cf. p. 67.
5. Traduction empruntée à A. Dupont-Sommer, in *La Bible. Ecrits intertestamentaires,* p. 346.
6. Sur ce point, J. Starcky, in *DBS,* IX, 1979, col. 1003.
7. CDB 2, 32-34 et 1QpHab 8, 1-3.

tion unique unissant Jésus au Père tout en faisant de celui qui s'était désigné comme le Fils de l'Homme, quel que fût le sens de cette expression dans sa bouche, l'éminent personnage dont on attendait la venue glorieuse lors de la parousie.

Certes, il y a bien un texte à Qumrân qui pourrait attester des croyances similaires à propos du Maître de Justice. Il s'agit de CD 6, 11 qui annonce l'avènement de celui qui enseignera la justice à la fin des jours. Mais il n'est pas évident qu'il désigne la personne du Maître de Justice et ait en vue son retour, même si, en raison de l'assonance entre les expressions *yôréh ha-sèdèq* (instructeur de justice) et *môréh ha-sèdèq* (maître de justice), on ne peut exclure que les esséniens aient paré « leur messie prêtre et docteur [des] traits d'un homme qui avait vécu parmi eux »[1]. Et, même au cas où notre exégèse de ce passage s'avérerait trop prudente, il n'en demeurerait pas moins que nous aurions là un témoignage demeurant bien isolé en regard de la force du thème au sein du mouvement chrétien.

Cela dit, l'herméneutique chrétienne se rattache à bien des égards à celle que pratiquaient les héritiers du Maître de Justice. Il nous semble simplement que le kérygme de la Résurrection conduisit la première Eglise de Jérusalem à effectuer le saut qui n'avait été qu'ébauché à Qumrân et qui conduisit à l'identification complète du révélateur déjà venu et du libérateur à venir.

En dehors de la dialectique prophétie-accomplissement, une autre voie s'offrait pour rendre compte de l'importance de Jésus dans l'histoire du salut. Il s'agit de la typologie. Dans un article important traitant de cette dernière, R. Bultmann l'opposait à la méthode précédente en soulignant qu'elle relevait d'abord de l'idée de répétition[2]. Il reconnaissait cependant que l'*eschatologisation* du motif de la réitération était susceptible d'engendrer un rapprochement de ces deux types d'interprétation dans la mesure où le temps des origines qui se répète comme temps du salut acquiert une dimension nouvelle de stabilité[3]. Dans cette perspective, on peut reconnaître deux pôles à la typologie, à savoir la répétition et l'achèvement, et noter que, selon les cas, l'accent porte sur l'un ou l'autre[4]. S'il est mis sur la réitération, on s'inscrit dans une logique cyclique et analogique ; s'il est placé sur l'accomplissement, on se meut, par contre, dans le domaine de l'histoire du salut[5].

Un exemple historique d'usage de la typologie est fourni, au sein du

---

1. Ainsi A. Caquot, Le messianisme qumrânien, in *Qumrân. Sa piété, sa théologie et son milieu* (par M. Delcor *et al.*) (*BEThL* 46), Paris, Gembloux, Leuven, 1978, p. 247.
2. R. Bultmann, Ursprung und Sinn der Typologie als hermeneutischer Methode, *ThLZ* 75, 1950, p. 205 (= *Exegetica. Aufsätze zur Erforschung des Neuen Testaments* [ausgewählt, eingeleitet und herausgegeben von E. Dinkler], Tübingen, 1967, p. 369).
3. R. Bultmann, *op. cit.,* p. 372.
4. Ainsi O. Cullmann, *Le salut dans l'histoire,* p. 130.
5. *Ibid.*

judaïsme antérieur au début de notre ère, par la mise en valeur de Judas Maccabée. Le combat victorieux de ce fils de Mattathias lui permit de rouvrir le Temple (*1 M* 4, 36-61 ; *2 M* 10, 1-8) et d'instituer un mémorial de cette dédicace (*1 M* 4, 59 ; *2 M* 10, 5-8). Il pouvait apparaître ainsi en quelque sorte comme un nouveau Salomon puisque, à l'image de son illustre prédécesseur qui avait consacré le sanctuaire à Yahvé à l'occasion de la fête des Tentes, il avait restauré le culte sacrificiel en des jours qui seraient célébrés désormais à la manière de *Sukkot*[1]. Mais il fut également présenté, d'une certaine façon, comme l'héritier de Moïse[2]. L'éloge vibrant et aux accents messianiques qui fut dressé un peu plus tard de son frère Simon (*1 M* 14, 4-15)[3] montre par ailleurs que, dans leur enthousiasme, les partisans des premiers représentants de la dynastie maccabéenne envisagèrent l'histoire non seulement sous l'angle de la répétition mais aussi sous celui de l'accomplissement. La suite des événements devait les amener à une appréciation plus nuancée des faits.

Le *Quatrième livre d'Esdras* use également de la typologie d'une manière très intéressante. Certes, il le fait à propos d'un personnage appartenant au passé et qui est présenté abusivement comme l'auteur de l'ouvrage, alors que ce dernier se classe parmi les pseudépigraphes. Mais la manière dont il procède est très instructive. En effet, au chapitre 14, après une entrée en matière qui évoque l'épisode du buisson ardent (*4 Esdras* 14, 2-3)[4], Esdras, qui a attendu pour cela trois jours, tout comme le peuple avant que Moïse ne reçût la révélation à l'Horeb[5], se voit commander par Dieu d'écrire, par l'intermédiaire de cinq hommes, outre la Loi dont le texte a été consumé lors de l'embrasement du Temple, des écrits secrets (*4 Esdras* 14, 18-26). Il dispose pour cela de quarante jours, durée qui correspond au temps pendant lequel Moïse séjourna sur la montagne[6]. Au terme de cette période, il reçoit l'ordre de publier les vingt-quatre livres canoniques, destinés aux dignes et aux indignes, et de réserver aux sages les soixante-dix autres ouvrages qu'il a dictés (*4 Esdras* 14, 45-46). Cette mise en scène solennelle n'a d'autre but que de légitimer la littérature apocalyptique et apocryphe « en réaction à la clôture du Canon de la Bible hébraïque au "synode" tenu à Yabnéh entre les années 90 et 100 de notre ère »[7]. Mais, pour parvenir à ses fins, l'auteur de *4 Esdras* n'hésite pas à faire de son héros plus encore que Moïse puisque, à la Loi associée à son illustre devancier, il est appelé à

---

1. En ce sens, R. Martin-Achard, *Essai biblique,* p. 136-137.
2. Sur ce point, E. Nodet, La Dédicace, les Maccabées et le Messie, *RB* 93, 1986, p. 335-336.
3. A ce sujet, A. Caquot, in *La Bible. Ecrits intertestamentaires,* p. XXII.
4. Ce fait manifeste est notamment relevé par P. Geoltrain, in *La Bible. Ecrits intertestamentaires,* p. 1460, n. 2.
5. *4 Esdras* 13, 56.58 // Ex 19, 11.16. Ce rapprochement est effectué par J. Van Goudoever, *Fêtes et calendriers bibliques,* p. 145.
6. *4 Esdras* 14, 42-44 // Ex 24, 18.
7. M. Philonenko, in *La Bible. Ecrits intertestamentaires,* p. CXVI.

adjoindre une révélation nouvelle, destinée à ceux-là seuls qui possèdent
« les sources de l'intelligence, la fontaine de la sagesse, le fleuve de la
connaissance »[1].

La façon dont procède le rédacteur anonyme du *Quatrième livre d'Esdras*
nous semble particulièrement éclairante pour notre propos. Son récit sollicite
en effet ceux de l'Ancien Testament pour souligner l'importance d'un événement qui réédite un fait glorieux du passé tout en se substituant désormais à
lui comme norme du présent.

Déjà, nous l'avons vu, le récit de la Pentecôte (Ac 2, 1-13), en mettant
en œuvre une typologie de la révélation sinaïtique[2], illustre le fait que
l'alliance nouvelle, scellée par l'effusion de l'Esprit, ouvrait des perspectives
inédites[3]. Mais c'est surtout l'épisode de la Transfiguration qui gagne en
densité si on prend la peine d'en relever les harmoniques typologiques.
Ceux-ci, loin de s'exclure comme le pensent trop souvent les commentateurs, s'interpénètrent en un jeu subtil qui permet de comprendre qu'en
Jésus sont récapitulées les figures majeures d'une histoire du salut qui a
désormais atteint son apogée.

C'est ce que manifeste à elle seule la proclamation divine qui constitue le
centre de gravité du texte[4], ce qui apparaît tout particulièrement dans la version matthéenne[5]. La voix d'En-haut, qui définit Jésus en ces termes : *houtos*

---

1. *4 Esdras* 14, 47 (traduction empruntée à P. Geoltrain, in *La Bible. Ecrits intertestamentaires,* p. 1464-1465).
2. Cf. p. 56.
3. Cf. p. 183-184.
4. E. Cothenet, Transfiguration, in *Dictionnaire encyclopédique de la Bible,* p. 1277, le
note avec justesse.
5. On peut discerner, en effet, dans le premier évangile, une sorte de construction
par emboîtements réciproques qui culmine dans le message délivré par la voix
céleste :

    a.   Jésus emmène les trois disciples sur la montagne (v. 1)
      b.   Transfiguration de Jésus (v. 2)
        c.   Apparition de Moïse et d'Elie (v. 3)
          d.   Suggestion de Pierre à Jésus (v. 4)
            e.   Survenue de la nuée (v. 5*a*)
              f.   Proclamation divine (v. 5*b*)
            e'. Crainte des disciples (v. 6)
          d'. Parole de Jésus aux disciples (v. 7)
        c'. Ces derniers ne voient plus personne... (v. 8*a*)
      b'. ... sinon Jésus seul (v. 8*b*)
    a'. Descente de la montagne (v. 9).

Ce schéma concentrique n'apparaît pas chez Marc. Il y manque le point d', tandis
que e' se trouve anticipé après d (Mc 9, 6), dans une notice qui a toutes les chances
d'être rédactionnelle, puisque l'auteur du premier évangile, qui ne comprend sans
doute plus l'allusion à la fête des Tentes enclose dans la proposition de Pierre, y met
cette dernière au compte de la crainte des disciples qui expliquerait que Simon dise
n'importe quoi. On notera que Marc procède à un ajout semblable en Mc 14, 40. Ces
remarques nous incitent à penser que, comme dans la restitution de la confession de
Pierre à Césarée, Matthieu se trouve sans doute ici plus proche de la tradition primitive que le second évangéliste.

estin ho huios mou ho agapètos (en hô eudokèsa), akouete autou[1], fait en effet référence à plusieurs passages vétérotestamentaires, parmi lesquels ceux qui sont le plus souvent envisagés sont Ps 2, 7 ; Gn 22, 2.12.16 ; Es 42, 1 et Dt 18, 15.

Commençons par le dernier de ces textes auquel personne ne conteste que l'ultime partie de la formule fait référence. Il s'agit du passage dans lequel Moïse annonce au peuple la venue d'un personnage qui lui sera semblable : « C'est un prophète comme moi que le Seigneur te suscitera du milieu de toi, d'entre tes frères, c'est lui que vous écouterez » (Dt 18, 15)[2]. Jésus est présenté ainsi comme le nouveau Moïse, ce que suggèrent encore d'autres détails de la péricope, à commencer par l'entrée en scène du législateur soi-même (Mc 9, 4 et //), qui devient ainsi témoin de l'intronisation du Prophète eschatologique dont il avait annoncé la venue, et par les réminiscences de la théophanie du Sinaï (Ex 24, 12-18 essentiellement) qui, tels les motifs de la voix et de la nuée (Mc 9, 7 et //)[3], parsèment le récit. La présence, aux côtés de Moïse, d'Elie, autre personnage à avoir fait l'expérience de l'Horeb, renforce la coloration eschatologique et messianique de l'épisode puisque son retour devait inaugurer les temps à venir[4]. La montagne de la Transfiguration devient ainsi le nouveau Sinaï : lieu où se trouvent récapitulées les expériences de révélation les plus marquantes de l'Ancien Testament, elle est aussi leur point d'aboutissement.

La référence, que l'on peut déceler dans la première partie de la proclamation céleste, au Ps 2, 7, qui est l'un des psaumes royaux, suggère quant à elle qu'en Jésus s'accomplit une autre face de l'attente messianique, particulièrement en honneur lors de la fête des Tentes, comme l'indique Za 14, 16.

L'allusion à Gn 22, 2.12.16 fait apparaître pour sa part une typologie selon laquelle Jésus est le nouvel Isaac. Elle nous semble incontestable dans la mesure où l'expression *ho huios mou ho agapètos* calque celle par laquelle Dieu indique par trois fois à Abraham celui qu'il va devoir prendre pour le lui offrir sur le mont Moriyya : *ton huion sou ton agapèton* (Gn 22, 2)[5]. Or le sacrifice d'Isaac — encore appelé *Aqeda* — a fait l'objet de nombreuses spécula-

1. Nous avons retranscrit la formulation commune aux deux premiers évangiles (Mc 9, 7 // Mt 17, 5) en mettant entre parenthèses l'addition que présente le texte de Matthieu par rapport à celui de Marc. On notera que Lc 9, 35 substitue à *agapètos* le terme *eklelegmenos* et suit par ailleurs fidèlement Marc, si ce n'est qu'il intervertit les deux derniers mots de la proclamation.
2. Traduction empruntée à la *TOB. Ancien Testament*, p. 370.
3. Cf. Ex 24, 16.
4. Ainsi, déjà, Ml 3, 23 et *Si* 48, 10. Rappelons que, de son côté, Moïse apparaît comme l'accompagnateur du Messie selon le *Targum palestinien* d'Ex 12, 42.
5. En Gn 22, 12 et 16, la même expression revient, employée au génitif. On ne rencontre ailleurs dans l'Ancien Testament qu'un seul passage dans lequel *agapètos* est employé en association avec *huios*. Il s'agit de Jr 38, 20 (LXX) (= Jr 31, 20) où il est question du fils bien-aimé Ephraïm *(huios agapètos Ephraim emoi)* sans que le déterminatif *emoi* ne vienne préciser qu'il est unique. L'allusion à Isaac ne fait donc guère de doute.

tions au sein du judaïsme. Il lui fut conféré, en effet, une valeur expiatrice et il semble bien que tel fut le cas, dès avant les origines chrétiennes, au moins dans certains milieux[1]. Le témoignage des *Targumim*[2] et de la littérature inter-testamentaire[3] plaide en effet en ce sens.

On peut faire valoir à l'appui de ce point de vue différents arguments. Tout d'abord, l'éventualité d'une expiation vicaire, déjà envisagée au sein de l'Ancien Testament dans les poèmes du Serviteur (Es 53, 5.10.11), fut prise sérieusement en compte à l'occasion de la révolte des Maccabées et des martyrs qu'elle engendra (*2 M* 8, 37-38)[4]. Ensuite, un lien a été établi très anciennement entre le mont Moriyya et la colline du Temple. Il est attesté dès l'œuvre du Chroniste (2 Ch 3, 1) et est effectué également dans le *Livre des Jubilés* (18, 13) et par Flavius Josèphe[5]. Enfin, non seulement la terminologie du récit de la Genèse, dans lequel il est fait référence à un holocauste[6], mais encore l'association de la scène avec le sanctuaire de la ville sainte, invitent à penser que l'*Aqeda* a été conçue très tôt comme un sacrifice[7] ayant sans doute une valeur archétypale[8]. Les uns font valoir ce qui le rapproche du *tamid*[9], d'autres ce qui invite à le relier à la fête de la Pâque[10], à savoir le témoignage des textes qui, depuis *Jubilés* 17, 15-18, 19, rattachent l'épisode à cette célébration printanière[11]. Peut-

1. Contre les objections de P. R. Davies et B. D. Chilton, The Aqedah : A Revised Tradition History, *CBQ* 40, 1978, p. 514-540, à une telle hypothèse, on se ralliera aux arguments de J. Swetnam, *Jesus and Isaac,* notamment p. 76-80 et 189.

2. Sur la présentation targumique de l'*Aqeda,* on se reportera à R. Le Déaut, La présentation targumique du sacrifice d'Isaac et la sotériologie paulinienne, in *Studiorum paulinorum congressus internationalis catholicus,* 1961, vol. 2 (*AnBib* 18), Romae, 1963, p. 563-568. L'insistance porte à la fois sur le consentement d'Isaac (*Targum Gn* 22, 10 [Neofiti I]) et sur la portée rédemptrice du geste ainsi que le montre la prière placée sur les lèvres d'Abraham en *Targum Gn* 22, 15. On trouve une mise en valeur semblable de l'épisode en *Targum Lv* 22, 27 ; *Targum Ct* 1, 13 ; 2, 17.

3. Cf. *Livre des Antiquités bibliques* 18, 5 ; 32, 3 et 50, 2 et les explications que fournissent C. Perrot, *in* Pseudo-Philon, *Les Antiquités bibliques,* t. II. Introduction littéraire et index par C. Perrot et P.-M. Bogaert avec la collaboration de D. J. Harrington (*SC* 230), Paris, 1976, p. 126, 190, et J. Swetnam, *Jesus and Isaac,* p. 54, de ces trois passages.

4. *Testament de Benjamin* 3, 8, qui fait référence à Es 53, atteste une relecture clairement messianique de ce passage. Est-elle juive ou chrétienne ? Il est bien difficile de trancher définitivement la question, d'autant qu'au cœur du débat on peut faire une place plus ou moins grande à d'éventuelles interpolations. Nous nous abstiendrons donc de faire reposer notre argumentation sur ce texte.

5. Flavius Josèphe, *AJ*, I, 226.

6. Sur ce point, J. Swetnam, *Jesus and Isaac,* p. 24, n. 11.

7. En ce sens, J. Swetnam, *op. cit.,* p. 77-78.

8. Cf. R. Penna, Il motivo dell'Aqedah sulla sfondo di Rom. 8, 32, *RivBib* 33, 1985, p. 446, et W. R. Stegner, Narrative Christology in Early Jewish Christianity, *SBLSP* 1988, p. 260.

9. Ainsi J. Swetnam, *Jesus and Isaac,* p. 77-78.

10. Ainsi R. Le Déaut, *La Nuit pascale,* p. 200-201.

11. R. Le Déaut, *ibid.,* cite encore des passages du *Targum palestinien* (Gn 27, 1 ; Ex 12, 42) et la *Mekhilta de Rabbi Ismael* sur Ex 12, 23 « qui fait dépendre la puissance rédemptrice de l'agneau pascal de l'oblation d'Isaac » (p. 201) et dont M. Hengel, *The Atonement,* p. 94, n. 46, souligne qu'elle pourrait véhiculer une tradition fort ancienne.

être vaut-il mieux maintenir sa relation avec les deux rituels[1], ce qui peut heurter notre logique mais s'avère, selon nous, judicieux dans la mesure où est ainsi renforcée sa dimension expiatrice.

Sur cet arrière-plan, il appert que la voix céleste, en désignant le fils bien-aimé, laisse entendre que, en tant que nouvel Isaac, il va à son tour emprunter le chemin du sacrifice[2].

L'allusion, vraisemblable chez Matthieu, à Esaïe 42, 1 et partant aux chants du Serviteur s'inscrit dans la même perspective : celui dont les disciples sont témoins de l'intronisation glorieuse comme roi messianique et de la désignation comme prophète eschatologique connaîtra aussi des jours sombres et des souffrances à travers lesquelles s'accomplira une expiation.

On ne peut manquer d'évoquer ici un dernier texte qui fournit un parallèle étonnant à la scène du baptême, au cours de laquelle la voix céleste se prononce au sujet de Jésus en des termes qui calquent parfaitement, en tout cas chez Matthieu, ceux qui retentissent à l'occasion de la Transfiguration (Mt 3, 17 et //). Il s'agit de *Testament de Lévi* 18, 6-7, passage qui décrit ainsi l'avènement du Prêtre nouveau :

> [6]Les cieux s'ouvriront,
> et du Temple de gloire viendra sur lui la sanctification,
> en même temps qu'une voix paternelle comme celle d'Abraham à Isaac.
> [7]La gloire du Très-Haut sera proclamée sur lui,
> et l'esprit d'intelligence et de sanctification reposera sur lui par l'eau[3].

Si ce passage était une interpolation chrétienne, il montrerait l'ancienneté de la typologie Jésus - nouvel Isaac[4]. Il appuierait déjà ainsi les résultats de notre analyse. Mais s'il est antérieur à la tradition évangélique qui en dépendrait donc[5], il attesterait que « l'imagerie d'Isaac était déjà attachée à la figure du Prêtre nouveau que Dieu allait susciter »[6]. Quoi qu'il en soit, il manifeste, dans les deux cas, une extraordinaire intrication des images puisque la victime sacrificielle devient ici grand prêtre et que l'instrument de l'expiation se transforme en son agent.

Ces remarques auront, nous l'espérons du moins, montré l'extraordinaire richesse de la relecture typologique de la vie de Jésus qu'opérèrent les premiers chrétiens. Grâce à elle, la dialectique prophétie-accomplissement se

---

1. Ainsi G. Vermes, Redemption and Genesis XXII. The Binding of Isaac and the Sacrifice of Jesus, in *Scripture and Tradition in Judaism* (*StPB* 4), Leiden, 1961, p. 208-218.

2. En ce sens, R. Pesch, *Markusevangelium,* II, p. 77, qui décèle une autre allusion à l'*Aqeda* dans l'emploi du verbe *anapherô,* qui apparaît en Gn 22, 2.13 et en Mc 9, 2 // Mt 17, 1.

3. Traduction empruntée à M. Philonenko, in *La Bible. Ecrits intertestamentaires,* p. 855.

4. E. Best, *The Temptation,* p. 170, l'a fort justement noté.

5. C'est ce que pense M. Philonenko, in *La Bible. Ecrits intertestamentaires,* p. 855, n. 6.

6. E. Best, *The Temptation,* p. 170.

trouve enrichie d'une dimension supplémentaire, celle de la récapitulation des grandes figures de l'histoire du salut réalisée par celui qui s'adressait à Dieu en lui disant *Abba* et que la voix céleste avait reconnu en l'appelant Fils.

d / ... en fonction des grandes fêtes juives

La tradition festive du peuple d'Israël n'avait rien d'immuable[1]. Née de rites liés au cycle de la vie agraire, elle a connu une historicisation progressive si bien que les fêtes ont servi de support au mémorial des hauts faits salutaires réalisés par Yahvé au profit des siens[2]. Autour des trois temps forts représentés par la fête des Azymes, à laquelle fut bientôt associée celle de la Pâque, la célébration des Semaines et la commémoration des Tentes se greffèrent d'autres solennités, telles que les fêtes de la Dédicace, de *Purim* et du *9 Av*, après que se furent développés le Nouvel An et le jour des Expiations qui préludent aux réjouissances de *Sukkot*.

Les nouvelles fêtes furent reliées elles aussi à des événements de l'histoire du salut. Ainsi la Dédicace commémorait-elle l'aboutissement glorieux de la geste de Judas Maccabée[3] ; *Purim,* l'intervention inespérée qui avait permis aux juifs d'échapper au projet d'extermination qu'avait échafaudé Haman à leur encontre ; le *9 Av,* la destruction du Temple.

On notera que ces fêtes ont souvent joué le rôle de « centre[s] d'attraction dans la pensée religieuse d'Israël »[4]. Ce phénomène s'exprime notamment à travers le fait que nombre d'événements, qui n'y étaient pas associés à l'origine, ont pu y être rattachés avec le temps. Le processus est particulièrement net dans le *Livre des Jubilés* qui relie toutes les alliances du passé à la fête des Semaines[5] et place, nous venons de le voir, le sacrifice d'Isaac au moment de la Pâque[6]. Mais la démarche n'est pas propre aux milieux essénisants dont relève ce dernier écrit. Le poème des quatre nuits (*Targum Ex* 12, 42), que nous reproduirons à présent parce qu'il l'illustre admirablement, atteste en effet qu'elle eut également cours au sein du judaïsme officiel :

C'est une nuit de veille et prédestinée pour la libération au nom de Yahvé au moment où il fit sortir les enfants d'Israël, libérés, du pays d'Egypte. Or quatre nuits sont inscrites dans le Livre des Mémoires.
La première nuit, quand Yahvé se manifesta dans le monde pour le créer. Le monde était confusion et chaos et la ténèbre était répandue sur la surface de l'abîme. Et la Parole de Yahvé était la lumière et brillait. Et il l'appela Première Nuit.

1. Cf. notamment R. Martin-Achard, *Essai biblique,* p. 22.
2. R. Martin-Achard, *op. cit.,* p. 22-23.
3. Cf. p. 187.
4. Nous empruntons cette expression à R. Le Déaut, *La Nuit pascale,* p. 374, qui l'emploie à propos de la Pâque.
5. Cf. n. 1, p. 55, et J. Van Goudoever, *Fêtes et calendriers,* p. 97-100.
6. Pour de plus amples renseignements sur la manière dont procède l'auteur du *Livre des Jubilés,* on consultera A. Jaubert, *La date de la Cène,* p. 13-59, et J. Van Goudoever, *op. cit.,* p. 93-103.

La deuxième nuit, quand Yahvé apparut à Abraham âgé de cent (ans) et à Sarah, sa femme, âgée de quatre-vingt-dix ans, pour accomplir ce que dit l'Ecriture : Est-ce qu'Abraham, âgé de cent ans, va engendrer et Sarah, sa femme, âgée de quatre-vingt-dix ans, enfanter ? Et Isaac avait trente-sept ans lorsqu'il fut offert sur l'autel. Les cieux s'abaissèrent et descendirent, et Isaac en vit les perfections et ses yeux s'obscurcirent à cause de leurs perfections. Et il l'appela Seconde Nuit.

La troisième nuit, quand Yahvé apparut aux Egyptiens, au milieu de la nuit : sa main tuait les premiers-nés des Egyptiens et sa droite protégeait les premiers-nés d'Israël, pour que s'accomplît ce que dit l'Ecriture : Mon fils premier-né, c'est Israël. Et il l'appela Troisième Nuit.

La quatrième nuit, quand le monde arrivera à sa fin pour être dissous : les jougs de fer seront brisés et les générations perverses seront anéanties et Moïse montera du milieu du désert < et le Roi Messie viendra d'en haut >. L'un marchera à la tête du troupeau et l'autre marchera à la tête du troupeau et sa Parole marchera entre les deux et moi et eux marcherons ensemble.

C'est la nuit de la Pâque pour le nom de Yahvé, nuit réservée et fixée pour la libération de tout Israël, au long des générations[1].

Ici sont regroupés, en effet, autour de l'événement fondateur associé à la troisième nuit et explicitement relié, dans l'Ancien Testament, à la Pâque, des étapes essentielles de l'histoire biblique, que l'Ecriture ne date pas, ainsi que l'avènement des temps messianiques. Il faut donc convenir que le poème « ordonne autour de la nuit pascale le passé et l'avenir d'Israël et couvre l'ensemble de la destinée du monde, de sa création à sa rédemption »[2].

On pourra relever, dans une perspective semblable, même s'il ne s'agit plus de salut mais de détresse, que les destructions successives du Temple par les troupes de Nabuchodonosor (2 R 25, 8-15 et Jr 52, 12-19) et par les Romains au cours du même mois, celui d'*Av,* conduisirent les juifs à associer le souvenir de ces événements dramatiques à un même jour, à savoir le *9 Av*[3], qui est devenu dans la tradition ultérieure l'anniversaire d'autres épisodes malheureux de l'histoire biblique et postbiblique du peuple juif[4].

A la lumière des exemples dont nous venons de faire état, on reconnaîtra que l'hypothèse selon laquelle l'Eglise primitive de Jérusalem aurait relu certains épisodes de la vie de Jésus à la lumière des grandes fêtes juives n'a rien d'inconcevable. Elle suppose simplement qu'elle ait été convaincue de leur

---

1. Nous avons repris la traduction du *Targum Neofiti* I, que propose R. Le Déaut, in *Targum du Pentateuque,* t. II, p. 96 et 98. Il est l'auteur de l'étude fondamentale sur ce passage, *La Nuit pascale.*
2. R. Martin-Achard, *Essai biblique,* p. 44.
3. Ainsi que le note R. Martin-Achard, *op. cit.,* p. 125, n. 6, la date exacte de l'incendie du Temple par l'armée babylonienne n'est pas établie avec certitude dans l'Ancien Testament puisque 2 R 25, 8 parle du *7 Av* et Jr 52, 12 du 10. C'est seulement la tradition rabbinique (*Talmud de Babylone Ta'anit* 29*a* et *Tosephta Ta'anit* 10*b*) qui en fixa le souvenir au 9.
4. R. Martin-Achard, *op. cit.,* p. 126, n. 12, rappelle que, « selon les rabbins, le *9 Av* coïncide non seulement avec la date de la double destruction du Temple, mais encore avec la punition de la génération du désert, et plus tard avec la prise par les Romains de la dernière forteresse tenue par les soldats de Bar Kochba, et avec la transformation en 136 apr. J.-C. par Hadrien de Jérusalem en Aelia Capitolina, c'est-à-dire en une cité païenne interdite à tout juif ».

importance éminente, ce qui, si l'on admet la pertinence de nos développements précédents, a bien été le cas.

Le déplacement du dernier repas du Nazaréen avec les siens, de sa vigile à Gethsémané, de son arrestation et des premiers épisodes de son procès lors de la nuit pascale nous semble une illustration particulièrement réussie d'une telle relecture.

Il est nettement plus difficile de se prononcer quant au substrat historique du récit de la Pentecôte, dans la mesure où il est beaucoup plus aléatoire de vouloir le reconstituer. Nous pensons toutefois que J. Roloff ne s'aventure pas forcément trop loin quand il estime que « la tradition repose selon toute vraisemblance sur un souvenir d'une expérience des disciples lors de la première Pentecôte après sa mort, expérience qui a été comprise par eux comme un envahissement par l'Esprit Saint »[1]. Comme il le note, en effet, une telle hypothèse leur laisse le temps d'être revenus à Jérusalem après leur fuite en Galilée et les apparitions du Ressuscité qui les convainquirent de regagner la ville sainte. Par ailleurs, il n'est pas impensable que leur première intervention publique ait eu lieu à l'occasion de cette fête de pèlerinage[2]. On ne peut exclure toutefois que l'expérience pneumatique qui nous est relatée en Ac 2, 1-4 ait eu lieu à un autre moment et qu'elle ait été rapportée à la fête des Semaines par la première communauté justement parce que, à l'aide de représentations dont nous avons vu qu'elles étaient en honneur en milieu essénien, elle avait discerné en l'effusion de l'Esprit le sceau du renouvellement de l'alliance[3].

L'appréciation du soubassement historique du complexe confession de Pierre - Transfiguration s'avère, elle aussi, assez délicate.

L'éclairage que pourrait éventuellement apporter au récit de la confession messianique de Simon la signification de la contrée de Césarée de Philippe dans l'apocalyptique juive[4] ne doit pas faire exclure que le prince des apôtres ait, au cours du ministère de Jésus, manifesté son adhésion enthousiaste à la personne et à l'œuvre de son maître à proximité immédiate des sources du Jourdain. Il est malheureusement impossible de le vérifier. Il apparaît toutefois, à la lumière des développements qui précèdent, que, quelles qu'aient pu être la réponse et les promesses que Jésus énonça à la suite de cette confession, elles ont été reformulées au sein de la communauté primitive de Jérusalem convaincue de représenter désormais le véritable Temple[5]. Quant au récit de la Transfiguration, rien n'empêche d'envi-

---

1. J. Roloff, *Apostelgeschichte,* p. 39. R. Pesch, *Apostelgeschichte,* I, p. 108, émet des considérations semblables.
2. J. Roloff, *ibid.*
3. Cf. p. 54-57 et 183-184. R. Pesch, *Apostelgeschichte,* I, p. 108, voit également en Ac 2, 1-13 une « légende festive de la Pentecôte chrétienne », mais il considère que cette relecture n'est intervenue qu'au stade rédactionnel.
4. Cf. p. 171.
5. Cf. p. 106-115.

sager qu'une expérience de caractère mystique, ayant eu lieu au cours du ministère du Nazaréen, se trouve à son origine et à celle des paroles attribuées à la voix céleste[1]. Nous rejoignons donc E. Trocmé quand il dresse le constat suivant :

Il y a chez Jésus trop d'indices de la certitude d'être « fils de Dieu » au sens juif, à commencer par l'usage dans la prière des termes de « Père » sous la forme familière d'Abba, pour qu'on puisse écarter cette idée en ce qui le concerne ; il y a par ailleurs chez les trois disciples trop de tendances aux visions, à commencer par les apparitions du Ressuscité, pour qu'on conteste la vraisemblance de l'épisode raconté sous la forme du récit de la Transfiguration[2].

Il nous semble par contre que le rattachement de ces événements à une date précise est le fait de l'Eglise primitive de Jérusalem puisque la relecture qu'elle en a effectuée a justement consisté à en souligner la portée en montrant de quelle manière ils venaient combler l'attente liée aux grandes fêtes juives.

IV – Autres arguments plaidant en faveur de l'hypothèse

a | *Nécessité de trouver un substitut au culte sacrificiel*

Nous avons relevé des indices d'une rupture des premiers chrétiens avec le culte sacrificiel du Temple[3]. Cette prise de distance s'exprime déjà, nous l'avons vu, dans la formule que reprend Paul en 1 Co 5, 7 et qui assimile Jésus à l'agneau pascal[4]. Elle trouve une autre illustration en Ro 3, 25, passage que l'apôtre des gentils a puisé, selon toute vraisemblance, dans le bien traditionnel de la communauté primitive[5], même s'il l'a légèrement remodelé. L'essai récent qu'a effectué B. F. Meyer en vue de reconstituer son fond ancien nous paraît probant. Il aboutit au résultat suivant : *hon proetheto ho theos*

1. Ainsi E. Trocmé, *Jésus de Nazareth*, p. 74.
2. E. Trocmé, *op. cit.*, p. 74-75.
3. Cf. n. 3, p. 68.
4. Sur ce point, cf. aussi p. 174. On ajoutera que des auteurs comme H. Conzelmann, *Der erste Brief an die Korinther übersetzt und erklärt* (*KEKNT* V), 11. Auflage, 1. Auflage dieser Neuauslegung, Göttingen, 1969, p. 119-120, qui rappelle que la typologie Christ-agneau (pascal) apparaît encore en 1 P 1, 19 ; Jn 1, 29.36 ; 19, 36 ; Ap 5, 6.9.12 ; 12, 11 ; E. Fascher, *Der erste Brief des Paulus an die Korinther. Erster Teil : Einführung und Auslegung der Kapitel 1-7* (*ThHK* VII/1), 2. Auflage, Berlin, 1980, p. 163 ; H.-J. Klauck, *1. Korintherbrief* (Die Neue Echter Bibel). Neues Testament 7, Würzburg, 1984, p. 43, considèrent tous que Paul emprunte ici une tradition chrétienne primitive.
5. Tel est l'avis que partagent notamment R. Bultmann, *Theologie*, p. 49-50, et E. Käsemann, *Exegetische Versuche*, I, p. 96-100 (= *Essais,* p. 11-16), dont la démonstration est tout à fait convaincante.

hilastèrion en tô autou haimati dia tèn paresin tôn progegonotôn hamartèmatôn en tè anochè tou theou[1], et propose de traduire : « [Jésus-Christ] que Dieu a manifesté comme le [véritable] propitiatoire dans son propre sang pour la rémission des péchés commis auparavant lors [du temps] de la patience de Dieu. »[2] Il discerne ainsi dans la tradition une « présentation prépaulinienne du Golgotha comme le jour suprême de l'Expiation »[3].

Si B. F. Meyer parvient à cette conclusion, c'est qu'il interprète le vocable *hilastèrion* au sens du terme hébreu *kapporet* qui désignait le couvercle de l'Arche sur lequel, avant la destruction du Temple par l'armée de Nabuchodonosor, le grand prêtre faisait l'aspersion de sang le jour du *Kippur* (Lv 16, 15), ce rite procurant l'absolution au peuple tout entier (Lv 16, 16.17). De fait, le mot, employé vingt-sept fois dans la Septante, y désigne à vingt et une reprises le propitiatoire. Certains ont cependant remarqué qu'il est toujours utilisé, dans ce cas, avec l'article défini, sauf en Ex 25, 17 où il est précisé par le vocable *epithema* qui indique de quoi il est question[4]. Ils font également valoir qu'il serait incohérent que Jésus soit ici comparé au *kapporet* puisque, comme il fait également office de victime, son sang serait répandu sur lui-même[5]. Ils préfèrent donc comprendre le terme *hilastèrion* différemment. Maintenant soit qu'il s'agit d'un substantif neutre qui désignerait autre chose que le couvercle de l'Arche, soit qu'il s'agit d'un nom masculin ou d'un adjectif du même genre à l'accusatif[6], ils le rendent tantôt par moyen de propitiation[7], tantôt par sacrifice propitiatoire[8], tantôt par le vocable propitiateur[9], tantôt par le qualificatif propitiatoire qui s'accorderait avec le relatif *hon*.

Toutefois, ces objections à une interprétation qui favorise la compréhension d'*hilastèrion* au sens de *kapporet* ne sont pas forcément convaincantes[10]. En effet, l'absence d'article s'explique par le style même du pas-

---

1. B. F. Meyer, The Pre-Pauline Formula in Rom. 3, 15-16*a*, NTS 29, 1983, p. 204.
2. *Ibid.*
3. B. F. Meyer, art. cit., p. 205.
4. Ainsi, notamment, L. Morris, The Meaning of *hilastèrion* in Romans 3.25, *NTS* 2, 1955-1956, p. 33-43, suivi par C. E. B. Cranfield, *Romans,* I, p. 214-215.
5. En ce sens, C. E. B. Cranfield, *op. cit.,* p. 215.
6. Sur ce point, C. E. B. Cranfield, *op. cit.,* p. 216.
7. Telle est la solution adoptée par E. Käsemann, *Essais exégétiques,* p. 14.
8. C'est là le choix qu'effectue C. E. B. Cranfield, *Romans,* I, p. 216-217, qui dresse également une liste des autres possibilités de restitution du mot.
9. Comme le rappelle C. E. B. Cranfield, *ibid.,* cette interprétation, qui s'appuie sur la traduction *propitiatorem* que l'on rencontre dans certains manuscrits de la Vulgate et chez différents auteurs tels Ambroise, l'Ambrosiaster, Jérôme et Pélage, se heurte cependant à un sérieux obstacle : il ne semble pas qu'un tel usage du terme *hilastèrios* soit attesté dans l'Antiquité. Pour exprimer pareille idée, on aurait plutôt eu recours au terme *hilastès*.
10. C'est ce qu'a montré P. Stuhlmacher, Zur neueren Exegese von Röm 3, 24-26, in *Jesus und Paulus.* Festschrift für W. G. Kümmel zum 70. Geburtstag (hrsg. von E. E. Ellis und E. Gräßer), Göttingen, 1975, p. 315-333 (= *Versöhnung, Gesetz und Gerechtigkeit,* Göttingen, 1981, p. 117-135). L'auteur a repris sa démonstration in *Die Mitte des Neuen Testaments,* p. 300-304. U. Wilckens, *Römer.* 1, p. 191-192, et J. Roloff, in *EWNT,* II, p. 456-457, ont rejoint ses conclusions.

sage[1] et l'apparente contradiction des images se résout quand on relève que, « au centre de la typologie, se trouve non pas le rite expiatoire de l'aspersion du sang mais l'institution d'un nouveau lieu d'expiation surpassant l'ancien : à la place du *kapporet* dissimulé dans le Temple et du rituel d'expiation qui s'y déroulait, Dieu a fait intervenir Jésus qui, par son sang, c'est-à-dire par le don de sa vie, a réalisé l'expiation »[2] au grand jour[3]. Il n'y a donc aucun obstacle à voir une allusion au propitiatoire de l'Arche en Ro 3, 25[4]. Mais, même si l'on se refuse à traduire *hilastèrion* par le substantif propitiatoire, l'allusion au jour de l'Expiation reste transparente puisque, en tant que moyen de propitiation, sacrifice propitiatoire ou propitiateur, Jésus se voit investi dans tous les cas d'un rôle qui se comprend à la lumière de la liturgie du *Kippur* que ne pouvait manquer d'évoquer le terme utilisé.

Nous nous trouvons dès lors en présence d'une tradition qui fait valoir une typologie semblable à celle que nous a paru mettre en œuvre Mt 16, 18-19. Elle se concentre toutefois sur la seule figure de Jésus en qui est récapitulé l'ensemble du rituel d'expiation, ce que fait apparaître tout particulièrement la traduction qui a notre préférence. En Mt 16, 18-19, on assiste par contre à une réappropriation de certains de ses aspects par la communauté qui revendique ainsi d'être le lieu où l'efficacité de l'événement salutaire qui s'est produit se déploie. Désormais, elle joue le rôle de nouveau Temple et, par la parole efficiente de son chef, les prérogatives dévolue jusque- là au

1. P. Stuhlmacher, in *Jesus und Paulus,* p. 322-323 (= *Versöhnung,* p. 124-125), remarque ainsi que, dans le Nouveau Testament, l'article fait habituellement défaut dans les formules, les définitions et pour les attributs. Il renvoie notamment à Ro 1, 16 s. ; 3, 20 ; 4, 25 ; 8, 3 s. ; 2 Co 5, 21 ; Col 1, 15.20*b*.
2. J. Roloff, *ibid.,* qui ramasse ainsi l'argumentation de P. Stuhlmacher, in *Jesus und Paulus,* p. 324-325 (= *Versöhnung,* p. 126-127).
3. Comme l'a relevé T. W. Manson, « hilastèrion », *JThS* 46, 1945, p. 5, le verbe *proetheto,* avec son sens de manifester, faire connaître, a sans doute pour but de créer un contraste avec l'aspect caché du rite d'expiation vétérotestamentaire.
4. Ainsi T. W. Manson, art. cit., p. 1-10 ; A. Nygren, *Der Römerbrief,* Göttingen, 1951, p. 118-120 ; S. Lyonnet, De notione expiationis, *VD* 37, 1959, p. 336-352 ; A. Schlatter, *Gottes Gerechtigkeit. Ein Kommentar zum Römerbrief,* 4. Auflage, Stuttgart, 1965, p. 146 ; L. Goppelt, *Theologie,* II, p. 422-423 ; M. Hengel, *The Atonement : A Study in the Origins of the Doctrine in the New Testament,* London, 1981, p. 45 ; J. Roloff, *EWNT,* II, p. 455-457 ; P. Stuhlmacher, in *Die Mitte des Neuen Testaments,* p. 300-304 ; C. Perrot, *L'épître aux Romains (CahEv* 65), Paris, 1988, p. 26-27. Les tenants du point de vue opposé s'appuient souvent aussi, en dehors des arguments dont nous avons fait état, sur le témoignage de *4 Maccabées* 17, 22. Ce texte souligne la valeur expiatoire de la mort des martyrs. On y lit en effet : « Par le sang de ces justes et par la propitiation de leur mort, la providence divine a secouru Israël qui avait été traité ignominieusement. » Il est de fait extrêmement intéressant. Mais il ne va aucunement à l'encontre de la thèse que nous défendons dans la mesure où il recourt à la terminologie sacrificielle pour rendre compte de la portée salutaire du témoignage porté jusqu'à la dernière extrémité. On imagine donc sans mal que, amenés à rendre compte de la mort de leur Maître qu'ils avaient désormais reconnu comme le Ressuscité, les premiers chrétiens aient pu effectuer un pas de plus et affirmer qu'en lui l'ensemble des rites expiatoires, devenus obsolètes, était récapitulé.

grand prêtre se trouvent exercées en son sein[1]. Nous inclinons donc à penser qu'une relecture du type de celle qui sous-tend Ro 3, 25 a précédé celle qu'opère Mt 16, 13-23. De la même manière, nous semble-t-il, la signification de l'affirmation fondamentale selon laquelle « Christ, notre Pâque, a été immolé » (1 Co 5, 7) a été exprimée au sein de la communauté dans le cadre de la liturgie nouvelle qu'elle élabora pour la nuit pascale. L'assemblée des croyants se découvrait ainsi au bénéfice de ce que la mort de Jésus avait réalisé pour (*huper* : Mc 14, 24 et //) elle.

Il apparaît donc que l'énoncé kérygmatique selon lequel « Christ est mort pour nos péchés » (1 Co 15, 3) a été développé de diverses manières au sein de la communauté primitive. L'une de ces formes a consisté à reconnaître que l'ensemble du rituel expiatoire était récapitulé en Jésus. Ainsi la communauté put-elle prendre ses distances à l'égard du culte sacrificiel. Mais, pour que sa conviction d'être au bénéfice de l'événement salutaire qui s'était produit sur la croix prît corps et que, de la rupture que s'était opérée, ne résultât pas un manque, elle dut aussi faire valoir, dans les traditions narratives qu'elle façonna, de quelle manière l'expiation réalisée en Jésus venait relayer les anciens rites qui se trouvaient réinterprétés dans une liturgie nouvelle.

b | Importance des questions de calendrier et des fêtes dans le judaïsme du début de notre ère

Les questions de calendrier étaient un sujet d'une importance essentielle et d'une sensibilité extrême au sein du judaïsme au tournant de notre ère. Il n'est pour s'en convaincre que de lire le passage dans lequel l'*Ecrit de Damas* revient sur les origines de la nouvelle Alliance :

> (...) grâce à ceux qui étaient restés attachés aux commandements de Dieu,
> [13](et) qui leur avaient survécu comme un reste [aux fils de Jacob],
> Dieu établit Son Alliance avec Israël à jamais
> leur révélant [14]les choses cachées
> à propos desquelles s'est égaré tout Israël :
> Ses sabbats saints et Ses fêtes [15]glorieuses...[2]

ou celui par lequel le *Rouleau de la Règle* met en garde les membres de la secte contre tout manquement à l'observance des temps :

> (...) ils ne feront pas un seul pas
> [14]hors d'aucune des paroles de Dieu en ce qui concerne leurs temps :
> ni ils ne devanceront leurs temps,
> ni ils ne seront en retard [15]pour aucune de leurs fêtes[3].

1. Cf. notamment p. 169.
2. CD 3, 12-15 (traduction empruntée à A. Dupont-Sommer, in *La Bible. Ecrits intertestamentaires,* p. 148).
3. 1QS 1, 13-15 (traduction empruntée à A. Dupont-Sommer, *op. cit.,* p. 11).

Ils attestent non seulement que les esséniens suivaient un calendrier qui leur était propre, mais encore qu'ils tenaient tous ceux qui ne le respectaient pas comme des égarés qui « profan[ai]ent inlassablement les véritables temps de Dieu »[1]. De fait, dans l'Antiquité, les temps étaient sacrés[2]. On comprendra donc que les divergences concernant le calendrier aient suscité des querelles, voire des divisions au sein du judaïsme. Or elles étaient extrêmement fréquentes et nombreuses et n'opposaient pas seulement les esséniens et leur calendrier solaire aux sadducéens et aux pharisiens fidèles à un comput lunaire. Ainsi n'y avait-il pas moins de quatre manières distinctes de calculer les dates de la fête des Semaines au début de notre ère[3].

Dans un contexte où les jours consacrés jouent un tel rôle, on n'imagine pas que les premiers chrétiens aient pu se désintéresser subitement de leur observance.

Par contre, l' « anarchie » relative qui régnait autour de la célébration des fêtes a pu leur fournir l'occasion de faire à leur tour preuve d'originalité en la matière sans que le phénomène fût trop voyant. On ne peut donc exclure, bien au contraire, qu'ils aient disposé là d'un créneau pour affirmer leur spécificité.

Il nous paraît relativement étonnant, dans cette perspective, que la plupart des auteurs qui se sont intéressés au vécu liturgique des premiers chrétiens aient concentré leurs efforts sur la mise en évidence, à l'arrière-plan des évangiles, de lectionnaires qui auraient suivi, dimanche après dimanche, l'année ecclésiastique[4]. L'hypothèse est en effet beaucoup plus complexe que celle que nous voudrions proposer ici et qui ne concerne que les temps forts de la liturgie juive. Cependant, il faut en convenir, notre proposition va, dans un certain sens, plus loin, puisqu'elle situe très en amont l'émergence d'une célébration proprement chrétienne des principales fêtes juives. Il nous semble toutefois, et le point suivant fera valoir ce point de vue, qu'elle est tout à fait vraisemblable.

c | Une liturgie pour les pèlerins affluant à Jérusalem ?

On ne peut négliger, en effet, qu'à l'occasion des trois fêtes de pèlerinage se rassemblait à Jérusalem une foule considérable de pèlerins[5]. Certes, il est difficile de se faire une idée précise de leur nombre, et ce malgré les indica-

1. A. Dupont-Sommer, *Les écrits esséniens,* p. 89, n. 1.
2. Sur ce point, notamment, A. Jaubert, *La date de la Cène,* p. 15.
3. Cf. J. Van Goudoever, *Fêtes et calendriers,* p. 34-48.
4. On trouvera un bon état de la question chez L. Morris, The Gospels and the Jewish Lectionaries, in *Gospel Perspectives. Studies in Midrash and Historiography,* vol. III (edited by R. T. France and D. Wenham), Sheffield, 1983, p. 129-134.
5. Sur l'importance de cet afflux et de la notion de pèlerinage dans le judaïsme au début de notre ère, on consultera notamment J. Jeremias, *Jérusalem,* p. 113-124, et S. Safrai, *Die Wallfahrt im Zeitalter des Zweiten Tempels* (« Forschungen zum jüdisch-christlichen Dialog », 3), Neukirchen, Vluyn, 1981.

tions de la *Mishna* quant à l'organisation du sacrifice des agneaux lors de la Pâque[1]. Il n'en demeure pas moins que le témoignage de Philon est évocateur de l'attrait qu'exerçait la ville sainte en ces circonstances. L'Alexandrin rapporte en effet que « des myriades arrivent de myriades de villes pour chaque fête au Temple, les uns par voie de terre, les autres par mer, de l'Orient et de l'Occident, du Septentrion et du Midi »[2]. Il ne peut donc faire de doute que l'on assistait à Jérusalem, lors des trois grandes fêtes, à un afflux massif de pèlerins dont le nombre dépassait très largement celui de la population locale[3].

On peut imaginer assez aisément que les chrétiens installés dans la ville sainte ne demeuraient pas inactifs face à cet auditoire potentiel de la Bonne Nouvelle qu'ils s'efforçaient de diffuser. Mais comment s'adresser à une foule qui s'était déplacée spécialement pour prendre part à la liturgie du sanctuaire sans la prendre complètement à contre-pied en lui annonçant un message dont découlait la caducité des sacrifices ? Il y avait là une réelle difficulté. La tradition narrative que la communauté élabora en relisant la vie de Jésus à la lumière des grandes fêtes juives lui permit peut-être de la lever. A travers elle, apparaissait en effet qu'aucun vide ne résultait du kérygme de la Croix et de la Résurrection. Au contraire, ce qui se trouvait désormais dévalué avait été en fait récapitulé et était ainsi relayé.

Nous imaginerions donc volontiers, tout en concédant que nous nous mouvons ici dans le domaine de l'hypothèse invérifiable, que, à ceux auxquels on avait d'abord proclamé le message selon un schéma semblable à celui qui soustend les discours des Actes et qui avaient manifesté leur intérêt, voire leur adhésion, on proposait ensuite de se joindre à la liturgie célébrée dans le cadre de la communauté et au cours de laquelle était rappelée et méditée cette tradition. Ainsi l'Eglise jérusalémite serait-elle demeurée dans les limites de l'acceptable vis-à-vis du dehors et essentiellement des autorités juives en proclamant un Messie, certes crucifié à leur instigation, mais surtout ressuscité par Dieu. Elle aurait réservé à l'usage interne une tradition qui développait les conséquences de cette affirmation kérygmatique fondamentale et que sa dimension polémique recommandait d'utiliser avec prudence, car elle renouait, nous aurons encore l'occasion de le voir, avec le radicalisme du Maître[4].

Pour en revenir aux traditions relevant de l'étiologie cultuelle, on ne peut exclure, nous semble-t-il, que divers récits, rattachés à des moments différents, aient été proposés aux fidèles à l'occasion d'une même fête. Pareille

---

1. *Mishna Pesahim* 5, 5 et 7.
2. Philon d'Alexandrie, *De specialibus legibus,* I, 12 (traduction empruntée à J. Jeremias, *Jérusalem,* p. 114).
3. Cette conclusion, à laquelle aboutit J. Jeremias, *op. cit.,* p. 124, à propos de la Pâque — il pense pour sa part que le nombre de pèlerins surpassait de plusieurs fois celui des Jérusalemites —, nous paraît extensible aux autres fêtes auxquelles leur association à un pèlerinage conférait le même caractère particulier.
4. On retrouve ainsi un des aspects fondamentaux qui nous a paru caractériser l'attitude des premiers chrétiens installés à Jérusalem (cf. p. 68-69).

supposition nous paraît se recommander notamment des passages qui se rapportent aux célébrations automnales et qui font allusion à la mort de Jésus. Pour qu'ils fussent correctement compris par de nouveaux convertis, sans doute fallait-il qu'ils fussent éclairés par le récit de la Passion.

Si une telle conjecture devait revêtir quelque consistance, elle permettrait peut-être de placer sous un jour relativement nouveau les antécédents du genre littéraire évangile dans la mesure où divers événements situés lors de la vie du Nazaréen se seraient trouvés très tôt relatés ensemble en vue de constituer un tout plus ou moins cohérent.

Il ne nous semble pas exclu, en tout cas, que d'autres éléments de la tradition synoptique reçoivent un éclairage particulier dans le cadre de la solution que nous proposons.

d | Une confirmation à travers d'autres textes ?

En nous demandant si d'autres fragments de la tradition synoptique pouvaient avoir connu une genèse semblable à celle des textes que nous venons d'étudier, il nous a semblé que tel était le cas pour le complexe constitué par l'entrée triomphale de Jésus à Jérusalem, l'épisode du figuier et l'expulsion des marchands du Temple (Mc 11, 1-21 et //). De plus, il apparaît que l'on peut peut-être expliquer par un processus du même type la forme qu'ont prise le récit du baptême de Jésus et l'ensemble qui s'articule autour de la multiplication des pains et de la marche sur les eaux.

Le témoignage le plus convaincant nous paraît être celui que livre l'étude attentive de Mc 11, 1-21 et //. Différents éléments invitent en effet à penser que les épisodes qu'il relate furent associés, à un moment donné, à la fête des Tabernacles[1].

Cela est particulièrement net en ce qui concerne l'entrée solennelle du Nazaréen dans la ville sainte (Mc 11, 1-11 et //). Ce récit insiste fortement sur l'accomplissement de la prophétie messianique enclose en Za 9, 9 à travers toute la mise en scène qui entoure la recherche de la monture sur laquelle Jésus va pénétrer à Jérusalem (v. 2-7). Mais la référence centrale au chapitre 9 de *Zacharie* est effectuée en lien manifeste avec le chapitre 14 du même livre, qui décrit, rappelons-le, la fête de *Sukkot* eschatologique[2]. En effet, dès le verset 1, la mention du mont des Oliviers évoque le lieu où les pieds du Seigneur devaient se poser ce jour-là (Za 14, 4). Or la dénomination *ho kurios* est justement appliquée à Jésus en Mc 11, 3 (// Mt 21, 3) et c'est là sa seule occurrence,

---

1. Ainsi C. W. F. Smith, *JBL* 79, 1960, p. 318. Dans le même sens, T. W. Manson, The Cleansing of the Temple, *BJRL* 33, 1950, p. 271-282 ; J. Daniélou, Les Quatre-Temps de septembre et la Fête des Tabernacles, *MD* 46, 1956, p. 117-125 ; P. Carrington, *Christian Calendar,* p. 22-27, et J. Van Goudoever, *Fêtes et calendriers,* p. 345-350.
2. Cf. p. 165.

précédée de l'article et en lien avec sa personne, dans les deux premiers évangiles. L'escorte du Nazaréen fait retentir par ailleurs les versets 25 et 26 du Psaume 118 dont on se souviendra du rôle majeur qui leur était dévolu lors du rituel de *Sukkot,* puisque la foule, munie du *lulab,* exprimait à travers eux son espérance messianique[1]. Comment ne pas être surpris ici par le fait que les accompagnateurs de Jésus sont, eux aussi, équipés de branchages d'autant que le passage parallèle du quatrième évangile précise qu'il s'agit de palmes (Jn 12, 13)[2] ?

Enfin, la finale de Za 14 : « Il n'y aura plus de marchand dans la Maison du Seigneur le tout-puissant, en ce jour-là »[3], « exprime l'idée générale de la Purification du Temple »[4]. Ainsi un pont est-il jeté entre l'entrée messianique de Jésus à Jérusalem et son intervention dans le sanctuaire (Mc 11, 15-19 et //). Entre-temps, la malédiction du figuier stérile (Mc 11, 12-14 et //) paraît, elle aussi, bien mieux en situation à l'automne que, comme c'est le cas chez Marc, peu de temps avant la Pâque. En effet, la saison des figues bat son plein en Palestine d'août à octobre, les plus précoces ne pouvant parvenir à maturité qu'à la fin mai[5]. Ainsi, dans le cadre qui leur est assigné, les propos de Jésus créent-ils une difficulté qui a été résolue, dans le second évangile, par l'adjonction de la glose qui conclut le verset 13[6].

Replacé sur l'arrière-plan de la fête des Tabernacles, cet ensemble présente donc d'abord l'entrée messianique de Jésus à Jérusalem. Il le montre ensuite en train d'entraver la bonne marche du culte sacrificiel, si toutefois l'on accepte l'hypothèse, avancée plus haut, selon laquelle les objets au transport desquels s'oppose le Nazaréen sont en fait des ustensiles indispensables au déroulement de ce culte[7].

Dans cette perspective, le verset 17, qui reproduit sans doute des propos à travers lesquels Jésus avait opposé « ce que le Temple [était] devenu à ce qu'il devait être dans le dessein de Dieu »[8], nous semble devoir être interprété littéralement. En effet, la citation qui y est opérée, d'Es 56, 7, ne fait plus allusion au contexte dans lequel s'inscrit ce verset au sein de la Bible hébraïque et qui décrit l'association des païens convertis au culte sacrificiel dans le sanctuaire eschatologique. Elle envisage le Temple exclusivement comme maison de prière. Cette présentation nous paraît conforme à la manière dont les premiers chrétiens jérusalémites considéraient le lieu saint[9]. En accord avec la tradition sous-jacente à

1. Cf. p. 166.
2. J. Daniélou, *Bible et liturgie,* p. 460, insiste sur ce point, de même que J. Van Goudoever, *Fêtes et calendriers,* p. 347.
3. Za 14, 21 (traduction empruntée à la *TOB. Ancien Testament,* p. 1244).
4. J. Van Goudoever, *Fêtes et calendriers,* p. 348. E. Schweizer, *Markus,* p. 131, envisage d'ailleurs que ce passage vétérotestamentaire ait influencé l'élaboration de Mc 11, 15-19.
5. Cf. T. W. Manson, *BJRL* 33, 1950, p. 277-278.
6. Ainsi C. W. F. Smith, *JBL* 79, 1960, p. 318.
7. Cf. n. 7, p. 49.
8. E. Trocmé, *NTS* 15, 1968-1969, p. 14 (pour la citation) et 15.
9. Ac 2, 46 ; 3, 1.

Mt 16, 13-23, elle nous semble donc attester l'existence d'une communauté qui a rompu avec le culte sacrificiel mais qui demeure cependant attachée à un endroit lié à la présence et à la proximité de Dieu. Quant à la stigmatisation, à partir de Jr 7, 11, de la caverne de bandits qu'est devenu le sanctuaire, elle vise d'abord changeurs et marchands, mais, dans la mesure où Jésus prend également à partie des représentants du clergé, il ne nous paraît pas exclu qu'elle exprime un jugement qui englobe la gent sacerdotale au sein de laquelle l'aristocratie était intéressée tout particulièrement au trésor du Temple[1].

L'épisode du figuier stérile, dont l'interprétation demeure cependant assez délicate, pointe, nous semble-t-il, dans la même direction. Il peut évoquer en effet différents passages vétérotestamentaires[2] parmi lesquels Jr 8, 13 nous paraît se recommander comme le parallèle le plus proche. S'inscrivant dans le grand ensemble des prophéties professées par Jérémie contre le Temple, auquel la référence à la caverne de brigands fait également allusion, ce texte, qui fait suite à une attaque contre les prophètes et les prêtres accusés d'avoir failli, transmet un constat et le verdict de Dieu : « Pas de raisins à la vigne ! pas de figues au figuier ! le feuillage est flétri. Je les donne à ceux qui leur passeront dessus. »[3] Nous pensons en fait que, dès l'origine, l'épisode de la malédiction du figuier a visé, à travers lui, l'Israël endurci ne portant pas de fruits[4], et plus précisément les chefs du peuple[5]. Il appert ainsi que, dans la conclusion largement rédactionnelle du récit de la purification du Temple (Mc 11, 18-19), l'auteur du second évangile s'est montré relativement fidèle à une tradition qui n'épargnait pas les responsables du peuple et qui conservait le souvenir du fait que l'intervention de Jésus dans le sanctuaire lui avait valu leur opposition résolue. Cette tradition revêtait sans doute également une saveur eschatologique prononcée, à travers la menace qu'elle faisait planer sur eux, menace dont le prompt dessèchement du figuier devait certifier le prochain accomplissement. Cet horizon eschatologique n'est pas sans évoquer celui d'un récit rapporté par Josèphe et associé, lui aussi, à la fête de *Sukkot* :

Un certain Jésus, fils d'Ananias, homme du peuple et campagnard, quatre ans avant la guerre (automne 62), alors que la cité jouissait d'une paix profonde et de la

1. Sur ce dernier point, J. Jeremias, *Jérusalem,* p. 142-145. On notera que C. A. Evans, Jesus' Action in the Temple : Cleansing or Portent of Destruction ?, *CBQ* 51, 1989, p. 268-269, vient de faire valoir que, dans le *Targum de Jérémie,* l'expression synagogue des impies se substitue à la formule caverne de brigands (7, 11) et qu'en 7, 9 les chefs religieux sont qualifiés de voleurs (cf. encore 8, 10 et 23, 11). Il y a là, comme il le pense, un argument non négligeable en faveur de l'hypothèse selon laquelle la parole de Jésus vise également le sacerdoce.
2. Jr 8, 13 ; Es 28, 3-4 ; Os 9, 10.16 ; Mi 7, 1 ; Jl 1, 7.12. Ces parallèles sont étudiés par W. R. Telford, *The Barren Temple and the Withered Tree : A Redaction-Critical Analysis of the Cursing of the Fig-Tree Pericope in Mark's Gospel and its Relation to the Cleansing of the Temple Tradition* (*JSNTSup* 1), Sheffield, 1980, p. 142-156.
3. Traduction empruntée à la *TOB. Ancien Testament,* p. 914.
4. Avec E. Schweizer, *Markus,* p. 131.134.
5. Nous avons vu plus haut que la reconstitution du collège des Douze suppose elle aussi un jugement implicite sur ces responsables dont la première communauté considérait qu'ils s'étaient discrédités (cf. p. 148).

plus grande prospérité, vint à la fête au cours de laquelle tous les juifs ont coutume d'élever des tabernacles à Dieu. Brusquement, dans le Temple, il se mit à crier : « Une voix de l'Orient, une voix du couchant, une voix venue des quatre vents, une voix contre Jérusalem et le Sanctuaire, une voix contre le fiancé et la fiancée, une voix contre le peuple tout entier ! » Nuit et jour, il parcourait toutes les rues en criant ces mots. Certains citoyens de marque, exaspérés par ces paroles de mauvais augure, le firent arrêter et rouer de coups[1].

Il nous semble donc que, sur l'arrière-plan de la fête des Tabernacles, la tradition sur laquelle repose Mc 11, 1-21 et // faisait valoir à la fois la seigneurie déjà manifestée de Jésus et la réalisation prochaine d'un jugement qui n'épargnerait pas les chefs religieux du peuple juif tenus pour responsables de la corruption du Temple et de son culte. La relecture des événements qu'elle effectuait de la sorte leur était sans doute relativement fidèle, même si elle leur conférait une portée messianique explicite. On ne peut exclure d'ailleurs que les faits qu'elle relate se soient effectivement déroulés lors du pèlerinage d'automne[2]. Il est cependant bien délicat de porter un jugement définitif en la matière en raison de l'éclairage particulier, et que l'on pourrait en conséquence tenir pour artificiel parce que choisi à dessein, que ce cadre festif projette sur la narration.

On notera enfin que de nombreux éléments invitent à conclure que cette tradition est née au sein même de l'Eglise primitive de Jérusalem. En dehors de son genre littéraire qui incite à lui assigner la même origine que les autres passages relevant de l'étiologie cultuelle, l'intérêt pour les noms de lieu qui s'y manifeste[3] plaide, tout comme le parallèle étroit qui relie Mc 11, 1-11 et // et Mc 14, 12-16[4], en faveur d'une provenance identique à celle du récit de la Passion. Enfin, on relèvera qu'on ne peut exclure que Pierre ait joué le rôle de porte-parole des disciples au sein du donné tradi-

---

1. Flavius Josèphe, *BJ*, VI, 300-302 (traduction empruntée au recueil, *Flavius Josèphe. Un témoin de la Palestine au temps des Apôtres*. Présentation par une équipe de la faculté de théologie de Lyon [*CahEvSup* 36], Paris, 1981, p. 47). G. Theißen, *Studien zur Soziologie*, p. 145, relève des analogies sur cinq points entre cet épisode et l'expulsion des marchands du Temple avec les conséquences qu'elle eut finalement pour Jésus (cf. p. 49-50). Ces traits communs sont les suivants : une parole menaçante est proférée contre le Temple (Mc 11, 17 // *BJ*, VI, 301) ; elle est prononcée dans un contexte festif ; elle provoque la réaction de l'aristocratie locale qui procède à l'arrestation du fauteur de troubles ; ce dernier est remis aux Romains (*BJ*, VI, 303) ; il a par ailleurs, comme Jésus, une origine rurale. Il est clair que le parallèle est encore plus surprenant quand on replace la purification du Temple à l'arrière-plan de la fête des Tabernacles.
2. Ainsi surtout T. W. Manson, *BJRL* 33, 1950, p. 278, qui conclut, à partir de l'analyse de Mc 11, 1-25, que la purification du Temple a eu lieu six mois avant la Crucifixion.
3. Il est question non seulement de Jérusalem (Mc 11, 1.11.15) mais aussi de Bethphagé (Mc 11, 1) et de Béthanie (Mc 11, 1.11.12).
4. Dans les deux cas, on a affaire à un envoi par Jésus de deux de ses disciples (Mc 11, 1 ; 14, 13) auxquels il donne l'ordre d'aller respectivement au village et à la ville (Mc 11, 2 ; 14, 13). Ils partent (Mc 11, 4 ; 14, 16) et trouvent ce que le Maître leur avait demandé de chercher (Mc 11, 4 ; 14, 16). On notera l'étroitesse de cette correspondance, souvent terme à terme, entre les deux récits.

tionnel (Mc 11, 21)[1], encore qu'en Mt 21, 20 le groupe des disciples se substitue à sa personne. Cette possibilité nous paraît d'autant plus sérieusement envisageable que Simon se serait trouvé ainsi associé au constat de l'accomplissement d'une malédiction, situation très proche de celle où, en Ac 5, 1-11, il est le principal témoin du châtiment d'Ananias et Saphira. Quoi qu'il en soit, on ne saurait trop presser cette donnée ni accorder une importance exagérée à une intervention qui sert d'abord à faire rebondir le récit.

L'ensemble constitué par les récits de l'activité du Baptiste, du baptême de Jésus et de la Tentation (Mc 1, 2-13 et //) trouverait-il, lui aussi, son origine dans une relecture des événements sur un arrière-plan liturgique ? Certes l'atmosphère dans laquelle les foules accourent auprès de Jean en confessant leurs fautes (Mc 1, 5 et //) évoque étrangement celle de la célébration du *Kippur*[2] à l'occasion de laquelle le grand prêtre faisait l'aveu public des péchés du peuple[3]. Par ailleurs, le parallèle étroit qui unit les proclamations célestes qui retentissent lors du baptême de Jésus (Mc 1, 11 et //) et lors de la Transfiguration est peut-être l'indice du fait que les deux récits étaient replacés sur l'horizon commun de la fête des Tabernacles. Mais, en sens contraire, il faut avouer que la durée de quarante jours assignée à l'épisode de la Tentation, qui s'est trouvé très primitivement associé dans la tradition à celui du Baptême[4], ne reçoit, dans le cadre liturgique envisagé, aucune explication satisfaisante. On ne peut donc considérer que l'on se meuve ici sur un terrain bien ferme, même si la tradition relative au baptême de Jésus est assurément fort ancienne et trouve son ancrage, par-delà les relectures qu'elle a connues[5], dans le judéo-christianisme palestinien de langue araméenne[6].

Venons-en à présent au diptyque que constituent les récits de la multiplication des pains et de la marche sur les eaux.

Depuis fort longtemps, les commentateurs ont relevé l'étrange parallélisme qui unit ici les présentations marcienne et johannique qui paraissent cependant indépendantes l'une de l'autre[7]. De fait, Jn 6, 1-21 présente la même séquence d'événements que Mc 6, 32-52 : déplacement de Jésus en direction d'un autre point de la rive du lac de Gennésareth (Mc 6, 32 // Jn 6, 1) ; multiplication des pains (Mc 6, 34-44 // Jn 6, 5-14) ; retraite de Jésus (Mc 6, 46 // Jn 6, 15) qui

1. Ainsi R. Pesch, *Markusevangelium,* II, p. 32.

2. En ce sens, C. Perrot, *Jésus et l'histoire,* p. 130.

3. *Mishna Yoma* 4, 2.

4. B. M. F. Van Iersel, « *Der Sohn* » *in den synoptischen Jesusworten. Christusbezeichnung der Gemeinde oder Selbstbezeichnung Jesu ?* (*NT. S* 3), Leiden, 1961, p. 165-171 et surtout p. 169, a relevé que la séquence baptême-tentation est déjà attestée dans la catéchèse que cite Paul en 1 Co 10, 1-13. De son côté, O. Cullmann, *Christologie,* p. 240, n. 1, affirme qu' « il est certain que les deux récits formaient déjà une unité dans la tradition orale ».

5. Sur ce point, M.-A. Chevallier, *NTS* 32, 1986, p. 528-543.

6. Telle est la conclusion à laquelle parvient L. E. Keck, The Spirit and the Dove, *NTS* 17, 1970, p. 67.

7. Ainsi E. Schweizer, *Markus,* p. 76-77, et H. Anderson, *Mark,* p. 173-174.

marche ensuite sur les eaux pour rejoindre les disciples qui l'ont précédé sur le chemin du retour et se sont embarqués avant lui (Mc 6, 47-52 // Jn 6, 16-21). On peut donc envisager que l'on se trouve confronté ici à un ensemble traditionnel solide, fort ancien et antérieur à l'œuvre rédactionnelle de Marc[1]. Or Jn 6, 4 situe la scène dans un contexte pascal et, outre le fait que le chapitre 6 du quatrième évangile a pu être lu dans son ensemble comme une sorte de *haggada* pascale chrétienne[2], le récit marcien recèle différents traits qui prennent une signification particulière sur un arrière-plan liturgique et festif éventuel. Ce sont notamment les gestes qu'accomplit Jésus en lien avec les pains et les poissons (Mc 6, 41 et //) et qui évoquent l'institution de la Cène (Mc 14, 22 et //), la prière au Maître (Mc 6, 46 // Mt 14, 23), le thème, au moins implicite, de la veillée dans la nuit (Mc 6, 47-48 // Mt 14, 23-25), le jeu que l'on observe autour de l'absence et de la présence de Jésus, le motif de la rencontre qui survient vers la quatrième veille de la nuit (Mc 6, 48 // Mt 14, 25) soit au moment où prenait fin la vigile pascale[3].

Par ailleurs, la tradition semble bien avoir fait valoir en Jésus « le sauveur eschatologique d'Israël, dans lequel le temps du salut de l'Exode hors d'Egypte trouve son accomplissement eschatologique »[4]. On notera à ce propos que différents événements situés au début de la geste exodale se trouvent récapitulés à rebours en Mc 6, 32-52 : l'ordonnancement de la foule (Mc 6, 40) rappelle l'organisation d'Israël au désert (Ex 18, 21-25) ; la multiplication des pains (Mc 6, 41-44), l'épisode de la manne (Ex 16)[5] ; la marche sur les eaux (Mc 6, 45-51), la traversée de la mer (Ex 14). Il ne nous paraît donc nullement exclu que, à travers une relecture typologique des événements, la tradition sous-jacente à cet ensemble ait souligné, déjà à une époque très ancienne, que, par la venue de Jésus, une Pâque nouvelle avait été instaurée. Si aucun indice précis ne permet de la rattacher particulièrement à l'Eglise primitive de Jérusalem, la manière dont elle relit les faits à la lumière de la liturgie invite, nous semble-t-il, à envisager sérieusement qu'elle ait pu être façonnée en son sein.

e / *Une richesse christologique commune à tous ces textes*

Les développements qui précèdent auront permis de mettre en évidence la richesse christologique commune aux diverses traditions narratives que

---

1. C'est ce que pensent les deux auteurs cités à la note précédente.
2. En ce sens, B. Gärtner, *John 6 and the Jewish Passover* (*ConNT* XVII), Lund, Copenhagen, 1959, et E. J. Kilmartin, Liturgical Influence on John 6, *CBQ* 22, 1960, p. 183-191 ; Id., The Formation of the Bread of Life Discourse [John 6], *Scrip.* 12, 1960, p. 75-78.
3. Ces rapprochements ont été effectués avant nous par B. Standaert, *L'Evangile selon Marc. Composition et genre littéraire,* Nijmegen, 1978, p. 588-589.
4. E. Schweizer, *Markus*, p. 78, qui avance toutefois cette suggestion, qui nous paraît être tout à fait pertinente, avec prudence.
5. Le parallélisme est particulièrement net en Jn 6, 31.

nous avons étudiées. On y retrouve le même foisonnement d'approches parallèles et complémentaires destinées à rendre compte du mystère de la personne de Jésus que dans les hymnes ou les confessions de foi émanant de l'Eglise primitive de Jérusalem. Toutefois, le genre littéraire spécifique que représente le récit a permis de placer un accent particulier sur la dimension d'accomplissement inhérente à la venue de celui dont les premiers chrétiens confessaient désormais qu'il était le Messie. A travers l'usage de la typologie et sur l'arrière-plan, désormais récapitulé, des grandes fêtes juives, tous ces textes soulignent que l'histoire du salut vient de connaître son étape décisive. Celui qui se trouve dorénavant en son centre, Jésus, ne saurait tarder à revenir, mais, en attendant, la communauté qu'il a commencé de bâtir est au bénéfice de l'œuvre que Dieu a réalisée à travers lui. Ainsi la christologie s'accompagne-t-elle d'une ecclésiologie, ce que la place allouée à Pierre par ces traditions manifeste clairement.

V – IMAGE DE PIERRE AU SEIN DE L'EGLISE PRIMITIVE DE JÉRUSALEM A LA LUMIÈRE DE CES TRADITIONS

Nous avons eu l'occasion de voir que Mt 16, 18-19 présente Pierre comme le fondement du Temple eschatologique appelé à assumer désormais, en matière de pardon des péchés, des prérogatives attachées jusque-là à la personne du grand prêtre[1]. Nous ne reviendrons donc pas sur ce point, mais insisterons une nouvelle fois sur la portée d'une telle affirmation. Grâce à elle, la reconnaissance du fait que Jésus était désormais le lieu de l'expiation n'a pas débouché sur un vide puisque la communauté s'est donnée pour l'endroit où l'événement salutaire continuait de produire ses fruits[2]. Certes, on a pu, non sans d'assez bonnes raisons nous semble-t-il, estimer que le pouvoir de lier et de délier avait déjà été confié par le Nazaréen à ses disciples de son vivant afin de les associer à son action d'exorciste[3], mais il connaît ici une réinterprétation dont on ne saurait négliger la portée. On détient là, en effet, un exemple assez étonnant d'institutionnalisation seconde du charisme, en ce sens que, à partir de la signification qu'elle reconnut à la mort et à la résurrection de Jésus, la communauté se découvrit détentrice de prérogatives d'une ampleur réellement nouvelle[4].

Quittant le domaine de l'ecclésiologie proprement dit pour entrer, nous l'allons voir, dans celui du vécu ecclésial et plus précisément de la parénèse, il convient de relever encore une autre image de Pierre que fournissent ces

---

1. Cf. p. 197-198.
2. *Ibid.*
3. Nous renvoyons à ce sujet à l'hypothèse de R. H. Hiers, *JBL* 104, 1985, p. 244-249, dont il a été question déjà (n. 1, p. 111).
4. Cf. p. 111.

traditions. Par delà celle de porte-parole des disciples (Mc 11, 21), c'est celle de type du croyant (Mc 8, 29.32 et // ; 14, 37 et // ; 14, 66-72 et //). Ambivalente, puisque Simon est capable à la fois des plus beaux élans de foi et des plus graves errements, elle est aussi paradoxale car elle nous présente un personnage en lequel on a peine à reconnaître le pourfendeur intransigeant des malversations d'Ananias et Saphira (Ac 5, 1-11) et le sévère censeur des projets de Simon le magicien (Ac 8, 20-21). Il convient, pour en rendre compte, de l'étudier en détail avant d'envisager dans quel contexte historique elle a pu être mise en exergue.

Nous avons déjà constaté que le portrait qu'elle livre de l'apôtre n'est pas sans évoquer l'anthropologie essénienne et l'opposition qui s'y manifeste entre fils de lumière et Ange des ténèbres[1]. Ce fait est particulièrement net dans le récit de la vigile à Gethsémané où, après une apostrophe de Jésus à Pierre, retentit l'exhortation suivante : « L'esprit est prompt et la chair est faible » (Mc 14, 38), qui « s'explique au mieux dans les perspectives théologiques courantes dans les écrits de Qumrân »[2].

Or, nous nous sommes efforcés de le démontrer ailleurs, la structure triple des traditions qui, au sein des récits de la dernière nuit de Jésus, mettent en scène Simon (Mc 14, 32-42 et // ; Mc 14, 66-72 et //) nous semble prendre tout son sens dans la perspective d'un combat contre les forces sataniques[3]. On considérait en effet traditionnellement que l'assaut des puissances démoniaques survenait sous la forme de trois vagues successives[4] auxquelles il importait, bien sûr, de résister. Si Jésus les repousse à Gethsémané, Pierre, au contraire, y succombe lors du reniement. Comme le montre fort bien la recension marcienne, son cas s'aggrave d'ailleurs progressivement puisque, d'une première dénégation en privé et par esquive (v. 68), on passe à la faute la plus grave, un reniement public, caractérisé et appuyé par des imprécations et un serment (v. 71)[5].

Mais, justement, un faisceau de témoignages convergents atteste que, très tôt, le verbe *arneomai,* opposé à *homologeô,* est devenu un terme technique destiné à qualifier l'abjuration des fidèles. Employé seul, *arneomai* im-

---

1. Cf. p. 178-179.
2. M.-E. Boismard, *Quatre hymnes baptismales dans la première épître de Pierre* (*LeDiv* 30), Paris, 1961, p. 141, qui reprend à son compte les conclusions de K. G. Kuhn, *peirasmos, hamartia, sarx* im Neuen Testament und die damit zusammenhängenden Vorstellungen, *ZThK* 49, 1952, p. 200-222. On relèvera qu'en 1 Th 3, 5, écrit considéré généralement comme le plus ancien du Nouveau Testament, retentit un appel angoissé de Paul qui se situe dans une perspective similaire.
3. C. Grappe, *RHPhR* 65, 1985, p. 114-116.
4. C'est ce que suggère déjà la triple renonciation des néophytes qumrâniens à Bélial associée à leur triple engagement à se tourner vers Dieu en réponse aux admonestations des prêtres et des lévites (1QS 1, 19-20 ; 2, 10.18) et ce qu'illustre, bien sûr, l'épisode de la mise à l'épreuve de Jésus au désert dans ses développements matthéen et lucanien (Mt 4, 1-11 ; Lc 4, 1-13).
5. C'est ce qu'a montré D. Daube, Limitations on Self-Sacrifice in Jewish Law and Tradition, *Theology* 73, 1969, p. 291-304, qui s'est appuyé pour ce faire sur les textes rabbiniques.

plique en effet que l'on renie son attachement envers quelqu'un à qui on est censé appartenir et de qui on ne veut désormais plus rien savoir[1]. Le reniement est ainsi « une véritable négation de l'autre, ici du Christ »[2]. Il est tout à fait remarquable, à cet égard, que le reproche d'avoir renié Jésus soit adressé aux juifs, en Ac 3, 13-14, en raison de leur attitude lors du procès devant Pilate. La gravité de l'offense commise par Pierre apparaît mieux encore dans le logion que rapportent Mt 10, 32-33 et Lc 12, 8-9. Dans ces deux passages, la confession de foi en Jésus de quiconque devant les hommes engendre la propre confession du Nazaréen en faveur de cet homme devant son Père, tandis que, à l'inverse, le reniement public encourt un reniement eschatologique[3].

L'*Evangile de Jean* contient également un passage fort révélateur. Le Baptiste, alors qu'il est quasiment placé dans la situation d'un interrogatoire judiciaire, puisque les juifs ont envoyé de Jérusalem des prêtres et des lévites pour le questionner sur son identité, confesse et ne renie pas (*kai hômologèsen kai ouk èrnèsato :* Jn 1, 20). Et ce qu'il confesse, c'est justement qu'il n'est pas le Christ (v. 20), c'est-à-dire, implicitement, que Jésus l'est (Jn 1, 26-27). La péricope prend tout son relief quand on considère que l'affirmation du précurseur est celle qui, en Jn 9, 22 et 12, 42, provoque l'expulsion de la Synagogue. Il ressort bien de ce contexte et de celui du logion de Mt 10, 32-33 que *arneomai* et *homologeô* revêtent, en dehors du sens profane, une valeur juridique[4], mais aussi que *homologeô* est devenu une sorte de terme technique pour désigner l'adhésion à la foi chrétienne. On ne s'étonnera pas, dans cette perspective, que, selon Paul, confesser le Seigneur procure le salut (Ro 10, 9-10), ni que, face à leurs adversaires déclarés, il n'y ait bientôt eu, pour les adeptes de la foi nouvelle, d'autre alternative que de renier ou de mourir. C'est ce qu'atteste Justin qui rapporte que, « dans la dernière guerre de Judée, [Bar Kochba,] le chef de la révolte, faisait subir aux chrétiens, et aux chrétiens seuls, les derniers supplices, s'ils ne reniaient *(ei mè arnointo)* et ne blasphémaient *(blasphèmoien)* Jésus-Christ »[5].

L'arrière-plan qui apparaît ainsi sous nos yeux peut être encore complété par l'étude du verbe *anathematizô* qui décrit, en Mc 14, 71, l'attitude de Pierre *(ho de erxato anathematizein)*. Ce terme, qui n'apparaît que quatre fois dans le

---

1. Cf. H. Schlier, « arneomai », *ThWNT,* I, p. 468-471, et H. Riesenfeld, The Meaning of the Verb *arneistai,* in *ConNT* 11 (in honorem Antonii Fridrichsen), Lund, 1947, p. 207-219.

2. P. Bonnard, *Matthieu,* p. 382.

3. Ap 3, 5 et 8 semblent se situer sur la même ligne que ces deux textes. Par ailleurs, le couple *arneomai-homologeô* apparaît encore en Tt 1, 16 ; 1 Jn 2, 22-23, chez Hermas, *Le Pasteur,* Similitude IX, 28, 4.7, et dans le *Martyre de Polycarpe* 9, 2.

4. Cf. notamment O. Michel, « homologeô », *ThWNT,* V, p. 211.

5. Justin, *Apologies,* I, 31, 6, cité selon L. Pautigny, *Justin, Apologies.* Texte grec, traduction française, introduction et index (« Textes et documents pour l'étude historique du christianisme », 1), Paris, 1904, p. 61.

Nouveau Testament[1], est attesté plus fréquemment dans l'Ancien où il n'est jamais utilisé pour qualifier l'action de quelqu'un qui s'anathématiserait soi-même[2]. Ce fait a de fortes incidences pour la compréhension de notre texte. Il semble bien, en effet, que Pierre, ici, ne s'anathématise pas soi-même[3], mais anathématise le Christ[4]. Cette interprétation nous paraît confirmée par le fait qu'*anathematizô* est employé en association avec *omnuô*. Or, plutôt que de voir dans la succession des deux verbes un hendyadis[5], il nous paraît préférable de considérer qu'ils décrivent deux actions différentes[6] : dans un premier temps, Pierre anathématise le Christ ; ensuite, il prête serment[7].

La lettre de Pline à Trajan apporte, comme le notent ses défenseurs, une confirmation à l'hypothèse que nous émettons. C'est ce que montrent les extraits qui suivent :

Voici la règle que j'ai suivie envers ceux qui m'étaient déférés comme chrétiens. Je leur ai demandé à eux-mêmes s'ils étaient chrétiens. A ceux qui l'avouaient, je l'ai demandé une seconde et une troisième fois, en les menaçant du supplice ; ceux qui persévéraient, je les ai fait exécuter (...)

Ceux qui niaient être chrétiens ou l'avoir été, s'ils invoquaient les dieux selon la formule que je leur dictais et sacrifiaient par l'encens et le vin devant ton image que j'avais fait apporter à cette intention avec les statues des divinités, si en outre ils blasphémaient le Christ *(maledicerunt Christo)* — toutes choses qu'il est, dit-on, impossible d'obtenir de ceux qui sont vraiment chrétiens —, j'ai pensé qu'il fallait les relâcher. D'autres, dont le nom avait été donné par un dénonciateur, dirent qu'ils étaient chrétiens, puis prétendirent qu'ils ne l'étaient pas (...). Tous ceux-là aussi ont adoré ton image ainsi que les statues des dieux et ont blasphémé le Christ *(Christo maledicerunt)*[8].

Il ressort d'abord de ce témoignage que le fait d'anathématiser le Christ servait comme preuve de leur innocence aux personnes accusées d'être

1. En dehors de notre texte, il est employé en trois occasions dans le chapitre 23 des Actes où les juifs s'engagent à ne plus manger ni boire avant d'avoir mis Paul à mort (Ac 23, 12.14.21).
2. Ce n'est le cas ni dans la *Septante* (Nb 18, 14 ; 21, 2.3 ; Dt 13, 15 (16) ; 20.17 ; Jos 6, 20 (21) ; Jg 1, 17 ; 21, 11 ; 1 R (Sa) 15, 8 ; 2 R 19, 11 ; 1 Ch 4, 11 ; Esd 10, 8 ; *1 M* 5, 5), ni dans la version d'Aquila (Ex 22, 20 (19) ; Dt 2, 34 ; 3, 3.6 ; 7, 2 ; 1 R 15, 8 ; Es 11, 15 ; 34, 2 ; 37, 11 ; Jr 50 (27), 21 ; Mi 4, 13), ni dans celle de Symmaque (Ex 22, 20 (19) ; Dt 7, 2 ; 1 R 15, 8 ; Es 11, 15 ; 34, 2 ; Jr 50 (27), 21 ; Mi 4, 13), ni dans celle de Théodotion (Ex 22, 20 (19) ; Dt 7, 2 ; 1 R 15, 8 ; Es 11, 15 ; 34, 2 ; Mi 4, 13).
3. Telle est l'interprétation traditionnelle dont H. Merkel, in *The Trial of Jesus*, p. 67, dresse la liste des plus anciens témoins.
4. Ainsi G. Bornkamm, Das Wort Jesu vom Bekennen (1935-1958), in *Geschichte und Glaube. Erster Teil. Gesammelte Aufsätze*, Bd III (*BEvTh* 48), München, 1968, p. 34 ; H. Merkel, art. cit., p. 66-71 ; G. W. H. Lampe, St Peter's Denial, *BJRL* 55, 1972-1973, p. 354, et D. Gewalt, Die Verleugnung des Petrus, *LingBib* 43, 1978, p. 120.
5. Tel est le point de vue d'E. Lohmeyer, *Markus*, p. 333.
6. H. Merkel, in *The Trial of Jesus*, p. 68.
7. Il est possible que le logion qui interdit toute forme de serment en Mt 5, 34.36 et Jc 5, 12 permette de mieux comprendre encore la gravité de la déclaration de Pierre.
8. Pline le Jeune, *Lettres*, livre X, 96 (97), cité selon la traduction de M. Durry, *Pline le Jeune*, t. IV : *Lettres* ; livre X : *Panégyrique de Trajan* (« Collection des Universités de France »), Paris, 1947, p. 73-74.

chrétiennes, aux alentours de l'an 110, dans la province romaine du Pont et de la Bithynie. Or, nous l'avons vu, une procédure analogue à celle qu'adopte Pline fut employée par Bar Kochba au cours de la seconde révolte juive. Il est possible que l'usage romain dérive en fait des mesures prises par les juifs, et plus précisément par les rabbins pharisiens, à l'encontre de l'Eglise[1]. On peut penser en effet qu'assez anciennement, dans le cadre des persécutions menées par les représentants du judaïsme officiel contre des chrétiens en Palestine, une sorte de code de conduite ait été adopté, qui visait à détourner les hérétiques de leur déviance, faute de quoi ils subissaient des peines plus ou moins lourdes[2]. Il ne nous semble pas exclu que le récit du reniement de Pierre puisse faire écho à des pratiques semblables, même s'il est impossible de l'affirmer avec certitude. On ne peut en effet postuler sans autre que la situation qui prévalait au IIe siècle avait déjà cours avant la ruine du Temple.

Il est en tout cas remarquable que la lettre de Pline nous fasse connaître un interrogatoire en trois étapes en vue d'amener les chrétiens à anathématiser leur Maître.

On ne peut manquer d'observer par ailleurs que, dans l'*Evangile de Marc*, Pierre renie Jésus pendant que ce dernier confesse sa messianité. Cette simultanéité est si frappante qu'on gagne à envisager en bloc les deux péricopes pour mieux mettre en évidence le contraste qui les oppose[3]. Le parallèle devient encore plus troublant si, à l'écoute de la *Première épître de Timothée,* on constate que la confession de foi de Jésus lors de sa Passion était devenue le type de celle qu'étaient amenés à prononcer, à leur tour, ses disciples en public :

Pour toi, homme de Dieu, fuis ces choses, Recherche la justice, la piété, la foi, l'amour, la persévérance, la douceur. Combats le beau combat de la foi, conquiers la vie éternelle à laquelle tu as été appelé, comme tu l'as reconnu dans une belle profession de foi *(hômologèsas tèn kalèn homologian)* en présence de nombreux témoins. Je t'ordonne, en présence de Dieu qui donne vie à toutes choses, et en présence de Jésus-Christ qui a rendu témoignage devant Ponce Pilate dans une belle

---

1. Ainsi R. Freudenberger, *Das Verhalten der römischen Behörden gegen die Christen im 2. Jahrhundert,* München, 1967, p. 148.
2. L'histoire des persécutions à l'encontre des chrétiens en Palestine pourrait avoir été inaugurée par le lynchage d'Etienne (Ac 6, 8-7, 60) et la persécution des hellénistes (Ac 8, 1) à laquelle Paul, dont l'attitude offensive à l'égard de la première Eglise, qu'il confesse lui-même en Ga 1, 13, est attestée en Ac 8, 3, a dû prendre part. Ultérieurement, 1 Th 2, 14 parle d'une persécution de la part des juifs, des Eglises de Dieu qui sont en Judée, tandis que les cinq premiers chapitres des Actes mentionnent, nous aurons l'occasion de revenir sur ce point, de nombreuses arrestations et gardes à vue à Jérusalem même.
3. Ainsi E. Schweizer, *Markus,* p. 184-192, et H. Anderson, *Mark,* p. 324-333. Comme l'a noté par ailleurs R. Pesch, *Markusevangelium,* II, p. 446-447, cette simultanéité est essentiellement marquée par le génitif absolu initial (*kai ontos tou Petrou :* Mc 14, 66). Parallèlement, le fait que les deux scènes aient lieu dans un même cadre spatial, comme le soulignent déjà les v. 53 et 54, contribue à renforcer l'impression de leur étroite correspondance.

profession de foi *(tèn kalèn homologian)* : garde le commandement en demeurant sans tache et sans reproche, jusqu'à la manifestation de notre Seigneur Jésus-Christ (1 Tm 6, 11-14)[1].

Cette hymne liturgique est d'autant plus intéressante que, si elle atteste la solennité de la confession de foi du croyant, elle manifeste également la gravité de tout reniement (v. 14). Son mouvement évoque celui de Mc 14, 53-72[2]. Or les textes de martyre juifs et chrétiens primitifs ont fréquemment pour thème que ce qui advient dans une telle situation représente en fait un véritable conflit de puissances sur le plan spirituel. Tel est, de fait, le cas dans le complexe narratif constitué par la confession de Jésus et le reniement de Pierre. Tandis que le premier montre, dans cette lutte de pouvoirs, sa supériorité au risque d'y perdre la vie, le second, malgré la mise en garde qui lui a été adressée en Mc 14, 37-38, cède et abandonne son Maître pour sauver la sienne[3].

L'épisode du reniement serait-il pour autant destiné à discréditer l'apôtre[4] ? Nous ne le pensons pas. La scène apparaît en effet comme une concrétisation du reniement général des disciples[5], comme le montre une étude attentive de l'épisode à l'occasion duquel Jésus les avertit de leur prochaine désertion (Mc 14, 27-31). Ce récit affecte en effet une structure concentrique : aux deux extrémités, tous les disciples sont visés par les propos du Nazaréen puis unis dans les dénégations qu'ils opposent à son annonce, mais, entre-temps, l'intérêt se concentre peu à peu sur la personne de Pierre. Le jeu de pronoms est, à cet égard, révélateur. Tandis qu'au centre le dialogue se restreint entre Simon et Jésus (v. 30), la récurrence de *pantes* aux versets 27 et 31*b* indique que l'enjeu de la scène est beaucoup plus vaste. Dans ce contexte, le comportement de Pierre apparaît, de fait, récapituler celui de l'ensemble des disciples qui tous, après lui, protestent de leur fidélité.

Il nous semble dès lors possible d'avancer l'hypothèse suivante. Le reniement de Pierre aurait été conçu, au sein du récit de la Passion, comme un épisode destiné à mettre en garde les fidèles. Certes il récapitulait la première partie de l'itinéraire de l'apôtre, toujours prompt aux belles déclarations (Mc 8, 29 et // ; 14, 31 et //) mais capable cependant d'abandonner son Maî-

1. Un contexte baptismal est le plus souvent proposé comme *Sitz im Leben* de ce passage. Pourtant certains auteurs, dont E. Käsemann, *Exegetische Versuche*, I, p. 103, dresse une liste, discernent à l'arrière-plan du texte soit une cérémonie d'ordination, soit la comparution de fidèles devant des tribunaux païens. Il nous semble, pour notre part, que ces interprétations ne s'excluent pas forcément l'une l'autre. Au contraire, pour des chrétiens vivant en milieu hostile, la confession de foi baptismale avait des implications au niveau social et bien vite nul n'a pu ignorer que, en adhérant à la foi nouvelle, il risquait d'être amené à en rendre compte aussi devant les autorités.
2. B. Gerhardsson, Confession and Denial before Men : Observations on Matt. 26:57-27:2, *JSNT* 13, 1981, p. 56, l'a noté.
3. B. Gerhardsson, art. cit., p. 58.
4. Tel est notamment l'avis de G. Klein, Die Verleugnung des Petrus. Eine traditionsgeschichtliche Untersuchung, *ZThK* 58, 1961, p. 307.
5. Ainsi E. Linnemann, *Studien zur Passionsgeschichte (FRLANT* 102), Göttingen, 1970, p. 93.

tre ou d'être pour lui objet de scandale (Mc 8, 33 et //). Toutefois, depuis ce moment-là, les choses avaient bien changé et le disciple autrefois couard n'avait pas hésité à encourir et à subir la persécution comme le montrent les récits des Actes sur lesquels nous aurons l'occasion de revenir (Ac 4, 1-22 ; 5, 17-42 ; 12, 3-11). Ce retournement dans la vie de Simon revêtait à son tour une valeur exemplaire et il nous paraît possible que ses larmes, en Mc 14, 72, évoquent cette véritable conversion[1] à laquelle étaient appelés également les auditeurs du récit. Ils pourraient ainsi, à l'image de Jésus, se montrer de véritables confesseurs et ne pas succomber à l'heure de l'épreuve.

Dans cette perspective, la dimension parénétique de la scène apparaît clairement. La tradition retranscrite en Mt 10, 32-33 // Lc 12, 8-9 invite à penser que l'épisode était bien davantage destiné à mettre en garde contre toute déviation qu'à excuser par avance une quelconque apostasie. Cela n'empêche pas que l'épisode du reniement fournit lui-même un utile contrepoint au logion que nous venons de mentionner. Il est possible, de fait, que celui-ci ait voulu mettre en évidence non pas tant le caractère fatal et irrémédiable de tout reniement que la gravité d'un tel acte. L'horizon qui se dessine ainsi paraît plus ouvert que celui qui prévalait à Qumrân puisque le cérémonial triple de l'entrée dans l'alliance s'accompagnait d'une renonciation à l'empire de Bélial ainsi que de l'attribution du pardon pour les exactions passées (1QS 1, 24-2, 1) mais que tout retour à l'erreur encourait une condamnation définitive (1QS 2, 11-18).

Conclusion

Il ressort du développement qui précède que, par delà les réminiscences d'une anthropologie essénienne que l'on rencontre dans la tradition des récits de la dernière nuit de Jésus, une distanciation s'y est déjà opérée par rapport aux conceptions qumrâniennes. Une telle distanciation n'apparaît pas, en tout cas de la même manière, dans le récit d'Ananias et Saphira, puisqu'il radicalise, au contraire, la discipline qui avait cours parmi les sectaires des bords de la mer Morte. Cette différence doit trouver, selon nous, son explication dans le fait que le récit de la Passion, même s'il est assurément fort ancien, repose en l'état actuel sur une tradition qui a pu évoluer quelque peu jusqu'au départ de Pierre de Jérusalem et qui ne remonte sans doute pas jusqu'à la phase d'organisation essénisante de la communauté primitive. Cela ne pourra surprendre puisque, nous l'avons vu, l'affirmation selon laquelle le Christ était le véritable agneau pascal semble avoir représenté dans un premier temps le credo pascal de l'assemblée jérusalémite[2].

1. Le terme que nous employons ici conviendrait encore mieux pour le récit lucanien où, lors de l'annonce du reniement en Lc 22, 32, Jésus ordonne à Pierre d'affermir ses frères une fois qu'il se sera retourné ou converti.
2. Cf. p. 174.

Il n'en demeure pas moins que le recours fait à des représentations esséniennes caractérise la plupart des traditions qui nous ont paru relever du
domaine de l'étiologie cultuelle et provenir de l'Eglise primitive de Jérusalem. Il est particulièrement net dans les récits auxquels Simon est associé. Il y
a là un fait remarquable qui doit inciter, selon nous, à envisager l'émergence
de toutes ces traditions dans un même milieu. Il nous semble que nul ne
convient mieux que le parti de Pierre.

Comme nous l'avons noté, en effet, les cinq premiers chapitres des Actes
portent la trace d'influences sadocites au sein de la fraternité des origines qui
se regroupa à Jérusalem sous l'égide de Pierre[1]. Nous avons vu par ailleurs
que ces influences avaient contribué de manière non négligeable et durable à
l'élaboration de la christologie[2] et au développement de la conscience ecclésiale[3]. On se tromperait donc sans doute lourdement en imaginant que l'abandon progressif du premier modèle d'organisation s'est accompagné d'un
renoncement à s'abreuver à une source qui s'avérait extrêmement féconde.
De toute façon, même au départ, les emprunts n'avaient jamais été serviles. Il
paraît donc tout à fait vraisemblable que Céphas et les siens aient continué de
s'inspirer librement de représentations qui ne manquaient pas d'attrait à leurs
yeux.

Il s'avère cependant très délicat de dater avec plus de précision l'émergence de traditions qui nous semblent devoir s'être constituées dans les
années 30, au moment où Pierre était encore le principal responsable de la
communauté jérusalémite, et avoir été bien fixées au moment où il a quitté la
ville sainte, ce qui explique qu'elles se soient maintenues avec une relative
stabilité jusqu'à la rédaction des évangiles.

En fait, en raison même du cadre liturgique en vue duquel elles ont été
façonnées, sans doute ont-elles été élaborées à peu près en même temps.

Elles attestent la place éminente que Céphas a occupée au sein de l'Eglise
primitive de Jérusalem et précisent l'image qui y était la sienne tout en montrant que, si elle a été érigée en type, elle n'a subi aucune idéalisation. Elles
confirment aussi la hardiesse et la richesse des spéculations christologiques
qui y eurent cours et permettent de penser que cette réflexion s'effectua sous
l'égide de Simon. Enfin, pour revenir sur une suggestion que nous avons
déjà émise sans la développer[4], elles projettent peut-être quelque lumière sur
la préhistoire du genre littéraire évangile.

Il ne s'agit certes pas pour nous de réhabiliter ici le témoignage de Papias
dont nous rappellerons quelle est, selon Eusèbe, la teneur :

Marc, qui était l'interprète *(hermèneutès)* de Pierre, a écrit avec exactitude, mais
pourtant sans ordre, tout ce dont il se souvenait de ce qui avait été dit ou fait par le

---

1. Cf. p. 52-60.
2. Cf. p. 66-67.
3. Cf. p. 54-57 ; 88-115 ; 148-150 ; 183-184.
4. Cf. p. 200-201.

Seigneur. Car il n'avait pas entendu ni accompagné le Seigneur ; mais, plus tard, comme je l'ai dit, il a accompagné Pierre. Celui-ci donnait son enseignement selon les besoins, mais sans faire une synthèse des paroles du Seigneur. De la sorte, Marc n'a pas commis d'erreur en écrivant comme il se souvenait. Il n'a eu en effet qu'un seul dessein, celui de ne rien laisser de côté de ce qu'il avait entendu et de ne tromper en rien dans ce qu'il rapportait[1].

Bien sûr, ce témoignage a connu une fortune considérable dans l'Eglise ancienne[2] et certains persistent à le tenir pour fiable[3], tandis que d'aucuns lui attribuent une antiquité plus grande qu'on ne le consentait naguère[4]. Cependant, 1 Pi 5, 13, qui fait de Marc le « fils » de Pierre, a pu jouer un rôle non négligeable dans l'émergence et dans le développement de cette tradition[5]. D'autre part, l'affirmation de Papias est peut-être inspirée par un souci de polémique antignostique, dans la mesure où les adeptes de Basilide prétendaient détenir une tradition remontant à Pierre par l'intermédiaire de Glaucias qui eût été son interprète *(ton Petrou hermènea)*[6]. Dans cette perspective, « contrairement à la tentative de Basilide et d'autres gnostiques de revendiquer une relation spéciale avec Pierre, Papias affirme[rait] que le véritable lieu de l'enseignement pétrinien doit être cherché dans l'*Evangile de Marc* »[7].

Ces arguments invitent à manipuler le témoignage de l'évêque d'Hiéra-polis avec la plus grande prudence. Pourtant, il pourrait, paradoxalement, ne pas avoir totalement tort, même si les raisons qu'il invoque à l'appui de son point de vue ne sont pas recevables. En effet, les traditions qui nous ont paru relever de l'étiologie cultuelle au sein de l'Eglise primitive de Jérusalem représentent, si l'on accepte l'hypothèse que nous avons propo-sée, une première ébauche de narration des événements salutaires survenus à travers la venue de Jésus. Blocs de dimension relativement réduite en dehors du récit de la Passion, elles occupent une place de choix au sein de la trame évangélique. On peut donc se demander si l'assertion de M. Hen-

---

1. Eusèbe de Césarée, *HE,* III, 39, 15 (traduction empruntée à G. Bardy, *in* Eusèbe de Césarée, *Histoire ecclésiastique,* livres I-IV, p. 156-157).
2. Sur ce point, E. R. Kalin, Early Traditions about Mark's Gospel : Canonical Status Emerges, the Story Grows, *CurTM* 2, 1975, p. 332-341.
3. On mentionnera ici T. Y. Mullins, Papias on Mark's Gospel, *VigChr* 14, 1960, p. 216-224 ; A. C. Perumalil, Are not Papias and Irenaeus Competent to Report on the Gospels ?, *ET* 91, 1980, p. 332-337, et M. Hengel, *Studies in the Gospel of Mark,* p. 50-52 et n. 68, p. 155. En sens contraire, notamment, E. Schweizer, *Markus,* p. 12 ; U. H. J. Körtner, *ZNW* 71, 1980, p. 160-173, et T. V. Smith, *Petrine Controversies,* p. 35-38.
4. Parmi les tentatives allant dans ce sens, A. C. Perumalil, Papias, *ET* 85, 1974, p. 361-366, remonte jusqu'en 95 de notre ère.
5. Ainsi R. Pesch, Die Zuschreibung der Evangelien an apostolische Verfasser, *ZKTh* 97, 1975, p. 56-71, et U. H. J. Körtner, *ZNW* 71, 1980, p. 169-172. On notera qu'Eusèbe de Césarée, *HE,* II, 15, 2 rapproche le témoignage de Papias et ce passage.
6. Clément d'Alexandrie, *Stromates,* VII, chap. XVII, 106, 4. L'argument est pré-senté par T. V. Smith, *Petrine Controversies,* p. 38.
7. T. V. Smith, *ibid.,* p. 38.

gel, pour qui « Marc et, à partir de lui, la tradition évangélique portent l'empreinte pétrinienne »[1], ne contient pas une part de vérité dans la mesure où une fraction non négligeable du matériau incorporé dans les évangiles canoniques proviendrait de la relecture de la vie de Jésus effectuée au sein de la communauté jérusalémite sous l'égide de Pierre.

1. M. Hengel, in *Glaube und Eschatologie,* p. 101.

Chapitre VI

Par delà l'élaboration
de la tradition relative à Jésus,
naissance d'une tradition
relative à Pierre ?

Les évangiles recèlent, outre les traditions qui nous ont paru relever de l'étiologie cultuelle, d'autres récits qui font mention de Pierre. De son côté, la première partie des *Actes* contient nombre de passages qui mettent en scène l'apôtre. Nous nous demanderons à présent si ces textes permettent d'envisager que se soit fait jour, au sein même de l'Eglise primitive de Jérusalem, un intérêt particulier pour la figure de Simon, si bien que se serait constituée, parallèlement à celle de Jésus et en lien avec elle, une tradition relative à Pierre.

Pour ce faire, nous procéderons de la manière suivante. Nous nous intéresserons d'abord aux narrations évangéliques pour éprouver si l'image de Simon, disciple privilégié de son maître, qui y transparaît souvent, remonte aux origines et nous interroger pour savoir si, en divers endroits, les textes ne reposent pas sur des vestiges de récits en lien avec la protophanie dont le parti de Pierre revendiquait le privilège pour son champion. Notre attention se portera ensuite sur l'œuvre à Théophile. Nous nous efforcerons d'évaluer alors l'ancienneté des traditions sous-jacentes aux passages qui nous présentent, en Ac 1-15, Pierre comme le continuateur de l'œuvre de Jésus et comme l'objet de la sollicitude de son Maître.

I – Pierre, disciple privilégié de son Maître

a | Pierre, premier parmi les disciples

Les listes des Douze que nous fournit le Nouveau Testament s'accordent pour inscrire Pierre en tête (Mc 3, 16-19 ; Mt 10, 2-4 ; Lc 6, 14-16 ;

Ac 1, 13.25-26). Elles remontent elles-mêmes à une tradition fort ancienne et, en dehors de leur variation de détail quant à l'identité de l'un de ceux que choisit Jésus[1], diffèrent légèrement quant au rang qu'elles réservent à chacun des membres du groupe. De fait, seule est incontestée, en dehors de la dernière position allouée à Judas, la première place de Simon, ce qui montre la force que devait revêtir cette donnée. Par ailleurs, la traduction grecque du surnom que conféra le Nazaréen au prince des apôtres est présente dans tous les cas. Ce fait confirme l'importance qui lui était accordée[2]. Ainsi, par delà l'insistance propre avec laquelle Matthieu souligne la prééminence de Simon[3], il n'y a pas de raison de douter que cette dernière ait été bien établie dans la tradition ancienne relative aux Douze.

L'information qui nous est ainsi transmise reflète une situation qui a dû voir le jour au cours du ministère de Jésus et qui n'a pas été remise en question au sein de l'Eglise primitive de Jérusalem[4]. Il n'est toutefois pas évident qu'historiquement Pierre ait été le premier disciple. L'indication du quatrième évangile selon laquelle André se serait d'abord attaché au Nazaréen dans la mouvance du Baptiste (Jn 1, 35-40) avant d'aller quérir son frère (Jn 1, 41-42) ne peut en effet être écartée d'un revers de main[5].

L'intérêt qu'a manifesté la tradition à l'égard de Pierre est confirmé par l'existence d'un récit de vocation relatif à sa personne. Certes, il n'est pas le

---

1. Rappelons que ces listes ont onze noms en commun : Pierre, André, Jacques (fils de Zébédée), Jean, Philippe, Barthélemy, Thomas, Matthieu, Jacques (fils d'Alphée), Simon le zélote et Judas (remplacé par Matthias en Ac 1, 25-26). Seul se substitue Jude à Thaddée, dans l'œuvre à Théophile.

2. Ainsi, notamment, J. Ernst, *Markus*, p. 112.

3. En Mt 10, 2, l'évangéliste fait précéder la mention de son nom de l'adjectif *prôtos*. Il ne faut sans doute pas exagérer la portée de cette mise en avant. Elle manifeste certes que la figure de Pierre revêtait une importance et un intérêt particuliers pour la communauté matthéenne (ainsi E. Schweizer, *Matthäus*, p. 153), ce que confirment les passages propres au premier évangile où elle apparaît (Mt 14, 28-31 ; 15, 15 ; 17, 24-27 ; 18, 21). Il n'est nullement évident cependant qu'elle signifie un privilège de Pierre, premier appelé (cf. Mt 4, 18-20), au sein de l'histoire du salut. R. Schnackenburg, in *A cause de l'Evangile*, p. 110, a bien mis en évidence la fragilité d'une telle hypothèse.

4. Ainsi R. Pesch, *Simon Petrus*, p. 21.

5. R. Pesch, *op. cit.*, p. 20, le fait justement valoir. Il faut cependant remarquer que le récit johannique n'est pas exempt d'un souci polémique comme l'a récemment noté A. H. Maynard, The Role of Peter in the Fourth Gospel, *NTS* 30, 1984, p. 532. Il transforme en effet André en le premier confesseur de la messianité de Jésus, et ce alors qu'il s'adresse à son frère (Jn 1, 41) à qui est justement attribuée cette reconnaissance dans la tradition synoptique (Mc 8, 29 et //). Immédiatement après, Pierre se voit confier son surnom (Jn 1, 42), selon un scénario qui reprend la séquence de Mt 16, 16-18, mais dans lequel toute initiative lui est confisquée. Le caractère polémique que recèle ce passage n'ébranle pas forcément la solidité du donné historique sous-jacent au texte de Jean. Lui qui seul rappelle l'activité première de Jésus au côté du Baptiste (cf. p. 44-45), peut en effet avoir détenu une information fiable quant à l'itinéraire suivi par André.

seul à bénéficier de ce privilège qu'il partage avec André, les zébédaïdes (Mc 1, 16-20 et //) et Matthieu (Mc 2, 13-14 et //)[1], si l'on s'en tient aux évangiles synoptiques. Il est d'ailleurs vraisemblable que, dans la tradition, les deux scènes narrées en Mc 1, 16-20 et // étaient déjà unies en une même séquence[2]. L'épisode de l'appel de Simon et d'André revêt cependant un éclat particulier de par le dit du Seigneur particulièrement bien frappé : « Je vous ferai pêcheurs d'hommes » (Mc 1, 17 et //), qui le ponctue. Ce logion, dont il n'y a pas de raison de mettre en doute l'authenticité[3], relève d'abord du sens de la formule du Maître[4]. Qu'il ait été ou non prononcé à l'occasion de la vocation de Simon et d'André ou rattaché ultérieurement à cette scène, cela atteste soit que l'on s'est souvenu du fait que cette parole, qui exprimait de façon générique la mission assignée aux disciples, avait été adressée aux deux frères, ce qui ne pouvait que conforter leur prestige, soit qu'elle a été reliée consciemment à leur personne, ce qui le renforçait.

De toute manière, il est intéressant de noter, surtout si, historiquement, André a été à l'origine du ralliement de Simon, que dorénavant c'est le dénommé Pierre qui occupe la première place, André étant présenté comme son frère, c'est-à-dire en fonction de lui. Qu'il y ait là un renversement ou tout simplement une hiérarchie, certes relative, établie entre les deux disciples, cela n'affecte que de manière annexe le constat fondamental que permet d'établir l'étude de Mc 1, 16-20 et //, à savoir que Pierre apparaissait, dans la tradition relative à leur vocation, comme le premier parmi les personnages qui constituaient par ailleurs le quatuor de tête de la liste des Douze.

b | Un intérêt particulier pour la figure de Pierre

Le bref récit de la guérison de la belle-mère de Pierre (Mc 1, 29-31 et //) est instructif pour notre propos. Il s'agit là d'un récit de guérison

1. Sur ces récits de vocations, on signalera les contributions récentes de S. O. Abogunrin, *NTS* 31, 1985, p. 587-602, et de C. Coulot, *Jésus et le disciple*, p. 139-247.
2. Ainsi J. Ernst, *Markus*, p. 56 ; E. Best, *Disciples and Discipleship*, p. 110 ; C. Coulot, *op. cit.*, p. 152.
3. C'est ce dont conviennent par exemple M. Hengel, *Nachfolge und Charisma. Eine exegetisch-religionsgeschichtliche Studie zu Mt 8, 21f. und Jesu Ruf in die Nachfolge* (*BZNW* 34), Berlin, 1968, p. 87 ; E. Trocmé, *Jésus de Nazareth*, p. 52 ; W. Dietrich, *Petrusbild*, p. 60-61 ; R. Pesch, *Simon Petrus*, p. 17, et C. Coulot, *op. cit.*, p. 156.
4. E. Trocmé, *ibid.* On fait fréquemment valoir que la métaphore des pêcheurs d'hommes apparaît déjà en Jr 16, 16. Il faut cependant noter que ce verset appartient à un oracle de jugement bien délimité (Jr 16, 16-18) que l'on ne saurait rattacher sans autre au contexte précédent (Jr 16, 14-15) pour y voir une annonce du « rapatriement des enfants d'Israël dispersés dans tous les pays », malgré la tentative effectuée en ce sens par J. Jeremias, *Théologie*, I, p. 170. L'explication la plus vraisemblable du logion réside dans un jeu de mots qu'inspira à Jésus le métier exercé par certains de ses premiers et principaux disciples (ainsi S. O. Abogunrin, *NTS* 31, 1985, p. 590).

bien moins spectaculaire que les autres épisodes du même genre que relatent les évangiles synoptiques[1]. S'il nous a pourtant été transmis, c'est selon toute vraisemblance parce qu'il appartenait à la tradition la plus ancienne et qu'il était lié à la figure de Simon[2]. Il est donc tout à fait possible que nous ayons affaire ici à une tradition proprement pétrinienne à l'origine[3]. Cela paraît d'autant plus plausible que Matthieu et Luc, rompant avec la construction surchargée et quelque peu embrouillée de Marc, qui s'efforce ici d'accumuler les noms de disciples, ne parlent plus que de la maison du seul Pierre et éliminent Jacques et Jean de la narration[4]. Ils renouent sans doute ainsi avec le récit primitif que l'auteur du second évangile aura alourdi dans le souci soit d'harmoniser son texte avec 1, 16-20[5], soit de ne pas mettre trop en avant le prince des apôtres[6]. La tradition originelle racontait donc, selon nous, comment Jésus était entré dans la maison de Simon et y avait guéri sa belle-mère. La recension matthéenne pourrait en avoir respecté la simplicité.

Il n'est pas impossible que Mc 1, 35-38 ait déjà été lié, même antérieurement à la rédaction de l'évangile, à Mc 1, 29-31 au sein d'un même ensemble d'anecdotes ayant pour thème l'activité de Jésus à Capernaüm[7]. On ne peut d'ailleurs exclure l'hypothèse selon laquelle, au départ, la péricope ne mentionnait, en dehors de Jésus, que Pierre[8]. Quoi qu'il en soit, même si le donné primitif était reflété par le texte en l'état actuel, il faudrait relever que le verset 36 présente le groupe de ceux qui partent à la recherche du Nazaréen en fonction de Simon : il est seul nommé et les autres acteurs sont présentés comme « les siens »[9]. Il en ressort un intérêt particulier pour la personne de Pierre au sein des traditions liées à la bourgade autour de laquelle paraît s'être organisée l'activité galiléenne de Jésus[10].

---

1. E. Haenchen, *Der Weg Jesu*, p. 89, a relevé fort à propos que l'auteur à Théophile a pallié ce qui dut apparaître bientôt comme une lacune en parlant d'une grosse fièvre derrière laquelle se profile un démon puisque Jésus, pour qu'elle laisse la belle-mère de Simon en repos, doit la menacer (Lc 4, 38-39).
2. E. Haenchen, *ibid.*
3. C'est ce que pensent notamment V. Taylor, *The Gospel according to St. Mark,* p. 178 ; E. Haenchen, *op. cit.,* p. 89, et E. Best, *Disciples and Discipleship,* p. 104.
4. R. Bultmann, *L'histoire,* p. 263, insiste justement sur ce point.
5. R. Bultmann, *ibid.*
6. On aurait ainsi un indice de plus du fait que « l'auteur de Marc n'est pas un très chaleureux défenseur des droits de Simon Pierre » (E. Trocmé, *La formation,* p. 103).
7. E. Schweizer, *Markus,* p. 29, envisage l'existence d'un tel ensemble qui aurait regroupé les v. 23-26 ; 29-32. 34a et 35-38.
8. Ainsi E. Best, Peter in the Gospel According to Mark, *CBQ* 40, 1978, p. 548-549 ; Id., *Disciples and Discipleship,* p. 104.
9. E. Haenchen, *Der Weg Jesu,* p. 92, n. 2, a justement fait valoir que le remplacement, en Lc 4, 42, de ces personnages par les foules s'explique par le fait que, la vocation de Pierre n'étant narrée qu'en Lc 5, 1-11, il eût été peu heureux de lui attribuer un rôle actif avant ce moment-là.
10. Ainsi Mc 2, 1 ; 9, 33 ; Mt 4, 13 ; 9, 1.

On peut d'ailleurs estimer que la maison de Pierre a servi de base pour la mission itinérante du Maître et de ses disciples[1]. Il en serait question, sans que soit précisée l'identité de son propriétaire ou de ses habitants, en Mc 2, 1 ; 3, 20 ; 7, 17 ; 9, 33 et Mt 9, 28 ; 13, 1.36 ; 17, 25. Jésus y aurait trouvé non seulement un lieu d'accueil mais aussi un endroit où il pouvait prodiguer son enseignement aux gens du peuple (Mc 2, 2) ou au cercle plus restreint de ses disciples (Mc 7, 17 ; 9, 33)[2]. On peut même envisager que Pierre a dû, pour une bonne part, sa position prééminente parmi les Douze dès le vivant de Jésus au fait qu'il détenait le privilège d'être régulièrement l'hôte de son Maître[3].

On remarquera toutefois que la présence à ses côtés de Jacques et de Jean dans des récits dont l'antiquité nous est apparue aussi grande que ceux de la Transfiguration (Mc 9, 2 et //) ou de la vigile à Gethsémané (Mc 14, 33 // Mt 26, 37) manifeste que l'intérêt pour sa personne ne s'est pas avéré exclusif. C'est ce que montrent également, outre les récits de vocation, l'existence d'une tradition mettant en scène les seuls zébédaïdes (Mc 10, 35-45 // Mt 20, 20-28)[4] et, d'une manière ou d'une autre, même s'il est bien délicat de se prononcer quant à son caractère rédactionnel ou non[5], l'apparition de la triade Pierre, Jacques, Jean, lors de l'épisode de la résurrection de la fille de Jaïrus (Mc 5, 37 // Lc 8, 51) et à l'occasion du discours eschatologique dont André est le quatrième auditeur (Mc 13, 3).

c | Pierre, porte-parole des Douze

La tradition la plus ancienne a également présenté Pierre comme le porte-parole des Douze. C'est ce qu'illustrent l'épisode de l'annonce du reniement (Mc 14, 27-31)[6], la scène de la confession messianique au cours de laquelle Simon s'exprime en réponse à une question posée à l'ensemble des disciples (Mc 8, 29 ; Mt 16, 16 ; Lc 9, 20) ainsi que, peut-être, l'incident du figuier

---

1. L'hypothèse est défendue notamment par E. Ravarotto, La « casa » del Vangelo di Marco è la casa di Simone-Pietro ?, *Anton.* 42, 1967, p. 399-419 ; E. Trocmé, *Jésus de Nazareth,* p. 26 ; R. Pesch, *Simon Petrus,* p. 21 ; R. Riesner, *Jesus als Lehrer,* p. 437-439.
2. Ainsi R. Riesner, *ibid.*
3. En ce sens, R. Pesch, *Simon Petrus,* p. 21.
4. On notera également qu'en Mc 9, 39-41 // Lc 9, 49-50 Jean questionne Jésus, dans un passage qui s'inscrit au sein d'un ensemble dont nombre d'auteurs s'accordent à reconnaître le caractère très primitif (cf. E. Trocmé, *La formation,* p. 31, n. 114).
5. Sur ce point E. Trocmé, *op. cit.,* p. 101-102.
6. Cf. p. 212.

desséché[1] et la remarque relative au renoncement des disciples (Mc 10, 28 ;
Mt 19, 27 ; Lc 18, 28)[2]. Il n'y a là rien de particulièrement surprenant eu
égard aux développements qui précèdent.

On notera ici que l'*Evangile de Matthieu* dépeint Pierre, en différentes
péricopes qui lui sont propres, comme le représentant des disciples :
en 15, 15, il demande en leur nom à Jésus d'expliquer la « parabole » sur le
pur et l'impur ; en 17, 24-27, les percepteurs des didrachmes s'adressent à lui
en tant que tel pour savoir si le Nazaréen, qu'ils désignent en l'appelant
« votre maître » (v. 24), paie ou non la taxe ; en 18, 21, il pose une question
relative au pardon qui, par delà sa personne, concerne tous ceux qui se réclament de l'enseignement de Jésus. Or tous ces passages se trouvent dans une
section du premier évangile où dominent les préoccupations ecclésiales
(Mt 13, 53-18, 35). Ils partagent un même horizon « hallachique » puisqu'ils
touchent à des problèmes en lien avec l'agir de la communauté[3]. Si,
en Mt 15, 15, où il paraît se substituer aux disciples de Mc 7, 17, et
en 18, 21, où l'introduction au logion, que rapporte Luc sous une forme très
semblable (Lc 7, 4) sans le faire précéder d'un préambule, est vraisemblablement imputable à l'évangéliste, la présence de Pierre semble due à la seule
rédaction, comme c'est le cas aussi dans certains ajouts propres à l'auteur à
Théophile (Lc 8, 45 ; 12, 41), il n'est pas évident qu'il en soit de même en 17,
24-27.

Ces quelques versets sont en effet assez difficiles à classer même s'ils
relèvent ultimement du genre littéraire de l'apophtegme : ils revêtent également les traits d'un dialogue didactique et incluent un récit de miracle[4]. La
genèse de l'ensemble pourrait avoir été relativement complexe[5]. Quoi qu'il
en soit, on ne peut nier que le débat qui sous-tend la péricope et qui
concerne l'obligation ou non de payer l'impôt du Temple a pu se poser
fort anciennement. En toute hypothèse, il nous renvoie à une période antérieure à la destruction du sanctuaire[6] puisque, après 70 apr. J.-C., les
Romains convertirent cette taxe en un prélèvement au profit de Jupiter
Capitolin[7]. Faut-il alors imaginer que Jésus se soit vu personnellement
confronté à cette question qui recevait des réponses fort variées selon les

1. Cf. p. 204-205.
2. Sur le lien possible de cette remarque, au sein de la tradition primitive, avec le
logion des douze trônes (Mt 19, 28), on se reportera aux p. 143-144 ainsi qu'à la n. 1,
p. 144.
3. H. Frankemölle, *Jahwebund,* p. 156, l'a bien mis en évidence. Dans cette perspective, nous l'avons signalé plus haut (n. 1, p. 111), Mt 16, 19 est sans doute déjà
empreint, au niveau rédactionnel, d'une telle connotation *hallachique.*
4. Leur forme a été bien analysée par R. Bultmann, *L'histoire,* p. 52-53.
5. En ce sens, P. Bonnard, *Matthieu,* p. 264 ; R. Bultmann, *op. cit.,* p. 53 ;
E. Schweizer, *Matthäus,* p. 231-232 ; D. Hill, *Matthew,* p. 271.
6. Ainsi R. Bultmann, *op. cit.,* p. 53, dont les conclusions ont été reprises notamment par R. Feldmeier, *in* M. Hengel, *Studies,* p. 61. Dans le même sens, H. Frankemölle, *Jahwebund,* p. 175 (avec bibliographie complémentaire à la n. 93).
7. Flavius Josèphe, *BJ,* VII, 218.

milieu[1] ? Certains le pensent[2] et il nous semble qu'un tel point de vue n'est pas dépourvu de toute vraisemblance. Il attribue en effet au Nazaréen une attitude très semblable à celle qu'il adopte en Mc 12, 13-17[3], récit de controverse qui paraît remonter aux origines mêmes de la tradition orale[4]. Toutefois, il est révélateur que, en Mt 17, 24, « ce soit Pierre et non Jésus qui soit interrogé »[5]. Ce détail montre que l'on a affaire à un problème qui se pose à la communauté et que cette dernière résout en recourant à une sentence du Nazaréen[6]. Pourquoi ne pas imaginer dès lors que l'Eglise primitive de Jérusalem ait façonné ou retravaillé une tradition à travers laquelle elle rendait compte du fait que, quoique libérée de cette obligation par la venue du Messie, elle persévérait à payer la taxe du didrachme pour ne pas offenser les autorités juives[7] ? Certes il est impossible d'affirmer en toute certitude que les choses se sont passées ainsi. Toutefois, on retrouverait de la sorte l'attitude duelle qui nous a paru caractériser déjà l'Eglise jérusalémite, soucieuse, d'une part, d'agir avec prudence et modération vis-à-vis de l'extérieur et, d'autre part, d'affirmer hardiment son statut particulier et éminent dans ses productions à usage interne[8]. On verrait réapparaître par ailleurs un intérêt pour la figure de Pierre représentant des disciples et qui, instruit par son Maître, peut fournir à la communauté des réponses ayant autorité aux questions qui se posent dans le présent du vécu post-pascal[9].

---

1. Rappelons que cette taxe, qui concernait les juifs du monde entier et dont il est question à la fois chez Philon d'Alexandrie, *De specialibus legibus,* I, 77-78 ; *Quis rerum divinarum heres sit* 186, et chez Flavius Josèphe, *AJ,* XIV, 110 ; XVI, 28.163-173 ; XVIII, 312-313 ; *BJ,* VI, 335, n'était pas acquittée par tous de la même façon. Si Ex 30, 11-16 avait prévu que tout mâle israélite de plus de vingt ans devait la verser, les prêtres, à partir d'une exégèse restrictive de Lv 6, 16, s'en étaient apparemment déclarés exempts (*Mishna Sheqalim* 1, 3-4), tandis que les esséniens estimaient qu'il n'était requis de la payer qu'une seule fois dans la vie d'un homme (4Q154 2, 6-7).

2. Ainsi, tout récemment, W. Horbury, The Temple Tax, in *Jesus and the Politics of His Day* (edited by E. Bammel and C. F. D. Moule), Cambridge, 1984, p. 285 ; R. Bauckham, The Coin in the Fish's Mouth, in *Gospel Perspectives,* vol. 6, edited by D. Wenham and C. Blomberg, Sheffield, 1986, p. 230-233, 242-243.

3. Ainsi D. Hill, *Matthew,* p. 271, et R. Bauckham, art. cit., p. 232.

4. En ce sens, E. Trocmé, *La formation,* p. 28-29 et n. 13, p. 74, ainsi que F. F. Bruce, Render to Caesar, in *Jesus and the Politics of His Day* (edited by E. Bammel and C. F. D. Moule), Cambridge, 1984, p. 249-263.

5. R. Bultmann, *L'histoire,* p. 53.

6. *Ibid.*

7. Dans cette perspective, notamment, M. Hengel, *Acts,* p. 118.

8. Cf. p. 200.

9. En ce sens, R. Feldmeier, *in* M. Hengel, *Studies,* p. 61.

II – Pierre, témoin de la résurrection de son Maître,
ou en quête du récit de la protophanie de Pierre

Depuis longtemps les critiques s'interrogent à propos de la protophanie de Pierre (Lc 24, 34 ; 1 Co 15, 5) dont il n'existe aucun récit au sein de la tradition synoptique. Seul l'appendice du quatrième évangile, au chapitre 21, nous décrit une scène de rencontre entre Simon et le Ressuscité.

Dans une étude qui a fait date, R. E. Brown s'est livré à une analyse, à bien des égards exemplaire, de ce passage[1]. Conscient des doublets et des contradictions que recèlent les versets 1-14[2], il a conclu à l'existence de deux traditions à leur arrière-plan. L'une relatait une apparition de Jésus à l'occasion d'une pêche miraculeuse. Localisée dans la région du lac de Tibériade, elle aurait contenu l'essentiel des versets 3 à 9a ainsi que les versets 10 et 11. L'autre, seulement partiellement conservée, narrait la reconnaissance du Ressuscité au cours d'un repas. Elle affleurerait dans les versets 2, 9b et 12-13[3]. La première, qui faisait la part belle à Pierre — d'autant qu'il y a toutes les raisons de penser que l'introduction de la figure du disciple bien-aimé au v. 7 est imputable au rédacteur[4] et à son souci de faire valoir l'autorité de ce personnage, que vénérait sa communauté, face à celle du prince des apôtres, dont se réclamaient d'autres groupes[5] —, serait la forme la plus complète qui demeure en notre possession du récit perdu de la première apparition de Jésus ressuscité à Simon[6]. On trouverait d'autres reliquats de ce récit, épars dans la tradition synoptique[7].

Ce serait d'abord le récit de la vocation de Pierre dans sa version lucanienne où une pêche miraculeuse fournit l'occasion de cet appel (Lc 5, 1-11). Les points de contact de ce texte avec Jn 21, 1 ss. sont en effet nombreux. Dans les deux cas, les disciples ont pêché toute la nuit sans rien prendre (Lc 5, 5 // Jn 21, 3). Jésus leur ordonne pourtant de jeter leur(s) filet(s) (Lc 5, 4 // Jn 21, 6), ce qu'ils font, réalisant une pêche extraordinaire dont les

---

1. R. E. Brown, in *Resurrexit*, p. 246-260, article que l'on complétera grâce au commentaire du même auteur, *John* (XIII-XXI), p. 1080-1100.
2. Parmi ceux qu'il relève (art. cit., p. 247), nous retiendrons les suivants : alors qu'au v. 5 Jésus semble dépourvu de poissons, les disciples le trouvent en train d'en faire griller un dans la deuxième partie du v. 9 ; si au v. 10 il leur demande de lui apporter quelques-unes des prises qu'ils ont faites, il ne semble pas qu'elles entrent dans la composition du repas qu'il leur propose aux v. 12 et 13 ; quoique la reconnaissance du Maître ait eu lieu au v. 7, les disciples n'apparaissent pas vraiment fixés sur son identité au v. 12.
3. R. E. Brown, in *Resurrexit*, p. 247-248 (cf. *John* [XIII-XXI], p. 1093-1094).
4. Ainsi notamment R. E. Brown, *op. cit.,* p. 1095, et E. Ruckstuhl, *SNTU* 11, 1986, p. 135.
5. Sur ce point H. Koester, *Einführung*, p. 598.624-625.632, et E. Ruckstuhl, art. cit., p. 135.
6. R. E. Brown, in *Resurrexit*, p. 248 et 259.
7. R. E. Brown, art. cit., p. 252-259 (= *John* [XIII-XXI], p. 1087-1092).

effets sur le(s) filet(s) sont signalés (Lc 5, 6 // Jn 21, 6). A la suite de cet épisode, Jésus est salué comme le Seigneur (Lc 5, 8 // Jn 21, 7)[1]. Par ailleurs, Pierre apparaît comme le véritable héros du récit (Lc 5, 5.8 et Jn 21, 3.7.11) et est appelé, en Lc 5, 8, Simon Pierre, seule occurrence de ce nom double, qui lui est attribué également dans le récit johannique, dans le troisième évangile. Enfin la scène s'achève ou se poursuit par une adresse de Jésus à son disciple auquel il indique quelle sera sa vocation ou sa mission (Lc 5, 10 et Jn 21, 15-17)[2].

La parenté entre les deux passages a, depuis longtemps, incité de nombreux auteurs à penser qu'ils pouvaient provenir de la même tradition[3]. Ces critiques se séparent pourtant quand il s'agit de déterminer quel était son contexte initial, pré- ou post-pascal[4]. R. E. Brown opte en faveur de la seconde solution et pense que, au sein de Lc 5, 1-11, les versets 4-9, 10*b* et 11*a* reposent sur un récit d'apparition du Ressuscité situé bien sûr dans le cadre d'une pêche miraculeuse[5]. Comme il le note, différents indices invitent à conclure en ce sens. C'est d'abord l'association de la dénomination *kurios* (v. 8), certes fréquemment appliquée à Jésus dans l'œuvre à Théophile[6] mais qui y apparaît avec une insistance particulière dans le récit de l'apparition à Saul[7], et du motif de la crainte (*mè phobou* : v. 10), qui, même s'il ne s'y restreint pas, est caractéristique des scènes d'apparition[8]. C'est aussi la confession des péchés de Pierre (v. 8) qui pourrait présupposer son reniement, d'au-

---

1. Ainsi que le note R. E. Brown, art. cit., p. 255 (= *op. cit.,* p. 1090), dans la mesure où la mention du disciple bien-aimé est une adjonction rédactionnelle en Jn 21, 7, on peut penser que la tradition attribuait cette reconnaissance et cette confession à Pierre dans le quatrième comme dans le troisième évangile.
2. Tels sont les principaux parallèles qui nous paraissent mériter d'être retenus parmi ceux que mentionne R. E. Brown, art. cit., p. 255-256 (= *op. cit.,* p. 1090).
3. Aux références proposées à la note qui suit, on pourra adjoindre les noms de J. Kremer, *Lukasevangelium* (« Die Neue Echter Bibel »), Würzburg, 1988, p. 62, et de S. M. Schneiders, John 21:1-14, *Interp.* 43, 1989, p. 72.
4. On trouvera une liste des partisans du premier point de vue, illustré surtout par R. Pesch, *Der reiche Fischfang (Lk 5, 1-11/Jo 21, 1-14). Wundergeschichte, Berufungserzählung, Erscheinungsbericht,* Düsseldorf, 1969, chez C. Coulot, *Jésus et le disciple,* n. 135, p. 402, et chez G. Claudel, *La confession de Pierre,* p. 112, qui les rejoint d'ailleurs (p. 131). Les tenants de l'hypothèse contraire, représentée tout particulièrement par R. E. Brown, in *Resurrexit,* p. 246-260, sont tout aussi nombreux. C. Coulot, *op. cit.,* n. 134, p. 401, en énumère quelques-uns et se range à leurs avis (p. 169). On notera que certains auteurs, tels R. Pesch, *op. cit.* ; Id., *Simon Petrus,* p. 16, et D. A. Losada, El relato de la pesca milagrosa, *RevBib* 40, 1978, p. 17-26, considèrent que le récit n'occupait pas de place déterminée au sein de la tradition et que chacun des deux évangélistes l'a retravaillé en l'insérant dans le contexte qui lui semblait le plus idoine en fonction de ses propres préoccupations rédactionnelles.
5. R. E. Brown, in *Resurrexit,* p. 257-258 (= *John* [XIII-XXI], p. 1091-1092). Comme l'a montré R. Pesch, *op. cit.,* p. 53-59, l'auteur à Théophile a emprunté par ailleurs certains traits au récit de vocation de Mc 1, 16-20 et a eu recours en outre à Mc 3, 9 et 4, 1-2 pour composer les versets 1-3.
6. Plus de 40 fois dans le seul *Evangile de Luc.*
7. Ac 9, 5.10.10.11.13.15.17 (// Ac 22, 8.10.10 ; 26, 15.15).
8. Ainsi Mt 28, 10 ; Lc 24, 37-38, textes auxquels renvoie R. E. Brown, in *Resurrexit,* p. 258 (= *John* [XIII-XXI], p. 1092).

tant que Jn 21, 15-17 fait également allusion à cet épisode à travers la triple question de Jésus[1]. C'est enfin le fait que « la transposition à l'époque du ministère d'histoires postérieures à la Résurrection est plus probable que l'opération inverse »[2].

Le récit de la marche de Pierre sur les eaux (Mt 14, 28-31) présente lui aussi l'atmosphère d'un récit post-pascal[3] et certaines similarités avec Jn 21. En effet, au moment où il reconnaît le Seigneur (*kurie* : Mt 14, 28 // Jn 21, 7), Simon se jette à l'eau pour aller à sa rencontre (Mt 14, 29 // Jn 21, 7)[4].

Enfin Mt 16, 16b-19 constitue, au sein de la tradition évangélique considérée dans son ensemble, le parallèle le plus proche de Jn 21, 15-17, passage dans lequel Pierre se voit confier la mission de paître le troupeau de Jésus[5].

Les deux péricopes matthéennes envisagées bout à bout évoquent d'ailleurs étrangement le mouvement général de l'appendice du quatrième évangile[6]. Etudiées ensemble, elles présentent d'autre part une ressemblance frappante avec 1QH 6, 22-28, texte que nous avons eu l'occasion de citer déjà[7]. Dans l'hymne qumrânienne, en effet, le psalmiste, après avoir été la proie des flots, est sauvé. S'étant appuyé sur la vérité divine, il se retrouve en lieu sûr au cœur de la construction eschatologique dont Dieu lui-même a posé le fondement si bien qu'elle est à l'abri de tous les assauts possibles. Peut-on, à la

1. R. E. Brown, en association cette fois avec l'équipe d'exégètes américains responsable de la publication de l'ouvrage, *Saint Pierre,* n. 14, p. 144-145. Sur l'écho que trouve le triple reniement de Pierre dans sa triple interrogation en Jn 21, 15-17, on consultera notamment O. Cullmann, *Saint Pierre,* p. 52.

2. R. E. Brown *et al., op. cit.,* p. 146. L'argument est emprunté à G. Klein, *Die Berufung des Petrus, ZNW* 58, 1967, p. 35. Il a été repris par C. Coulot, *Jésus et le disciple,* p. 169, et nous paraît beaucoup plus vraisemblable que celui qu'avance, en sens contraire, G. Claudel, *La confession de Pierre,* p. 131. Il propose que l'aura pascale de la péricope s'explique du fait que « la foi au Seigneur Ressuscité s'est d'abord exprimée, du moins de façon préférentielle, en une relecture de type épiphanique de la vie terrestre de Jésus ». Certes, nous l'avons vu, une réinterprétation d'épisodes de la vie du Nazaréen a eu cours en vue de souligner la dimension messianique de sa venue et de montrer qu'à travers elle l'histoire du salut avait connu son tournant décisif. Toutefois, elle n'a pas conduit à reporter après Pâques des événements qui avaient eu lieu avant. C'eût été cheminer à contresens et se montrer bien circonspect quant à la portée réelle du ministère terrestre du Ressuscité. Un récit comme celui de la Transfiguration (Mc 9, 2-8 et //) illustre d'ailleurs avec quelle hardiesse le processus de relecture fut conduit sans qu'il s'avère nécessaire de déplacer en contexte post-pascal des épisodes auxquels était conférée une signification éminente. Il est d'autre part assez aisé d'imaginer que les témoins des apparitions ont dû s'efforcer de narrer, d'une manière ou d'une autre, les expériences qu'ils avaient vécues et que, dans la mesure où le ministère terrestre de Jésus se trouvait désormais nimbé d'une aura pascale, elles ont pu être intégrées en son sein.

3. C'est ce que reconnaît E. Schweizer, *Matthäus,* p. 209, qui envisage d'ailleurs que l'on puisse retrouver à son arrière-plan la tradition de la première apparition de Jésus à Pierre.

4. Ce rapprochement, déjà effectué par W. Grundmann, *Matthäus,* p. 393-394, est établi par R. E. Brown, in *Resurrexit,* p. 253 (= *John* [XIII-XXI], p. 1088).

5. R. E. Brown, art. cit., p. 253-254 (= *op. cit.,* p. 1088-1089).

6. C'est ce qu'a remarqué R. E. Brown, art. cit., p. 258-259.

7. Cf. p. 94-95. Sur ce point, W. Grundmann, *Matthäus,* p. 392-393.

lumière de ce parallèle, proposer que ces deux passages du premier évangile aient appartenu, en raison de leur coloration post-pascale, au récit de la première apparition du Ressuscité à Pierre[1] ? Ce n'est pas impossible. Mais, même si l'on adopte une telle perspective, il convient de rester attentif au statut particulier de Mt 16, 17 (ou de Mt 16, 16*b*-17) puisque ce passage évoque davantage un contexte de révélation que celui d'une apparition, encore que, nous l'avons vu, d'autres textes invitent à ne pas le dissocier trop vite de ce qui suit[2].

Si l'on compare à présent la tradition sous-jacente à Jn 21, 3-9*a*.10.11 (// Lc 5, 4-9.10*b*.11*a*) avec l'ensemble Mt 14, 28-31 ; 16, 18-19, on ne peut manquer d'être frappé par les affinités qu'ils présentent. On constate bien sûr que la figure de Pierre est chaque fois mise en avant mais aussi que l'apôtre n'est pas présenté comme un personnage sans faille puisqu'il est rappelé, d'un côté, qu'il est pécheur ou qu'il a renié (Lc 5, 8 ; Jn 21, 15-17) et, de l'autre, que son manque de foi l'a conduit à sombrer (Mt 14, 30-31). On peut relever par ailleurs que, dans les deux cas, le récit, qui a pour cadre le lac de Tibériade et met en scène une barque dont Jésus, qui va être reconnu comme le Seigneur, se trouve à quelque distance, s'explique au mieux dans un contexte post-pascal et débouche sur la remise d'une mission à Simon (Lc 5, 10 ; Jn 21, 15-17 ; Mt 16, 18-19).

Certes le contenu de cette mission n'est pas le même. Ainsi on ne peut superposer sans autre les images du pêcheur d'hommes, du berger et du fondement que présentent respectivement Lc 5, 10, Jn 21, 15-17 et Mt 16, 18.

La première illustre une conception missionnaire de la vie de l'Eglise et s'harmonise admirablement avec le projet global de l'auteur à Théophile qui retrace, dans la deuxième partie de son œuvre, les étapes de l'avancée de la Bonne Nouvelle jusqu'aux extrémités de la terre en fonction du programme défini en Ac 1, 8. Elle n'est pas absente du quatrième évangile, dans lequel Pierre ramène sur le rivage un filet plein à craquer, mais elle y cède le pas à celle du berger. Ce fait reflète sans doute la progression des préoccupations pastorales à la fin du Ier siècle, le souci pour les communautés établies prenant progressivement le pas sur l'impératif missionnaire[3]. Quant à l'image du fondement, elle trahit pour sa part une ecclésiologie centripète qui nous a paru caractériser la communauté primitive de Jérusalem dès ses débuts.

Si l'on peut repérer, au stade de la rédaction évangélique, pourquoi chaque auteur a retenu telle représentation plutôt qu'une autre, cela ne signifie

1. Ainsi, W. Grundmann, *Matthäus,* p. 393.
2. Cf. p. 103-106.
3. Ainsi R. E. Brown *et al., Saint Pierre,* p. 202. On se souviendra que l'image du berger apparaît également en 1 Pi 5, 2-4, passage dans lequel l'auteur de cette épître pseudépigraphe place dans la bouche de Pierre un appel que l'apôtre adresse à tous ceux qui sont presbytres comme lui et qui leur enjoint de paître non par cupidité mais par dévouement le troupeau qui leur est confié. Comme le notent justement R. E. Brown *et al., op. cit.,* p. 188, Pierre apparaît dans les deux cas comme l'exemple du pasteur.

pas pour autant que l'image qui a fait l'objet de son choix n'ait pas pu apparaître fort anciennement. Ainsi celle du pêcheur d'hommes nous a semblé déjà remonter à un stade très primitif de la tradition. Par ailleurs, celle du berger se rencontre dans un passage de l'*Ecrit de Damas* qui, outre son intérêt pour la compréhension de Jn 21, 15-17, fait usage d'un thème que l'on rencontre en Mt 16, 19 :

> [7]Et voici la règle relative à l'inspecteur du camp.
> Il instruira les Nombreux des œuvres [8]de Dieu
> et il leur apprendra Ses exploits merveilleux,
> et il racontera devant eux les événements d'autrefois [   ]
> [9]Et il aura pitié d'eux comme un père de ses enfants,
> et il les por[te]ra en tout leur accablement comme un pasteur son troupeau.
> [10]Il déliera toutes les chaînes qui les lient
> pour qu'il n'y ait plus d'opprimé ni de brisé en sa Congrégation[1].

Il y a là une invitation à ne pas disqualifier trop vite comme étant tardive une représentation qui a certes revêtu une actualité nouvelle au crépuscule du [1er] siècle mais dont on ne peut exclure qu'elle ait vu le jour fort précocement. Il y a aussi, nous semble-t-il, une indication du fait que les différentes images auxquelles nous nous trouvons confrontés dans les textes sont peut-être moins distantes les unes des autres que ne le suggère une première approche[2]. Il faut cependant bien s'efforcer de les classer et de rendre compte de leur apparition ou de leur mise en valeur.

On peut, nous semble-t-il, envisager raisonnablement que, des trois, celle du fondement de la construction eschatologique a été la première à s'imposer au sein de la communauté jérusalémite. Il est possible que, en association avec elle, celle du berger ait joué un certain rôle. On peut penser enfin que, un peu plus tard, celle de pêcheur d'hommes, enracinée dans le ministère de Jésus, a fait sa réapparition au moment où Pierre a entrepris ses premières campagnes hors de la ville sainte. Il ne s'agit pourtant là bien sûr que de conjectures.

Pour en revenir aux récits de l'apparition ou des apparitions à Pierre — 1 Co 15, 5, rappelons-le, en mentionne une au prince des apôtres en particulier et une aux Douze —, il ne nous semble pas exclu, en définitive, qu'il ait pu en circuler plusieurs dont Mt 14, 28-31 et 16, 18-19, d'une part, et Jn 21, 1 ss. // Lc 5, 1-11, d'autre part, nous conserveraient la trace. Mais ces récits eux-mêmes n'auraient pas tardé à éclater pour être mis en valeur ailleurs au sein de la tradition.

---

1. CD 13, 7-10 (traduction empruntée à A. Dupont-Sommer, in *La Bible. Ecrits intertestamentaires*, p. 176-177). E. Stauffer, Zur Vor- und Frühgeschichte des Primatus Petri, *ZKG* 62, 1943-1944, p. 6-7 et n. 48, p. 17, et O. Cullmann, *Saint Pierre*, p. 56, ont rapproché tous deux ce texte de Jn 21, 15-17.
2. En ce sens, R. E. Brown, *John* (XIII-XXI), p. 1092, a envisagé que l'image du berger de Jn 21, 15-17 ait côtoyé celle du rocher de fondation de Mt 16, 18 dans un dialogue plus développé que ceux qui nous ont été conservés et qui eût accompagné le récit de la première apparition à Pierre.

Nous pensons que l'on peut trouver une bonne raison à cela. Il était tentant, en effet, d'emprunter à ces narrations l'un ou l'autre trait pour les anticiper au cours du ministère de Jésus et souligner ainsi sa dignité messianique dès ce moment-là. Mais l'intérêt pour la figure du Maître pourrait n'avoir pas été le seul. On peut imaginer que les milieux proches de Pierre avaient tout avantage à replacer au cours de ce même ministère des révélations que leur champion avait reçues après Pâques, dans la mesure où cette acrobatie, que les partisans de Jacques auraient été bien en peine de réaliser, dans un premier temps du moins, sans passer pour des fabulateurs sans scrupules, leur était permise de par la condition de disciple de Simon.

Ainsi pourrait peut-être s'expliquer, en dernière analyse, la genèse de Mt 16, 13-23. La promesse faite à Pierre aux versets 18-19 et qui porte, nous l'avons vu, la marque de la réinterprétation du projet macromillénariste de Jésus au sein de la congrégation teintée d'essénisme et de caractère micromillénariste des origines, nous livrerait l'une des interprétations, sans doute la plus ancienne, du mandat qui avait été confié à l'apôtre par le Ressuscité[1]. Située d'abord dans le contexte de la première apparition à Simon, elle aurait été rattachée très rapidement au récit de la confession à Césarée de Philippe au sein duquel, placé sous l'éclairage de la fête du *Kippur,* le relief de ses différentes facettes revêtait une particulière netteté. Le récit de la confession de Pierre aurait contenu une réponse de Jésus dont le v. 17 nous conserverait la substance. On aurait très tôt adjoint, à ce qui était à l'origine une tradition ayant pour thème la révélation, des paroles liées à un récit d'apparition mais qui pouvaient être placées dans ce cadre sans que cela ne crée de difficultés insurmontables[2].

Il ne peut s'agir là, toutefois, que d'une hypothèse. Le lien que l'on peut établir entre Mt 14, 28-31 et 16, 18-19 à travers 1QH 6, 22-28, d'une part, et la conformité générale du mouvement de ces deux passages mis bout à bout avec celui de l'appendice du quatrième évangile, de l'autre, n'est pas d'une solidité telle qu'on puisse le considérer à toute épreuve.

Il faut donc envisager également que les deux passages aient connu une genèse distincte. Mais, même dans ce cas, alors que Mt 14, 28-31 nous conserverait le souvenir du cadre dans lequel était située une des apparitions à Pierre, Mt 16, 18-19 nous livrerait l'une des façons dont fut compris l'appel qu'avait lancé le Ressuscité à Céphas tout en l'anticipant et en le replaçant dans le contexte de la confession à Césarée de Philippe.

Quelle que soit l'hypothèse que l'on retienne, on constatera que toutes les traditions que nous avons envisagées dans cette section livrent de Pierre un portrait très semblable. Il est rappelé, d'un côté, qu'il est pécheur (Lc 5, 8 ; Jn 21, 15-17), qu'il a sombré (Mt 14, 30-31), voire qu'il est lié à Satan (Mt 16, 23) et, de l'autre, qu'il s'est vu confier en propre un important mandat (Lc 5, 10 ; Jn 21, 15-17 ; Mt 16, 18-19). On retrouve ainsi l'image ambi-

---

1. Cf. p. 111-112 et 194.
2. Cf. p. 103-106.

valente de l'apôtre que nous avons déjà étudiée en en soulignant la dimension
parénétique, l'itinéraire de Simon s'étant avéré, avec le recul, pour la communauté primitive, à bien des égards exemplaire[1]. L'intention semble, à ce
niveau, de montrer Pierre comme celui qui, ayant commencé à suivre le Seigneur, désespéra et échoua et cependant se ressaisit[2].

Ce double aspect réapparaît en Lc 22, 31-32, passage dans lequel Jésus,
après avoir indiqué à Simon que Satan l'a réclamé ainsi que tous les disciples
pour le passer au crible, lui indique qu'il a intercédé en sa faveur pour que sa foi
survive à l'épreuve et qu'il puisse ensuite affermir (*stèrison* : v. 32) ses frères. Le
verbe *stèrizô* pouvant signifier établir, édifier[3], et être employé à propos d'une
construction[4], il est tentant de rapprocher tout particulièrement ce texte de
Mt 16, 18-19[5] ou, plus largement, de Mt 16, 17-23[6]. Toutefois, si l'auteur à
Théophile reprend sans doute, dans ces versets, une tradition qui lui est propre[7], sa main n'est-elle pas responsable de la rédaction du verset 32*b* qui précise
justement la mission qui est confiée à Pierre[8] ? On peut penser, de fait, que Luc
s'est représenté que l'affermissement des frères en question allait se réaliser à
travers l'action de prince des apôtres au lendemain des événements de Pâques[9]
d'autant que, au sein du récit de la Passion du troisième évangile, d'autres mentions de Simon orientent le regard dans cette même direction[10].

---

1. Cf. p. 207-213.
2. C'est ce qu'a noté W. D. Davies, *The Setting of the Sermon on the Mount*, Cambridge, 1964, p. 337, à propos de Mt 14, 28-31.
3. Ainsi Lc 16, 26 ; *1 Clément* 33, 3.
4. *Evangile de Thomas* 32 (cf. *Papyrus d'Oxyrhynque* 1, 36-41). F. Refoulé, Primauté
de Pierre dans les Evangiles, *RevSR* 38, 1964, p. 22, a relevé l'intéressant parallèle que
représente un passage des *Homélies pseudoclémentines* (XVII, 19, 4) dans lequel Pierre se
désigne comme « le roc solide » *(tèn sterean petran)*. On consultera, à propos de cette
expression, J. Daniélou, Pierre dans le judéo-christianisme hétérodoxe, in *San Pietro.
Atti della XIX Settimana Biblica* (« Associazione Biblica Italiana »), Brescia, p. 446-
447.
5. Ainsi E. Stauffer, *Die Theologie des Neuen Testaments,* Stuttgart, Berlin, 1941,
p. 16 ; M. D. Goulder, *Midrash and Lection in Matthew*, p. 391 ; G. W. E. Nickelsburg, *JBL* 100, 1981, p. 597.
6. En ce sens, O. Cullmann, *Saint Pierre*, p. 21.49-50, et M. Goguel, Le livre
d'Oscar Cullmann sur saint Pierre, *RHPhR* 35, 1955, p. 198-200.
7. Les commentateurs s'accordent pour le reconnaître. Ainsi W. Dietrich, *Petrusbild*, p. 116 ; R. E. Brown *et al., Saint Pierre*, p. 149-150 ; I. H. Marshall, *The Gospel of
Luke. A Commentary on the Greek text (NIGTC)*, Exeter, 1978, p. 819 ; E. Schweizer,
Das Evangelium nach Lukas übersetzt und erklärt (NTD 3), 18. Auflage, 1. Auflage dieser neuen Fassung, Göttingen, 1982, p. 222 ; J. A. Fitzmyer, *Luke* (X-XXIV),
p. 1421 ; G. Claudel, *La confession de Pierre*, p. 427-430.
8. Ainsi I. H. Marshall, *ibid.* ; G. Claudel, *op. cit.,* p. 428.
9. W. Dietrich, *Petrusbild*, p. 174, le met en relation avec Ac 1, 15 ss., tandis que
R. E. Brown *et al., Saint Pierre dans le Nouveau Testament*, p. 152-153, et J. Blank,
Typologie néotestamentaire de Pierre et ministère de Pierre, *Concilium* 83, 1973, p. 48,
pensent qu'il s'accomplit à travers l'activité ou les discours missionnaires de Simon
dans les Actes.
10. Ainsi la substitution de Pierre et Jean en Lc 22, 8 aux deux disciples
anonymes de Mc 14, 13 reflète-t-elle déjà la situation missionnaire post-pascale (Ac 3,
1-4.11 ; 4, 13.19 ; 8, 14) comme l'a bien vu notamment F. Mußner, *Petrus und Paulus,*
p. 24.

On relèvera cependant qu'en 1 Pi 5, 8-10 les deux thèmes de la tentation par le diable et de l'affermissement se retrouvent, conjoints, dans une exhortation attribuée à Pierre. Cela invite à envisager l'existence d'une tradition pétrinienne fort ancienne qui associait les deux motifs[1]. Il nous semble qu'elle s'inscrit dans le prolongement logique de la représentation de la communauté-nouveau Temple promise à résister aux assauts des puissances hostiles mais qu'elle s'est développée en des lieux où la dimension centripète et jérusalémo-centrique de la tradition sous-jacente à Mt 16, 18-19 a été gommée.

Quoi qu'il en soit, Lc 22, 31-32 fournit, nous semble-t-il, une nouvelle illustration du fait que le mandat, dont la communauté primitive de Jérusalem reconnaissait que Pierre se l'était vu confier après Pâques à l'occasion des apparitions du Ressuscité et qu'elle avait réinterprété à la lumière de sa situation nouvelle, a été projeté rétroactivement au cours du ministère de Jésus où il trouvait d'ailleurs sans doute, nous l'avons vu, un antécédent avec le logion relatif aux pêcheurs d'hommes[2].

III – Pierre, continuateur de l'œuvre de son Maître

Le *Livre des Actes* contient trois récits (Ac 3, 1-10 ; 9, 32-35 ; 36-42) et un sommaire (Ac 5, 15-16) qui nous présentent Pierre sous l'aspect d'un thaumaturge. La critique systématique à laquelle ont été soumis ces textes au XIXe siècle a permis de mettre en évidence les parallèles que l'on peut établir entre eux et ceux qui décrivent, en amont, l'activité de Jésus et, en aval, celle de Paul[3]. Ainsi, la guérison d'un infirme de naissance au Temple (Ac 3, 1-10) n'est-elle pas sans évoquer celle du paralytique de Capernaüm (Mc 2, 1-12 // Lc 5, 17-26) et surtout celle qu'opère l'apôtre des gentils à Lystre (Ac 14, 8-10)[4]. La remise sur pieds d'Enée (Ac 9, 32-35), que certains rapprochent aussi de celle du père de Publius (Ac 28, 7-8)[5], peut être comparée avec les mêmes textes. Pour sa part, la résurrection de Tabitha à Joppé (Ac 9, 36-42) nous renvoie, d'un côté, à celles du fils de la veuve de Naïn (Lc 7, 11-17) et de la

1. Cette proposition a été faite par M.-A. Chevallier au cours de la soutenance de thèse de G. Claudel, le 23 juin 1986.
2. Cf. p. 219.
3. On consultera à ce propos le fort complet état de la question que dresse F. Neirynck, in *Les Actes des Apôtres,* p. 169-213, notamment p. 172-188, ainsi que les remarques de S. M. Praeder, Jesus-Paul, Peter-Paul, and Jesus-Peter Parallelisms in Luke-Acts : A History of Reader Response, *SBLSP* 1984, p. 23-39.
4. On trouvera à ce sujet un utile tableau synoptique chez G. Schneider, *Apostelgeschichte,* I, p. 307-308. De son côté, A. Weiser, *Apostelgeschichte 1-12,* p. 107-108, élargit encore le champ de comparaison et s'intéresse à la douzième inscription d'Epidaure.
5. Sur ce parallèle, qui n'emporte pas forcément la conviction, F. Neirynck, in *Les Actes des Apôtres,* p. 173.175.177.179.

fille de Jaïrus (Mc 5, 22-24a.35-43 // Lc 8, 41-42.49-55)[1] et, de l'autre, à celle d'Eutyche à Troas (Ac 20, 7-12), tous ces récits trouvant d'ailleurs des antécédents vétérotestamentaires en 1 R 17, 17-24 et en 2 R 4, 18-37[2]. Enfin, le sommaire d'Ac 5, 15-16 paraît reproduire, sous une autre forme, Lc 6, 19 ; 8, 46 tout en annonçant Ac 19, 11-12 et 28, 9[3].

Est-ce à dire qu'il faut considérer ces textes comme dénués de toute vraisemblance ? Certes non. En effet, si « certains traits (...) ont pu être empruntés à [d'autres] récits lors de la formation de la tradition (...), celle-ci ne s'expliquerait pas si Pierre n'avait pas eu une grande réputation de thaumaturge, qui à son tour ne se concevrait pas sans quelque fondement historique »[4]. La remarque d'Ac 5, 15 pourrait d'ailleurs exprimer, à l'aide des conceptions antiques, quel pouvoir lui était attribué[5]. Si son caractère rédactionnel n'est pas certain, il n'est en effet pas exclu non plus[6].

On remarquera que, dans l'ensemble des textes, Pierre n'est jamais que l'instrument du miracle et en aucun cas son auteur. C'est ce que suggère sa prière en Ac 9, 40 et ce qu'attestent surtout ses paroles en Ac 3, 6 et 9, 34[7]. Quelle que soit la part rédactionnelle de l'auteur à Théophile dans la formulation de ces sentences, il y a toutes les raisons de penser qu'il n'a fait qu'insister ici sur un point que soulignait déjà la tradition[8]. Il se dégage ainsi l'image d'un Pierre continua-

---

1. Sur ce point, J. Roloff, *Apostelgeschichte,* p. 159-160.
2. On trouvera un tableau synoptique de comparaison entre Ac 9, 36-42 et ces deux récits chez A. Weiser, *Apostelgeschichte* 1-12, p. 238. Pour sa part, A. George, in *Etudes,* p. 80-81, a particulièrement travaillé le parallèle Ac 9, 36-42 - 2 R 4, 18-37.
3. Le rapprochement était déjà effectué par E. Zeller, *Die Apostelgeschichte nach ihrem Inhalt und Unsprung kritisch untersucht,* Stuttgart, 1854, p. 428-429.
4. E. Trocmé, *Le « Livre des Actes »,* p. 170.
5. P. W. Van der Horst, Peter's Shadow : The Religio-Historical Background of Acts V.15, *NTS* 23, 1977, p. 204-207, a montré combien le mode de représentation attesté dans ce verset était répandu dans le monde méditerranéen aux périodes hellénistique et romaine. Il s'est appuyé pour ce faire sur le témoignage d'Ennius, *ap. Cicero, Tusculanae Disputationes,* III.12, 26 ; d'Aelianus, *De natura animalium,* VI, 14 ; du Pseudo-Aristote, *De mirabilibus auscultationibus* 145 (157) ; de Pausanias, VIII, 38, 6 ; de Polybe, XVI, 12, 7, et de Pline l'Ancien, *Naturalis Historia,* XVII, 18. Il considère pour sa part que l'introduction du motif est imputable à l'auteur à Théophile.
6. Ainsi R. Pesch, *Simon Petrus,* p. 68 ; J. Roloff, *Apostelgeschichte,* p. 97, et A. Weiser, *Apostelgeschichte* 1-12, p. 149, l'envisagent-ils tous. Ajoutons que la tradition synoptique fait, en divers endroits, écho à des conceptions similaires (cf. notamment Mc 3, 10 // Lc 6, 19 ; Mc 5, 25-34 // Mt 9, 20-22 et Lc 8, 43-48 ; Mc 6, 56 // Mt 14, 36).
7. Sur ce point, notamment, A. George, in *Etudes,* p. 76, et G. Schneider, *Apostelgeschichte,* II, 1982, p. 49.
8. A propos d'Ac 3, 6, les auteurs s'accordent pour reconnaître que la tradition contenait au moins les mots : « Au nom de Jésus le Nazôréen, marche ! » (en ce sens, même s'ils divergent dans le détail, E. Haenchen, *Apostelgeschichte* (1977), p. 201 ; A. Weiser, *Apostelgeschichte* 1-12, p. 107-108 ; R. Pesch, *Apostelgeschichte,* I, p. 136). En ce qui concerne Ac 9, 34, il est, comme le note A. Weiser, *op. cit.,* p. 239, plus difficile de se prononcer quant au caractère, rédactionnel ou non, des mots « Jésus-Christ te guérit ». Toutefois, ainsi qu'il en convient fort à propos, un texte comme Ro 15, 18-19 montre bien que les guérisons effectuées par ses envoyés étaient rapportées au Christ.

teur de l'œuvre de son maître mais qui, loin de revendiquer un charisme personnel privé, invoque le charisme personnel prophétique de Jésus[1].

Dans le détail, on notera, au sujet des deux anecdotes ayant pour cadre la plaine du Saron (Ac 9, 32-42), qu'elles montrent que l'activité de guérisseur de Simon ne s'est pas limitée à Jérusalem[2].

Mais c'est le récit de la guérison de l'infirme au Temple (Ac 3, 1-10) qui nous intéressera plus particulièrement ici. Un certain nombre de critiques se plaisent aujourd'hui à souligner la portée symbolique que l'auteur à Théophile lui aurait conférée pour en faire une illustration de la restauration eschatologique d'Israël par Dieu consécutivement à la création de la communauté chrétienne de Jérusalem[3]. Ils insistent à juste titre sur le fait que Luc a retravaillé le récit, ce qu'illustrent tout particulièrement, en l'état actuel, les difficultés que crée la mention de la Belle Porte (v. 2 et 10) qui paraît, dans l'esprit de l'auteur des *Actes,* donner accès à l'esplanade du Temple alors qu'elle désignait sans doute, dans la tradition, une porte séparant le parvis des gentils de celui des femmes[4]. Il est assez délicat, dans cette perspective, de se prononcer quant aux contours exacts de la source dont il a disposé.

Les commentateurs sont ainsi divisés quant à l'appréciation des paroles prêtées à Pierre au début du verset 6 (« De l'or ou de l'argent je n'en ai pas, mais ce que j'ai, je te le donne (...) »)[5] qui tendraient presque à transformer le récit en apophtegme biographique. La plupart les imputent au rédacteur, estimant qu'elles préludent au sommaire de 4, 32-35[6]. Toutefois, on peut consta-

---

1. Sur ces notions, cf. p. 28-29.
2. Sur l'arrière-plan traditionnel de ces récits, on se reportera à la p. 121.
3. Ainsi surtout, D. Hamm, Acts 3, 1-10 : The Healing of the Temple Beggar as Lukan Theology, *Bib* 67, 1986, p. 305-319, notamment p. 318-319. Selon lui, par exemple, l'infirme guéri et bondissant que nous présente le verset 8 évoquerait l'Israël sauvé d'Es 35, 6 (p. 312-314). Sa louange ferait écho à celle du reste du peuple à nouveau rassemblé en Mi 2, 12-13 (LXX) (p. 313). Dans une perspective assez semblable, on mentionnera l'étude de R. Filippini, Atti 3, 1-10 : Proposta di analisi del racconto, *RivBib* 28, 1980, p. 305-317.
4. Les commentateurs reconnaissent généralement que cette porte, dont le nom n'est attesté nulle part ailleurs, doit être identifiée avec celle de Nicanor (*Mishna Middot* 1, 4) que Flavius Josèphe décrit longuement en la nommant Porte de Corinthe (*BJ,* V, 201-205). Sise, selon Josèphe, entre le parvis des gentils et celui des femmes, elle était un lieu de passage extrêmement fréquenté et représentait donc un endroit bien plus propice à la mendicité que l'actuelle Porte Dorée, percée dans la muraille donnant accès à l'esplanade du Temple mais sur le versant opposé à la ville et ouvert sur la vallée du Cédron, que la tradition ultérieure a pourtant désignée comme le lieu du miracle. Comme l'auteur à Théophile, ainsi que l'a justement souligné D. Hamm, art. cit., p. 309-310, recourt de manière générale au mot *hieron,* qui revient à six reprises en Ac 3, 1-10, pour désigner l'ensemble de l'espace localisé à l'intérieur de l'enceinte du Temple (cf. notamment Lc 4, 9 ; 19, 45 ; Ac 2, 46) alors qu'il réserve le vocable *naos* au sanctuaire proprement dit (Lc 1, 9.21.22 ; 23, 45), on peut imaginer qu'il a introduit, au sein du récit, une distinction entre l'extérieur et l'intérieur de la zone sacrée, qui n'y figurait pas à l'origine (ainsi G. Schneider, *Apostelgeschichte,* I, p. 300, particulièrement n. 32, et D. Hamm, art. cit., p. 310-311).
5. Traduction empruntée à la *TOB. Nouveau Testament,* p. 369.
6. Ainsi E. Haenchen, *Apostelgeschichte* (1977), p. 201, et A. Weiser, *Apostelgeschichte* 1-12, p. 108.

ter qu'elles ne contiennent, eu égard au malentendu du verset 5 et au fait que l'impotent mendie et ne demande pas la guérison, aucun motif étranger au récit de miracle préexistant[1]. De plus, Pierre est confronté, en d'autres endroits de la tradition, à des questions d'argent (Ac 5, 1-11 ; 8, 18-21)[2]. Il faut donc se garder de les écarter trop rapidement et, reconnaître, nous semble-t-il, qu'il est fort difficile de trancher.

De même, nombreux sont ceux qui s'interrogent pour savoir si Luc a disposé d'une tradition exclusivement pétrinienne[3] ou si, d'emblée, Simon se trouvait flanqué de Jean[4]. Nous inclinerions pour notre part en faveur de la seconde solution, dans la mesure où le rôle très effacé du zébédaïde tout au long de l'épisode ne plaide pas ici en faveur de son introduction au stade de la rédaction[5]. Quoi qu'il en soit, il est manifeste, que l'on retienne l'une ou l'autre de ces hypothèses, que Pierre était le personnage principal du récit.

Essayons à présent de délimiter l'extension de la tradition. Si la majorité des critiques la restreint au récit de miracle des versets 1-10[6], un certain nombre d'entre eux lui assigne une ampleur nettement plus grande[7]. De fait, les épisodes narrés en Ac 4 peuvent difficilement être séparés de ceux d'Ac 3[8] et on peut penser que « la guérison de l'impotent (3, 1-8) et le tumulte qui s'ensuivit (3, 9-11) ont dû provoquer l'intervention des autorités du Temple (4, 1 ss.) », le discours de Pierre ayant été, pour sa part, inclus au stade rédactionnel dans cet ensemble[9]. Un miracle opéré dans l'enceinte du Temple, et nous avons vu que la tradition paraît bel et bien avoir localisé là l'événement, trouvait en effet d'emblée un retentissement considérable. Il pouvait d'autre part agiter de bien mauvais souvenirs chez les responsables de la bonne marche du sanctuaire : ils se voyaient confrontés, du fait des héritiers du Nazaréen, qui s'étaient jusque-là réfugiés dans une relative discrétion, à un

1. Ainsi R. Pesch, *Apostelgeschichte,* I, p. 136.
2. W. Dietrich, *Petrusbild,* p. 220-221, le note pertinemment. De son côté, G. W. E. Nickelsburg, *JBL* 100, 1981, p. 597, n. 98, relève qu'on retrouve l'association or-argent en 1 Pi 1, 18.
3. En ce sens, par exemple, E. Haenchen, *Apostelgeschichte* (1977), p. 201 ; J. Roloff, *Apostelgeschichte,* p. 68, et A. Weiser, *Apostelgeschichte* 1-12, p. 108.
4. Ainsi W. Dietrich, *Petrusbild,* p. 219-220 ; G. Schille, *Apostelgeschichte,* p. 136-137, et R. Pesch, *Apostelgeschichte,* I, p. 135-136.
5. Cf. W. Dietrich, *ibid.* Ainsi que le note le même auteur (n. 97, p. 220) et comme nous avons eu l'occasion de le souligner déjà (n. 10, p. 230), sa présence en Lc 22, 8, est par contre, tout comme celle de Pierre, imputable à l'auteur à Théophile qui a voulu anticiper à cet endroit sur les données dont il allait faire état postérieurement à partir de la tradition.
6. G. Schneider, *Apostelgeschichte,* I, p. 297, illustre bien ce point de vue quand il affirme que l'on a affaire ici à un morceau de tradition qui doit être classé parmi les récits de miracle au sens strict.
7. Tel est le cas d'E. Trocmé, *Le « Livre des Actes »,* p. 194 ; de G. Schille, *Apostelgeschichte,* p. 136-137, et de R. Pesch, *Apostelgeschichte,* I, p. 151.
8. Ainsi E. Trocmé, *ibid.* Les deux autres auteurs mentionnés à la note précédente le rejoignent dans ses conclusions.
9. E. Trocmé, *ibid.* R. Pesch, *Apostelgeschichte,* I, p. 137, considère pour sa part que le récit de miracle servait déjà de prélude à un discours de Pierre.

coup d'éclat à même de réveiller l'élan populaire qu'avait déclenché l'activité de Jésus. On a quelque peine à se représenter les autorités juives insensibles à un tel rebondissement.

Il y a là, nous le pensons, un élément à ne pas négliger et il se pourrait bien, comme le suggère Ac 4, 7 qui se trouve en tension avec Ac 4, 2, que ce soient autant de tels agissements qui les aient conduites à entamer des poursuites à l'encontre des Douze et du plus en vue parmi eux que le contenu de leur prédication, dont nous avons vu que les aspects les plus subversifs étaient apparemment réservés à l'usage interne et ne touchaient que des initiés ou des sympathisants. Ainsi peut s'expliquer, selon nous, que la persécution des hellénistes, liée au message que ces derniers délivraient au grand jour, n'ait pas atteint « les apôtres » (Ac 8, 1) qui se gardaient bien de tenir en public des propos trop compromettants.

Il resterait à déterminer quand de tels événements se produisirent. Il paraît par ailleurs peu vraisemblable, puisque les disciples de Jésus renouèrent avec l'activité thaumaturgique de leur maître, qu'une longue coupure soit intervenue avant que le phénomène se produise. De son côté, la proclamation de Jésus ressuscité avait été la caractéristique majeure de la communauté chrétienne dès les premiers jours. Nous estimons donc que la séquence des événements que nous présentent les Actes est tout à fait plausible[1]. Nous proposerons, pour notre part, la reconstitution suivante. Les heurts avec les autorités du Temple, dont nous maintenons que telle action spectaculaire a pu en fournir le prétexte, aboutirent sans doute à la reconnaissance, par ces dernières, d'une certaine liberté d'expression au bénéfice de la communauté jérusalémite et de ses chefs[2]. L'annonce au grand jour d'un messie condamné par le Sanhédrin, qui ne peut qu'avoir été débattue à cette occasion, n'était certes pas pour plaire à la noblesse sacerdotale, mais cette dernière, limitée dans sa marge de manœuvre par le respect qu'affichait la communauté chrétienne à l'endroit du Temple et de la Loi et par l'attentisme que prônait le parti pharisien (Ac 5, 34 s.), dut se résigner à ne pas intervenir tant qu'aucun élément ne viendrait lui en fournir l'occasion et rompre le compromis implicite auquel on était parvenu[3]. Toutefois, la modération relative dont témoignèrent ainsi Pierre et les Douze ne fut pas du goût des hellénistes qui choisirent de renouer avec le fil de l'activité de Jésus « sans le moindre ménagement pour les autorités en place »[4], ce qui leur valut une persécution sélective.

Pour en revenir à Pierre et à ses tribulations face à ses juges, ajoutons qu'il paraît fort délicat de reconstituer, à partir des données des Actes, les

---

1. Avec E. Trocmé, in *Histoire des religions,* II, p. 203, et J. Roloff, *Apostelgeschichte,* p. 80, et contre R. Pesch, *Apostelgeschichte,* I, p. 170-171.
2. E. Trocmé, art. cit., p. 203, parle pour sa part de droit à la parole.
3. Cf. J. Roloff, *Apostelgeschichte,* p. 80.
4. E. Trocmé, in *Histoire des religions,* II, p. 203 (cf. aussi notre développement précédent, p. 79).

minutes de son interrogatoire[1]. L'auteur à Théophile a en effet composé ici, en se servant en partie, nous l'avons vu, de matériaux fort anciens, un discours à travers lequel l'apôtre proclame ses convictions christologiques (Ac 4, 8-12) tout en y adjoignant une réponse aux autorités (Ac 4, 19-20 // 5, 29) qui évoque si fortement la célèbre formule prononcée par Socrate dans une situation semblable (« J'obéirai à Dieu plutôt qu'à vous »[2]) qu'il paraît difficile de ne pas y voir un clin d'œil adressé aux destinataires grecs du livre des *Actes*[3].

IV – PIERRE, OBJET DE LA SOLLICITUDE DE SON MAÎTRE

D'après le témoignage des *Actes,* consécutivement à la mise en garde qui leur avait été adressée (Ac 4, 17-18.21), Pierre et Jean furent arrêtés à nouveau, en compagnie des Douze cette fois (Ac 5, 18), pour avoir persévéré dans l'annonce de la Parole et dans la réalisation de miracles (Ac 5, 12-16). De nombreuses similitudes peuvent être décelées entre les deux scènes. Non seulement le motif de l'arrestation est identique mais son but est semblable (Ac 4, 17-18 // 5, 28), tandis que le déroulement et l'issue de l'interrogatoire qui lui fait suite sont étrangement similaires[4]. Pourtant, on observe une progression entre les deux chapitres. Ainsi, lors de la seconde comparution, les apôtres ne sont-ils pas seulement menacés (Ac 4, 17-21) mais battus (5, 40). Il se pourrait qu'une telle gradation s'explique historiquement par l'existence d'une procédure juive qui prévoyait un avertissement en bonne et due forme avant toute condamnation[5]. Le fait que Pierre et Jean ne soient plus seuls concernés par la deuxième intervention des autorités (Ac 5, 18) est également susceptible de trouver une explication plausible dans ce cadre.

On ne peut cependant s'empêcher de constater que Luc a pris une part

1. Avec H. Conzelmann, *Apostelgeschichte,* p. 35, nous serions tenté de considérer Ac 4, 1-22 « comme la reprise rédactionnelle d'un récit dont la forme originelle ne peut plus être reconstituée ». Simplement, comme nous l'avons déjà dit, il nous semble que la source de Luc contenait déjà la séquence miracle, arrestation, interrogatoire.

2. Platon, *Apologie* 29D. Ces propos sont les suivants dans l'original grec : *peisomai de mallon tô theô è humin.*

3. Ainsi, récemment encore, P. Van der Horst, Hellenistic Parallels to Acts (Chapters 3 and 4), *JSNT* 35, 1989, p. 42-43, qui cite encore d'autres parallèles qui illustrent la popularité du thème dans la littérature hellénistique.

4. On relèvera la récurrence des thèmes suivants : les responsables juifs interdisent aux apôtres d'enseigner le nom de Jésus (Ac 4, 17.18 ; 5, 28) ; ils se heurtent à une fin de non-recevoir justifiée par l'impératif de l'obéissance à Dieu (4, 29 ; 5, 19) ; inquiets du soutien que la foule apporte aux prévenus (4, 21 ; 5, 26), ils se contentent finalement de leur adresser des menaces (4, 21 ; 5, 40).

5. Ainsi déjà K. Bornhäuser, *Studien zur Apostelgeschichte,* Gütersloh, 1934, p. 56-70, surtout p. 58.

active dans la construction qui nous est proposée. C'est ce que montre surtout la conclusion de chacun des deux récits : en 4, 23, le premier mouvement de Pierre et de Jean, une fois libérés, les conduit à la rencontre de leurs
frères ; la fin du chapitre 5 nous laisse pour sa part sur l'image des apôtres
annonçant la Parole à la fois dans le Temple et dans les maisons, soit dans
l'ensemble de l'espace social (Ac 5, 42). Le lecteur est ainsi invité à réaliser
que la première partie du programme énoncé par le Ressuscité en Ac 1, 8 se
trouve accomplie : grâce à l'intervention dont Dieu — qui a montré ainsi
quel était son camp, fournissant ainsi par avance la réponse à l'alternative
posée par Gamaliel (Ac 5, 38-39) — a fait bénéficier les siens (Ac 5, 19-20),
Jérusalem est désormais, pour ainsi dire, conquise.

Il convient de noter que, en faisant état de la libération merveilleuse de
prison des apôtres, l'auteur à Théophile, lui-même friand de ce motif[1], a
recouru à un thème fort prisé dans la littérature hellénistique[2] mais connu
également par ailleurs[3] et attesté notamment dans un écrit d'origine juive[4].
Conjoint à celui de l'ouverture automatique des portes, il a fait l'objet de
deux importantes études de la part d'O. Weinreich et de R. Kratz[5]. Ces
auteurs ont montré que l'on a affaire à un véritable genre littéraire auquel
était assignée une fonction bien précise, à savoir favoriser la diffusion d'un
nouveau culte en apportant la preuve que ceux qui sont appelés à le répandre

---

1. Il apparaît non seulement dans le contexte large d'Ac 5, 17-42 mais encore
en Ac 12, 3-19 et 16, 19-40.
2. Il y a été développé surtout dans les milieux dionysiaques où il apparaît chez
Euripide, *Les Bacchantes,* lignes 443-450 et 576-619 (ve siècle av. J.-C.) ; chez Pacuvius,
Penthée (connu d'après le résumé que Servius Danielis associe à *Aen.,* IV, 469) (IIe siècle av. J.-C.) ; chez Ovide, *Métamorphoses,* III, 695-700 (rédigées tout au début de l'ère
chrétienne, à partir de l'an 1 sans doute), et chez Nonnos, *Dionysiaques* 35, 228 s. ; 44,
18-47 ; 45, 266-46, 3 (ve siècle apr. J.-C.). On le rencontre également chez Philostrate,
La vie d'Apollonios de Tyane, VIII, 30. Tous ces textes ont été rassemblés par R. Kratz,
Rettungswunder, p. 374-392.
3. Le plus ancien témoignage du genre est ainsi un récit hindou, *Bhâgavata Purâna,*
X, 3, 49-50.
4. Il s'agit du *Roman de Moïse* d'Artapan, juif alexandrin ayant vécu aux alentours
des années 100 avant notre ère. Ce texte ne nous est plus connu que par Eusèbe de
Césarée, *Préparation évangélique,* IX, 18 ; 23 ; 27. Le passage qui nous concerne se
trouve en IX, 27, 23-25. Après que Pharaon a fait emprisonner Moïse, les événements
se passent de la manière suivante : « Alors qu'il faisait nuit, toutes les portes de la prison s'ouvrirent d'elles-mêmes *(automatôs anoichthènai),* et, parmi les gardes, les uns
moururent, d'autres furent accablés de sommeil et leurs armes se brisèrent. Moïse
sortit et se rendit au palais royal. Ayant trouvé les portes ouvertes, il entra, et, à l'intérieur, le Pharaon se réveilla tandis que les gardes étaient accablés de sommeil (...). »
Cette scène, sans parallèle biblique, paraît manifestement calquée sur le modèle grec
comme le montre le motif caractéristique de l'ouverture automatique des portes et
l'attention portée au sort des gardes (cf. les développements qui suivent). Ainsi que
l'a montré O. Weinreich, in *Genethliakon W. Schmid,* p. 308-309, elle a, comme le reste
du roman d'Artapan, une visée apologétique manifeste : à un public païen *a priori*
méfiant, voire moqueur, elle veut montrer que Moïse est un *theios anèr* à l'égal des prédécesseurs d'Apollonios de Tyane ou de ceux dont on colportait la légende dans les
milieux dionysiaques.
5. O. Weinreich, art. cit., p. 169-464, et R. Kratz, *Rettungswunder,* p. 351-545.

et qui sont miraculeusement sauvés sont bel et bien envoyés par la divinité, sans négliger au passage de jeter le discrédit sur ceux qui voudraient entraver leur action[1] et qui représentent en fait l'autorité institutionnalisée du pouvoir en place.

L'ensemble du récit est ainsi traversé par un conflit dont l'issue inattendue va renverser l'ordre établi : dès le début, les protagonistes entrent en scène ; au centre, le miracle opère le retournement des valeurs ; la fin décrit, quant à elle, le devenir des différents acteurs.

La situation initiale est la suivante : le persécuteur, en position de force, tient entre ses mains le héros, persécuté, qui, retenu dans une sorte de « quartier de haute sécurité »[2], se trouve dans une situation désespérée. Entre eux sont placés les gardes, chargés par le pouvoir en place de veiller au maintien de l'ordre et qui, tout au long du récit, jouent un rôle fondamental puisque, tout en étant au service de l'adversaire, ils sont les témoins privilégiés (ou les premières victimes) de la toute-puissance divine à l'œuvre[3].

Le miracle constitue le noyau et, dans sa description, la partie stéréotypée du texte. Il y est fait parfois référence à l'intervention divine[4] et presque toujours mention de l'ouverture automatique des portes[5] et de la chute des liens[6]. Opérant un renversement de situation imprévu, il provoque une inversion des rapports de force.

C'est ce qu'illustre la situation finale. L'opposant vaincu (et parfois châtié[7], ce qui ne fait qu'aggraver le déséquilibre) se trouve désormais en situation d'infériorité. Le héros, à la fois libre et vainqueur, a pris l'avantage. Quant aux gardes, leur devenir s'avère sujet à de nombreuses varia-

---

1. Ainsi O. Weinreich, art. cit., notamment p. 202 et 309.
2. L'importance des mesures prises pour rendre impossible toute évasion est un motif traditionnel des récits de libération merveilleuse de prison. Elle contribue à magnifier l'éclat du miracle.
3. Ils apparaissent tant dans les récits d'Euripide, *Les Bacchantes,* lignes 439-442, de Nonnos, *Dionysiaques* 45, 283-286, et de Philostrate, *La vie d'Apollonios de Tyane,* VIII, 30, que dans ceux des Actes (5, 23 ; 12, 6.19 ; 16, 27.30-34).
4. Le thème est présent chez Euripide, *Les Bacchantes,* ligne 498 (« le dieu me délivrera quand je le voudrai »), mais il faut relever qu'aucun envoyé divin n'y est mis en scène. Ce n'est le cas, dans la littérature hellénistique, que chez Nonnos, *Dionysiaques* 35, 228, où Hermès se manifeste. On peut donc penser que la médiation de l'ange du Seigneur *(aggelos kuriou)* en Ac 5, 19 et 12, 7, est davantage influencée par les parallèles bibliques que par le modèle grec traditionnel.
5. L'adjectif *automatos* qualifie cette ouverture des portes dans la quasi-totalité de ces récits (Pacuvius, *Penthée* ; Ovide, *Métamorphoses,* III, 698 ; Nonnos, *Dionysiaques* 45, 282-283 ; Philostrate, *La vie d'Apollonios de Tyane,* VIII, 30 ; Artapan, *Roman de Moïse* ; Ac 12, 10). Il en représente donc une sorte de terme technique caractéristique.
6. Euripide, *Les Bacchantes,* ligne 447 ; Pacuvius, *Penthée* ; Ovide, *Métamorphoses,* III, 697 ; Nonnos, *Dionysiaques* 45, 274-279 ; Philostrate, *La vie d'Apollonios de Tyane,* VIII, 30 ; Ac 12, 7 ; 16, 26.
7. R. Kratz, *Rettungswunder,* p. 442, a mis en évidence que l'adversaire peut être l'objet d'un châtiment divin : Penthée meurt à la fin du drame d'Euripide (*Les Bacchantes,* lignes 1011-1031) ; Pharaon est accablé de surdité dans le *Roman de Moïse* d'Artapan après la libération du héros ; Hérode expire, frappé par l'ange du Seigneur, au terme du chapitre 12 des Actes (Ac 12, 23).

tions[1]. Quel que soit le sort qui leur est dévolu, l'issue du conflit ne fait plus guère de doute. Le lecteur attendra désormais que la victoire du héros soit entérinée dans les faits : que la religion dionysiaque l'emporte sur ses concurrentes ; qu'Apollonios de Tyane confonde ses détracteurs ; que Moïse soit reconnu en Egypte ; que le christianisme de Pierre et de Paul s'impose aux juifs et aux païens[2].

On conviendra sans peine que le miracle dont il est question en Ac 5, 17-23, s'il contient certains des ingrédients essentiels des récits de libérations de prison[3], n'en développe pas vraiment les motifs.

La situation est bien différente en Ac 12, récit qui nous intéresse tout particulièrement puisque Pierre en est l'unique héros. Intervention de l'ange (v. 7-10), chute des liens de l'apôtre (v. 8), ouverture automatique des portes (v. 10), aucun élément caractéristique de ce type de textes ne manque à l'appel. Par ailleurs, le chapitre tout entier revêt une portée étonnante à travers la complexité du conflit qui s'y déroule et les péripéties qu'il connaît.

D'un côté, on trouve le roi Hérode (*Hèrôdès ho basileus* : Ac 12, 1) dont on

---

1. Ou peut, nous semble-t-il, distinguer trois types de cas :
— transformés en témoins gênants pour le pouvoir en place, ils font l'objet de sa méfiance. Les autorités décident alors parfois de les supprimer et de les réduire au silence (ainsi en Ac 12, 19) ;
— témoins stupéfaits de la libération merveilleuse, ils prennent la fuite (Nonnos, *Dionysiaques* 45, 245) ou meurent de saisissement (Artapan, *Roman de Moïse*) ;
— conquis, ils changent de camp et gagnent les rangs des témoins du dieu victorieux (Euripide, *Les Bacchantes,* lignes 441-444 ; Ac 16, 27-30).

Le traitement qui leur est réservé nous paraît préciser la visée du récit :
— leur suppression par l'adversaire met l'accent sur son endurcissement, voire sa fourberie. Elle souligne de ce fait la lutte sans merci menée par le pouvoir en place contre son rival. On ne s'étonnera donc pas que ce type de textes s'achève avec le châtiment de l'opposant (ainsi Ac 12) : sa fin tragique manifeste à la fois la vanité et l'iniquité de son combat ;
— la mort ou la fuite des vigiles sous l'effet de la stupeur fait ressortir l'éclat du miracle et contribue, de ce fait, à mettre en valeur la toute-puissance divine, l'accent étant placé ici sur le merveilleux ;
— la conversion des gardes confère à la scène une portée missionnaire. Elle marque non seulement les progrès réalisés par le nouveau culte à l'occasion du miracle mais invite les auditeurs du récit à les rejoindre à leur tour. En effet, le rôle assigné aux gardes par le passage n'est pas sans évoquer la situation des destinataires du texte. Alors que les premiers sont les spectateurs privilégiés de la scène, les seconds en deviennent des témoins indirects et sont conviés à tirer, à leur tour, les conséquences de l'événement selon un procédé littéraire très habile.

2. Nous reprenons ici une des conclusions d'O. Weinreich, in *Genethliakon W. Schmid,* p. 309.
3. Les trois types d'acteurs sont représentés : le grand prêtre et son entourage jouent le rôle d'opposants (v. 17 et 21) ; les apôtres apparaissent comme les héros ; les gardes sont mentionnés (v. 23). De son côté, l'ouverture des portes par l'ange lui-même (Ac 5, 19) peut être tenue pour une variation sur le thème plus répandu de leur ouverture automatique (cf. Nonnos, *Dionysiaques* 35, 240-241). Par contre, leur fermeture après le miracle (v. 23) paraît trop peu attestée — il n'est fait mention de ce détail par ailleurs que chez Philostrate, *La vie d'Apollonios de Tyane,* VIII, 30 — pour qu'on en fasse un élément caractéristique.

peut penser que le seul titre évoque déjà le motif de la persécution et indique qu'il ne peut être que l'ennemi des chrétiens[1] ; de l'autre, apparaît Pierre. Toutefois, Hérode n'est pas seul[2]. Il agit pour contenter les juifs (v. 3) et compte bien présenter Pierre au peuple (v. 4). D'ailleurs, quand l'apôtre réinterprète l'ensemble des événements au verset 11, il comprend que Dieu l'a soustrait non seulement aux mains du souverain mais à toute l'attente du peuple juif *(pasès tès prosdokias tou laou tôn Ioudaiôn)*.

On notera que cette dernière expression sonne étrangement dans la bouche de Pierre quand on compare l'hostilité subite qu'il rencontre aux louanges unanimes que prononçait le peuple à l'endroit des apôtres en Ac 5, 13 *(emegalusen autous ho laos)* et en Ac 5, 26. On peut même penser que l'auteur à Théophile souhaite établir désormais une partition au sein d'Israël[3]. C'est ce que semble confirmer la suite du texte qui, en faisant de la communauté des croyants les destinataires de la bonne nouvelle du miracle (v. 17), suggère une opposition entre l'Israël incrédule et rebelle, dont l'attente est contraire au dessein de Dieu, et la communauté qui, objet de sa sollicitude, représente les prémices de son nouveau peuple[4].

Le conflit opposant Hérode et le peuple juif à Pierre et à l'Eglise trouve une première issue dans la délivrance de l'apôtre. Mais Hérode, pour effacer son échec, tente d'obtenir une nouvelle légitimation auprès d'un autre peuple *(ho dèmos : v. 22)* en gagnant Césarée et en s'y tournant vers des païens[5]. Malheureusement pour lui, l'affaire tourne mal (v. 23). Au moment où il usurpe la dignité divine en se faisant acclamer non comme un homme mais comme un dieu (v. 22 : *theou phônè kai ouk anthrôpou)*, l'ange du Seigneur, qui avait frappé Pierre au verset 7 pour le sauver, le frappe à son tour, mais pour sa perte[6].

1. C'est ce que pensent E. Haenchen, *Die Apostelgeschichte,* p. 324, n. 2, et, à sa suite, R. Eulenstein, *WuD* 12, 1973, p. 46-47.

2. Ainsi que le note fort justement J. Dupont, *ASeign* 84, 1967, p. 21, « ceux dont le roi persécuteur veut s'assurer la complaisance méritent d'être considérés comme les complices de la persécution ».

3. Ainsi G. Lohfink, *Die Sammlung Israëls. Eine Untersuchung zur lukanischen Ekklesiologie (StANT* 39), München, 1975, p. 57-58. Dans le même sens, W. Radl, *Befreiung aus dem Gefängnis. Die Darstellung eines biblischen Grundthemas in Apg 12, BZ* 27, 1983, p. 81-96, envisage la division qui s'instaure ici entre l'Eglise et le peuple juif.

4. On peut remarquer avec R. Eulenstein, *WuD* 12, 1973, p. 63, qu'à la place du *laos tôn Ioudaiôn* on s'attendrait plutôt à rencontrer le *laos tou Theou.* La substitution de la première expression à la seconde est donc non seulement surprenante mais significative. Dans une perspective semblable, W. Dietrich, *Petrusbild,* p. 305, se demande si la précision génitivale singulière et inhabituelle que l'on rencontre ici ne suggère pas qu'on est parvenu à une rupture définitive entre Pierre, qui aura affaire désormais à un autre *laos,* et le peuple juif.

5. Le terme grec *ho dèmos,* qui n'apparaît que quatre fois dans le *Livre des Actes,* y désigne toujours des païens puisqu'il sert à désigner par ailleurs le(s assemblées du) peuple de Thessalonique (Ac 17, 5) et d'Ephèse (Ac 19, 30 et 33). Ce sont là les seules occurrences de ce mot dans le Nouveau Testament.

6. La présence commune, aux versets 7 et 23, de l'*aggelos kuriou* et du verbe *patassein* peut difficilement être tenue pour fortuite.

On ne peut s'empêcher d'admirer ici l'habileté du rédacteur qui fait connaître au monarque son premier échec et son châtiment devant deux publics différents qui, ensemble, représentent la totalité de l'auditoire auquel est destinée la Parole, Parole qui ne cesse de croître (v. 24) malgré les résistances. Il y a là un procédé subtil qui n'apparaît, à notre connaissance, dans aucun autre récit de libération merveilleuse de prison et qui confère à Actes 12 son extraordinaire portée puisque la toute-puissance du Seigneur s'y manifeste à l'endroit des juifs comme des païens.

Dans ce contexte, libération miraculeuse et châtiment merveilleux remplissent une double fonction parénétique. Ils attestent, d'une part, que Dieu intervient en faveur de ses porte-parole et, d'autre part, qu'il punit ceux qui le défient. L'encouragement et l'avertissement contenus dans ce message sont destinés à servir le même but : la diffusion de la foi (v. 24). A la charnière du *Livre des Actes,* au moment où l'entreprise missionnaire de Paul va succéder à celle de Pierre, le récit a donc pour fonction de manifester que l'apôtre des juifs avait bien raison contre les juifs en se tournant vers les païens (Ac 10, 1-11, 18) et que l'apôtre des gentils s'engage sur une voie qui est désormais grande ouverte et sur laquelle le triomphe de la Parole, attesté ici en germe, est l'horizon promis[1].

Si le but poursuivi par l'auteur à Théophile en narrant la libération merveilleuse de Pierre apparaît désormais clairement, il nous faudra à présent nous interroger sur la nature des matériaux dont il a disposé pour élaborer son récit afin de savoir si l'apôtre y apparaissait également comme le bénéficiaire de la sollicitude de son maître et, le cas échéant, de quelle manière.

La grande majorité des auteurs s'accorde pour reconnaître trois traditions ou fragments de traditions à l'arrière-plan d'Actes 12[2] : une note qui avait trait à l'exécution de Jacques le zébédaïde par Hérode Agrippa (v. 1-2) ; un récit pétrinien qui narrait la délivrance miraculeuse de l'apôtre et qui a servi de matériel de base en vue de l'élaboration des versets 3 à 19 ; une légende juive qui racontait la mort d'Agrippa et dont on trouve une autre version chez Flavius Josèphe[3]. Ce découpage est sage car la mise à mort de Jacques apparaît comme un événement disjoint de l'arrestation de Céphas et le litige d'Hérode avec les gens de Tyr et de Sidon introduit, au verset 20, une problématique parfaitement étrangère à ce qui précède.

Pour délimiter les contours de la tradition sous-jacente aux versets 3-19, il peut être utile de recourir à un passage de l'*Epistula Apostolorum* qui consti-

---

1. Nous nous sommes inspirés dans ce paragraphe des conclusions de R. Kratz, *Rettungswunder,* p. 473.
2. Ainsi O. Bauernfeind, *Apostelgeschichte* (*ThHK* V), Leipzig, 1939, p. 159-166 ; E. Haenchen, *Apostelgeschichte,* p. 330-335 ; R. Kratz, *Rettungswunder,* p. 493 ; J. Roloff, *Apostelgeschichte,* p. 186-188 ; A. Weiser, *Apostelgeschichte* 1-12, p. 286 ; G. Lüdemann, *Das frühe Christentum,* p. 148-151.
3. Flavius Josèphe, *AJ,* XIX, 343-350.

tue un parallèle étonnant du texte des Actes et représente une de nos sources pour la connaissance du rituel pascal quartodéciman[1] :

> « Après mon retour au Père, vous vous souviendrez de ma mort. Lorsque la Pâque arrivera, alors l'un d'entre vous sera jeté en prison à cause de mon Nom et il sera dans le chagrin et dans l'angoisse parce que vous fêterez la Pâque, alors que lui-même est en prison et séparé de vous. Alors j'enverrai une puissance sous la forme de l'ange Gabriel et les portes de la prison s'ouvriront. Il sortira et il viendra vous rejoindre et il passera la nuit de la vigile avec vous et il restera près de vous jusqu'au chant du coq. Quand vous aurez terminé le mémorial que vous faites de moi ainsi que l'agape, il sera à nouveau jeté en prison en témoignage jusqu'au jour où il en sortira pour prêcher ce que je vous ai commandé. » Mais nous lui demandâmes : « Seigneur est-il vraiment nécessaire que nous prenions le calice et que nous le buvions à nouveau ? » Et il répondit : « Oui, cela est nécessaire jusqu'au jour où je reviendrai avec ceux qui ont été mis à mort à cause de moi. »[2]

Il peut être utile de rappeler que l'*Epistula Apostolorum,* dans son ensemble, montre une familiarité avec les traditions reproduites dans les évangiles de Matthieu, Luc et Jean ainsi que dans la finale de Marc[3]. Toutefois, elle fait usage d'autres sources encore, relatives aux faits et aux dits de Jésus, dont nous ne connaissons souvent pas de parallèles[4]. Par ailleurs, même s'il est difficile de préciser son lieu d'origine, elle semble issue de cercles judéo-chrétiens descendant de la communauté primitive palestinienne[5].

Le problème qui se pose à nous est de savoir si le chapitre 15 représente un récit indépendant de celui de l'auteur à Théophile et qui pourrait remonter à une origine (jérusalémite) fort ancienne[6] ou si son originalité est uniquement imputable à la fantaisie de l'auteur qui aurait modifié le texte des Actes sans faire usage d'aucune autre source[7].

La confrontation des deux passages peut procurer d'intéressants renseignements. Parmi les similitudes, il faut d'abord relever la coïncidence de date, l'*Epistula Apostolorum* situant sans équivoque l'événement à l'occasion de la Pâque alors que les notations temporelles d'Ac 12, 3-4, même si elles

---

1. Sur ce rituel quartodéciman, cf. p. 174-175 et l'ouvrage de B. Lohse cité à la n. 4, p. 174. L'origine quartodécimane de l'*Epistula Apostolorum* est contestée par certains. Toutefois, comme l'a justement souligné A. Strobel, *NTS* 4, 1957-1958, p. 214-215, il paraît hors de doute que la tradition sous-jacente au chapitre 15, qui nous intéresse ici, a une telle origine.
2. *Epistula Apostolorum* 15, texte que nous avons cité dans la traduction qu'en propose R. Cantalamessa, *La Pâque dans l'Eglise ancienne,* Berne, Francfort-sur-le-Main, Las Vegas, 1980, p. 31-33, tout en rétablissant, pour restituer l'original *Pascha,* les mots « la Pâque » en lieu et place de « Pâques ».
3. Cf. M. Hornschuh, *Studien,* p. 16.
4. *Ibid.*
5. M. Hornschuh, *op. cit.,* p. 20.
6. Ainsi A. Harnack, Über einen jüngst entdeckten Auferstehungsbericht, in *Theologische Studien B. Weiss zum 70. Geburtstag dargebracht,* Göttingen, 1897, p. 6.
7. Tel est l'avis de C. Schmidt, *Gespräche Jesu mit seinen Jüngern nach der Auferstehung. Ein katholisch-apostolisches Sendschreiben des 2. Jahrhunderts* (TU 43), Leipzig, 1919, p. 246-247.

posent un problème d'interprétation presque insoluble[1], indiquent elles aussi un cadre pascal. A cela s'ajoute que, dans les grandes lignes, le processus de libération de l'apôtre est le même : envoi de l'ange (dont l'identité est précisée dans l'épître alors que celle du disciple y est tue) ; ouverture des portes de la prison ; rencontre du bénéficiaire du miracle avec la communauté qui se trouve rassemblée (cf. Ac 12, 12-17). A côté de ces points communs, apparaissent pourtant certaines dissemblances. L'apôtre, qui, d'un côté, dort avant sa délivrance (v. 6), est, de l'autre, plongé dans les affres du chagrin et de l'angoisse parce qu'il est séparé de ses frères. De plus, son itinéraire diffère une fois qu'il les a rejoints puisque, selon l'*Epistula Apostolorum,* il passe la vigile avec eux, demeure en leur compagnie jusqu'au chant du coq mais, après le mémorial et l'agape, est à nouveau jeté en prison.

Après cette comparaison des deux récits, l'évocation des autres parallèles existant entre l'*Epistula Apostolorum* et le *Livre des Actes* dans son ensemble pourra nous fournir d'utiles informations. Si dans les chapitres 31 à 33 de la lettre, on trouve un récit de la conversion de Paul qui présente bien des affinités avec ceux des *Actes*[2], ailleurs le texte s'écarte beaucoup de celui de l'œuvre à Théophile, en particulier quand Paul devient le disciple des onze apôtres qui lui prodiguent un enseignement dans la plus pure tradition johannique[3] !

Tout cela nous semble démontrer que, pour la vie de l'Eglise naissante comme pour celle de Jésus, si l'auteur de l'*Epistula Apostolorum* a connu des traditions « canoniques », il a également eu écho de sources et de documents concurrents. Alors, même s'il est impossible de trancher le débat en toute certitude[4], il nous apparaît que l'hypothèse de l'usage, au chapitre 15, d'une source judéo-chrétienne différente du récit de Luc est pour le moins vraisemblable[5]. On imagine mal, en effet, pourquoi, s'il n'avait disposé que de l'œuvre à Théophile, le rédacteur aurait apporté tant de modifications au récit de la libération de Pierre et l'aurait transformé en une évasion momentanée, soit en un épisode moins glorieux qu'Ac 12.

Une analyse attentive d'Ac 12, 3-19 permet, par ailleurs, d'affiner l'analyse en montrant que le récit présente de nombreuses résonances pascales[6].

Déjà le verset 11 peut inviter à dresser l'oreille. Pierre y tire, en effet, la leçon des événements en des termes *(exapesteilen ho kurios ton aggelon autou kai exeilato me ek cheiros...)* qui évoquent ceux par lesquels Nabuchodonosor, en Dn 3, 95 (Théodotion), commente la libération des trois jeunes gens, Sha-

---

1. Cf. n. 3, p. 247.
2. Cf. M. Hornschuh, *Studien,* p. 16-17.
3. M. Hornschuh, *op. cit.,* p. 17.
4. A. Strobel, *NTS* 4, 1957-1958, p. 214, le reconnaît avec sagesse.
5. Avec A. Strobel, *ibid.,* et contre J. Dupont, *ASeign* 84, 1967, p. 24, qui suppose que le rédacteur d'*Epistula Apostolorum* 15 s'est imaginé à tort, à la lecture d'Actes 12 et de ses résonances pascales, que Pierre avait été libéré lors de la nuit de la Pâque.
6. C'est ce qu'a montré A. Strobel, *NTS* 4, 1957-1958, p. 210-215.

drak, Méshak et Abed-Négo, jetés dans la fournaise *(ho theos... apesteilen ton aggelon autou kai exeilato tous paidas autou)*. Or la tradition juive situe cette délivrance à l'occasion de la nuit pascale. C'est ce qu'atteste le *Midrash Rabba* qui commente ainsi Ex 12, 42 : « Que signifie : "Une nuit de veille ?" (Une nuit) pendant laquelle Dieu a fait de grandes choses pour les Israélites en Egypte. C'est pendant cette nuit qu'il a sauvé Ezéchias (de la mort), Ananias et ses compagnons [délivrés par l'ange Gabriel selon *Midrash Rabba Ex* XVIII, 5 !][1] ainsi que Daniel de la fosse aux lions et c'est aussi pendant cette nuit que le Messie et Elie manifesteront leur puissance... »[2]

Plus troublante encore que ce premier rapprochement s'avère la comparaison d'Ac 12, 6-12 avec le récit de l'institution de la Pâque (Ex 12, 11-12), tel qu'on le lit dans la *Septante*. En effet, les ordres intimés à Pierre par l'ange évoquent des rubriques bien connues du rituel pascal. L'injonction de se lever promptement *(anasta en tachei :* Ac 12, 7) fait penser à la hâte dans laquelle le cérémoniel pascal doit être accompli *(meta spoudès :* Ex 12, 11) et à la directive lancée par Pharaon à Moïse et Aaron *(anastète :* Ex 12, 31), alors que la prescription de mettre ceinture et sandales apparaît dans les deux passages *(zôsai kai hupodèsai :* Ac 12, 8 et *periezôsmenai, kai ta hupodèmata... :* Ex 12, 11). Par ailleurs, le contexte nocturne rapproche les deux textes *(tè nuktè ekeinè :* Ac 12, 6 et *en tè nukti tautè :* Ex 12, 12)[3]. Enfin, il n'est sans doute pas totalement fortuit que le verbe *patassein* soit employé en Ac 12, 7 et 23 alors qu'il revient tout au long d'Ex 12 pour désigner l'action du Seigneur à l'encontre de l'Egypte et de ses premiers-nés (Ex 12, 12.23.23.27. 29)[4].

Toutes ces similitudes représentent assurément davantage qu'une simple coïncidence. Elles autorisent à considérer le récit de la délivrance de Pierre « comme une sortie d'Egypte en raccourci »[5]. On notera d'ailleurs que le

---

1. La *Septante* remplace seulement *exeilato* par *esôse*. Si elle évite ici *exaireô,* elle emploie souvent l'expression *exeilato ek cheiros*. On la retrouve en Ex 18, 10 : « Béni soit le Seigneur qui a arraché son peuple de la main des Egyptiens et de la main de Pharaon » (cf. Gn 32, 12 ; 37, 22 ; Ex 3, 8 ; 18, 4.8.9 ; Dt 25, 11 ; 32, 39 ; Jos 9, 26 ; 24, 10...). Dans l'œuvre à Théophile, la formule *ek cheiros...* apparaît dans le cantique de Zacharie (Lc 1, 71.74) dont les termes rappellent plus particulièrement ceux du Ps 106, 10 (LXX : 105, 10) qui célèbre le passage de la Mer.
2. *Midrash Rabba Ex* XVIII, 12. Nous citons ce texte selon la traduction qu'en propose R. Le Déaut, *La Nuit pascale,* p. 352.
3. Ces trois correspondances sont celles qui sont mises en évidence par A. Strobel, *NTS* 4, 1957-1958, p. 212-213.
4. Ce verbe apparaît d'ailleurs comme une sorte de terme technique pour la description des plaies d'Egypte tant dans l'*Exode* (Ex 7, 20.25 ; 8, 12.13 ; 9, 15.25) que dans les *Psaumes* (Ps 77, 51 ; 104, 33.36 ; 134, 8 ; 135, 10 [LXX]) ou dans le *Premier livre de Samuel* (1 R 4, 8 [LXX]). On peut noter encore qu'en Ap 11, 6 est confié aux deux témoins le pouvoir de frapper la terre de toutes sortes de maux en référence manifeste à la première plaie d'Egypte (Ex 7, 19-20). Ce passage paraît attester que *patassein* pouvait décrire l'intervention présente ou future de Dieu en fonction de son action passée. Il nous semble possible qu'il soit le cas en Ac 12, 7 et 23.
5. W. Rordoff, Zum Ursprung des Osterfestes am Sonntag, *ThZ* 18, 1962, p. 183, n. 65.

thème même de la libération était au centre de la célébration pascale, qu'elle fût juive ou quartodécimane. Ce fait n'a rien d'étonnant et trouve une illustration dans différents textes qui montrent que, des deux côtés, cette libération, dont était rappelée la réalisation passée et escompté le prochain accomplissement *parousiaque,* conservait une profonde actualité et était célébrée avec des accents que l'on retrouve à la fois en Ac 12 et en *Epistula Apostolorum* 15.

On pourra citer ici, parmi les textes juifs, *Mishna Pesahim* 10, 5 :

> En chaque génération *on doit se regarder soi-même comme sorti de l'Egypte,* suivant qu'il est dit (Ex 13, 8) : « Tu raconteras à ton fils en ce jour en ces termes : c'est à cause de cela que Y. m'a accordé cela quand je suis sorti de l'Egypte. » Aussi bien sommes-nous tenus : à louer, chanter, glorifier, honorer, exalter, louanger, bénir, élever, proclamer *celui qui a fait pour nous et nos pères tous ces signes* (miracles) : *il nous a tirés de la servitude pour la liberté, du chagrin pour la joie*[1]*, du deuil pour un jour de fête, des ténèbres pour une grande lumière*[2]*, de la servitude pour la libération*[3].

Parmi les documents quartodécimans en notre possession, nous en produirons deux. Il s'agit respectivement des homélies sur la Pâque de Méliton de Sardes et du Pseudo-Hippolyte.

La première, datée entre les années 166 et 180 de notre ère, fait écho au texte rabbinique dont nous venons de faire état, fournissant une nouvelle illustration des accords existant entre la célébration des premiers chrétiens et celle de leurs frères juifs[4] :

> 67. C'est lui qui pour avoir été amené comme un agneau et immolé comme un mouton nous délivra du service du monde comme de la terre d'Egypte, *nous délia des liens de l'esclavage du démon comme de la main de Pharaon*[5] et marqua nos âmes de son propre Esprit comme d'un sceau et les membres de notre corps de son propre sang. 68. C'est lui qui couvrit la mort de honte et qui mit le démon dans le deuil comme Moïse Pharaon. C'est lui qui *frappa (pataxas)*[6] l'iniquité et qui priva l'injustice de postérité comme Moïse l'Egypte. *C'est lui qui nous arracha de l'esclavage pour la liberté, des ténèbres pour la lumière, de la mort pour la vie,* de la tyrannie pour une royauté éternelle. [Lui qui fit de nous un sacerdoce nouveau et un peuple élu, éternel.] 69. C'est lui qui est la Pâque de notre salut[7].

---

1. Peut-on penser ici au chagrin de l'apôtre en *Epistula Apostolorum* 15 et à la joie de la servante en Ac 12, 14 ?

2. L'éclairage subit dont bénéficie la geôle de Pierre en Ac 12, 7 évoque étrangement ce thème.

3. Nous avons emprunté la traduction de ce texte à J. Bonsirven, *Textes rabbiniques,* p. 215.

4. Cf. p. 174-175.

5. On notera les correspondances avec Ac 12, 7 et 11.

6. On retrouve ici le verbe *patassein* (cf. n. 4, p. 244).

7. Méliton de Sardes, *Sur la Pâque,* 67-69. Nous avons reproduit ici la traduction que propose de ce passage O. Perler, *in* Méliton de Sardes, *Sur la Pâque et fragments.* Introduction, texte critique, traduction et notes par O. Perler (*SC* 123), Paris, 1966, p. 96-99.

La seconde, qui remonte à la fin du IIᵉ siècle, peut apporter un éclairage à la fois sur la thématique de la porte et sur l'espérance liée à l'agape dont il est question en *Epistula Apostolorum* 15 :

O Pâque divine (...), les portes *(pulai)* des cieux ont été ouvertes, Dieu s'est montré homme et l'homme est monté Dieu, *grâce à toi les portes de l'enfer ont été rompues et les verrous d'airain brisés* (...). O Pâque divine, qui n'as pas confiné Dieu en le faisant sortir du ciel mais l'as joint désormais spirituellement (à nous), grâce à toi la grande salle des noces a été remplie, tous portent la robe nuptiale et personne ne sera jeté dehors parce qu'il n'a pas la robe des noces[1].

Ces textes ne peuvent que confirmer, nous le pensons, le caractère pascal du récit de la délivrance de Pierre en Ac 12. Ils permettent par ailleurs, selon nous, d'émettre une hypothèse assez vraisemblable quant à son fond traditionnel et à sa relecture rédactionnelle.

Le récit se présentait à l'origine comme celui d'une libération de l'apôtre survenue à l'occasion de la nuit pascale. Tandis que l'auteur de l'*Epistula Apostolorum* — ou les milieux auprès desquels il l'a recueilli — l'a retravaillé en fonction de l'évolution du cérémoniel quartodéciman[2], Luc l'a coulé, pour sa part, dans le moule que constituait le genre littéraire hellénistique des récits de libérations merveilleuses de prison, tout en veillant à préserver son caractère pascal.

Ce dernier point trouve une illustration dans le verset 11 qui, de par sa position particulière au sein du récit — il tire la leçon des événements tout en jouant le rôle de pivot[3] — « porte manifestement l'empreinte luca-

---

1. Pseudo-Hippolyte, *Sur la Pâque*, 62. On trouvera ce texte édité et traduit in *Homélies pascales*, I : *Une homélie inspirée du traité sur la Pâque d'Hippolyte*. Etude, édition et traduction par P. Nautin (SC 27), Paris, 1957, p. 188-191.

2. Cf. C. Grappe, *RHPhR* 65, 1985, p. 107. Le fait que le nom de Pierre ne soit pas mentionné en *Epistula Apostolorum* 15 ne peut être tenu pour une indication du fait que tel était déjà le cas à l'origine. L'auteur de la lettre, qui n'est pas un partisan particulièrement fervent de l'apôtre puisque ce dernier n'apparaît qu'en troisième position dans la liste du chapitre 2, tait en effet son nom en une autre occasion, quand il fait état de la tradition rapportée par ailleurs en Mt 17, 24-27 (chap. 5). Il se contente de rappeler son reniement et de l'associer, après Pâques, avec Thomas et André, à une opération destinée à dissiper les doutes de l'ensemble des apôtres (chap. 11). Parmi ces apôtres, personne, en dehors de la liste du début, de cet épisode et de celui où Paul est mis en scène (chap. 31), n'est individualisé. L'auteur s'efforce en effet de les présenter comme un groupe homogène qui n'est désigné que collectivement à l'aide des pronoms personnels employés aux première et deuxième personnes du pluriel.

3. On peut dégager le mouvement d'ensemble suivant :

— 11, 30 : Barnabas et Saul d'Antioche à Jérusalem
  — 12, 1-2 : Persécution de l'Eglise par Hérode
    — 12, 3-4 : Persécution de Pierre par Hérode
      — 12, 5-6 : Pierre en prison et sous bonne garde
        — 12, 7-10 : Délivrance de Pierre
          — 12, 11 : Pierre prend conscience des événements
        — 12, 12-17 : Pierre annonce sa libération à la communauté
      — 12, 18-19 : Châtiment des gardes après cette libération
    — 12, 20-23 : Mort d'Hérode
  — 12, 24 : Sommaire relatif à la croissance de la Parole
— 12, 25 : Barnabas et Saul de Jérusalem à Antioche.

nienne »[1]. De même, le choix du verbe *patassein* pourrait être imputable à l'auteur à Théophile qui nous paraît avoir créé, par son double usage, un contraste entre les actions respectives de l'ange du Seigneur aux versets 7 et 23[2]. Enfin, les notices temporelles redondantes des versets 3 et 4, tout en introduisant peut-être d'autres harmoniques au sein du récit, n'altèrent en rien, bien au contraire, son atmosphère pascale[3].

L'entreprise consistant à façonner son texte pour qu'il fût conforme au modèle grec des délivrances miraculeuses n'a sans doute pas demandé à Luc beaucoup d'efforts, dans un premier temps du moins. On peut imaginer en effet que la tradition lui a fourni le cœur du récit en mentionnant l'intervention angélique, l'ouverture des portes de la prison et le déliement des liens[4] qui apparaissent comme autant de motifs pascaux. Sa source a probablement fourni aussi à l'auteur à Théophile l'essentiel des données relatives au processus de reconnaissance de l'apôtre dans lequel abondent les remarques qui donnent à la narration une couleur locale accentuée[5]. Seule la finale du verset 17 paraît être un ajout. L'allusion à Jacques dans l'exhortation de Pierre évoque trop visiblement le remplacement de ce dernier par le frère du Seigneur à la tête de l'Eglise mère pour ne pas être

1. La formule est de J. Dupont, *ASeign* 84, 1967, p. 25. Sur le caractère rédactionnel de ce verset, cf. encore, R. Kratz, *Rettungswunder,* p. 469, ou G. Lüdemann, *Das frühe Christentum,* p. 147. On ajoutera que la deuxième partie du v. 9, qui prépare le v. 11 en ménageant un premier temps de réflexion marqué par l'incompréhension, paraît être également de la main de Luc.

2. Ainsi G. Lüdemann, *ibid.*

3. L'ensemble des auteurs s'accorde pour reconnaître que les v. 3 et 4 portent la marque du travail personnel de l'auteur à Théophile. Les uns discernent son intervention surtout au v. 3 (ainsi R. Kratz, *Rettungswunder,* p. 493, et A. Weiser, *Apostelgeschichte* 1-12, p. 287-288), les autres plutôt au v. 4 (en ce sens, M. Dibelius, *Aufsätze zur Apostelgeschichte,* p. 26, et H. Conzelmann, *Apostelgeschichte,* p. 70). Avec les premiers, nous considérons que la mention des jours des Azymes est rédactionnelle. Elle témoigne peut-être en faveur de l'existence d'un calendrier propre au milieu lucanien (cf. J. Van Goudoever, *Fêtes et calendriers,* p. 245-246) et crée un parallèle avec le récit de la passion de Jésus en évoquant Lc 22, 1 et 7. Nous pensons par contre que l'information relative à la Pâque fournie par le v. 4 remonte aux indications de la source, même si le projet d'Hérode de faire comparaître l'apôtre devant le peuple, qui évoque à nouveau le récit de la Passion, nous paraît être une création de l'auteur à Théophile à qui il convient vraisemblablement d'imputer aussi la charge contre les juifs contenue au début du v. 3 (cf. p. 240).

4. G. Lüdemann, *Das frühe Christentum,* p. 149-150, considère ainsi que, dans les v. 5-10, en dehors de quelques retouches, seule la finale du v. 5, le début du v. 6, et les remarques relatives à la réaction de Pierre au v. 9 sont rédactionnelles.

5. Ainsi, au v. 12, la mention de la maison de Marie, mère de Jean surnommé Marc. Certes elle ménage une si admirable transition avec la suite du récit au v. 25 que beaucoup la suspectent (ainsi E. Haenchen, *Apostelgeschichte,* p. 335 ; R. Kratz, *Rettungswunder,* p. 493). Cependant, avec H. Conzelmann, *Apostelgeschichte,* p. 71, et A. Weiser, *Apostelgeschichte* 1-12, p. 288, on peut y voir une précieuse indication de la tradition jérusalémite primitive, ce qui nous paraît à envisager (cf. n. 3, p. 80). La servante Rhodè (v. 13) aura elle aussi appartenu à la source. E. Haenchen, *op. cit.,* p. 334, et G. Lüdemann, *Das frühe Christentum,* p. 147, reconnaissent tous deux que l'auteur à Théophile s'est montré, dans ce passage, fort respectueux de la tradition dont il disposait.

rédactionnelle[1]. Quant à la mention du départ de Pierre pour un autre lieu, sur laquelle nous aurons l'occasion de revenir[2], elle nous paraît, sauf si on comprend que Pierre se plaça en sûreté[3], outrepasser manifestement le cadre de la légende initiale qui devait narrer la libération de l'apôtre pour elle-même.

Mais si l'auteur à Théophile n'a pas eu besoin de retoucher beaucoup le récit de la libération de Pierre proprement dit, il lui a conféré une portée nouvelle en fondant en un ensemble harmonieux les trois sources, sans doute indépendantes à l'origine, qu'il a utilisées pour la rédaction de ce chapitre[4]. En replaçant l'épisode dans le contexte de la persécution de la communauté par Hérode Agrippa et en le reliant à la mort du monarque, il a précisé les traits de l'adversaire qu'a eu à affronter l'apôtre tout en indiquant que ceux qui l'avaient poussé à agir tout comme ceux auprès desquels il était venu quérir une légitimation nouvelle après son échec, s'étaient entièrement fourvoyés. Enfin, en faisant réapparaître les gardes aux versets 18-19 pour indiquer le sort tragique qui leur fut réservé, il a souligné la fourberie du souverain[5] tout en allouant à ces personnages, dont le rôle est essentiel dans les récits de libérations merveilleuses de prison hellénistiques, la place qu'il convenait de leur accorder pour que la narration réunisse l'ensemble des caractéristiques de ce genre littéraire[6].

De toutes ces considérations il ressort, nous semble-t-il, que l'auteur à Théophile a bel et bien disposé d'une tradition pétrinienne qui narrait la libération du prince des apôtres et dont il n'y a pas de raison de douter qu'elle soit apparue au sein même de l'Eglise primitive de Jérusalem[7]. Sans doute s'agissait-il, à l'origine, d'un récit qui se suffisait à soi-même. Il n'est donc pas certain qu'il ait contenu des indications permettant de le rattacher à une situation précise. Il nous semble plutôt que c'est l'auteur à Théophile qui a choisi de le replacer dans la trame de la « grande histoire »[8].

Est-ce à dire qu'il ne nous fournit aucun renseignement historique ou, plus grave, qu'il risque de nous induire en erreur en nous laissant imaginer

1. On trouvera exprimé un point de vue semblable chez H. Conzelmann, *Apostelgeschichte*, p. 71 ; E. Haenchen, *Apostelgeschichte*, p. 334-335, et R. Kratz, *Rettungswunder*, p. 471. Cela n'empêche pas que l'ajout lucanien puisse reposer sur une information selon laquelle ceux qui se regroupaient respectivement autour de Pierre et de Jacques se réunissaient dans des lieux distincts (cf. p. 80).

2. Cf. n. 1, p. 285.

3. Ainsi H. Conzelmann, *Apostelgeschichte*, p. 71, qui est suivi par R. Kratz, *Rettungswunder*, p. 471, et A. Weiser, *Apostelgeschichte* 1-12, p. 291.

4. Cf. p. 241.

5. Cf. n. 1, p. 239.

6. Le caractère rédactionnel des v. 18-19 est reconnu notamment par E. Haenchen, *Apostelgeschichte*, p. 335 ; H. Conzelmann, *Apostelgeschichte*, p. 71 ; J. Roloff, *Apostelgeschichte*, p. 187, et G. Lüdemann, *Das frühe Christentum*, p. 148.

7. Ce point de vue est partagé notamment par O. Bauernfeind, *Apostelgeschichte*, p. 162-163 ; J. Roloff, *op. cit.*, p. 159 ; A. Weiser, *Apostelgeschichte* 1-12, p. 286, et G. Lüdemann, *op. cit.*, p. 149-150.

8. Dans le même sens, A. Weiser, *op. cit.*, p. 286-287.

que Pierre a eu maille à partir avec Hérode Agrippa ? Ce n'est pas certain. En effet, Ac 12, 1-2, passage dont personne ne remet en question le fondement historique, nous apprend que ce monarque a effectivement persécuté l'Eglise jérusalémite, au moins en la personne de Jacques le zébédaïde[1]. Ce que nous savons par ailleurs de lui invite à ne pas exclure qu'il ait, en la circonstance, agi, comme l'indique l'auteur à Théophile au verset 3, pour plaire aux juifs[2]. Il sut en effet se concilier ses sujets grâce à une observance scrupuleuse de la loi mosaïque en leur présence[3]. On peut donc imaginer que, afin de démontrer sa ferveur, il ait choisi, dans le contexte particulier de son règne, de frapper certains représentants en vue de la communauté chrétienne en raison de leur distanciation à l'endroit du Temple qui les plaçait désormais dans une situation fort délicate. En effet, les mémoires étaient alors tout imprégnées du souvenir de la crise que venait de susciter Caligula (40-41 apr. J.-C.) en voulant faire dresser sa statue dans le sanctuaire[4]. L'heureuse solution qu'elle avait connue à travers la mort de l'empereur avait montré quel sort attendait quiconque passait pour agir contre le lieu saint[5]. Il est donc possible que le souverain ait décidé de faire un exemple et on peut envisager que, outre à l'exécution de Jacques, il ait fait procéder à l'arrestation de Pierre. Il nous semble, par conséquent, pensable que Luc ait possédé une information de ce genre et qu'il ait choisi de la développer en utilisant un récit dont il disposait par ailleurs et qui atteste, en toute hypothèse, que Pierre a connu les affres de la prison à Jérusalem à un moment ou à un autre.

Mais, plus important pour la question qui nous préoccupe ici, l'existence

---

1. On pourra se reporter à ce propos à J. Blinzler, Rechtsgeschichtliches zur Hinrichtung des Zebedäiden Jakobus (Apg XII 2), *NT* 5, 1962, p. 191-206, et à G. Lüdemann, *Das frühe Christentum*, p. 151.

2. Agrippa bénéficia auprès des juifs d'une popularité supérieure à celle de la plupart des représentants de la dynastie hérodienne en raison, d'une part, de son ascendance hasmonéenne — il avait pour grand-mère la princesse Mariamne qui avait épousé Hérode le Grand — et, de l'autre, de ses efforts pour se concilier la population. C'est ainsi qu'un passage de la *Mishna* (*Sota* 7, 8) rapporte comment, alors qu'il devait lire publiquement la loi du royaume (Dt 17, 14-20) lors de la fête des Tabernacles à l'occasion d'une année sabbatique, il se montra réticent à l'idée de pénétrer dans le Temple vu ses origines édomites et se mit à pleurer en prononçant ces mots : « Tu ne pourras pas te donner [pour roi] un étranger qui ne soit pas ton frère. » Il s'attira ainsi la sympathie de la foule qui lui répondit : « Ne crains pas, Agrippa, tu es notre frère. » Cet épisode manifeste peut-être l'habileté d'un homme auquel ni son éducation, ni ses antécédents, ni son caractère, ni ses initiatives en dehors de la Palestine ne permettent d'attribuer une religiosité très profonde. Pour de plus amples informations sur le règne d'Agrippa, on consultera E. Schürer, *History*, I, p. 442-454.

3. Le portrait flatteur que brosse de lui Flavius Josèphe, *AJ*, XIX, 331, illustre ce fait (cf. encore *AJ*, XIX, 294.300-311 ; XX, 139).

4. Sur cette crise, Flavius Josèphe, *AJ*, XVIII, 256-309 ; *BJ*, II, 184-203, et Philon, *Legatio ad Gaium* 197-337. G. Theißen, *Lokalkolorit und Zeitgeschichte in der Evangelien. Ein Beitrag zur Geschichte der synoptischen Tradition* (« Novum Testamentum et Orbis Antiquus », 8), Freiburg, Göttingen, p. 149-161, vient de se livrer à une analyse minutieuse de tous ces textes.

5. G. Theißen, *op. cit.*, p. 243-244.

d'une telle tradition confirme qu'une image de Pierre, objet de la sollicitude de son maître, s'est développée au sein de l'Eglise primitive de Jérusalem. Elle nous montre aussi qu'un épisode de la vie de l'apôtre a été considéré comme s'inscrivant dans la continuité des grandes délivrances pascales. Certes, il faut se garder d'exagérer l'importance qui a été conférée à l'événement : contrairement à la Pâque de Jésus, il ne modifie en rien le cours de l'histoire du salut ni n'en constitue une étape majeure. Il atteste simplement que la puissance salvatrice du Seigneur est à l'œuvre au bénéfice de ses témoins et, ici, du prince des apôtres. Cela n'est toutefois pas rien. Nous pensons d'ailleurs que la forme qu'a prise le récit est révélatrice de l'état d'esprit qui animait l'Eglise primitive de Jérusalem alors que Pierre était encore présent en son sein. Déjà, nous l'avons vu, la communauté n'avait pas hésité à relire ses origines à la lumière de la fête des Semaines et à se poser ainsi comme le lieu où les promesses encloses dans l'alliance trouvaient l'amorce de leur réalisation définitive[1]. Si le récit de la libération de Pierre n'a pas la portée générale de celui de la Pentecôte, il nous paraît manifester que l'Eglise mère considérait que le Seigneur continuait d'écrire des pages de la geste du salut à travers sa propre histoire. Il y a là, nous semble-t-il, un nouvel indice du fait que la fièvre eschatologique des premiers temps a rapidement fait place à une appréciation plus nuancée de la situation. La leçon implicite que chacun pouvait tirer de la relecture qui fut effectuée de l'épisode de la délivrance de l'apôtre est en effet la suivante : il ne s'agit pas seulement d'attendre le retour du Seigneur mais aussi de faire ici et maintenant l'expérience de sa présence secourable.

Au terme de ce chapitre, nous croyons être en mesure d'apporter une réponse à la question qu'il avait pour but d'élucider. Les développements qui précèdent auront montré, nous l'espérons, qu'il convient de prendre en compte l'émergence, au sein même de l'Eglise primitive de Jérusalem, de traditions relatives à Pierre. Il faut y adjoindre des récits, tels Ac 5, 1-11 ou 8, 14-24, que nous avons eu l'occasion d'étudier déjà. Ils nous restituent l'image du chef de la communauté mère exerçant, dans la ville sainte comme en déplacement, des prérogatives juridico-charismatiques quasi absolues à l'encontre de personnages qui mésusent de l'argent au mépris de l'Esprit Saint[2].

Considérées dans leur ensemble, ces traditions soulignent les liens étroits qui unissaient le disciple à son maître : premier parmi les Douze, il l'apparaît aussi parmi les appelés avant et après la Résurrection. Son activité post-pascale s'inscrit d'ailleurs dans le droit fil de celle de Jésus, l'apôtre renouant avec l'activité thaumaturgique du Nazaréen et bénéficiant à

1. Cf. p. 54-57 et 183-184.
2. Cf. p. 110-111 ; 117-118 et 142.

l'occasion de l'assistance de celui en qui la communauté reconnaissait désormais le Seigneur.

Il en résulte une impression de grande continuité entre l'action de Céphas et celle du Nazaréen. La position de Pierre eût dû s'en trouver renforcée. Pourtant, à plus ou moins long terme, celui qui avait tant de titres à faire valoir pour assumer l'héritage du charisme personnel prophétique de Jésus fut amené à quitter la tête de l'Eglise mère et à la laisser à Jacques, frère du Seigneur. Il nous restera à présent à tenter de mieux cerner les causes de son départ.

Chapitre VII

Entre micro- et macromillénarisme, les raisons du départ de Pierre de la scène jérusalémite

I – Pierre, le bénéficiaire de révélations, victime d'une de ses visions ?

Nous avons déjà eu l'occasion de relever, à propos du récit de la Transfiguration, la propension aux visions des trois témoins privilégiés de la manifestation de Jésus en gloire[1]. Cette inclination est particulièrement nette chez Pierre que les sources nous décrivent non seulement comme témoin d'une ou de plusieurs apparitions du Ressuscité mais aussi comme visionnaire proprement dit (Ac 10, 9-16). Par ailleurs, l'apôtre est dit avoir bénéficié d'une révélation (Mt 16, 17) et est associé au premier chef à l'expérience pneumatique du jour de la Pentecôte (Ac 2, 1-14). La tradition pétrinienne ultérieure est, au demeurant, restée attentive à ces phénomènes et en a souligné l'importance[2].

On peut aisément se représenter que ces révélations ont, à commencer par la protophanie, contribué à asseoir l'autorité de Céphas à la tête de l'Eglise jérusalémite. Une seule fait exception et paraît, au contraire, avoir concouru à l'ébranler, la vision narrée en Ac 10, 9-16. C'est que, de par son contenu, elle introduisait une rupture dont les difficultés que paraît avoir éprouvées l'apôtre à l'accepter (Ac 10, 14-16) soulignent l'importance. Elle ressortissait dès lors à ce charisme personnel privé dont nous savons qu'il vient parfois menacer une institution et qu'il peut aisément être accusé de dénaturer la prophétie d'origine[3].

---

1. Cf. p. 195.
2. Ainsi 2 P 1, 16-18 ; *Actes de Pierre* 20 ; *Apocalypse de Pierre* (Akhmim) 4-20 ; (Ethiopienne) 15-17, passages qui renvoient tous à l'épisode de la Transfiguration, même si, dans l'*Apocalypse de Pierre*, la scène est située dans un nouveau contexte et sert de prétexte à une autre révélation, celle de la gloire réservée aux justes au paradis (sur ce point, R. J. Bauckham, The Apocalypse of Peter : An Account of Research, in *Aufstieg und Niedergang der römischen Welt*, Teil II : Principat, Band 25.6, Berlin, New York, 1988, p. 4735-4736). On peut adjoindre à ces textes notamment *Apocalypse de Pierre* (Akhmim) 21.25.26 ; (Ethiopienne) 3 ; (fragment Rainer) ; *Apocalypse de Pierre* (gnostique) (NH VII, 3) 72, 4-28 ; 81, 3-14 ; 82, 4-16, et le célèbre épisode du *quo vadis ?* (*Actes de Pierre* 35).
3. Cf. p. 29.

Il vaut donc la peine de se demander si elle ne permet pas de préciser quels furent les tenants et les aboutissants du processus qui conduisit au départ de Pierre de la scène jérusalémite. Mais, pour bien comprendre les enjeux du débat, il nous appartiendra d'abord de le replacer dans son contexte.

II – LE CONTEXTE

L'Eglise mère se trouvait aux prises avec des développements nouveaux au sein du mouvement chrétien et du judaïsme palestinien. Elle ne les maîtrisait ni les uns ni les autres. Toutefois, au nom de son éminente dignité et des responsabilités dont elle s'estimait investie, elle s'efforçait de contrôler les premiers. Mais, ce faisant, elle devait tenir compte des seconds sous peine de s'exposer aux risques d'une brutale répression[1].

Résumons d'abord quelle était la situation du côté chrétien.

Le mouvement centrifuge qu'avaient suscité les hellénistes, auxquels était venu s'adjoindre Paul, avait conduit ces audacieux, un peu par hasard sans doute au début, à autoriser des païens à se joindre aux communautés qu'ils créaient[2]. Le phénomène prit une ampleur décisive à Antioche (Ac 11, 20) où une annonce délibérée de la bonne nouvelle à des gentils de langue grecque[3] eut lieu, l'accès au baptême leur étant proposé sans que fût requise une circoncision préalable[4].

Face à l'entreprise missionnaire des hellénistes, l'Eglise mère, nous l'avons vu, avait déjà réagi antérieurement et sans trop attendre. Elle s'était lancée, dans un premier temps, non sans qu'une telle initiative suscitât quelques réticences, dans des campagnes qui lui permirent de suivre en Palestine les brisées de Philippe et des siens[5]. Pierre lui-même participa à cette œuvre[6] qui réorientait le micromillénarisme pratiqué à l'origine en renouant, mais sur des voies nouvelles, avec le macromillénarisme prôné par Jésus[7]. L'auteur à Théophile nous donne même l'impression que Simon a, en quelque sorte, brûlé les étapes, en

1. Cf. p. 134-135.
2. Sur ce point, E. Trocmé, in *Histoire des religions,* II, p. 206.
3. Le terme employé pour les désigner en Ac 11, 20 a fait couler beaucoup d'encre. Toutefois, qu'il s'agisse d'*Hellènistas* ou, moins vraisemblablement, d'*Hellènas,* puisque, si les deux leçons sont à peu près également attestées au niveau de la critique externe, la critique interne tend à favoriser la première en tant que *lectio difficilior,* il paraît clair, en raison du contraste existant avec les *Ioudaioi* du v. 19, qui sont probablement des juifs de langue grecque, qu'il désigne des païens de langue grecque (ainsi F. F. Bruce, *Acts,* p. 235-236, et E. Trocmé, *Le « Livre des Actes »,* p. 190).
4. Ainsi M. Hengel, *NTS* 18, 1971-1972, p. 29, et la grande majorité des commentateurs.
5. Cf. Ac 8-10 et p. 119-120.
6. C'est ce qui ressort, nous nous sommes efforcé de le démontrer (cf. p. 116-121), du témoignage des Actes (8, 14-25 ; 9, 32-11, 18) par delà le regard critique avec lequel il convient de l'aborder.
7. Cf. p. 135.

procédant personnellement à l'admission du premier païen (Ac 10, 1-11, 18). Toutefois, la présentation de Luc est ici tendancieuse. La tradition dont il fait état en Ac 11, 20 et qu'il paraît reproduire fidèlement puisqu'elle crée une contradiction au sein de la narration[1] montre en effet que la primeur de l'évangélisation des gentils revint aux Sept et à leurs émules[2]. Mais la rédacteur des Actes désire, rappelons-le, légitimer l'œuvre de Paul en montrant qu'elle s'inscrit dans le droit fil de celle de Pierre qui, à travers la triple Pentecôte des juifs, des samaritains et des gentils, a balisé la route conduisant à la mission aux païens[3]. Il y a donc toutes les raisons de croire qu'il a soit anticipé l'épisode de la conversion de Corneille soit exagéré sa portée.

Mais, pour bien mesurer l'enjeu des développements qui avaient cours et se rendre compte de la situation délicate dans laquelle la mission aux gentils, sous la forme qu'elle revêtait, plaçait l'Eglise de Jérusalem dès lors qu'elle s'y trouvait mêlée ou s'en mêlait, jetons à présent un regard sur la manière dont les rapports avec les païens étaient envisagés au sein du judaïsme.

L'existence d'une diaspora fort nombreuse[4] dans le monde romain et, par-delà, dans l'Empire parthe[5], créait une situation telle que la question des relations avec les païens et de l'accueil qui pouvait éventuellement leur être réservé se posait avec acuité. Certains courants prônaient un prosélytisme actif[6], dont l'ampleur ne saurait être négligée[7] et que paraissent avoir pratiqué notamment les pharisiens (Mt 23, 15). Les synagogues bénéficiaient ainsi souvent d'une écoute bienveillante. Parmi les auditeurs bien disposés, certains s'efforcent de distinguer entre les sympathisants et les craignant-Dieu[8].

---

1. Ainsi notamment G. Lüdemann, *Das frühe Christentum,* p. 142.
2. En ce sens, par exemple, M. Goguel, *La naissance du christianisme,* p. 109-110.206-207 ; E. Trocmé, in *Histoire des religions,* II, p. 206, et P. J. Achtemeier, *CBQ* 48, 1986, p. 13.
3. Cf. p. 118-119.
4. On estime en général la population juive totale au début de notre ère dans une fourchette comprise entre six et huit millions d'individus, parmi lesquels deux millions tout au plus résidaient en Palestine (ainsi C. Saulnier, *Histoire d'Israël,* III, p. 286-287).
5. On trouvera un bon aperçu de son extension et de sa répartition chez A. Paul, *Le monde des Juifs,* p. 101-145.
6. Sur ce prosélytisme, attesté notamment par le célèbre épisode de la conversion d'Izatès (Flavius Josèphe, *AJ,* XX, 38-49), on consultera notamment, outre l'ouvrage mentionné à la note précédente, C. Saulnier, *Histoire d'Israël,* III, p. 295-296, et le recueil de textes, *Rome face à Jérusalem. Regard des auteurs grecs et latins (CahEvSup* 42), Paris, 1982, p. 28-33.
7. Comme le note fort à propos L. Goppelt, *Die apostolische und nachapostolische Zeit,* A. 55-56, « ce n'est pas parce que les synagogues de la diaspora entouraient le bassin méditerranéen comme un filet serré que le christianisme a pu se répandre en une génération dans toute l'*œcumene*. Et c'est seulement parce qu'elles avaient partout des contacts missionnaires avec leur environnement que des païens purent si vite être gagnés au message chrétien par delà le judaïsme ».
8. F. Siegert, *JSJ* 4, 1973, p. 109-164, considère ainsi que les sympathisants adoptaient certaines coutumes et se montraient favorables à la cause juive tout en conservant une relative distance tandis que les craignant-Dieu auraient manifesté un intérêt supérieur qu'attestaient notamment leur soutien actif et leur observance d'une partie de la Loi.

Il n'est pas évident toutefois qu'un tel clivage ait eu cours et il est peut-être plus prudent d'employer les deux termes comme des synonymes[1]. Nous nous contenterons, pour notre part, dans la suite de cette étude, afin d'éviter toute ambiguïté, de parler des craignant-Dieu[2].

On ne saurait trop insister sur le fait que ces craignant-Dieu, en dépit de toute la sympathie qu'ils pouvaient manifester envers la communauté juive et de l'accueil que cette dernière leur réservait en les associant à certaines de ses activités, demeuraient des païens et n'étaient pas admis en son sein[3]. Il en allait tout autrement de ceux qui, n'hésitant pas à supporter le poids et la rigidité de l'ensemble des commandements de la Torah et à franchir l'important obstacle que représentait la circoncision, se convertissaient, prenaient place parmi les prosélytes et appartenaient désormais au peuple juif[4].

Si les conditions mises à l'intégration au sein de la communauté juive étaient draconiennes et non négociables, c'est notamment parce qu'il fallait veiller à ne pas enfreindre les règles de pureté que des contacts trop étroits avec les nations amenaient immanquablement à violer. La rencontre avec l'hellénisme, les défections qui l'avaient accompagnée (*1 M* 1, 11-15), la crise qu'avait engendrée Antiochus Epiphane en voulant contraindre le peuple tout entier à renier son identité en renonçant notamment à la pratique de la circoncision et à l'observance de la Loi (*1 M* 1, 43-52), le sursaut nationaliste

1. B. Lifshitz, Du nouveau sur les « sympathisants », *JSJ* 1, 1970, p. 77-84, et M. Simon, *RAC*, XI, 1981, col. 1067-1068, procèdent de cette manière.
2. Malgré les allégations d'A. T. Kraabel, The Disappearance of the « God-Fearers », *Numen* 28, 1981, p. 113-126, et de M. Wilcox, The « God-Fearers » in Acts. A Reconsideration, *JSNT* 13, 1981, p. 102-122 (notamment p. 115-118), qui ont annoncé prématurément leur disparition, on ne saurait tenir leur existence pour une fiction. C'est ce que vient de confirmer la découverte, à Aphrodisias, d'une inscription éditée par J. Reynolds, R. Tannenbaum, *Jews and God-Fearers at Aphrodisias. Greek Inscriptions with Commentary. Texts from the Excavations at Aphrodisias Conducted by K. T. Erim* (Supplementary Volume. Cambridge Philological Society 12), Cambridge, 1987, et dont on trouvera la description *in* E. Schürer, *History*, III.1, p. 166.
3. Ce point est souligné notamment par G. F. Moore, *Judaism in the First Centuries of the Christian Era. The Age of the Tannaim*, vol. I, Cambridge, 1927, p. 326-327 ; F. Siegert, *JSJ* 4, 1973, p. 163 ; J. Jeremias, *Jérusalem,* p. 421 ; J. Nolland, *JSJ* 12, 1981, p. 173, n. 3, et E. Schürer, *op. cit.,* p. 169-170.
4. N. J. McEleney, Conversion, Circumcision and the Law, *NTS* 20, 1974, p. 319-341, a soutenu que certains convertis, qui ne se sentaient pas prêts à subir la circoncision, auraient cependant pu être acceptés comme frères juifs au Ier siècle de notre ère. Toutefois, comme l'a démontré de façon convaincante J. Nolland, *JSJ* 12, 1981, p. 319-341, une analyse rigoureuse des textes qu'il produit (Philon, *Quaestiones in Exodum* II, 2 ; Epictète, *Entretiens* II, 9, 20 ; *Talmud de Babylone Pesahim* 92a et 96a ; *Talmud de Babylone Chullin* 4b ; *Talmud de Babylone Yebamoth* 46a ; Flavius Josèphe, *AJ,* XX, 38-49) ne permet en aucun cas de parvenir à une telle conclusion. Seuls paraissent de fait avoir été exemptés de la circoncision tout en bénéficiant du statut de juifs les israélites hémophiles (ainsi, outre *Talmud de Babylone Chullin* 4b ; *Tosephta Shabbat* 15, 8). Pour tout étranger, l'adhésion au judaïsme passait par contre par l'acceptation de ce rite d'entrée, ce qu'illustre admirablement la version grecque du *Livre d'Esther* qui rend, en 8, 17, le texte hébreu original : « Beaucoup de gens du pays se faisaient juifs », par la formule : « Beaucoup de païens se soumettaient à la circoncision et se faisaient juifs. »

qui en avait résulté, tous ces phénomènes avaient conduit à approfondir la réflexion sur ce point. On peut dire, dans l'ensemble, même si les sirènes de la culture hellénistique continuèrent d'exercer leur séduction sur certains esprits, que non seulement l'idée d'une séparation nécessaire avec les autres peuples s'imposa à cette occasion mais qu'elle se renforça[1].

Ainsi, alors que la Torah prévoyait d'associer l'étranger aux fêtes de pèlerinage (Dt 16, 11-14), seule la consommation de la Pâque leur étant interdite tant qu'ils demeuraient incirconcis (Ex 12, 43-49), et qu'elle envisageait que celui qui est pur pût manger une bête correctement abattue avec celui qui est impur (Dt 12, 15-22), on assista à une radicalisation très nette d'une législation qui apparut trop permissive en son état. Les témoignages de ce durcissement abondent. Esther, Daniel et Tobit sont tour à tour loués pour avoir refusé de s'associer aux repas des païens[2] et on se plait à préciser que Judith a préféré aux mets et aux vins que lui avait fait servir Holopherne et qui auraient été pour elle « une occasion de chute » les provisions dont elle avait pris soin de se munir (*Jd* 12, 1-2). Dans le *Livre des Jubilés,* Abraham dissuade Jacob d'entretenir toute relation avec les nations en faisant valoir qu'il n'y a rien à en espérer et tout à en redouter[3]. Flavius Josèphe place pour sa part, dans la bouche de jeunes filles madianites, des reproches, adressés aux Israélites qu'elles sont parvenues à séduire, quant à leur monothéisme et à leur mode de vie différent de tout le monde et caractérisé notamment par des interdits relatifs à certains aliments et à certaines boissons[4]. Enfin, la littérature rabbinique montre que, du point de vue pharisien, « le commerce social

---

1. La *Lettre d'Aristée à Philocrate,* § 139, indique bien le chemin qui fut suivi quand elle dresse le constat suivant : « Le législateur, doué d'une science universelle, nous a entourés d'une clôture sans brèche et de murailles de fer, pour éviter la moindre promiscuité avec les autres peuples, nous qui, purs de corps et d'âme, libres de vaines croyances, adorons le Dieu unique et puissant, à l'exclusion d'absolument toutes les créatures » (traduction empruntée à A. Pelletier, in *Lettre d'Aristée à Philocrate.* Introduction, texte critique, traduction et notes, index complet des mots grecs par A. Pelletier, s.j. [*SC* 89], Paris, 1962, p. 171).
2. *Est gr.* C, 28 ; Dn 1, 8-9 ; *Tb* 1, 10-11.
3. *Jubilés* 22, 16.
4. Flavius Josèphe, *AJ,* IV, 137. Ces hommes reconnaissent le bien-fondé de leur argumentation. Ils se révoltent même, en la personne de Zambrias (146-149) qui accuse notamment Moïse d'avoir imposé des ordonnances tyranniques (146). L'intervention de Pinhas met fin à cette sédition : il met à mort l'impudent et sa compagne (152) et est alors suivi dans son action par de nombreux jeunes gens qui punissent les crimes commis (154) avant que la peste ne se charge de frapper les derniers traîtres rescapés (155). Ce texte est d'un extrême intérêt. Relecture de Nb 25, il a pour héros un personnage qui devait devenir une figure emblématique parmi les zélateurs de la Loi. Comme l'a noté M. Hengel, *Die Zeloten,* p. 160, l'absence du mot clé zèle et de la promesse divine adressée dans l'Ancien Testament à Pinhas et à sa descendance au terme de l'épisode (Nb 25, 11-13) donne à penser que Josèphe l'a édulcoré. Cela n'empêche pas qu'il nous montre, à lui seul et dans son état, l'urgence que devait revêtir, aux yeux des zélateurs, le châtiment de ceux qui ne se conformaient pas aux règles de pureté en matière alimentaire. Ce fait nous semble d'autant plus manifeste que si, dans l'Ancien Testament, il est question d'une participation des traîtres aux sacrifices adressés aux dieux moabites et au repas qui les accompagne (Nb 25, 2), le problème des aliments purs et impurs n'y est pas soulevé.

des juifs fidèles à la Loi avec des non-juifs était presque impossible »[1]. La femme d'un païen était considérée comme étant en état de règles perpétuel et ses enfants comme atteints d'écoulement. Ils étaient donc tenus pour impurs[2], conformément aux données de Dt 15. Mais lui-même, en tant que mari et père, contractait cette impureté constante puisqu'il vivait avec eux. Il devenait à son tour « contagieux »[3]. On comprend, dans ces conditions, que l'on se soit gardé de fréquenter la demeure d'un *goy* (cf. Jn 18, 28) ou qu'on n'y ait pénétré qu'à son corps défendant[4]. On ne s'étonnera pas non plus que la commensalité entre juifs et païens ait été sévèrement condamnée[5] quand elle n'était pas soumise à une réglementation draconienne. Dans le cas où l'on était l'invité et où l'on ne pouvait décliner l'offre, il était exclu que l'on consommât ce que l'hôte païen avait préparé[6]. On apportait donc son propre repas que l'on pouvait toutefois manger à table avec les autres convives[7]. Si l'on était la partie invitante, il fallait veiller, cette fois, à ce que le vin proposé ne puisse, en aucune manière, être utilisé aux fins de libations[8]. Les sources laissent entendre que, ces conditions étant respectées, la communauté de table se produisait en certaines occasions[9]. Il n'en demeure pas moins que rien ne l'encourageait.

D'ailleurs la surenchère à laquelle se livraient les mouvements de renouveau en matière d'observance des règles de pureté contribuait à attirer toujours davantage l'attention sur l'importance de ces prescriptions et de leur scrupuleux respect[10]. Les pharisiens, réunis en leur qualité de séparés[11] dans les communautés fermées que constituaient les *habûrôth,* les esséniens, assemblés dans leurs congrégations — que ce fût à Qumrân ou ailleurs — à l'écart des hommes pervers[12], nombreux étaient ceux pour qui la quête de pureté représentait l'une des préoccupations majeures.

---

1. *Bill.,* IV.1, p. 374, que nous suivrons de fort près dans le développement qui suit, tout en citant, jusqu'à la note 6, un choix parmi les références qui illustrent son propos aux p. 374-378.
2. *Talmud de Babylone Aboda Zara* 36*b* (= *Shabbat* 17*b*.18).
3. *Mishna Makhshirin* 2, 3.
4. Ainsi Ac 10, 28 ; *Mishna Ohalot* 18, 7 ; *Talmud de Babylone Shabbat* 127*a*.
5. En *Talmud de Babylone Sanhédrin* 104*a,* l'exil des enfants d'Ezéchias à Babylone (2 R 20, 17-18) est dit avoir été lié au fait que le roi avait convié des païens à sa table (cf. 2 R 20, 12-13) alors que l'Ancien Testament ne fait pas mention de ce repas et qu'il ne connaît rien d'une telle explication.
6. *Mishna Aboda Zara* 2, 6, passage qu'explicite *Talmud de Babylone Aboda Zara* 37*b* (cf. encore 38*a*).
7. *Talmud de Babylone Aboda Zara* 8*a*.*b*.
8. *Mishna Aboda Zara* 5, 5.
9. *Bill.,* IV.1, p. 378, renvoie ici plus particulièrement à deux passages de la *Mishna* : *Berakhot* 7, 1, et *Aboda Zara* 5, 1.
10. Cf. p. 39-43.
11. Rappelons que leur nom signifie justement séparés et renvoyons aux explications que donne J. Jeremias, *Jérusalem,* n. 2, p. 331-332, et n. 23, p. 334, à ce propos.
12. Cf. 1QS 5, 1.10 ; 8, 13 ; 9, 20. L'*Ecrit de Damas* requiert que l'on se sépare des fils de la Fosse (CD 6, 14-15), ce qui est une expression synonyme. Dans une perspective semblable, on consultera CD 11, 14-15.

On peut leur adjoindre, dans le contexte particulier des années qui nous intéressent ici, les zélateurs de la Loi. La Palestine tout entière vivait en effet sous leur pression croissante. La crise qu'avait suscitée Caligula (40-41 apr. J.-C.) avait déjà engendré un mouvement d'opposition résolu[1]. Par la suite, la mise à mort de deux chefs insurgés, Jacques et Simon, fils de Judas le Galiléen, sous le gouverneur Tibère Julius Alexandre (46-48 apr. J.-C.)[2] et la multiplication des troubles sous son successeur Ventidius Cumanus (48-52 apr. J.-C.)[3] attestent l'évolution vers une agitation toujours plus grande[4], même si le climat d'insécurité que l'on connut sous Félix (52-60 apr. J.-C.) n'était pas encore atteint[5]. Ces fanatiques, qui étaient bien sûr de farouches défenseurs de la circoncision[6], n'hésitaient pas à frapper leurs frères juifs qui pactisaient avec les païens[7]. Ainsi le combat macromillénariste qu'ils menaient agissait-il en synergie avec le souci de pureté et de sainteté des pharisiens et des esséniens pour rappeler à chacun son indispensable attachement à la Loi juive.

Il est aisé de se rendre compte que, dans cette situation, la mission chrétienne, telle qu'entendaient la pratiquer les Antiochiens, allait à contre-courant et pouvait facilement apparaître comme une provocation. On peut donc imaginer que, parmi les judéo-chrétiens palestiniens, certains ont dû se sentir mis en danger par les libertés que prenaient Paul, Barnabé et les leurs[8].

L'hypothèse paraît d'autant plus vraisemblable que l'Eglise de Jérusalem avait déjà eu à affronter, nous l'avons vu, la répression. Si les premières confrontations avaient abouti, c'est là du moins l'hypothèse que nous avons proposée, à la définition d'un *modus vivendi* avec le Sanhédrin grâce à la modé-ration des pharisiens[9], la persécution sélective et spontanée des hellénistes s'était chargée de montrer que toute attaque frontale contre la Loi ou contre le Temple menacerait la sécurité de ceux qui s'y livreraient. Ultérieurement, l'exécution de Jacques, fils de Zébédée, était venue rappeler combien la marge de manœuvre était étroite et même illustrer qu'elle se réduisait encore, puisque, si l'explication que nous lui avons trouvée n'est pas erronée, elle révèle que la distance prise depuis l'origine par l'Eglise jérusalémite à l'en-droit du sanctuaire était de plus en plus mal tolérée[10]. Il importait donc d'être vigilant et surtout de ne pas mécontenter le parti pharisien dont la neutralité

1. Philon d'Alexandrie, *Legatio ad Caium,* 225-243 ; Flavius Josèphe, *AJ,* XVIII, 263-288 ; *BJ,* II, 192-201. On pourra également se reporter à notre brève explication à la p. 249.
2. Flavius Josèphe, *AJ,* XX, 102.
3. Flavius Josèphe, *AJ,* XX, 105-136 ; *BJ,* II, 223-246.
4. On pourra consulter à ce propos M. Hengel, *Die Zeloten,* p. 348-355.
5. La situation qui prévalut alors est décrite par Flavius Josèphe, *BJ,* II, 254-257.
6. Sur ce point, M. Hengel, *Die Zeloten,* p. 201-204.
7. A ce sujet, M. Hengel, *op. cit.,* p. 204-211.
8. Ainsi tout particulièrement F. F. Bruce, *Galatians,* p. 31-32.130.
9. Cf. p. 235.
10. Cf. p. 249.

garantissait sans doute le fragile équilibre sur lequel reposait l'existence de l'Eglise mère.

Il y a en effet trop de témoignages de la défiance, voire de l'animosité, des sadducéens à l'encontre des premiers chrétiens pour qu'on puisse imaginer que ceux-ci aient pu compter sur la moindre indulgence de leur part. Du rôle actif qui leur revint lors des premières arrestations de Pierre et des siens (Ac 4, 1-3 ; 5, 17-18) à la part prise par Hanne le jeune à l'exécution de Jacques, frère du Seigneur[1], aucun indice ne suggère qu'ils se soient départis d'une attitude hostile à leur égard. L'épisode de la mort de Jacques illustre d'ailleurs la remarquable constance des points de vue qui paraît avoir prévalu pendant plus de trente ans, tant du côté sadducéen que du côté pharisien, à l'endroit de l'Eglise jérusalémite[2]. Nous le citerons donc car il nous paraît représenter une pièce essentielle à verser au dossier :

200. (...) Hanne estima qu'il y avait une occasion propice à saisir du fait que Festus était mort et qu'Albinus était encore en voyage [il n'y avait donc plus de gouverneur romain en poste]. Il convoqua les juges du Sanhédrin et traduisit devant eux le frère de Jésus appelé Christ — son nom était Jacques — et quelques autres. Il les accusa d'avoir transgressé la Loi et les livra pour qu'ils soient lapidés. 201. Mais tous ceux des habitants de la ville qui passaient pour les plus équitables et stricts observateurs des lois s'en indignèrent et envoyèrent secrètement demander au roi d'ordonner à Hanne de ne plus opérer de la sorte ; en effet, disaient-ils, il n'avait pas agi correctement en cette première circonstance. 202. Certains d'entre eux allèrent même à la rencontre d'Albinus qui venait d'Alexandrie et l'informèrent que Hanne n'avait pas le droit de convoquer le Sanhédrin sans son accord. 203. Persuadé par ces propos, Albinus en colère écrivit à Hanne en le menaçant de le punir. Quant au roi Agrippa [II], il lui enleva pour cette raison le souverain pontificat qu'il avait exercé trois mois et il établit Jésus, fils de Damnée, [grand prêtre][3].

Si ce récit ne doit pas nous faire croire que les pharisiens, qui furent assurément aussi choqués par l'abus de pouvoir qu'avait commis Hanne et désireux de ne pas laisser passer une si belle occasion de donner une leçon à leurs rivaux sadducéens, étaient les farouches défenseurs des judéo-chrétiens jérusalémites, il nous montre en tout cas qu'ils n'avaient rien de spécial à leur reprocher[4]. Leur attitude apparaît étrangement semblable à celle

---

1. Nous possédons cinq récits de la mort de Jacques, l'un juif (Flavius Josèphe, *AJ*, XX, 200-203) et les quatre autres chrétiens (les versions d'Hégésippe et de Clément d'Alexandrie, *Hypotyposes,* qui nous sont parvenues grâce à Eusèbe, *HE,* II, 23, 8-18 ; II, 1, 5, ainsi que celles que contiennent respectivement la *Deuxième Apocalypse de Jacques* [NH V, 4] 61, 12-63, 32 et les *Reconnaissances pseudo-clémentines,* I, 66-70). On trouvera une analyse comparée de ces différentes recensions dans plusieurs études récentes : G. Lüdemann, *Paulus, der Heidenapostel,* II, p. 99-102.231-237 ; M. Hengel, in *Glaube und Eschatologie,* p. 73-79 ; W. Pratscher, *Der Herrenbruder,* p. 229-260.

2. Ce fait a été mis en évidence, fort pertinemment selon nous, par M. Hengel, *Acts,* p. 96.

3. Flavius Josèphe, *AJ,* XX, 200-203 (traduction empruntée à l'ouvrage collectif, *Flavius Josèphe. Un témoin juif de la Palestine au temps des apôtres* [CahEvSup 36], Paris, 1981, p. 52).

4. Dans le même sens, M. Hengel, in *Glaube und Eschatologie,* p. 74, et W. Pratscher, *Der Herrenbruder,* p. 238.

que laisse deviner Ac 5, 34-39[1]. On peut penser qu'Ac 15, 5 et 21, 20 permettent de mieux comprendre leur relative bienveillance[2]. Le premier de ces passages atteste en effet l'existence de chrétiens pharisiens soucieux du maintien de l'exigence de la circoncision et du respect de la Loi et le second montre à l'œuvre de nombreux croyants animés d'un zèle pour cette dernière. Il y a lieu de croire que ces notices, selon toute vraisemblance traditionnelles[3], sont révélatrices du conformisme qui fut de mise au sein de l'Eglise jérusalémite, conformisme qui lui permit non seulement de ne pas encourir l'animosité du parti pharisien mais aussi de susciter l'adhésion de certains de ses représentants.

Il reste alors à expliquer l'hostilité sadducéenne dont le motif allégué par Josèphe, à propos de l'exécution de Jacques, une prétendue transgression de la Loi, et celui invoqué par l'auteur à Théophile au sujet des premières persécutions de la communauté, l'annonce de la résurrection des morts (Ac 4, 2), ne sauraient totalement rendre compte. L'hypothèse la plus originale en la matière a été émise par P. Gaechter qui a envisagé l'existence d'une hostilité persistante de la maison de Hanne à l'encontre de Jésus puis de son Eglise[4]. De fait, aux deux bouts de la chaîne, la crucifixion du Nazaréen et les premières entraves à la liberté de certains membres de la communauté, d'une part, et la mise à mort de Jacques, de l'autre, se sont produites à des moments où l'un des représentants de cette dynastie était grand prêtre en exercice[5]. Il est, par ailleurs, évident que l'influence de cette famille sacerdotale fut très grande durant toute la période qui conduisit jusqu'à la guerre juive[6]. Il ne peut être établi toutefois que ce fut sous le pontificat de Matthias, fils de Hanne, qu'eut lieu l'exécution de

1. Ainsi M. Hengel, *ibid.*
2. Cf. encore M. Hengel, *Acts,* p. 96.
3. Ainsi G. Lüdemann, *Das frühe Christentum,* p. 177-178 et 242.
4. P. Gaechter, The Hatred of the House of Annas, *TS* 8, 1947, p. 3-34 (= Der Haß des Haus Annas, in *Petrus und seine Zeit. Neutestamentliche Studien,* Innsbruck, Wien, München, 1958, p. 67-104).
5. La maison de Hanne détint cette fonction sans interruption de l'an 18 de notre ère jusqu'en l'an 41 environ, Caïphe, gendre de Hanne (18-36 [cf. Flavius Josèphe, *AJ,* XVIII, 35.95]), Jonathan (36-37 [cf. *AJ,* XVIII, 95.123 ; XIX, 313]) et Théophile (37-41 ? [cf. *AJ,* XVIII, 123]), deux de ses fils, l'occupant successivement. La crucifixion de Jésus eut donc lieu sous le pontificat de Caïphe (Mt 26, 3.57 ; Jn 11, 49-51 ; 18, 13-14.24.28) de même que les premières persécutions à l'encontre de la communauté jérusalémite (Ac 4, 6). L'influence de Hanne demeurait alors déterminante (Jn 18, 13.24 ; Ac 4, 6). L'exécution de Jacques, frère du Seigneur, se déroula pour sa part durant les trois mois où Hanne, autre fils de Hanne, était grand prêtre (cf. *AJ,* XX, 197-203).
6. Si l'on ajoute aux indications de la note précédente que Hanne fut grand prêtre de l'an 6 à l'an 15 de notre ère (cf. Flavius Josèphe, *AJ,* XVIII, 26.34), qu'Eléazar, le premier de ses fils à exercer cette fonction, en fut le titulaire en 16-17 (cf. *AJ,* XVIII, 34), que Matthias, le quatrième à qui revint cet honneur, en bénéficia sous le règne d'Agrippa (cf. note suiv.), et que Matthias, fils de Théophile et donc petit-fils de Hanne, clôt cette glorieuse lignée en étant nommé en 65, soit à la veille de la guerre juive (cf. *AJ,* XX, 223), on comprend que cette affirmation ne souffre aucune discussion.

Jacques, le zébédaïde[1], qui semble de toute façon imputable prioritairement à Agrippa I[2]. Il paraît donc plus prudent d'envisager que des facteurs conjugués, parmi lesquels la rancœur personnelle de la maison de Hanne peut avoir joué un rôle non négligeable mais au rang desquels on n'omettra d'inscrire ni l'hostilité qui unissait les sadducéens dans leur refus des spéculations messianiques[3] ni une possible pression des zélateurs que scandalisait sans doute le principe de la mission aux païens quelles qu'en fussent les modalités[4], ont entretenu l'animosité du parti sacerdotal à l'endroit de l'Eglise jérusalémite. Il manqua cependant manifestement de l'arme que lui eût fournie une prise de distance de cette dernière à l'endroit de la Loi pour parvenir à ses fins.

Il est à peu près hors de doute en effet que les pharisiens lui eussent alors emboîté le pas et eussent alors collaboré avec lui pour rendre impossible la vie de la communauté mère. Certes, et d'aucuns insistent sur ce point[5] même s'il ne faut pas en exagérer l'importance, le subtil équilibre des pouvoirs qui régnait alors en Palestine et qui limitait la marge de manœuvre du Sanhédrin, puisqu'il ne pouvait obtenir l'exécution d'une sentence de mort sans l'approbation préalable du gouverneur romain[6], fournissait, dans une certaine mesure, un bouclier à la communauté jérusalémite. Il la mettait de fait à l'abri d'une répression sanglante de sa part. Le fait que les exécutions respectives des deux Jacques eurent lieu précisément sous le règne d'Agrippa, soit à une époque où se substitua à ce bouclier le glaive d'un souverain soucieux de plaire à l'opinion, et pendant le flottement que provoqua, dans l'exercice du pouvoir romain, la mort de Festus jusqu'à l'arrivée d'Albinus montre le bien-fondé d'une telle observation. Cela n'empêche pas que la mise à mort d'Etienne (Ac 7, 57-59) et la persécution des hellénistes (Ac 8, 1-2) se produisirent à un moment où Pilate exerçait les fonctions de gouverneur. La forme que revêtit le supplice d'Etienne, à savoir la lapi-

---

1. En effet, Agrippa I a institué successivement trois grands prêtres durant son court règne de trois ans. Il s'agit de Simon Canthéras, fils de Boethus, qu'il nomma en 41 (cf. Flavius Josèphe, *AJ*, XIX, 297.313), de Matthias (*AJ*, XIX, 316) et d'Elionée, fils de Canthéras (*AJ*, XIX, 342). En l'absence d'indications précises de dates quant à la nomination et à la destitution de ces personnages et à la mise à mort de Jacques, le zébédaïde, il est impossible de dire sous le pontificat de qui ce dernier événement eut lieu. En effet, le trépas d'Agrippa I, qu'il convient, à la suite d'E. Schwartz, Zur Chronologie des Paulus, in *Nachrichten von der königlichen Gesellschaft der Wissenschaften zu Göttingen. Philologisch-historische Klasse,* Berlin, 1907, p. 265-266, de situer, conformément aux indications conjuguées de Flavius Josèphe, *AJ*, XVI, 136 et XIX, 343.350 et d'Eusèbe de Césarée, *De martyribus Palaenstinae* 11, 30, le 10 mars 44, ne peut servir de repère ni pour une éventuelle délivrance pascale de Pierre — elle tombe antérieurement à cette fête — ni pour l'exécution du frère de Jean que, rien, en dehors du fait qu'elle eut lieu sous le règne de ce souverain (Ac 12, 1), ne permet de dater précisément.

2. Cf. p. 249.

3. Ainsi J. Daniélou, H. Marrou, *Nouvelle histoire de l'Eglise,* p. 36.

4. En ce sens, E. Trocmé, in *Histoire des religions,* II, p. 219-220.

5. Ainsi L. Goppelt, *Die apostolische und nachapostolische Zeit,* A. 40, et R. E. Brown, *La communauté,* n. 79, p. 50-51.

6. Cf. p. 35 et 37.

dation, montre qu'il succomba, selon toute vraisemblance, à un acte de vengeance populaire, une sorte de lynchage, qui s'enclencha sans recours à aucune procédure judiciaire[1]. La méthode qui fut employée n'est d'ailleurs pas sans évoquer celle des zélateurs[2]. De même, l'émeute que suscita la dernière venue de Paul dans la ville sainte (Ac 21, 27-36), le complot qui fut ourdi contre sa vie (Ac 23, 12-22) après que les forces romaines l'eurent soustrait à la foule prête à le tuer (Ac 21, 31-36), montrent que de véritables soulèvements populaires étaient susceptibles de voir le jour afin de châtier ceux qui étaient tenus pour des adversaires de la Loi et que, dans ce cas, même les mesures prises par le pouvoir en place pour arracher l'accusé à la vindicte populaire (Ac 23, 10) s'avéraient incapables de la décourager[3].

Il est manifeste, par conséquent, que le bouclier romain ne suffisait pas à garantir la sécurité de l'Eglise mère. Le Sanhédrin aurait pu, si elle avait eu le malheur de heurter l'ensemble de ses composantes, lui rendre la vie dure, même s'il ne lui était pas loisible, à lui seul, de la lui ôter. Mais il y a bien des raisons de penser que, dans un cas semblable, les zélateurs de la Loi et leurs émules se seraient chargés d'outrepasser les limites à l'intérieur desquelles le tribunal était tenu de se contenter d'agir.

Le jugement de M. Hengel selon lequel, dans la Palestine d'alors, seule pouvait se maintenir une communauté rigoureusement fidèle à la Loi, nous paraît donc parfaitement fondé[4].

Dans ce contexte, la démarche des personnages qui descendirent à Antioche pour exhorter les frères à se faire circoncire (Ac 15, 1), manœuvre fort comparable à celle des intrus que Paul décrit en Ga 2, 4[5], s'éclaire[6]. Quelles qu'aient pu être les convictions réelles de ces individus dont on ne saurait totalement exclure qu'ils aient eu quelque sympathie pour le légalisme militant ni négliger le souci qui les animait de veiller à la pérennité d'un rite d'entrée dont personne, jusque-là, n'avait remis en question le caractère indispensable, il nous paraît raisonnable d'attribuer une part au moins de leur ardeur à la crainte de se voir accusés de complicité à l'égard d'une entreprise qu'ils désapprouvaient et à laquelle ils souhaitaient que fût mis un terme.

Ainsi se trouva posée au grand jour la question de la conduite à tenir à l'égard des gentils. Elle allait déboucher sur celle du statut respectif des convertis circoncis et non circoncis. Cette dernière allait s'avérer encore plus délicate dans la mesure où Paul y répondit en termes d'égalité, ce qui était inconcevable, nous l'avons vu, pour l'ensemble des tendances du judaïsme. Il

1. Ainsi, déjà, F. C. Baur, *Paulus*, I, p. 63.
2. E. Trocmé, in *Histoire des religions*, II, p. 204, a ainsi émis l'hypothèse selon laquelle ce meurtre aurait été l'œuvre de zélotes.
3. R. Jewett, The Agitators of the Galatian Congregation, *NTS* 17, 1970-1971, p. 205, voit dans le complot qui fut fomenté contre Paul une action caractéristique des zélotes.
4. Cf. M. Hengel, *Acts,* p. 97.
5. Voir à ce propos la n. 4, p. 265.
6. C'est ce qu'a bien vu F. F. Bruce, *Galatians,* p. 31.

est clair que si elle avait prôné ou tout simplement reconnu la validité de son point de vue, l'Eglise de Jérusalem aurait réalisé contre elle l'unanimité des autres partis juifs et signé pratiquement son arrêt de mort. Il lui fallait donc naviguer en faisant preuve d'une vigilance de tous les instants pour ne rompre les ponts ni avec son port d'attache ni avec Antioche.

III – Evolution de l'Eglise mère de l'assemblée de Jérusalem a la promulgation du décret apostolique

a / L'assemblée de Jérusalem

L'harmonisation des données que nous fournissent respectivement Paul (Ga 2, 1-10) et l'auteur à Théophile (Ac 15, 1-29 voire Ac 11, 27-30 ; 12, 25) quant à cet événement plonge depuis longtemps les critiques dans des abîmes de perplexité. On ne s'étonnera donc pas que les solutions les plus variées aient été proposées. Sans entrer dans le détail de débats très techniques, nous dirons simplement que le principe méthodologique posé par M. Dibelius, à savoir qu'il convient d'accorder la priorité au témoignage de Paul, nous paraît pleinement fondé[1]. En effet, les nombreux doublets que l'on rencontre en Ac 15, 1-14 illustrent à eux seuls que le récit de Luc est composite[2].

Nous sommes enclin à placer l'assemblée après le premier voyage missionnaire de Barnabas et de Paul qui nous est narré en Ac 13-14. En effet l'affirmation du Tarsiote selon laquelle la province de Syrie et Cilicie représenta le lieu de son activité avant la conférence (Ga 1, 21 ; 2, 1) ne saurait forcément exclure qu'il se soit aventuré à l'occasion avec son compagnon dans les zones limitrophes de ce domaine que sont la Pamphilie, la Pisidie et la Lycaonie[3] et Ga 2, 2 suppose une importante activité missionnaire avant la ren-

---

1. M. Dibelius, *Aufsätze zur Apostelgeschichte,* p. 89-90.
2. On assiste à une double intervention des partisans de la circoncision (v. 1 et 5) qui engendre une double dispute (v. 2 et 7) et Paul et Barnabas racontent à deux reprises leurs expériences missionnaires (v. 4 et 12).
3. Ainsi M. Hengel, *NTS* 18, 1971-1972, p. 72 ; Id., *Acts,* p. 109-110 (dans le même sens, F. Mußner, *Galaterbrief,* p. 97). Nous avons, pour cette raison, tendance à penser qu'il ne faut pas envisager, malgré Ac 11, 27-30 et 12, 25, trois visites de Paul dans la ville sainte (en ce sens pourtant E. Trocmé, *Le « Livre des Actes »,* p. 93, qui cite une série d'auteurs partageant son point de vue à la n. 5, p. 93-94). Il convient donc soit de voir dans les indications d'Ac 11, 27-30 et 12, 25 un doublet d'Ac 15 et de souder ces deux voyages en un seul (ainsi P. Benoit, La deuxième visite de saint Paul à Jérusalem, *Bib* 40, 1959, p. 778-792, et H. Conzelmann, *Apostelgeschichte,* p. 82, qui considère que la notice d'Ac 11, 27-30 inaugurait dans la tradition Ac 15, 3 ss. si bien que le récit y faisait état comme en Ga 2, 2 d'une révélation antérieure à la venue de Paul et de Barnabas à Jérusalem), soit, en suivant une ingénieuse suggestion de M. Hengel, *op. cit.,* p. 111-112, de supposer que Barnabas a rendu visite sans Paul à la communauté jérusalémite, l'auteur à Théophile ayant choisi d'associer malgré cela l'apôtre des gentils à ce voyage.

contre décrite en Ga 2, 1-10[1]. Il y a donc, nous semble-t-il, de bonnes raisons, même si elles ne peuvent être tenues pour définitives, de rejoindre le point de vue traditionnel, qui respecte à la fois les données de Ga 1, 11-2, 14 et le tableau général que brosse l'auteur à Théophile, et de situer l'assemblée de Jérusalem autour de l'an 48 de notre ère[2].

L'objet des débats fut, rappelons-le, de déterminer si l'Eglise antiochienne pouvait poursuivre sa mission aux païens sans leur imposer la circoncision (Ga 2, 3-4)[3].

On retrouve en Ac 15 une série d'éléments qui évoquent cette situation. Il y est question d'un voyage de Paul et de Barnabas à Jérusalem (Ac 15, 2-4 // Ga 2, 1). Ac 15, 1 pourrait éclairer Ga 2, 4 en indiquant que la révélation qui, selon l'apôtre des gentils, le conduisit à se rendre dans la ville sainte (Ga 2, 2) fut précédée de l'intrusion de faux frères dans l'Eglise d'Antioche[4]. Enfin, toujours en Ac 15, 1, le problème soulevé est, tout comme en Ga 2, 3-4, celui de la circoncision[5].

Il y a cependant aussi d'importantes différences entre les deux passages. Ga 2, 1-2 ne parle pas d'une délégation antiochienne, au contraire d'Ac 15, 3, qui a ici raison comme nous l'avons signalé précédemment[6]. A l'inverse, Ga 2, 1 mentionne la présence de Tite, qui brille par son absence en Ac 15. Les deux recensions diffèrent quant aux partenaires de la discussion : d'un côté, il est fait état des « notables » (Ga 2, 2.6) ou des colonnes (Ga 2, 9) ; de l'autre, de l'Eglise jérusalémite (Ac 15, 4.22) au sein de laquelle les apôtres et les anciens (Ac 15, 6.22.23) jouent un rôle particulier. Et, même si Pierre et Jacques apparaissent dans la recension des *Actes*

---

1. Ainsi M. Hengel, *op. cit.*, p. 111.
2. En ce sens, notamment, G. Bornkamm, *Paul,* p. 69 ; P. Bonnard, *Galates,* p. 47 ; M. Hengel, *op. cit.,* p. 137. Sur cette chronologie et sur celles qui modifient l'ordre traditionnellement admis, on se reportera à la présentation de M. Carrez, La vie de Paul, *in* M. Carrez, P. Dornier, M. Dumais, M. Trimaille, *Lettres de Paul, de Jacques, Pierre et Jude (PBSB. NT 3),* Paris, 1983, p. 11-34.
3. Cf. p. 124.
4. Ainsi, par exemple, H. Schlier, *Galater,* p. 71 ; F. F. Bruce, *Galatians,* p. 113, et R. Pesch, *Apostelgeschichte,* II, p. 72. On notera que le lieu de l'intervention des faux frères de Ga 2, 4 fait l'objet de nombreuses discussions. Certains la situent exclusivement à Jérusalem (ainsi déjà W. Foerster, Die *dokountes* in Gal 2, *ZNW* 36, 1937, p. 288-289, qui le comprenait à partir d'Ac 15, 5). Toutefois, comme l'a montré H. Lietzmann, *Galater,* p. 11, le verbe *kataskopèsai* trouve naturellement sa place dans les communautés pauliniennes comme le montre Ga 2, 12 à propos d'Antioche. Les faux frères de Ga 2, 4 paraissent donc avoir été des espions judaïsants qui étaient venus jusque dans la métropole syrienne. Mais, comme l'a noté F. Mußner, *Galaterbrief,* n. 50, p. 109-110, qui se rallie à l'hypothèse précédente, puisqu'ils interviennent également à Jérusalem (Ga 2, 3-4), on peut penser qu'ils ont suivi personnellement toute l'affaire et se sont rendus dans la ville sainte pour obtenir l'interdiction des pratiques qu'ils avaient dénoncées.
5. Ceci permet de différencier ce verset d'Ac 15, 5 où la discussion porte également sur le caractère contraignant ou non de la Loi pour les pagano-chrétiens, ce qui n'est pas sans importance pour l'évaluation critique de l'ensemble du chapitre comme nous le verrons un peu plus loin (cf. p. 274-275.)
6. Cf. p. 122-123.

(v. 7 et 13), Jean n'y intervient à aucun moment. Plus grave, Ac 15 ne mentionne ni l'exposé de l'Evangile paulinien (Ga 2, 2), ni le partage des champs missionnaires (Ga 2, 7-9), ni la collecte (Ga 2, 10) mais indique par contre que le fruit de la conférence fut la promulgation du décret apostolique (Ac 15, 19-29), ce que Ga 2, 6 contredit, puisque Paul s'y défend de s'être vu imposer la moindre charge. Enfin, alors qu'Ac 15, 7-12 présente Pierre comme un missionnaire aux païens, Ga 2, 8 restreint son champ d'activité aux seuls juifs.

Ces données sont assurément inconciliables. Mais ce qui surprend également, tout en se révélant éclairant, c'est que le débat glisse assez rapidement, en Ac 15, d'une description qui tourne autour de la seule circoncision (v. 1) à une dispute qui porte également sur la nécessité ou non de l'observance de la Loi par les païens convertis (v. 5). Il y a là l'indice d'une « contamination » de la narration par des questions qui ont surgi plus tard, comme l'illustre l'incident d'Antioche, à savoir celles que ne manqua pas de poser la commensalité entre judéo- et pagano-chrétiens[1].

Dans un premier temps, en effet, et Ga 2, 7-9 est clair sur ce point, le principe de la mission aux païens indépendante de la circoncision avait été reconnu. Mais l'accord auquel on était parvenu fut sans doute sujet à différentes interprétations. L'Eglise jérusalémite avait selon toute vraisemblance compris, sous la houlette de Jacques et comme tendent à le montrer les développements qui suivirent, que les champs missionnaires avaient été clairement distingués, ce que le compte rendu de Paul laisse d'ailleurs entendre (Ga 2, 9 : _hèmeis eis ta ethnè, autoi de eis tèn peritomèn_), et que deux domaines d'activité disjoints se trouvaient désormais définis. Elle entendait donc que la formule fût appliquée dans un sens ethnographique[2] et exclusif[3], chaque camp étant appelé à se cantonner dans son propre fief. Dans l'un, la Loi serait en vigueur ; dans l'autre, non. Cependant leur séparation permettait de prévenir toute attaque éventuelle de la part des autres partis juifs, dans la mesure où le respect de l'accord garantissait la non-violation des règles de pureté. Idéalement, les conditions étaient sans doute réunies du point de vue des Jérusalémites pour qu'ils ne passent pas pour des « apostolats de la Torah

---

1. Cf. R. Pesch, _Simon Petrus,_ p. 84-85 ; Id., _Die Apostelgeschichte,_ II, p. 72.
2. Ainsi, notamment, W. Schmithals, _Paulus und Jakobus_ (FRLANT 85), 1963, p. 35 s. ; R. Pesch, _op. cit.,_ p. 80-81 ; M. E. Thrall, Super-Apostles, Servants of Christ, and Servants of Satan, _JSNT_ 6, 1980, p. 46 ; H. D. Betz, _Galatians,_ p. 100, qui relève que la préposition _eis_ plaide en faveur d'une telle interprétation.
3. En ce sens, déjà, F. C. Baur, _Paulus,_ I, p. 142-143, qui notait que les deux domaines missionnaires sont nettement disjoints et écrivait : « [il y a désormais] un apostolat de la circoncision, un apostolat des païens ; dans l'un la loi mosaïque est en vigueur, dans l'autre elle ne l'est pas », et, après lui, notamment, O. Pfeiderer, Paulinische Studien 2. Des Apostelkonvent, _JPTh_ 9, 1883, p. 96 ; W. Wrede, _Paulus_ (Religionsgeschichtliche Volksbücher I.5-6), Halle, 1904, p. 43 ; S. Brown, _NT_ 22, 1980, p. 207 ; E. Trocmé, _RHPhR_ 61, 1981, p. 343, et G. Lüdemann, _Paulus, der Heidenapostel,_ II, p. 62-63.

d'Israël » et pour que la signification salutaire unique de l'œuvre rédemptrice du Christ soit malgré tout proclamée[1].

Mais Paul et, avec lui, les Antiochiens, dans un premier temps du moins, n'ont sans doute pas compris ainsi le compromis et ne l'ont en tout cas pas appliqué de cette façon. L'interpréter comme le firent Jacques et les siens les eût d'ailleurs condamné à l'échec puisque, comme l'illustre le témoignage des Actes[2], ils étaient contraints de passer par les synagogues pour rencontrer le public plus ou moins préparé à les écouter que représentaient les craignant-Dieu[3]. Ils paraissent donc avoir lu l'accord dans une perspective géographique et avoir considéré que leur champ missionnaire s'étendait au territoire des nations païennes[4].

b | L'incident d'Antioche

L'incident d'Antioche (Ga 2, 11-14), qui ne tarda pas à éclater[5], montre en tout cas qu'ils ne s'interdirent nullement de s'adresser aux juifs et que, là où les Jérusalémites s'attendaient à ce qu'ils établissent des séparations, dont le modèle d'organisation des églises domestiques rendait la réalisation assez aisée[6], ils cherchèrent au contraire à mettre en communion les croyants d'origines diverses[7].

La réaction ne se fit pas attendre et des émissaires de Jacques (Ga 2, 12) vinrent rappeler à l'ordre tout ce joli monde[8] parmi lequel, ô surprise, on rencontre Pierre. Avant de revenir sur les facteurs qui ont pu conduire Simon à une telle

1. Cf. J. Eckert, in *Kontinuität und Einheit,* p. 71-72.
2. Ac 13, 5.14 ; 14, 1 ; 17, 1.10.17 ; 18, 4.7.19.26 ; 19, 8.
3. Nous renvoyons ici à ce qui se trouve consigné à la n. 7, p. 255.
4. On notera que déjà A. Ritschl, *Entstehung,* p. 151, avait envisagé que Paul et Jacques aient compris respectivement l'accord conclu à Jérusalem aux sens géographique et ethnographique.
5. Rejoignant le point de vue majoritaire (cf. n. 2, p. 265), nous sommes enclin à dater cet épisode quelques mois après l'assemblée de Jérusalem. On trouvera brossé un bref état de la question chez J. D. G. Dunn, *JSNT* 18, 1983, n. 6, p. 42-43, qui se rallie également à l'opinion qui prévaut. Disons seulement que l'argumentation des auteurs qui, tel G. Lüdemann, *Paulus, der Heidenapostel,* I, s'efforcent de renverser l'ordre des événements proposé par Paul en Ga 2, 1-14 paraît bien peu vraisemblable. D'ailleurs, *hote de,* qui introduit la section que constitue Ga 2, 11-14, a, dans ses deux autres occurrences au cours du rappel historique et chronologique qu'effectue Paul en Ga 1, 13-2, 14, outre sa connotation adversative, une valeur temporelle (Ga 1, 15 ; 2, 12).
6. Sur ce modèle, cf. p. 80-81.
7. Ainsi que l'a fort pertinemment relevé P. Bonnard, *Galates,* p. 50, la triple occurrence du préfixe *sun* en Ga 2, 12-13 souligne cette « solidarité sociologique ».
8. Comme l'ont bien vu notamment P. Bonnard, *ibid.,* et R. Kieffer, *Foi et justification à Antioche. Interprétation d'un conflit* (LeDiv 111), Paris, 1982, p. 19, dans la proposition *pro tou gar elthein tinas apo Iakôbou, tinas* se rapporte au verbe qui précède plutôt qu'aux mots qui suivent, selon le modèle de construction *ap'ekeinou erchomai* que l'on rencontre ailleurs dans le Nouveau Testament (Mt 26, 47 ; Mc 5, 35 ; 1 Th 3, 6). Jacques est donc bien désigné ici comme le mandataire et ses envoyés représentent une délégation officielle.

évolution dans son comportement, voyons d'abord quelle fut alors son attitude. Paul nous dit que, après avoir manifestement enfreint les règles de pureté
(Ga 2, 14), il se retira et se mit à part, craignant ceux de la circoncision (*hupestel-
len kai aphôrizen heauton phôboumenos tous ek peritomès*). Le deuxième verbe qu'emploie ici l'apôtre des gentils a, selon toute vraisemblance, une connotation
rituelle[1]. Il apparaît d'ailleurs à plusieurs reprises dans la *Septante* sous une telle
acception, notamment en Lv 20, 25-26, dans une invitation adressée aux fils
d'Israël à bien faire la part entre bêtes et oiseaux purs et impurs pour être mis à
part de tous les autres peuples, et à propos de la conduite à tenir vis-à-vis des
lépreux[2]. Quand on se souvient, par ailleurs, de l'importance accordée à la séparation par le judaïsme d'alors[3], il ne fait guère de doute que Pierre s'est mis
rituellement à part. Cela se comprend d'ailleurs fort bien puisque la délégation
jérusalémite était justement venue dénoncer la confusion qui s'était installée et
qui aboutissait à la transgression des règles de pureté. D'autres, parmi lesquels
Barnabas, lui emboîtèrent le pas (Ga 2, 13).

Ce faisant, ils se ralliaient implicitement à la compréhension de l'accord
conclu à Jérusalem que prônaient Jacques et les siens, à savoir que, s'il pouvait exister deux catégories de chrétiens, leur statut respectif excluait qu'ils
vécussent dans une même communauté. Paul, au nom de la vérité de l'Evangile et des convictions relatives à la justification par la foi qu'il en déduisait,
refusa de les suivre et stigmatisa l'attitude de Céphas (Ga 2, 14) qui contrai-
gnait de fait les pagano-chrétiens à judaïser pour devenir des membres de
plein droit de la communauté ecclésiale et du peuple de la promesse[4]. Mais il
se retrouva bien seul et perdit visiblement la bataille. Toutefois, il ne renonça
pas, se sépara de Barnabas[5], tout en rompant avec Antioche[6], et poursuivit
son œuvre missionnaire en s'adjoignant d'autres associés.

c | Le décret apostolique

La question qui reste désormais posée est celle de la promulgation du
décret apostolique. Elle s'avère extrêmement délicate. Il est cependant largement admis, aujourd'hui, qu'il ne put être édicté à l'occasion de l'assemblée

1. Ainsi E. Cothenet, Pureté et impureté. III : Nouveau Testament, *DBS*, IX,
1979, col. 547. Il est suivi, dans son interprétation, par C. Perrot, *RSR* 69, 1981,
p. 204, et par R. Kieffer, *op. cit.,* p. 19.
2. Ainsi Lv 13, 4.5.11.21.27.31.33 ; 14, 38.46 ; Nb 12, 14.15 (LXX).
3. Cf. p. 258 et *Jubilés* 22, 16.
4. Cf. C. Perrot, *RSR* 69, 1981, p. 204.
5. Cette séparation eut manifestement des raisons beaucoup plus profondes que
celles, fort ténues, que propose l'auteur à Théophile, toujours soucieux d'irénisme
(Ac 15, 36-40).
6. Comme le relève G. Bornkamm, *Paul,* p. 89, le fait « que désormais Antioche
ne paraisse jamais dans les épîtres comme une communauté mère pour lui et pour les
communautés pagano-chrétiennes » est l'indice de la déception durable et amère qu'a
dû éprouver l'apôtre à l'endroit de l'Eglise pour laquelle il avait longtemps travaillé.

de Jérusalem en raison du témoignage de Paul, qui précise qu'il ne lui fut rien imposé d'autre que de se souvenir des pauvres à cette occasion (Ga 2, 6.10)[1]. De même, les critiques s'accordent de plus en plus pour trancher l'épineux problème de critique textuelle que posent les trois occurrences des clauses du décret (Ac 15, 20.29 ; 21, 25) en faveur du texte alexandrin[2]. Ce dernier manifeste que, à l'origine, les prescriptions qui recommandent de s'abstenir à la fois des viandes sacrifiées aux idoles, du sang, des animaux étouffés et de la *porneia* avaient un caractère rituel[3], même si le texte occidental leur a assigné une valeur éthique en supprimant la référence aux bêtes étouffées et en ajoutant, par contre, la règle d'or[4]. L'écho que trouvent Lv 17 et 18, chapitres dans lesquels sont consignées des actions interdites à l'étranger résidant en Israël — à savoir l'offrande d'un sacrifice qui ne serait pas destiné au Seigneur et, partant, idolâtre (Lv 17, 8-9), la consommation du sang (Lv 17, 9-12) et des bêtes non saignées (Lv 17, 13-14) et les relations sexuelles avec de proches parents (Lv 18, 6-28)[5] — dans ces quatre injonctions est manifeste et, d'ailleurs reconnu depuis longtemps[6]. Ces prescriptions constituaient à l'origine le minimum requis de la part de ceux qui n'étaient pas Israélites pour vivre au milieu de ceux qui l'étaient. Il s'y adjoignait en fait une série d'autres ordonnances[7]. Toutefois, c'est sans elle, à l'exception

---

1. Voir cependant G. Lüdemann, *Paulus, der Heidenapostel,* I, p. 86-101, et C. Perrot, *RSR* 69, 1981, p. 195-208.

2. C'est le constat qu'établissait déjà J. Dupont, *Etudes sur les Actes,* p. 75, et qu'a effectué, à son tour, B. M. Metzger, *Textual Commentary,* p. 432.

3. Sur ce point, outre les auteurs mentionnés à la note précédente, M. Simon, *RHR* 193, 1978, p. 27 ; Id., *Le Christianisme antique et son contexte religieux,* I, p. XII-XIII.

4. Comme le notent H. Conzelmann, *Apostelgeschichte,* p. 84, et B. M. Metzger, *Textual Commentary,* p. 432, autant le passage de la compréhension rituelle à la compréhension éthique du décret est facile à comprendre en raison de l'importance décroissante que revêtirent les questions rituelles au sein du mouvement chrétien après la ruine du Temple en 70, autant l'opération inverse serait difficilement explicable.

5. On notera qu'en 1 Co 5, 1 Paul emploie le vocable *porneia,* qui apparaît dans la formulation du décret, à propos d'un homme qui vit avec la femme de son père. Il y a là un indice supplémentaire qui invite à considérer que ce terme doit se comprendre en Ac 15, 20.29 ; 21, 25, en fonction de Lv 18, 26-28.

6. Ainsi déjà A. Ritschl, *Das Verhältniss der Schriften des Lukas zu der Zeit ihrer Entstehung, Theologische Jahrbücher* 6, 1847, p. 301. Comme le relève H. Conzelmann, *Apostelgeschichte,* p. 84-85, les quatre clauses du décret se succèdent en Ac 15, 29 (et en Ac 21, 25) dans le même ordre qu'en Lv 17-18 (ce qu'avait déjà vu A. Ritschl, art. cit., p. 302, qui considérait pour cela, avec raison, que la version d'Ac 15, 29 préserve la séquence primitive) et Luc soi-même considère ces prescriptions comme mosaïques (Ac 15, 21).

7. On en trouvera la liste dressée par M. Klinghardt, *Gesetz und Volk Gottes. Das lukanische Verständnis des Gesetzes nach Herkunft, Funktion und seinem Ort in der Geschichte des Urchristentums* (WUNT 2. Reihe, 32), Tübingen, 1988, p. 204. Les passages vétérotestamentaires en question sont les suivants : Ex 12, 43-49 (non-consommation de la Pâque) ; Ex 20, 10 ; 23, 12 ; Dt 5, 14 (respect du sabbat) ; Lv 16, 29 (interdiction de travailler le jour des Expiations) ; Lv 20, 2 (interdiction de sacrifier un enfant à Moloch) ; Lv 22, 18-20 (interdiction d'offrir une bête ayant une tare en sacrifice) ; Lv 24, 16 (interdiction du blasphème) ; Nb 15, 30 (sanction de la faute volontaire) ; Nb 19, 10 (participation au rituel de la vache rousse).

— il est vrai — de celle du blasphème (cf. Lv 24, 16), qu'elles ont trouvé leur place au sein des commandements noachiques tels que les codifièrent les rabbins[1]. Elles représentent d'ailleurs l'intégralité du versant rituel de ce code[2] qui, censé avoir été communiqué par le patriarche à ses trois fils (cf. Gn 9, 4-6), avait de ce fait normalement valeur pour l'humanité entière.

On peut imaginer que l'intérêt que l'on a manifesté à l'égard des ordonnances noachiques est ancien puisqu'on en trouve déjà une énumération en *Jubilés* 7, 20[3]. Toutefois, comme elles n'entretiennent, dans cette version, aucun lien avec Lv 17-18, on ne peut inférer de l'existence de cette liste qu'une attention particulière ait été accordée aux prescriptions de ces deux chapitres à l'adresse des païens avant le début de notre ère. Pourtant, M. Simon estimait que la présence des recommandations de Lv 17-18 à l'arrière-plan du décret apostolique fournit la preuve que, au moment où il fut promulgué, elles étaient déjà imposées aux craignant-Dieu par la Synagogue[4]. Il précisait que, si cela lui paraissait établi pour le judaïsme palestinien, ce ne pouvait l'être, faute d'indice autre que le témoignage, pour le moins ambigu et qu'il nous paraît préférable d'écarter, des *Oracles sibyllins*[5], pour la diaspora[6]. On peut toutefois penser qu'elles étaient partout en vigueur[7]. On imagine difficilement, en effet, comment des communautés juives auraient accepté d'associer partiellement à leurs activités des gens qui ne se conformaient pas aux quelques règles qui, consignées dans l'Ecriture, repré-

---

1. Nous présenterons ici, pous illustrer la teneur de ces commandements, la liste qu'en dresse *Talmud de Babylone Sanhédrin* 56a qui énumère l'établissement de lois sociales (c'est-à-dire sans doute de cours de justice) et les interdictions respectives du blasphème, de l'idolâtrie (cf. Lv 17, 7-9), des mariages dans les degrés de parenté proscrits (cf. Lv 18, 6-28), de l'effusion de sang (au sens criminel), du vol et de la consommation de la chair arrachée à un animal vivant (cf. Lv 17, 9-12). *Bill.,* II, p. 722-723 et III, p. 38, cite encore la liste de *Tosefta Aboda Zara* 8, 4.6, qui est semblable à la précédente si ce n'est que la première et la seconde interdictions y sont interverties, et celles de *Talmud de Babylone Chullin* 92a et de *Seder Olam Rabba* 5, qui paraissent s'éloigner du modèle initial puisque l'une multiplie le nombre de prescriptions et parvient à trente et que l'autre replace la condamnation des mariages consanguins par celle de l'abandon de l'épouse. Sur ces commandements noachiques, on pourra consulter E. L. Dietrich, Die « Religion Noahs », ihre Herkunft und ihre Bedeutung, *ZRGG* 1, 1948, p. 301-314.
2. M. Simon, *Le Christianisme antique,* p. 333 ; Id., *RAC,* IX, col. 1067, a fort pertinemment insisté sur ce point.
3. Ces recommandations sont les suivantes : accomplir la justice ; couvrir la honte de son corps ; bénir le Créateur ; honorer père et mère ; aimer son prochain ; se garder de la fornication, de l'impureté et de toute violence.
4. M. Simon, *RAC,* IX, col. 1067. Avant lui, déjà K. Lake, *Beginnings,* Part I, p. 208, avait argumenté en ce sens.
5. *Oracles sibyllins,* IV, 24-34.167-170, où se trouve certes stigmatisée l'idolâtrie (27-30), mais où la dénonciation du meurtre (30) ne saurait être assimilée aux interdits relatifs à la consommation du sang ni celle de l'infidélité (33) et de la pédérastie (34) à la condamnation des mariages consanguins.
6. M. Simon, *RAC,* IX, col. 1067.
7. Ainsi W. Schmithals, *Apostelgeschichte,* p. 139, qui ne fournit pourtant aucun argument objectif pour étayer son propos.

sentaient le minimum requis de la part des étrangers pour que fût préservée la pureté du pays (Lv 18, 24-30).

Ce que l'on est en droit, par contre, de se demander, nous semble-t-il, c'est si l'observance des commandements noachiques suffisait pour que l'on se vît ouvrir les portes du culte synagogal[1]. Un certain nombre de textes donne à penser, de fait, que les craignant-Dieu en faisaient davantage puisqu'ils s'accordent pour dire qu'ils respectaient le commandement du Sabbat et une partie au moins des réglementations alimentaires[2], dont l'interdiction de consommer du porc[3]. Mais il faut ajouter immédiatement à cela que l'on se représente assez mal pour quelle raison, en dehors de la distinction d'une catégorie particulière d'individus, les prescriptions noachiques ont pu être consignées puisqu'elles ne furent assurément pas observées par l'occupant durant la période romaine[4]. Enfin, et l'argument nous paraît déterminant, il serait difficilement pensable, dans la mesure où le décret apostolique a connu une large diffusion au cours des deux premiers siècles[5], que les rabbins s'en soient inspirés de quelque manière pour codifier quoi que ce soit. L'hypothèse selon laquelle les commandements noachiques, dans leur version rabbinique influencée par Lv 17-18, auraient constitué, dès le début de notre ère, le minimum requis de la part des sympathisants du judaïsme pour entrer dans le cercle des craignant-Dieu, nous semble donc réunir en sa faveur d'assez nombreux arguments.

Ainsi s'éclaire, selon nous, l'arrière-plan sur lequel fut promulgué le décret apostolique. Cela devrait nous aider à présent à mieux nous représenter dans quelles circonstances il a pu naître et quel était son véritable objet, questions controversées s'il en est.

La majorité des auteurs pense aujourd'hui qu'il constitua une réponse à l'incident d'Antioche[6]. Ces critiques estiment alors, le plus souvent, qu'il eut pour fonction de fixer les conditions dans lesquelles serait désormais

---

1. C'est ce que pense S. G. Wilson, *The Gentiles,* p. 188.
2. Ces textes, allégués par E. Schürer, *History,* III.1, p. 169, sont les suivants : Flavius Josèphe, *Contre Apion,* II, 282 ; Juvenal, *Satires,* XIV, 96-106 ; Tertullien, *Ad nationes,* I, 13, 3-4.
3. Juvenal, *Satires,* XIV, 98-99.
4. Sur ce point, *Bill.,* II, p. 722.
5. On rencontre des traces, plus ou moins avérées, de son observance au cours des deux premiers siècles de notre ère en Ap 2, 14.20 ; *Didachè* 6, 3 ; dans les *Homélies pseudo-clémentines,* VII, 4.8 ; VIII, 19 ; chez Justin Martyr, *Dialogue avec Tryphon* 34-35 ; chez Tertullien, *Apologie* 9, 13 ; *De pudicitia* 12, 2 ; chez Minucius Felix 30, 6, et chez Eusèbe de Césarée, *HE,* V, 1, 26. A partir d'elles, on peut conclure, avec notamment E. Molland, in *Opuscula patristica,* p. 47-48.56, et M. Simon, *RHR* 193, 1978, p. 38-87, qu'il a connu une diffusion fort large.
6. Ainsi notamment J. N. Sanders, Peter and Paul in the Acts, *NTS* 2, 1955-1956, p. 141-142 ; H. Conzelmann, *Apostelgeschichte,* p. 85 ; E. Trocmé, in *Histoire des religions,* II, p. 210 ; F. Mußner, *Petrus und Paulus,* p. 80 ; M. Hengel, *Acts,* p. 117 ; R. Pesch, *Simon Petrus,* p. 95 ; J. Roloff, *Apostelgeschichte,* p. 227 ; F. F. Bruce, *Galatians,* p. 129 ; G. Schneider, *Apostelgeschichte,* II, p. 176-177.189-191 ; J. P. Meier, *in* R. E. Brown, J. P. Meier, *Antioch and Rome,* p. 42 (surtout n. 102) ; A. Weiser, *Apostelgeschichte* 13-28, p. 371.

possible la communauté de table entre pagano- et judéo-chrétiens[1]. On discernera sans mal que ce point de vue se heurte à une difficulté majeure que M. Simon, tout en finissant par l'adopter, avait bien perçue. Il écrivait en effet :

Si les Douze [?] reprennent pour l'essentiel ces commandements [noachiques qui, rappelons-le, constituaient selon l'auteur le minimum exigé par les rabbins à l'égard des craignant-Dieu] et les imposent aux convertis venus de la Gentilité, on peut être tenté, à première vue, de reconnaître dans leur décision une réaction atavique, qui aboutirait à créer dans l'Eglise deux catégories de fidèles, les uns à part entière, nés dans le judaïsme et respectueux de la totalité de l'observance, les autres de seconde zone, astreints seulement à ce minimum indispensable. Il n'est pas exclu que tel ait été, effectivement, le point de vue de Jacques et des Jérusalémites[2].

De fait, « il n'y a pas de raison de supposer que le "décret apostolique" a pour but de faciliter un degré plus étroit de commerce entre juifs et gentils que les prescriptions du code de sainteté (Lv 17-18) »[3]. Il y a donc tout lieu de penser, nous semble-t-il, qu'il n'a d'autre fonction que de s'assurer que les pagano-chrétiens respectent le minimum rituel auquel étaient soumis les craignant-Dieu[4] et puissent ainsi participer aux réunions de leurs frères judéo-chrétiens sans mettre en danger leur nécessaire pureté[5]. Il nous paraît clair que si ce texte, qui ne devait garantir que la possibilité de rencontres[6], avait été perçu comme l'aval prononcé en vue de la commensalité entre circoncis et incirconcis — surtout dans le sens où elle avait été pratiquée à Antioche[7] — il eût représenté une véritable révolution et menacé dans son existence même l'Eglise jérusalémite car les pharisiens y eussent discerné un *casus belli*. Ils n'eurent cependant pas l'occasion de se scandaliser puisque, en

---

1. Ceci est explicitement admis entre autres par H. Conzelmann, M. Hengel, F. F. Bruce, R. Pesch et A. Weiser, aux références indiquées à la note précédente. On pourra ajouter à ces auteurs le nom de M. Simon, *Le Christianisme antique*, I, p. XIII.
2. M. Simon, *Le Christianisme antique*, p. 333.
3. S. Brown, *NT* 22, 1980, p. 212, le note avec beaucoup de bon sens.
4. Ainsi J. C. O'Neill, *The Theology of Acts*, 1961, p. 101 ; A. Wikenhauser, *Die Apostelgeschichte übersetzt und erklärt (RNT)*, 4. Auflage, Regensburg, p. 175 ; D. R. Catchpole, *NTS* 23, 1977, p. 431, et S. Brown, *NT* 22, 1980, p. 211. L'interprétation, que nous faisons nôtre, nous paraît pouvoir se recommander d'Ac 15, 21. Ce verset, qui vient justifier le décret et qui en confirme l'origine mosaïque de par l'allusion au législateur qu'il recèle (ainsi S. G. Wilson, Law and Judaism in Acts, *SBLSP* 1980, p. 259), trouve en effet son explication la plus simple dans la perspective suivante : « Si les quatre clauses doivent être en vigueur (...) pour les pagano-chrétiens, (...) c'est qu'elles ont été proclamées régulièrement depuis longtemps et partout aux visiteurs païens des offices synagogaux » (A. Weiser, *Die Apostelgeschichte 13-28*, p. 384).
5. A. Wikenhauser, *ibid.*
6. Ainsi S. G. Wilson, *The Gentiles*, p. 189.
7. Nous aurons l'occasion de revenir plus loin sur la nuance que nous introduisons ici et qui suppose une distinction qui ne nous paraît pas avoir été effectuée par les auteurs du décret au moment où il fut promulgué, même si elle le fut peut-être plus tard (cf. p. 306-307).

se contentant de donner « aux helléno-chrétiens le statut canonique d'associés, les décrets avalisaient la division des tables »[1].

On peut relever une remarquable continuité, nous semble-t-il, entre l'accord sur la répartition des champs missionnaires conclu lors de l'assemblée de Jérusalem et ces dispositions qui viennent confirmer la distinction établie antérieurement entre deux catégories de croyants. Il y a toutefois une évolution indéniable puisque les Jérusalémites, qui avaient défini à l'origine deux domaines exclusifs, envisageaient désormais qu'il pût exister des contacts entre eux[2], ce qui n'allait pas être sans importance pour la suite des opérations[3].

Dans la mesure où le décret apostolique ne règle pas les questions de commensalité, encore qu'il les suppose car on voit mal pourquoi il aurait été édicté si l'on était resté dans une situation où l'accord conclu à Jérusalem était appliqué comme Jacques et les siens entendaient qu'il le fût, certains auteurs se sont demandé si sa promulgation ne fut pas la cause plutôt que la conséquence de l'incident d'Antioche.

Selon cette hypothèse, à l'arrivée des émissaires de Jacques qui en étaient les porteurs, Pierre et Barnabas s'y soumirent, en tirèrent les conséquences et renoncèrent à la commensalité avec les pagano-chrétiens[4]. Parmi les tenants de ce point de vue, D. R. Catchpole nous semble celui qui a proposé la reconstruction la plus ingénieuse[5]. Prenant appui sur le fait que le décret apostolique concerne uniquement les régions de Syrie et de Cilicie, il considère qu'il a été promulgué à un moment où l'Eglise mère était encore persuadée que l'extension géographique de la mission antiochienne se limitait à ces deux provinces. Il en découle selon lui que le voyage de Paul et de Barnabas que décrit Ac 13-14 ne peut être que postérieur à l'assemblée de Jérusalem[6] et que l'on n'en avait pas encore pris connaissance dans la ville sainte au moment où furent édictées les quatre clauses destinées aux convertis d'origine pagano-chrétienne[7]. Sa suggestion, qui conduit à anticiper la conférence décrite en Ga 2, 1-10, n'est cependant pas sans se heurter à des difficultés. Elle contraint à interpréter Ga 2, 1 d'une manière qui n'est pas la plus évidente car l'adverbe *palin*, qui y apparaît, renvoie à l'épisode narré en

---

1. C. Perrot, *RSR* 69, 1981, p. 206 (dans le même sens S. Brown, *NT* 22, 1980, p. 211-212). On peut ajouter, avec J. C. O'Neill, *The Theology of Acts,* p. 102, et S. G. Wilson, *The Gentiles,* p. 188-189, que leur teneur même indique qu'ils ne visaient pas la commensalité puisqu'ils ne garantissent pas même que l'on n'ait recours ni aux viandes ni aux vins (de libation) interdits.
2. Cette évolution suffit, nous semble-t-il, à elle seule à invalider le point de vue de C. Perrot, art. cit., p. 208, qui voudrait que le décret apostolique ait été promulgué dans le cadre même de la conférence décrite en Ga 2, 7.
3. Cf. p. 304-307.
4. Ainsi déjà B. W. Bacon, Peter's Triumph at Antioch, *JR* 9, 1929, p. 215-216, et, plus près de nous, D. R. Catchpole, *NTS* 23, 1977, p. 438-443 (surtout p. 442-443) ; P. J. Achtemeier, *CBQ* 48, 1986, p. 20-21.
5. D. R. Catchpole, art. cit., p. 438-443.
6. D. R. Catchpole, art. cit., p. 438-439.
7. D. R. Catchpole, art. cit., p. 442-443.

Ga 1, 17, à savoir la première venue de Paul à Jérusalem, et invite à compter les quatorze années dont l'apôtre fait état à partir d'elle plutôt que de sa conversion[1]. D'autre part, la limitation du champ missionnaire exploré par les Antiochiens, qui constitue le fondement sur lequel s'appuie toute sa reconstruction, pourrait s'avérer une donnée moins décisive qu'il ne l'imagine car la promulgation du décret ne peut se concevoir autrement que comme une réponse consécutive à des informations en provenance d'Antioche. Or il paraît peu vraisemblable que l'on ait tout ignoré, dans l'Eglise de la métropole syrienne, des projets de Barnabas et de Paul, ou de leurs pérégrinations, sur une période longue de plusieurs années. Ils étaient en effet, rappelons-le, mandatés par elle et les villes de Pamphilie, de Pisidie et de Lycaonie où Catchpole situe leur activité ne sont pas plus éloignées d'Antioche que Jérusalem. Admettre, en adoptant la chronologie dont nous avons indiqué qu'elle avait notre préférence un peu plus haut, que le décret apostolique vise le domaine missionnaire exploré avant l'assemblée de Jérusalem même si le périmètre de la province romaine de Syrie-Cilicie avait été dépassé, à l'occasion, dès ce moment-là[2], ne nous semble donc pas créer, bien au contraire, davantage de difficultés que l'hypothèse de Catchpole. Cette dernière nous paraît enfin se heurter à une objection peut-être plus grave. Elle suppose, en effet, que Pierre, qui était encore, il y a peu, voire très peu de temps, l'une des colonnes, ait été non seulement tenu à l'écart d'une décision prise à Jérusalem mais encore visé au premier chef par elle. Cela paraît assez peu vraisemblable et il est sans doute plus plausible que, pris en flagrant délit de violation non seulement des règles de pureté rituelle mais encore de l'accord relatif à la séparation des champs missionnaires, il ait été sommé de venir s'expliquer, ou ait décidé lui-même de le faire. La promulgation du décret aurait été le résultat de cette confrontation.

Comme nous le verrons à présent, les traditions relatives à Pierre que l'on rencontre en Ac 10, 1-11, 18 et 15 trouvent assez naturellement leur place dans un tel cadre.

IV — EVALUATION CRITIQUE D'ACTES 15 ET D'ACTES 10, 1-11, 18

a | Actes 15

Le glissement qu'a perçu R. Pesch, au sein de ce chapitre, d'un débat centré sur la circoncision à une controverse qui ne porte plus seulement sur cette question mais aussi sur celle de l'observance de la Loi nous paraît révélateur.

---

1. Ainsi notamment P. Bonnard, *Galates,* p. 35-36. Sur la solidité de la tradition manuscrite attestant *palin,* on se reportera à l'argumentation de B. M. Metzger, *Textual Commentary,* p. 591.
2. Cf. p. 264-265.

Même s'ils ne s'accordent pas dans le détail quant à l'extension respective des sources qu'a utilisées l'auteur à Théophile, les critiques sont de plus en plus nombreux à reconnaître qu'il a fusionné ici des données relatives à l'assemblée de Jérusalem et à la résolution de l'incident d'Antioche[1].

De toutes les propositions qui ont été faites, celles de R. Pesch est toutefois la plus simple et, nous semble-t-il, la plus satisfaisante. Il trace une ligne de séparation à la fin du v. 4, notant que l'on cherche vainement, dans le récit actuel, l'antécédent du pronom *autous* (v. 5). C'est là l'indice d'une solution de continuité dont le caractère redondant du v. 5, qui introduit de plus une problématique différente, confirme l'existence[2]. Il constate également que les parallèles que l'on peut effectuer entre Ac 15 et Ga 2, 1-10 et dont nous avons dressé la liste un peu plus haut[3] se concentrent dans les quatre premiers versets ainsi isolés. Par la suite, seule la mention de Paul et de Barnabas au v. 12*b,* qui réintroduit fugitivement ces deux personnages que la narration avait perdus de vue, paraît renouer avec ce qui précède. Or il observe qu'elle est justement incluse entre le v. 12*a,* qui mentionne un silence de la foule *(Esigèsen de pan to plèthos),* et le v. 13, qui fait état d'une intervention de Jacques au moment où il se rompt *(Meta de to sigèsai autous),* et réunit ainsi les caractéristiques d'un corps étranger. Il y voit en fait une donnée provenant de la même source que les v. 1-4[4]. Ainsi qu'il le relève, considérés dans leur ensemble, les versets 5-33, une fois dépourvus de cette incise et des autres mentions de Barnabas et de Paul (v. 22 et 25), qui s'expliquent aisément en tant qu'ajouts puisqu'elles sont introduites par la préposition *sun,* apparaissent comme l'écho de la crise évoquée en Ga 2, 11-14 : Jacques et Pierre se tiennent comme en Ga 2, 11-14 en première ligne ; il est question à plusieurs reprises des obligations des païens envers la Loi (Ac 15, 5*b*.10.19.28 // Ga 2, 14.16) ; le décret apostolique vient apporter une réponse au problème qui a surgi à Antioche[5].

Après celle de R. Pesch, la suggestion d'A. Weiser nous paraît la plus cohérente[6]. Il situe la césure beaucoup plus loin dans le texte, puisqu'il la place entre les v. 19 et 20, et considère que l'assemblée de Jérusalem dont il

---

1. Certains font la part belle à l'utilisation d'informations relatives à l'assemblée de Jérusalem et considèrent que l'auteur à Théophile s'est contenté d'insérer le décret apostolique parmi elles (ainsi H. Conzelmann, *Apostelgeschichte,* p. 87, et J. Roloff, *Apostelgeschichte,* p. 227), alors que R. Pesch, *Apostelgeschichte,* II, p. 72-73, rapporte l'essentiel du récit au règlement du conflit d'Antioche. Nous aurons l'occasion de nous intéresser plus particulièrement à son hypothèse de même qu'à celle d'A. Weiser, *BZ* 28, 1984, p. 156-157, qui adopte un point de vue intermédiaire.

2. R. Pesch, *op. cit.,* p. 73.

3. Cf. p. 265.

4. R. Pesch, *Apostelgeschichte,* II, p. 73.

5. R. Pesch, *op. cit.,* p. 72. Pesch insiste aussi sur le fait que Pierre, qui était décrit en Ga 2, 1-10 comme missionnaire des juifs, apparaît désormais comme l'initiateur de la mission aux païens (Ac. 15, 7-11.14). Il voit là un parallèle avec Ga 2, 12.14 où Pierre serait présenté comme évangélisateur des païens, ce qui ne nous semble pas indiqué par le texte.

6. A. Weiser, *BZ* 28, 1984, p. 156.

est fait état en Ga 2, 1-10 trouve un reflet relativement fidèle en Ac 15, 1-19[1]. Malheureusement, il est, pour parvenir à ses fins, contraint de gérer une contradiction qu'il n'est pas aisé de lever. En effet, la question des observances auxquelles doivent se soumettre les païens convertis revient, nous venons de le voir, à diverses reprises alors qu'à l'assemblée de Jérusalem il n'a pas été envisagé qu'ils y fussent astreints (Ga 2, 1-10). Il a beau vouloir que les v. 10, 11 et 19 conservent le souvenir du fait que Pierre et Jacques convinrent justement avec Paul et Barnabas qu'il ne fallait imposer aux païens ni la circoncision ni les autres contraintes[2], on a peine à le suivre, surtout en ce qui concerne le dernier de ces versets, qui fournit, dans le texte actuel, une remarquable amorce à l'annonce du décret apostolique au v. 20. Il nous paraît donc plus recommandé de trancher, avec Pesch, à l'endroit où plusieurs traces d'une suture demeurent perceptibles[3].

On remarquera d'ailleurs qu'A. Weiser, visiblement soucieux de réserver à Jacques et à son entourage la paternité du décret[4], a peut-être été influencé, dans son analyse, par cette préoccupation qui nous semble l'avoir conduit un peu rapidement à estimer que Pierre n'a pas été présent au moment où les clauses furent promulguées. Or il se pourrait bien que tel ait pourtant été le cas. C'est du moins ce que nous semble révéler une étude attentive d'Ac 10, 1-11, 18.

b | *Actes 10, 1-11, 18*

Le récit de la conversion de Corneille et de ses suites peut être, dans sa forme actuelle, découpé en sept parties[5]. Après les visions respectives du centurion (Ac 10, 1-8) et de Pierre (Ac 10, 9-16), ce dernier est incité, par une nouvelle intervention céleste, à se rendre chez Corneille en suivant les deux hommes qui sont venus le quérir (Ac 10, 17-23a). Il va ensuite rencontrer[6] le centurion (Ac 10, 23b-33) et prononcer chez lui un discours missionnaire qui souligne la portée universelle du message de Jésus (Ac 10, 34-43)[7] et au

---

1. *Ibid.*
2. *Ibid.*
3. On reconnaîtra par contre à Weiser, *ibid.,* le mérite d'avoir signalé que l'auteur à Théophile a, selon toute vraisemblance, utilisé une troisième source dans ce chapitre, à savoir le florilège de citations vétérotestamentaires qui occupe la partie centrale de l'allocution de Jacques (Ac 15, 16-18) (cf. M. Dömer, *Das Heil Gottes. Studien zur Theologie des lukanischen Doppelwerkes* [BBB 51], Köln, 1978, p. 178-180).
4. A. Weiser, *BZ* 28, 1984, p. 152. De même, notamment, D. R. Catchpole, *NTS* 23, 1977, p. 442, et J. Roloff, *Apostelgeschichte*, p. 227.
5. Ainsi, notamment, F. Bovon, *ThZ* 26, 1970, p. 26-28.
6. On relèvera la manière dont l'auteur à Théophile souligne ce thème de la rencontre en multipliant, aux v. 23b-27, les emplois de la particule *sun* qui apparaît une fois à l'état isolé et à six reprises comme préfixe dans les verbes utilisés. Par ailleurs, la fréquence du verbe *erchomai* et de ses composés, dont on ne compte pas moins de sept usages dans les v. 23b-29, montre que l'on va entrer ici en communion.
7. La septuple occurrence du pronom *pas* (v. 35.36.38.39.41.43.43) contribue fortement à marquer ce caractère.

terme duquel l'effusion de l'Esprit sur les auditeurs païens conduit l'apôtre à les baptiser sans autre préalable (Ac 10, 44-48). Il se rend ensuite à Jérusalem pour se justifier (Ac 11, 1-18).

Ce qui surprend d'entrée ici, c'est le changement de thème qu'introduit la vision de Pierre au sein du chapitre 10. La question qu'elle aborde, en l'occurrence celle du dépassement des interdits alimentaires[1], est en effet sans rapport direct avec le reste de la narration qui relate de quelle manière Dieu est intervenu pour que soit ouverte la porte de l'Eglise à un païen d'une grande piété. Certes l'auteur à Théophile l'a fort habilement intégrée dans son récit en lui conférant un « sens figuré », si bien qu'elle affirme désormais « la purification de tous les hommes et leur parfaite égalité devant Dieu » (Ac 10, 28) alors qu'elle résolvait à l'origine un « problème rituel »[2]. Il n'en demeure pas moins qu'une tension subsiste, qui permet de reconnaître la trace de l'assemblage de deux traditions distinctes[3].

Le récit de la conversion de Corneille apparaît dès lors comme une légende personnelle destinée à souligner en quelle estime Dieu tenait le centurion et en quelles circonstances il accéda au salut avec toute sa maison (Ac 10, 2 ; 11, 14). M. Dibelius et W. L. Knox ont émis l'hypothèse selon laquelle cette histoire édifiante pourrait avoir célébré la fondation de l'Eglise locale de Césarée[4]. Nous serions enclin pour notre part à penser qu'elle remémorait plus particulièrement la naissance de la communauté domestique qui se réunissait sous le toit du centurion[5], ce qui laisse ouverte l'éventualité selon laquelle aurai(en)t déjà existé, dans la cité portuaire, une ou plusieurs autres assemblée(s) chrétienne(s) suscitée(s) par l'action des hellénistes antérieurement à la venue de Pierre[6]. On notera en toute hypothèse que le rôle de l'apôtre ne revêtait pas dans cette tradition, qu'il

1. On notera que les termes relevant du champ sémantique de la pureté *(koinos, katharizô, akathartos)* n'apparaissent qu'en Ac 10, 9-16 et dans la reprise du récit en Ac 11, 1-18, dans l'ensemble Ac 10, 1-11, 18. Leurs huit occurrences se partagent équitablement entre les deux sections. De même, la thématique cosmique est-elle propre aux deux passages, les deux mots ciel et terre y revenant à chaque fois à un total additionné de cinq fois.

2. Cela a été fort bien montré par M. Dibelius, in *Aufsätze zur Apostelgeschichte*, p. 98-99, et par F. Bovon, *ThZ* 26, 1970, p. 32-34, auquel nous avons emprunté nos citations à la p. 34.

3. Ainsi notamment les deux auteurs cités à la note précédente et E. Trocmé, *Le « Livre des Actes »*, p. 171-173 ; H. Conzelmann, *Apostelgeschichte*, p. 61-62 ; A. Weiser, *Apostelgeschichte 1-12*, p. 254-256 ; G. Schille, *Apostelgeschichte*, p. 234-236, et G. Lüdemann, *Das frühe Christentum*, p. 136-138.

4. M. Dibelius, in *Aufsätze zur Apostelgeschichte*, p. 105-107, et W. L. Knox, *The Acts of the Apostles*, Cambridge, 1983, p. 31 s. Leur proposition a été reprise par E. Trocmé, *op. cit.*, p. 173 ; F. Bovon, *ThZ* 26, 1970, p. 32 ; H.-J. Klauck, Die Hausgemeinde als Lebensform im Urchristentum, *MThZ* 32, 1981, p. 7 et 8, et G. Schille, *op. cit.*, p. 234-236.

5. Ainsi H.-J. Klauck, *ibid.* Sur ces églises domestiques, nous renvoyons à nos développements précédents (p. 80-81).

6. G. Stählin, *Die Apostelgeschichte* (NTD 5), 12. Auflage, Göttingen, 1968, p. 150, songe ainsi à l'édification possible d'une communauté par Philippe qui a, selon les indications d'Ac 21, 8, habité à Césarée.

convient d'amputer du discours christologique que l'auteur à Théophile a composé de manière analogue aux autres harangues missionnaires de Simon, « le caractère décisif qu'il acquiert dans la narration du livre des Actes »[1]. Il n'y est guère, en effet, « qu'un catalyseur passif et un témoin »[2] et ne s'avance finalement pas tellement plus que Jésus en répondant à la requête d'un autre centurion à Capernaüm[3].

La vision de Pierre découvre par contre un horizon nouveau et nous transporte au cœur de la problématique qui surgit à l'occasion de l'incident d'Antioche[4]. D'ailleurs, le tollé qui accompagne manifestement l'arrivée de Pierre dans la ville sainte (Ac 11, 2-3) a pour objet sa commensalité avec des incirconcis (v. 3)[5] et c'est en faisant référence à cette vision qu'il commence à plaider pour sa défense (Ac 11, 5-10). De là à supposer que Pierre, attaqué à Jérusalem à la suite des événements rapportés en Ga 2, 11-14, s'est employé de la sorte à justifier son attitude, il n'y a qu'un pas qu'il ne nous paraît pas imprudent de franchir[6].

On se retrouve dès lors dans un cadre très semblable à celui de la tradition sous-jacente à Ac 15, 5-33 telle que la restitue R. Pesch. A des récriminations émises par des judéo-chrétiens, Pierre objecte, en effet, sa propre expérience dans les deux cas. Ce qui diffère, par contre, c'est la suite du récit. En Ac 11, 18, où l'objet initial de la polémique est étrangement oublié et où l'on revient à la question traitée lors de l'assemblée de Jérusalem en Ga 2, 1-10, à savoir la reconnaissance pure et simple de la mission aux païens, le calme et l'unanimité se recréent comme par enchantement. En Ac 15, 13-29, c'est Jacques qui prend la parole et qui finit bel et bien par imposer un point de vue très en retrait par rapport à la pratique adoptée à Antioche et qui a suscité le débat, puisque, rappelons-le, il n'est plus question de commensalité entre pagano- et judéo-chrétiens mais simplement de rencontres possibles dans certaines conditions et en respectant la séparation des tables.

Entre les deux versions des faits, l'hésitation nous paraît difficilement possible. C'est la seconde qui a pour elle tout le poids de la vraisemblance. Il faut donc envisager, nous semble-t-il, que Pierre n'est pas parvenu à convaincre Jacques et les siens et qu'il s'est soumis à leur appréciation ou à leur verdict en acceptant la promulgation du décret apostolique. Même si l'on se

1. E. Trocmé, *Le « Livre des Actes »*, p. 173.
2. E. Trocmé, *MdB* 27, 1983, p. 29.
3. Mt 8, 5-13 // Lc 7, 1-10 (et Jn 4, 46-54 où la scène se passe à Cana).
4. M. Dibelius, in *Aufsätze zur Apostelgeschichte*, p. 99, l'avait déjà reconnu.
5. On relèvera, avec R. Pesch, *Apostelgeschichte,* II, p. 73, que le verbe *sunesthiô* apparaît à la fois en Ac 11, 3 et en Ga 2, 12.
6. De même, J. N. Sanders, Peter and Paul in the Acts, *NTS* 2, 1955-1956, p. 141 ; M. Hengel, *Acts,* p. 96 ; R. Pesch, *Simon Petrus,* p. 84, et A. Weiser, *Apostelgeschichte 1-12,* p. 256. On peut également parvenir à cette conclusion si l'on estime, comme c'est possible, que le discours placé sur les lèvres de Pierre en Ac 11, 5-17 est totalement rédactionnel. Ainsi que le note A. Weiser, *op. cit.,* p. 261-262, Ac 11, 2-3 se rattache, en effet, de toute façon à la même tradition qu'Ac 10, 9-16.

refuse à nous suivre dans tous les détails de cette reconstitution, on constatera que le décret fit désormais autorité et on conviendra, nous l'espérons, qu'il manifestait clairement que la commensalité entre pagano- et judéo-chrétiens, telle que l'avait pratiquée momentanément Céphas à Antioche, n'était ni souhaitable ni possible[1].

V – Raisons, signification et conséquences de la victoire du point de vue de Jacques

a | Les raisons

Comme nous l'avons vu, le contexte historique de la Palestine de la fin des années quarante de notre ère ne laissait à l'Eglise primitive de Jérusalem qu'une marge de manœuvre extrêmement réduite. Il est bien entendu, toutefois, que la surveillance des faits et gestes des communautés chrétiennes qui se créaient dans la diaspora n'était ni l'unique ni la principale préoccupation des partis juifs siégeant au Sanhédrin[2]. Mais l'attitude offensive des judéo-chrétiens de stricte observance, qui ne se résignaient pas à voir se développer la mission aux païens sous la forme qu'elle revêtait et qui n'hésitaient pas à venir se rendre compte par eux-mêmes du tour que prenaient les événements afin de le mieux dénoncer (Ac 15, 1 ; Ga 2, 12), portait sur la place publique ce qui eût pu se dérouler dans une relative clandestinité. Un tel comportement n'était certainement pas dépourvu d'ambiguïté puisque ces individus, qui prétendaient sans doute, en agissant ainsi, non seulement défendre l'orthopraxie juive du mouvement chrétien mais aussi assurer sa sécurité, stigmatisaient par la même occasion les errements de ceux qui étaient seuls susceptibles, tant que les instances jérusalémites se gardaient de se solidariser avec eux, d'encourir une répression. Ga 2, 12 montre que Jacques n'a pas découragé de telles initiatives, de même, peut-être, que 1 Co 9, 5, passage dans lequel il est question d'autres frères du Seigneur qui exerçaient une activité itinérante.

D'ailleurs, ses convictions l'invitaient sans doute à veiller au grain. Rien ne vient, en effet, contredire le témoignage d'Hégésippe selon lequel il sut mériter la confiance des scribes et des pharisiens[3]. Il se situait donc dans leur

---

1. Si l'on préfère envisager que l'incident d'Antioche a été postérieur à la promulgation du décret et qu'il a été provoqué par l'annonce de la décision prise unilatéralement par Jacques et par les siens à Jérusalem et transmise par les émissaires dont il est fait mention en Ga 2, 12, le constat reste valable. En effet, le retrait qu'opère Pierre pour se mettre à part rituellement (Ga 2, 12) ne peut être interprété dans ce cas que comme une manière de se conformer à cette décision.
2. Voir cependant Ac 9, 2.
3. Hégésippe cité par Eusèbe de Césarée, *HE*, II, 23, 10.

mouvance[1]. Il parvint d'autre part très rapidement à s'assurer la prééminence au sein de l'Eglise mère. Ga 2, 9 montre, en effet, qu'à l'époque de l'assemblée de Jérusalem il figurait déjà au premier rang parmi les trois colonnes[2]. Il sut de plus placer sans retard ses hommes à la tête de la communauté puisque les anciens y apparurent bientôt à ses côtés[3]. Ils prirent, selon toute vraisemblance, une part active à la promulgation du décret apostolique[4] et constituèrent, semble-t-il, sous sa houlette, une sorte de Sanhédrin qui se sentait habilité à prendre des décisions ayant valeur bien au-delà de Jérusalem[5], ainsi que le donne à penser cet épisode.

Si Jacques prônait un conformisme qui répondait à ses aspirations, il semble bien que Pierre n'ait pas pu oublier l'étonnante liberté qu'avait affichée Jésus en de nombreuses occasions vis-à-vis de la Loi, et, plus particulièrement, de ses prescriptions rituelles[6]. En effet, sa vision, qui nous est narrée en Ac 10, 9-16, évoque de manière étonnante l'enseignement prodigué par le

1. Ainsi G. Kretschmar, *ZKG* 66, 1954-1955, p. 250, n. 182 ; K. L. Carroll, The Place of James in the Early Church, *BJRL* 41, 1961-1962, p. 60 ; J. Daniélou, H. Marrou, *Nouvelle histoire de l'Eglise,* I, p. 38.

2. Comme le relève M. Hengel, *Acts,* p. 96, il n'y a pas de raison de douter, au vu de la séquence bien plus fréquemment attestée, Pierre, Jacques, fils de Zébédée, et Jean (Mc 3, 16-17 ; 5, 37 ; 9, 2 ; 13, 3 ; 14, 33), que cette liste reflète un ordre hiérarchique (de même O. Cullmann, *Saint Pierre,* p. 36-37, qui montre bien que les variantes textuelles que l'on rencontre ici à propos de la succession des colonnes attestent qu'elle est loin d'être indifférente). Il ajoute avec raison qu'il faut préférer la *lectio difficilior* que représente l'énumération Jacques-Pierre à la séquence inverse que rétablit D). Le prétendu contre-argument de H. Conzelmann, *Geschichte des Urchristentums* (Grundrisse zum Neuen Testament. *NTD* Ergänzungsreihe 5), 5. Auflage, Göttingen, 1983, p. 41-42, selon lequel Jacques apparaîtrait en tête parce qu'il fut le principal partenaire des Antiochiens dans la négociation en tant que représentant du point de vue judéo-chrétien strict, n'en est pas un. Il ne fait que confirmer d'une autre manière que le frère du Seigneur était déjà le personnage clé au sein de l'Eglise jérusalémite et parmi les trois colonnes qui assumaient cependant encore alors une responsabilité collégiale.

3. Ces anciens sont présents en Ac 11, 30 ; Ac 15, 2.4.6.22.23 ; 16, 4 ; 21, 18. Leur première mention ne saurait être tenue pour significative (en ce sens, E. Trocmé, *Le « Livre des Actes »,* p. 90) et paraît de toute façon prématurée (H. Conzelmann, *op. cit.,* p. 93). Quant à leur apparition en Ac 15, 2.4, elle nous semble s'expliquer par une contamination rédactionnelle de la source qui traitait de l'assemblée de Jérusalem, à l'occasion de laquelle les délégués antiochiens négocièrent avec les colonnes (Ga 2, 1-10), par celle qui relatait l'adoption du décret apostolique et qui en faisait très probablement état comme le précisera la note suivante, au moment où l'auteur à Théophile les a réunies.

4. Comme l'a signalé E. Trocmé, *op. cit.,* p. 157, la lettre citée en Ac 15, 23-29 paraît reposer pour l'essentiel sur « un document authentique (...) » que Luc a recopié plus ou moins fidèlement ». Sa suscription, dont le style n'est pas d'une grande élégance et qui mentionne les apôtres et les anciens sans faire état ni de Céphas ni surtout du frère du Seigneur, rassemble les garanties requises pour que soit retenu son caractère traditionnel (cf. E. Trocmé, *ibid.,* et encore M. Hengel, *Acts,* p. 115).

5. Ainsi A. von Harnack, *Entstehung,* p. 26 ; G. Bornkamm, « presbus », *ThWNT,* VI, p. 663 ; A. Lemaire dont nous avons mentionné le point de vue à la n. 4, p. 149 ; H. J. Sieben, Zur Entwicklung der Konzilsidee (X) : Die Konzilsidee des Lukas, *ThPh* 50, 1975, p. 494-500, qui renvoie lui-même aux propos de G. W. H. Lampe, *St. Luke and the Church of Jerusalem,* London, 1969, p. 25.

6. Cf. p. 46-48.

Nazaréen en Mc 7, 15 // Mt 15, 11[1]. Mais, quoiqu'elle le ramène en terrain plus ou moins connu — encore qu'il s'agisse cette fois de tirer les ultimes conséquences pratiques d'une affirmation dont toutes les virtualités n'avaient pas été explorées d'emblée —, elle le trouve hésitant, comme l'atteste son triple refus de manger des animaux impurs (Ac 10, 14-16). De manière très semblable, la hardiesse dont il témoigne à Antioche en s'installant à la table des païens fait place au remords ou à la peur quand sa conduite est dénoncée[2]. On retrouve, en ces circonstances, le tempérament quelque peu versatile de Pierre, personnage capable des plus grands élans mais aussi de surprenantes volte-face, que nous donne à connaître par ailleurs la tradition synoptique[3]. « Face à Jacques, qui campe sur les positions juives traditionnelles, et à Paul, qui se fait "tout à tous" et ne peut supporter l'idée d'une séparation entre chrétiens en raison de leur origine juive ou païenne, Pierre apparaît comme l'homme de la transition mais aussi de l'hésitation »[4]. On peut penser que ses atermoiements n'ont pas consolidé sa position dans la discussion qui suivit et ont facilité la tâche de Jacques et des siens[5].

b | La signification

Par delà les facteurs qui ont pu infléchir le cours des débats, il faut faire ressortir leur enjeu fondamental. La fin de non-recevoir qu'oppose le consensus d'une assemblée, arc-boutée à la tradition et à son nécessaire respect, à

---

1. Ainsi W. Grundmann, *ZNW* 39, 1940, p. 136. Qu'il s'agisse là, pour l'essentiel, d'un logion authentique du Maître, c'est un fait reconnu par la majorité des critiques (ainsi E. Trocmé, *La formation*, p. 88, n. 63 ; H. Merkel, Markus 7, 15 — das Jesuswort über die innere Verunreinigung, *ZRGG* 20, 1968, p. 340-363 ; R. Bultmann, *Histoire*, p. 188 ; J. Dupont, *Les Béatitudes*, t. III : *Les évangélistes*, Nouvelle édition entièrement refondue *(EtBi)*, Paris, 1973, p. 579 ; J. Schlosser, in *Pouvoir et vérité*, p. 113-114). Il n'est nécessaire ni de réduire la portée de cette parole de Jésus quand on la considère isolément pour supposer qu'elle ne visait que « l'exigence pharisienne des ablutions rituelles des mains » (ainsi, pourtant, J. Jeremias, *Théologie*, I, 1975, p. 262), ni de conclure à son caractère secondaire sous prétexte qu'il est difficile de rendre compte des développements chrétiens ultérieurs sur la base de son authenticité (en ce sens, H. Räisänen, Jesus and the Food Laws : Reflexions on Mark 7.15, *JSNT* 16, 1982, p. 91), ni enfin de penser que Jésus l'aurait prononcée sous une forme telle qu'elle ne dépréciait que de manière relative la souillure d'origine extérieure par rapport à l'impureté morale (R. P. Booth, *Jesus and the Laws of Purity. Tradition History and Legal History in Mark 7* [*JSNTSup* 13], Sheffield, 1986, p. 217.219). Il est aisé de concevoir en effet que l'on n'a pas tiré sans hésitation toutes les conséquences potentielles d'une affirmation qui témoignait d'une grande audace mais qui, de par sa brièveté, revêtait un caractère énigmatique qui l'ouvrait à diverses possibilités d'interprétation.
2. W. Grundmann, *ZNW* 39, 1940, p. 136, et E. Trocmé, *MdB* 27, 1983, p. 30, rapprochent également l'attitude de l'apôtre lors de ces deux épisodes.
3. W. Grundmann, *ibid.*, insiste sur ce point.
4. E. Trocmé, *MdB* 27, 1983, p. 30.
5. En ce sens, W. Grundmann, *ZNW* 39, 1940, p. 136.

l'instauration de la commensalité entre pagano- et judéo-chrétiens et, plus particulièrement, nous le pensons, à la vision de Pierre, marque, en effet, un tournant dans le processus d'institutionnalisation du charisme. Le virage est apparemment paradoxal puisqu'il se caractérise par le refus de tirer les conséquences d'une expérience de caractère charismatique qui pouvait à bon droit se proclamer en harmonie avec la prophétie d'origine énoncée par Jésus[1]. Pierre, qui avait lui-même, alors qu'il prenait part à l'organisation de la communauté primitive de Jérusalem dans sa première phase, cautionné un phénomène de latence charismatique qu'avait suscité l'intériorisation ou la mise sous le boisseau des aspects les plus « explosifs » de la prédication de Jésus et contre lequel s'étaient insurgés les hellénistes[2], se retrouvait désormais à leur côté. Mais, par un curieux retournement, lui qui, avec la communauté jérusalémite initiale, s'était bien gardé de se prononcer en leur faveur[3] se voyait désavoué à son tour parce qu'il les avait rejoints, momentanément en tout cas, dans leurs positions radicales.

Le désaccord qui apparut suppose une appréciation différente de l'instance normative en matière de révélation[4]. Pour Jacques et pour les siens, la Torah en fait office ; Pierre, par contre, se montre prêt, même si ce n'est pas sans réticence, à répondre aux injonctions que lui adresse mystérieusement le Ressuscité. Certes, il est difficile de tirer des conclusions bien assurées à partir d'indications qui demeurent ténues, mais cela pourrait montrer que le frère du Seigneur et son entourage manifestaient la plus grande réserve à l'égard des diverses formes de pneumatisme, convaincus sans doute de leurs effets nocifs par l'exemple de Paul et des hellénistes, alors que Céphas y demeurait plus réceptif. Il ne s'agit pas, bien sûr, de prendre pour argent comptant l'ensemble des indications de l'auteur à Théophile quand il s'efforce de démontrer que Pierre fut, sous l'impulsion de l'Esprit, l'initiateur des étapes successives et décisives de la prédication missionnaire[5]. Il se pourrait toutefois qu'elles reflètent la propension, déjà envisagée, du prince des apôtres à se laisser interpeller notamment par des visions[6].

L'extrême réserve des judéo-chrétiens légalistes à l'endroit de tels phénomènes, à l'exception bien sûr de l'apparition du Ressuscité à Jacques, trouve peut-être un écho dans deux passages tirés respectivement des *Reconnaissances* et des *Homélies pseudo-clémentines*[7].

Dans le premier, Pierre dénigre, à partir de son expérience personnelle, les rêves et les visions et montre qu'ils ne sont que le fruit de l'imagina-

---

1. Sur ces notions, cf. p. 24-29.
2. Cf. p. 68-69 ; 79 et 135.
3. Cf. p. 82.
4. M. Hengel, *Acts,* p. 94, l'a fort justement reconnu.
5. Sur ce point, voir nos remarques, p. 118-119.
6. Cf. p. 195.
7. *Reconnaissances pseudo-clémentines,* II, 63-65 et *Homélies pseudo-clémentines,* XVII, 13-19.

tion, comme il l'a appris à ses dépens. Un jour, alors qu'il se trouvait à Capernaüm, il souhaita être transporté en esprit à Jérusalem et à Césarée. Il eut de la ville sainte, qu'il connaissait déjà, une vision conforme. Par contre, l'aperçu qu'il put avoir de la cité portuaire ne correspondait en rien à la réalité, ainsi qu'il eut l'occasion de s'en rendre compte plus tard en la visitant. Le constat qu'il tire de cet épisode est définitif ; il n'est pas possible d' « accéder au-delà des cieux »[1].

Dans le second, Pierre, qui s'en prend directement à Simon le magicien, derrière lequel il faut bien entendu reconnaître les traits de Paul[2], discrédite songes, visions et apparitions. Seule trouve grâce à ses yeux la révélation dont il a bénéficié au moment où il a reconnu en Jésus le Fils du Dieu vivant[3], révélation qui n'a rien de commun avec celles, extérieures, dont pourrait se prévaloir Paul[4]. Il s'offusque alors de la présomption du Tarsiote qui a osé lui résister *(anthestèkas moi)* sous le prétexte qu'il eût été répréhensible *(hôs emoi katagnôsthentos)*[5]. Le fait qu'apparaissent ici deux termes que l'on rencontre en Ga 2, 11 ne laisse planer aucun doute sur l'allusion qui est effectuée ainsi à l'incident d'Antioche[6].

La grande parenté de ces deux textes du *Roman pseudo-clémentin* a incité O. Cullmann à penser qu'ils devaient se côtoyer initialement dans l'écrit perdu qui se trouve à la base des *Homélies* et des *Reconnaissances* et auquel on attribue le nom de *Kerygmata Petrou*[7]. Quelle que soit la date d'apparition que l'on assigne à ces *Kérygmes de Pierre*[8], il doit être clair que, au moment de leur rédaction, la lutte qu'ils menaient contre Paul n'était qu'une fiction et qu'elle visait en fait les Eglises pagano-chrétiennes qui se réclamaient de son héritage[9]. Cela n'empêche pas qu'ils puissent refléter, sur certaines questions, un point de vue transposable à des courants du judéo-christianisme plus ancien[10].

Nous nous demandons si tel ne pourrait être le cas pour la polémique

1. *Reconnaissances pseudo-clémentines,* II, 65.
2. Sur ce point, O. Cullmann, *Le problème,* p. 113-114.
3. *Homélies pseudo-clémentines,* XVII, 18.
4. *Homélies pseudo-clémentines,* XVII, 19.
5. *Ibid.*
6. Ainsi O. Cullmann, *Le problème,* p. 249-250.
7. O. Cullmann, *op. cit.,* p. 84-86. L'existence de cet écrit vient d'être remise en question, avec des arguments empruntés à l'analyse du langage employé, par J. Wehnert, Literarkritik und Sprachanalyse. Kritische Anmerkungen zum gegenwärtigen Stand der Pseudoklementinen-Forschung, *ZNW* 74, 1983, p. 268-301. Toutefois, comme vient de le montrer W. Pratscher, *Der Herrenbruder,* p. 122-123, il reste d'excellentes raisons de l'envisager.
8. Il faut sans doute situer leur émergence dans la deuxième moitié du second siècle (ainsi A. Lindemann, *Paulus im ältesten Christentum. Das Bild des Apostels und die Rezeption der paulinischen Theologie in der frühchristlichen Literatur bis Marcion* (BHT 58), Tübingen, 1979, p. 104, et W. Pratscher, *op. cit.,* p. 142-143). Ils supposent en effet déjà une connaissance assez vaste de la littérature néo-testamentaire (évangiles synoptiques, livre des Actes, épîtres pauliniennes).
9. En ce sens, A. Lindemann, *op. cit.,* p. 108, et W. Pratscher, *op. cit.,* p. 142.
10. Cf. A. Lindemann, *ibid.*

sous-jacente aux deux textes dont nous venons de faire état. De fait, si Pierre s'en prend, dans le passage des *Homélies,* à Paul visionnaire, il nous semble qu'il n'est pas tendre non plus, dans celui des *Reconnaissances,* pour le héros d'Ac 10, 1-11, 18. Il disqualifie, en effet, les visions à travers celle, trompeuse, qu'il avait eue de Césarée avant de se rendre dans la ville. Ne peut-on déceler là une contrefaçon polémique de l'épisode narré par l'auteur à Théophile ? Cela nous paraît envisageable, d'autant que, s'il convient bien de faire remonter les deux textes actuellement séparés à une même source, cette dernière, en défendant, d'une part, le comportement de Pierre lors de l'incident d'Antioche et en démasquant, d'autre part, ses errements césaréens aurait créé les conditions pour qu'on ne pût se représenter l'apôtre que comme un fervent défenseur des règles de pureté et de la Loi[1].

Sans aller aussi loin, le premier évangile, en faisant poser à Pierre, en Mt 15, 15, une question destinée à éclairer le sens de l'audacieuse parole prononcée par Jésus en Mt 15, 11 (// Mc 7, 15)[2] et en confinant, par la dernière clause de la réponse qu'il reçoit (Mt 15, 20*b*), l'ensemble du débat dans le domaine de la Loi orale plutôt que dans celui de la Loi écrite, ne paraît pas prêt non plus à présenter le prince des apôtres comme le garant d'un enseignement destiné à décréter l'obsolescence des prescriptions alimentaires ainsi que le font pourtant le passage parallèle de Mc 7, 19 et la vision d'Ac 10, 9-16[3].

Il faut donc bien envisager que la liberté qu'avait prise Pierre à Antioche en vivant à la manière des païens (*ethnikôs* : Ga 2, 14) est loin d'être apparue partout comme la norme de son comportement. Cela peut inciter à penser que, effrayé par sa propre témérité et rappelé aux nécessités de l'heure par Jacques et les siens, il a regagné les voies de la sagesse — et en tout cas du réalisme — plutôt que de s'entêter à obéir à la voix du ciel.

c | Les conséquences

L'autorité de Pierre, déjà implicitement mais aussi radicalement contestée lors de l'incident d'Antioche, ne sortit assurément pas renforcée de la promulgation du décret apostolique et ce, même s'il l'a approuvée, comme nous inclinons à le penser. Il s'était en effet gravement compromis dans l'affaire en enfreignant de manière notoire les interdits alimentaires.

1. *Epistula Petri* 2, 3-5 s'inscrit dans la même perspective et pourrait avoir participé également à l'entreprise visant à opposer Pierre à l'homme ennemi (Paul).
2. Que la question de Mt 15, 15 s'applique à la parole du v. 11, est généralement reconnu par les critiques (ainsi W. Grundmann, *Matthäus,* p. 373 ; P. Bonnard, *Matthieu,* p. 229, et D. Hill, *Matthew,* p. 252).
3. Ce point a été fort bien vu par W. D. Davies, *The Setting of the Sermon on the Mount,* p. 339.

Dans la mesure où l'Eglise jérusalémite ne l'avait pas suivi sur le périlleux sentier où il s'était laissé entraîner, on peut imaginer qu'il s'avéra préférable, et sans doute nécessaire, qu'il reconçât à compter parmi ses chefs. Il semble s'être consacré désormais de façon exclusive à l'activité missionnaire, ce qu'accrédite 1 Co 9, 5, alors qu'aucun indice ne permet de supposer qu'il ait encore exercé des fonctions particulières à Jérusalem[1].

Il nous semble donc, pour résumer, que le départ définitif de Pierre de la scène jérusalémite eut pour cause son laxisme relatif à la Loi[2]. Mais, s'il eut pour lui de telles conséquences, c'est en raison du contexte historique particulier que connaissait la Palestine à la fin des années 40 apr. J.-C. et de la grande insécurité qui en résultait pour l'Eglise mère. Dépourvue de toute représentation au sein du Sanhédrin et donc privée de toute participation au pouvoir, confrontée à la pression sans cesse accrue des zélateurs de la Loi dont les menées macromillénaristes se donnaient pour moyen la terreur et pour but la préservation du particularisme de la nation juive, elle n'avait en effet, à vues humaines, d'autre solution que de s'abriter derrière le bouclier que lui constituait la neutralité du parti pharisien face à l'hostilité sadducéenne et, pour ce faire, d'autre issue que d'afficher une fidélité sans faille à la Loi.

Légitimer un tel comportement qui, d'un point de vue sociologique, est aisément compréhensible, n'était pourtant pas chose aisée. Non seulement, en effet, il se trouvait en décalage avec la liberté qu'avait affichée Jésus à

---

1. Certains auteurs envisagent que Pierre a quitté plus précocement la ville sainte. Leur argumentation repose sur Ac 12, 17 où il est question d'un départ de Pierre pour on ne sait quel endroit. Certains le voient s'en aller à Rome (ainsi E. Jacquier, *Les Actes des Apôtres (EtBi),* Paris, 1926, p. 369), d'autres à Antioche (en ce sens A. Loisy, *Les Actes des Apôtres,* Paris, 1920, p. 492), ou vers les villes côtières de la plaine du Saron (par exemple K. Lake, H. J. Cadbury, *Beginnings,* I/IV, p. 138). Quel que soit le lieu de destination qu'ils lui assignent, ils situent le plus souvent son départ en l'an 44 (ainsi, notamment, M. Goguel, *Jésus et les origines du christianisme. La naissance du christianisme,* Paris, 1946, p. 127). Ces hypothèses nous paraissent gravement hypothéquées par le fait que l'indication d'Ac 12, 17 est, selon toute vraisemblance, rédactionnelle puisque, comme nous l'avons exposé plus haut, elle paraît étrangère au récit initial, lui-même fort délicat voire impossible à dater, de la libération de Pierre (cf. p. 248-249). Avec E. M. Blaiklock, *The Acts of the Apostles* (The Tyndale New Testament Commentaries), London, Grand Rapids, 1959, p. 99-100, nous pensons que l'auteur à Théophile cherche en fait ici à préparer la sortie de Pierre qui s'est, à ce point de son œuvre, acquitté de sa tâche puisque la voie est désormais ouverte à la mission de Paul. Il nous paraît donc plus sage d'estimer, comme Pierre est présent à Jérusalem à la fois selon Ga 2, 1-10 et Ac 15, qu'il n'a vraiment quitté la ville sainte qu'après les événements qui sont décrits dans ces deux textes et qui nous conduisent, nous semble-t-il, jusque vers l'année 48. Cela n'interdit toutefois nullement de penser que, dès avant cette date, Jacques occupait déjà le premier rang parmi les colonnes (cf. p. 279-280) et commençait à contrôler l'Eglise jérusalémite avec son entourage. Les absences qu'occasionnait pour Pierre, dès ce moment-là, son activité missionnaire ont pu faciliter d'ailleurs cette prise de contrôle.

2. Ainsi, notamment, M. Hengel, *Acts,* p. 97. W. Grundmann, *ZNW* 39, 1940, p. 121, a exprimé cela d'une autre façon en écrivant qu'il fut victime de son incapacité à gérer le conflit aigu entre hellénisme et judaïsme.

l'endroit du versant rituel de la Loi mais il était aussi, après l'incident d'Antioche, en rupture avec l'attitude qu'avait adoptée Pierre, le représentant par excellence de la lignée des disciples. Le phénomène de latence charismatique devenait préoccupant, même si la ligne suivie était la plus raisonnable et, peut-être, la seule possible. Il nous semble que l'hypothèse selon laquelle le charisme héréditaire que possédait Jacques, en sa qualité de frère du Seigneur, a joué, en la circonstance, un rôle « providentiel », mérite d'être explorée. On peut imaginer en effet qu'il a fait office d'instance légitimante et qu'il a permis de conférer une dimension de continuité à un processus au cours duquel l'institutionnalisation du charisme paraissait requérir que l'on rognât les aspects subversifs de la prophétie d'origine énoncée par Jésus.

Certes, le fait que soit apparu, dans la Palestine du début de notre ère, un christianisme dynastique[1] n'a rien d'étonnant, nous l'avons vu, dans le principe[2]. Le phénomène a tout de même ceci d'insolite que la famille du Nazaréen s'était désolidarisée de lui pendant son ministère, même si la protophanie dont se réclamait Jacques vint largement pallier cette faiblesse. Nous nous interrogerons, dans l'excursus qui va suivre pour savoir si l'étude des origines d'autres mouvements religieux permet d'étayer quelque peu une telle conjecture. Nous choisirons, pour ce faire, des exemples dans lesquels on voit s'affronter, à propos de la succession d'un chef charismatique auquel est attribué une prophétie d'origine, les partisans de la lignée des disciples et les défenseurs d'une succession familiale. Nous qualifierons leurs points de vue respectifs de conceptions affinitaires et dynastiques.

EXCURSUS : PERTINENCE DES CONCEPTS DE SUCCESSION
AFFINITAIRE ET DYNASTIQUE
POUR L'ÉTUDE DES ORIGINES CHRÉTIENNES
A LA LUMIÈRE D'AUTRES MOUVEMENTS RELIGIEUX

Il convient ici de relever d'emblée que déjà Eduard Meyer[3] et M. Goguel[4] ont établi un parallèle suggestif entre le surgissement d'un christianisme dynastique et les phénomènes que l'on peut observer aux origines de l'islam et chez les mormons. Il nous semble que la comparaison mérite d'être développée et qu'elle devient plus riche d'enseignements encore si elle est effectuée autour de la distinction entre pôles affinitaire et

1. Cf. p. 84.
2. Cf. p. 85-86.
3. Eduard Meyer, *Ursprung und Anfänge des Christentums,* III, p. 224.
4. M. Goguel, *La naissance du christianisme,* p. 132.

dynastique, que nous venons d'effectuer. Ajoutons encore, et cela ni Meyer, ni Goguel ne pouvaient le prévoir, que l'histoire récente nous a fourni un champ d'exploration nouveau et plein d'intérêt, à savoir le kimbanguisme. Nous le prendrons bien entendu en compte.

a | L'islam

Mahomet n'avait pas réglé la question de sa succession et ne laissait derrière lui aucun descendant mâle. A sa mort, le califat échut à Abu Bakr, qui l'exerça de 632 à 634, de la manière suivante : il fut acclamé par les principaux Compagnons du Prophète qui lui prêtèrent serment d'allégeance. Il prit soin de désigner lui-même, en la personne d'Omar (634-644), son successeur, choix qui fut entériné par la communauté des croyants à travers les Compagnons présents à Médine. Omar fut moins prévoyant, même si la tradition lui attribue la nomination, sur son lit de mort, d'un conseil électif, formé de six Compagnons, qui devait désigner le nouveau calife en son sein. Othman (644-656) fut choisi et reçut alors le serment d'allégeance. Issu de la famille des Omeyyades, il allait lui assurer, de par son népotisme, une prépondérance croissante, ce qui lui suscita de nombreux ennemis qui lui reprochèrent des manquements dans l'exercice de sa charge et attentèrent finalement à sa vie.

L'assassinat d'Othman plongea l'islam dans une crise extrêmement grave qui aboutit à la désignation d'Ali (656-661) comme calife par une coalition hétérogène dont l'existence, fondée sur une communauté momentanée d'intérêts par ailleurs divergents, allait se révéler éphémère. Elle était, de toute façon, discréditée grandement par la présence, en son sein, des assassins d'Othman, ce qui contribua à fragiliser la position d'Ali. D'ailleurs, dès l'annonce à Damas du meurtre d'Othman, Moawia, gouverneur de Syrie et Omeyyade comme lui, conclut un pacte pour venger sa mort. Le conflit qui l'opposa à Ali trouva sa solution au cours de la bataille de Siffin et de l'arbitrage qui s'ensuivit. Ali, en fonction depuis plus d'un an, accepta que son titre fût remis en question à cette occasion et que les prétentions de son rival fussent prises en compte sur un pied d'égalité. Il perdit.

Les partisans qui lui demeurèrent fidèles, les shi'ites, développèrent leur propre conception du califat. Ils restreignirent l'éligibilité aux héritiers du Prophète, à savoir Ali, qui avait épousé Fatima, seule fille de Mahomet qui lui ait laissé une postérité mâle, ses deux fils, al-Hasan et al-Husayn, et leur descendance.

Les sunnites, partisans de Moawia, élargirent pour leur part cette éligibilité à tout membre de la tribu du Prophète, celle des Qurayshites. Dans les faits, deux familles se relayèrent dans l'exercice du califat : les Omeyyades et les Abbassides.

Enfin, les kharidjites, qui rompirent avec les deux partis précédents, les renvoyant dos à dos, développèrent la thèse selon laquelle tout musulman pouvait accéder au califat, quitte à être déchu s'il se montrait indigne de la charge.

Avant d'analyser ces faits, nous ajouterons encore quelques éléments utiles, nous semble-t-il, à l'approfondissement de notre réflexion.

Les quatre premiers califes étaient tous d'anciens compagnons du Prophète : Abu Bakr et Ali s'étaient trouvés à ses côtés dès le départ ; Othman avait été le premier personnage d'un haut rang social à embrasser la foi nouvelle ; Omar, quoique s'étant rallié assez tardivement, quelques années seulement avant l'Hégire, n'en était pas moins devenu à Médine, à la fin de la vie du Prophète, le véritable organisateur de l'Etat théocratique qui vit alors le jour.

On peut noter par ailleurs que, si Ali seul était directement apparenté à Mahomet, puisqu'il était son cousin, Othman était, au même titre que lui, son gendre, tandis qu'Abu Bakr et Omar pouvaient tous deux se prévaloir de compter parmi ses beaux-pères. Or, aucun d'entre eux, en dehors, selon certains, d'Ali, qui, il est vrai, aurait pu avancer dans ce domaine des arguments face auxquels tout rival potentiel se fût trouvé en état d'infériorité, ne se servit de cette qualité pour accéder au califat. Il convient de relever, à ce propos, et cela permet de mieux comprendre la situation, que la transmission héréditaire d'un pouvoir de nature royale était étrangère à la mentalité arabique[1] qui concevait plutôt une dynastie à l'échelle d'une tribu[2].

Pour en revenir au cas d'Ali, il semble ne pas avoir caressé l'espoir d'accéder au califat à la mort de Mahomet. Il était encore jeune à l'époque — il n'avait alors qu'un peu plus de trente ans — et n'ignorait pas que les Arabes choisissaient habituellement leurs chefs parmi les hommes d'âge mûr[3]. Il paraît, qui plus est, ne pas avoir eu de penchant pour la légitimité héréditaire comme l'atteste le fait que, sous le califat d'Othman, il fit valoir la priorité absolue de l'ancienneté de la conversion et des états de service rendus à l'islam sur d'autres critères tels que la noblesse de naissance pour décider de l'accession de quelqu'un à une charge donnée[4].

Il y a donc de bonnes raisons de suivre T. W. Arnold quand il estime qu'il ne fut en aucun cas question de succession héréditaire en ce qui concerne le choix des quatre premiers califes[5]. L'existence de traditions concurrentes quant à l'attribution de la dignité de premier musulman mâle

---

1. W. Muir. *The Caliphate. Its Rise, Decline and Fall.* From original sources, A new and revised edition, Edinburgh, 1924, p. 6.
2. Ibn Khaldûn, *Discours sur l'histoire universelle (Al-Muqaddima).* Traduction nouvelle, préface et notes par V. Monteil. T. Ier (« Collection Unesco d'œuvres représentatives ». Série arabe), Beyrouth, 1967, p. 303-304.
3. L. Veccia Vaglieri, Ali b. Abi Talib, in *Encyclopédie de l'Islam,* nouv. édit., t. I : *A-B,* Leiden, Paris, 1975, p. 392.
4. L. Veccia Vaglieri, art. cit., p. 392 et 393.
5. T. W. Arnold, *The Caliphate,* London, 1965, p. 22.

après Mahomet respectivement à Abu Bakr[1] ou à Ali[2] pourrait attester, par delà les polémiques entre sunnites et shi'ites qui les sous-tendent, que ce fut bel et bien une conception affinitaire du califat qui prévalut dans un premier temps.

On se trouve ainsi dans une situation sensiblement différente de celle que nous avons cru pouvoir discerner aux origines du christianisme, encore que l'on soit en droit d'envisager que l'apparition du Ressuscité dont il avait bénéficié ait pu jouer pour Jacques un rôle légitimant plus ou moins semblable à celui que revêtit l'ancienneté de la condition de disciple d'Ali. Il nous semble en fait que c'est le devenir respectif des figures d'Ali et d'Abu Bakr dans la tradition qui peut se révéler le plus éclairant pour notre propos.

Les shi'ites font en effet remonter l'investiture d'Ali à un ensemble de documents, qu'ils scindent en textes clairs et obscurs et qui renverraient à la prédication du Prophète. Nous citerons ici l'un d'entre eux dans lequel, peu de temps avant sa mort, Mahomet aurait déclaré : « Je vais être rappelé au ciel ; je laisse au milieu de vous deux choses importantes, plus importantes l'une que l'autre, c'est le Coran et ma famille »[3]. On voit ainsi à l'œuvre un souci de réécrire l'histoire de telle sorte que le passé se trouve en harmonie avec une situation nouvelle et vienne la légitimer. C'est un procédé que nous rencontrerons encore et dont il ne faut en aucun cas négliger l'importance.

La tradition sunnite défend, quant à elle, les droits d'Abu Bakr et nous paraît, dans l'une de ses variantes, particulièrement instructive. Le récit en question met en scène le premier calife et Ali, quelques mois après la mort du Prophète, alors qu'Ali n'a toujours pas fait allégeance à Abu Bakr et lui dit :

Nous connaissons certes ta prééminence et nous savons ce que Dieu t'a accordé, et nous ne sommes jaloux d'aucune des faveurs dont Il t'a gratifié. Mais tu nous a mis devant un fait accompli sans nous laisser de choix alors que nous pensions avoir un certain droit en cette affaire en raison de notre parenté très proche avec l'envoyé de Dieu ».

1. W. M. Watt, Abu Bakr, le premier calife, in *Encyclopédie de l'Islam,* nouv. édit., t. I : *A-B,* Leiden, Paris, 1975, p. 112, renvoie ici à Ibn Sa'd, *Al-Tabakat al-kubra* (éd. H. Sachau *et al.*), Leyde, 1905-1940, III/1-121 et à Tabari, *Ta'rikh al-Rusul wa-al-Muluk* (éd. M. J. de Goeje *et al.*), Leyde, 1879-1901, I, 1165-1167.
2. C. Huart, Ali b. Abi Talib, p. 285, allègue à ce propos le témoignage de Buraida b. Al-Husaib qui dépend lui-même d'Abu Dharr, d'Âl Mikdad, d'Abu Sa'Id Al-Khudri, etc.).
3. Nous empruntons la traduction de ce passage à C. Huart, art. cit., p. 286. On peut noter que, pour n'être pas en reste, les sunnites inventèrent une tradition selon laquelle Mahomet avait annoncé la prééminence future des trois premiers califes, Abu Bakr, Omar et Othman (cf. A. J. Wensinck, *A Handbook of Early Muhammadan Tradition.* Alphabetically arranged, Leyde, 1927, p. 5 et 6). De fait, la seule indication de nature historique permettant d'envisager une éventuelle préférence du prophète pour un successeur réside dans la désignation d'Abu Bakr pour diriger la prière publique à Médine pendant sa dernière maladie. Elle montre que la désignation du premier calife s'inscrivit dans la logique des événements.

Le texte ajoute :

A cet instant, les yeux d'Abu Bakr se remplirent de larmes et il dit : « Par celui entre les mains duquel repose mon âme, je souhaite bien être plus en harmonie avec la parenté de l'envoyé de Dieu qu'avec ma propre parenté. » Et ce jour-là, à l'heure de midi, il déclara publiquement dans la mosquée qu'Ali n'avait commis aucune faute en ne le reconnaissant pas encore comme calife ; sur quoi Ali confirma le bon droit d'Abu Bakr et lui fit allégeance[1].

On voit ainsi s'établir une sorte de compromis entre la prééminence reconnue du disciple et les prétentions tenues pour légitimes du parent, chacun des protagonistes soulignant la haute dignité de l'autre. Le procédé nous semble assez proche de celui qui a pu présider à l'élaboration de la formule qu'on rencontre en 1 Co 15, 5-7[2].

Nous noterons enfin, revenant au shi'isme et à sa tradition, qu'elle attribue aux successeurs du Prophète le privilège de posséder une connaissance supérieure. Une valeur contraignante est en effet reconnue à l'enseignement de l'imam et des prérogatives surhumaines telles que l'impeccabilité et la connaissance des choses invisibles lui sont attribuées. Or il n'est pas indifférent de relever que de telles conceptions virent le jour en Iran et en Mésopotamie, soit sur le territoire de l'ancienne Perse qui abritait désormais la plupart des partisans d'Ali et des populations « légitimistes de droit divin par essence »[3]. Parallèlement, le sunnisme allait fleurir en Syrie et s'y couler dans un moule largement façonné par le récent passé byzantin[4]. On peut donc constater l'importance du rôle que joue le contexte géographique et politique dans lequel se développe un mouvement religieux pour comprendre son évolution. Ainsi, tant qu'il s'est mû dans un environnement étranger à l'idée d'une succession dynastique restreinte au cercle étroit des parents les plus proches, l'islam n'a pas connu de califat héréditaire. Ce n'est que dans un deuxième temps et sous d'autres cieux que de telles conceptions prévalurent. L'intérêt de cette remarque nous paraît manifeste pour notre étude puisque, nous l'avons vu, l'Eglise de Jérusalem a vu le jour sur un terrain où le principe dynastique jouait un rôle tout à fait notable.

---

1. Il est fait état de cette tradition, consignée par Muhammad Ibn Ismail Al-Bukhari, LXIV, 38, dans l'ouvrage de M. Lings, *Le prophète Muhammad. Sa vie d'après les sources les plus anciennes.* Traduit de l'anglais par J.-L. Michon, Paris, 1986, p. 409, n. 4, à qui nous avons emprunté la traduction.
2. Cf. p. 83-84.
3. C. Huart, Ali b. Ali Talib, p. 287.
4. G. Wiet, L'Islam, in *Histoire universelle,* II : *De l'Islam à la Réforme.* Volume publié sous la direction de R. Grousset et E. G. Léonard (« Encyclopédie de la Pléiade »), Paris, 1957, p. 51.

b | Les mormons[1]

Le fondateur de la religion mormone, Joseph Smith, visionnaire infatigable et bénéficiaire, comme l'avait été Mahomet, de nombreuses révélations, disparut en 1844 dans des circonstances dramatiques. Il avait déjà auparavant été victime des prétentions théocratiques qu'il avait émises pour le mouvement qu'il engendra. Elles lui avaient valu d'être chassé avec les siens successivement de Kirtland (Ohio), à Independence (Missouri) puis à Nauvoo (Illinois). C'est à proximité de cette ville, où il put organiser son Eglise sur un territoire presque entièrement autonome[2], qu'il trouva la mort, lynché dans la prison de Carthage (Illinois) à l'issue d'un conflit suscité par des adversaires, issus de son propre camp, qui ne lui pardonnaient pas la pratique — secrète — de la polygamie et qui reçurent l'appui de gentils exaspérés par ses visées macromillénaristes qui l'avaient conduit, en dernier lieu, à se porter candidat à la présidence de l'Union (des Etats-Unis). Il laissait l'Eglise-de-Jésus-Christ-des-Saints-des-Derniers-Jours dans une situation extrêmement délicate. Elle avait en effet à gérer un héritage particulièrement lourd dans la mesure où le Prophète avait, dans les dernières années de sa vie, promulgué des dogmes de plus en plus insolites, tel, outre la polygamie, le polythéisme. Ces sujets, joints à la prétention de constituer un royaume en rassemblant les Saints sur un territoire donné[3], risquaient à tout moment de provoquer un affrontement avec le pouvoir en place ou avec la population locale.

Pour succéder à Smith, trois solutions étaient envisageables :

— choisir un membre de sa famille, hypothèse qu'il avait prévue lui-même, élevant son frère Hyrum au grade de second conseiller, ce qui en faisait un héritier potentiel. Mais Hyrum était mort à ses côtés. Il ne restait donc que son propre fils, Joseph, âgé alors de douze ans seulement, dont sa veuve et sa mère tentèrent vainement de faire valoir les droits ;
— désigner Sidney Rigdon, un de ses plus anciens compagnons — il l'avait rejoint dès 1830 — mais aussi son premier conseiller, c'est-à-dire le digni-

---

1. Parmi l'abondante littérature consacrée aux mormons, nous renvoyons surtout à l'ouvrage d'E. Meyer, *Ursprung und Geschichte der Mormonen,* et à celui de G.-H. Bousquet, *Les Mormons* (« Que sais-je ? », n° 388), 2e éd. mise à jour, Paris, 1967, que nous avons dans l'ensemble suivi, parfois d'assez près.
2. Le Conseil municipal pouvait légiférer en ce qui concerne l'ordre social à la seule condition que ses ordonnances ne fussent pas opposées à la Constitution de l'Etat ou à celle de l'Union. Il n'était pas nécessaire, par contre, qu'elles fussent conformes aux lois de l'Illinois.
3. L'un des articles de foi de l'Eglise-de-Jésus-Christ-des-Saints-des-Derniers-Jours, que nous citons selon H. Desroche, *Dieux d'hommes,* p. 193, stipule encore : « Nous croyons au rassemblement littéral d'Israël et à la restauration des dix tribus. Nous croyons que Sion sera bâtie sur ce continent (l'Amérique), que Jésus-Christ régnera en personne sur la terre et que la terre sera renouvelée et recevra sa gloire paradisiaque. »

taire le plus élevé en grade, qui avait eu pourtant des différends avec lui dans les dernières années de sa vie dans la mesure où il s'était toujours opposé à la polygamie ;

— remettre tous les pouvoirs entre les mains du Conseil des Douze Apôtres, groupe puissant et prestigieux, situé, dans la hiérarchie mormone, juste après la Première Présidence constituée par le prophète-président et ses deux conseillers.

Ce fut le Conseil des Douze qui l'emporta grâce à l'énergie de son chef, Brigham Young, qui, converti en 1832, avait appartenu audit conseil dès 1835 et en était devenu président en 1841. Il ne tarda pas à accéder à la fonction suprême de prophète-président. Sa victoire fut acquise dans la fidélité aux idées de Smith, au détriment de Rigdon, qui fut bientôt exclu de la communauté[1].

Bien que fanatique, Young possédait, davantage que le fondateur du mouvement, le sens des réalités. Ainsi, quoique intransigeant sur le principe de la constitution d'un royaume, il sut négocier avec les autorités du Missouri l'évacuation de Nauvoo, ce qui permit à ses partisans d'aller s'installer, loin des gentils, en Utah, dans le désert proche du grand lac Salé où ils purent s'organiser, dès le mois de juillet 1847, en un véritable Etat théocratique.

La découverte de l'or californien en 1848, qui mit fin à leur isolement en transformant leur refuge en lieu de passage, la promulgation officielle de la polygamie en 1852, la persistance de l'organisation théocratique furent autant de facteurs qui incitèrent finalement le président de l'Union, James Buchanan, à réagir en 1857. Il destitua Young de son poste de gouverneur de l'Utah et les troupes fédérales pénétrèrent et se fixèrent dans le territoire en 1858. Un premier pas était accompli qui entérinait la prééminence du pouvoir civil. Le second serait franchi, plus tard, en 1890, quand Wilford Woodruff ravala la polygamie et la constitution d'un Etat théocratique au rang de réalités dernières. Désormais, le mouvement reconnaissait la souveraineté de l'Etat et se trouvait en conformité avec ses lois. L'affirmation d'un macromillénarisme intransigeant avait fait place à une attitude plus réaliste, mais aussi plus confortable. Le système théocratique qui avait vu le jour à partir de la prophétie d'origine de Smith avait réintégré la société civile et se trouvait rangé sous la bannière de l'Union.

Il apparaît cependant de plus en plus qu'une large fraction de la communauté fut, dès l'origine, réfractaire aux deux principes de la polygamie et de la théocratie et préconisa une organisation qui devait se conformer au modèle de l'Eglise primitive plutôt qu'à celui de l'Exode et de la conquête d'une terre promise. Ces gens se regroupèrent peu à peu pour constituer, en 1860, autour de Joseph Smith, fils du Prophète, l'Eglise réorganisée qui prône que

1. Nous avons suivi ici l'analyse d'E. Meyer, *Ursprung und Geschichte der Mormonen,* p. 184-187.

la présidence du mouvement revient de droit à la famille Smith. Une conception dynastique y prévaut donc.

Même dans l'Eglise officielle, des descendants du frère du Prophète, Hyrum, parvinrent, mais après le tournant opéré en 1890, aux responsabilités les plus hautes : son fils, Joseph F. Smith, présida à la destinée du mouvement de 1901 à 1918 ; son petit-fils, Georges Albert, fit de même de 1942 à 1951. Auparavant, une conception affinitaire avait été de mise puisque les premiers successeurs de Young, John Taylor et Wilford Woodruff, avaient compté parmi les plus zélés compagnons du Prophète.

Il nous semble possible, au terme de ce panorama historique, de suggérer, avec toutes les précautions qui s'imposent, un parallèle avec l'évolution qu'a connue l'Eglise primitive de Jérusalem. A partir d'une situation semblable à l'origine à celle du christianisme naissant, à savoir l'émergence d'un mouvement nouveau dans le cadre d'une religion constituée — respectivement le judaïsme et le christianisme — on voit, en effet, s'affirmer très vite, chez les mormons, deux grandes tendances dont l'une, plus longtemps fidèle aux aspects radicaux du message du fondateur, fait confiance à ses disciples pour faire fructifier l'héritage reçu, tandis que l'autre, bien plus prudente, se trouve davantage en sécurité auprès des membres de sa famille.

Face à ce qui pourrait s'avérer une similitude fort instructive, l'islam peut faire figure, à première vue, de contre-exemple. En effet, en affirmant le double principe de l'impeccabilité de l'imam et de sa connaissance des choses invisibles, le shi'isme lui reconnaît une certaine capacité d'innovation que le sunnisme n'attribuait pas au calife puisque ce dernier n'était qu'un chef temporel. Succession dynastique et conformisme ne vont donc pas ici de pair. Mais il importe en fait d'apporter quelques précisions. Le cas du shi'isme est en effet particulier par rapport à ceux du christianisme primitif et de l'Eglise mormone réorganisée, dans la mesure où les héritiers d'Ali, tout comme les sunnites d'ailleurs, virent très vite leurs revendications tendant à la domination universelle se concrétiser grâce aux succès militaires acquis. Ils se trouvaient donc en position de force, leur souveraineté étant établie sur une portion donnée de territoire. On conçoit donc que la dynastie shi'ite ait cherché à s'assurer un pouvoir fort qui lui permettrait d'innover. Il n'y avait pas de risque majeur à cela. Si l'on considère par contre quelles étaient les situations respectives de l'Eglise primitive de Jérusalem et du mouvement mormon réorganisé, on constate une grande différence. Les premiers chrétiens installés dans la ville sainte ne songeaient encore qu'à se faire une place, certes la plus grande possible, au sein du judaïsme contemporain ; quant aux mormons légitimistes, ils avaient renoncé aux prétentions macromillénaristes de l'Eglise officielle. Dans les deux cas, il importait donc de fournir des gages de bonne volonté au pouvoir en place. Or on peut se demander s'il n'est pas plus aisé de vivre le conformisme qui résulte d'une telle situation dans les catégories de domination traditionnelle qu'illustre, par excellence, une conception héréditaire du charisme. Le critère de la naissance y revêt une importance décisive et il exprime déjà, en soi, une continuité et une proximité avec le fondateur. Ainsi, même si certains aspects de la prophétie d'origine sont gommés, une légitimité est conférée aux dirigeants. Par ailleurs, les fidèles qui leur sont attachés, eux-mêmes relativement modérés, trouvent leur compte dans une telle situation puisque leur conformisme s'avère, en retour, légitimé.

c | Le kimbanguisme

La vie de Simon Kimbangu eut pour cadre le Congo belge (actuel Zaïre). Elle s'articule en deux parties autour du « semestre effervescent », qui, de mars à septembre 1921, devait donner son impulsion au mouvement. En deçà, s'étend la période de « vie cachée » à N'Kamba (1889-1921), localité qui se trouve à proximité du fleuve Zaïre, à une centaine de kilomètres en aval de Kinshasa ; au-delà, celle de la « servitude pénale perpétuelle » à Elisa-bethville[1], actuelle Lubumbashi, ville située à plus de 1 500 km de là, dans le sud-est du pays, et dans laquelle il devait mourir en 1951. Il paraît établi que, pendant son bref ministère, il n'envisagea pas d'édifier une Eglise ni de fon-der une nouvelle religion[2]. Ses disciples le saluèrent cependant très vite comme un prophète et, tandis qu'il s'enfonçait lentement vers la mort dans le silence de sa geôle, la mémoire de son œuvre et de sa personne fut entretenue par son épouse, Marie-Mwilu, avec laquelle restèrent en contact de nombreux adeptes, même si d'autres n'hésitèrent pas à voler de leurs propres ailes[3]. Le problème de la succession ne se posa réellement qu'à la disparition de Simon Kimbangu, encore qu'auparavant M'Padi, personnage qui entre brusquement en scène après avoir été expulsé de l'Eglise baptiste en 1937, se fût posé en continuateur de son œuvre, revêtant, pour les besoins de la cause, le double prénom de Simon (comme Kimbangu) - Pierre (à l'image de l'apôtre). Ne tardant pas à inquiéter l'administration belge, il fut toutefois arrêté et interné pendant vingt ans (fin 1939 - mai 1960)[4] ce qui l'élimina de la compétition. L'héritage échut ainsi au troisième fils du prophète, Joseph Diangienda, qui n'avait pourtant que trois ans au moment de la période d'effervescence. La chose n'allait pas de soi et l'on aurait pu imaginer que quelque disciple ayant

1. Nous avons emprunté les expressions figurant entre guillemets dans notre texte à H. Desroche, D'un Evangile à une Eglise. Note sur le kimbanguisme et la diversité de ses images, *ASRel* 31, 1971, p. 7-9, qui propose, dans ces quelques pages, une esquisse très claire du développement du kimbanguisme.
2. Sur tous ces points, H. Desroche, P. Raymaekers, *ASSR* 42, 1976, p. 137, qui s'appuient sur l'étude de F. M'Vuendi, *Le kimbanguisme, de sa fondation à nos jours* (Thèse de 3ᵉ cycle, Paris, FLSH, EPHE, 5ᵉ section, 1969-1970), p. 114 et 134.
3. On consultera à ce propos S. Asch, *L'Eglise du prophète Kimbangu*, p. 32-33, qui présente brièvement les principaux parmi ces mouvements satellites tels le ngoun-zisme (1935), le salutisme (1936-1938) et le mpadisme (1939-1946).
4. Pour de plus amples détails sur M'Padi, on se reportera à M. Sinda, *Le messia-nisme congolais*, p. 115-117, et à A. Geuns, *JRA* 6, 1974, p. 208-210.212.218.

accompagné Kimbangu durant cette période et subi par la suite des décennies de relégation eût fait valoir ses droits[1]. Or il n'en fut apparemment rien. Toutefois — il convient de le relever — différentes traditions sont ici en concurrence.

Selon la première, le prophète aurait fait part de sa préférence à Emmanuel Bamba qui avait été son compagnon de prison à Elisabethville. Ce dernier aurait transmis le message suivant :

> Tata Diangienda est le Mvuala qui a été choisi par Notre Seigneur pour continuer la tâche que Dieu a confiée à Simon Kimbangu. Pendant que j'étais en prison, j'ai demandé à Tata (père prophète) de me dire qui prendra la tête de l'Eglise ; sa réponse était claire et nette : « Notre Seigneur m'a dit que c'est Joseph Diangienda qui doit continuer son œuvre. »[2]

La commentant, H. Desroche ajoute :

> Si le fait était avéré, c'est donc le *compagnon* Emmanuel Bamba qui aurait été la cheville ouvrière de cette mutation ecclésiastique dont le *fils,* Joseph Diangienda, allait devenir le maître d'œuvre. Toujours est-il que ce jumelage allait permettre de faire l'économie d'une dichotomie qui aurait pu... opposer une Eglise affinitaire et une Eglise dynastique. Il est probable enfin que le symbole et le prestige de Mama Mwilu, *disciple* et *épouse* du prophète, auront catalysé l'opération[3].

Il convient toutefois d'apposer une réserve à cette analyse. Elle concerne l'application du terme *compagnon* à Bamba. Ce dernier semble n'avoir rencontré Kimbangu que dans sa prison et n'avoir pas participé à l'épopée fondatrice. Même Simon M'Padi, dont il a été question plus haut, n'avait pas partagé ces heures glorieuses. Un manque manifeste de compagnons véritables et dotés d'une personnalité forte apparaît donc. Dans ce contexte, la remarque de Desroche sur le rôle qu'a pu jouer Mama Mwilu prend tout son sens. Il a dû, de fait, être essentiel.

La seconde tradition fait état d'un discours d'adieu du prophète qui, avant son arrestation, aurait béni sa femme et ses enfants et aurait, par la même occasion, ordonné à son aîné, Charles, alors âgé de sept ans et sur qui repose ce témoignage, de s'occuper de la famille et prédit que Joseph Diangienda prendrait la tête du mouvement. Cette dernière décision aurait été confirmée à l'intéressé lui-même lors d'une visite qu'il aurait rendue au Prophète dans sa prison en 1950. Cette version des faits nous est livrée par M. L. Martin[4]. Or, même si elle ne prend pas la peine de le préciser, elle est elle-même membre de l'Eglise kimbanguiste légitimiste, l'EJSCK (Eglise de Jésus sur la Terre par le prophète Simon Kimbangu), dont elle brosse en fait l'histoire officielle. Elle s'en remet, pour ce faire, aux opinions de la hiérar-

1. Ainsi H. Desroche, P. Raymaekers, *ASSR* 42, 1976, p. 138.
2. Nous citons cette tradition selon H. Desroche, P. Raymaekers, *ibid.*
3. H. Desroche, P. Raymaekers, *ibid.*
4. M. L. Martin, *Kimbangu,* p 79 et 80.

chie[1] et, bien sûr, de la famille du Prophète qui l'a hébergée et qu'elle a l'élégance de remercier chaleureusement[2].

Du coup, on a peine à la suivre quand elle récuse « l'assertion selon laquelle Bamba aurait exercé une influence décisive sur Joseph Diangienda en le persuadant de prendre la tête du mouvement kimbanguiste »[3]. Elle vise en fait une troisième tradition dont la teneur est la suivante : au cours d'un entretien avec le Prophète, Bamba se serait vu intimer l'ordre de rejoindre ses trois fils et d'œuvrer avec eux à l'évolution de l'Eglise[4]. M. L. Martin ajoute aussitôt qu' « il semble plutôt qu'Emmanuel Bamba ait désiré prendre lui-même le mouvement en main »[5]. Elle étaie cette affirmation en rappelant que Bamba fonda, en 1962, sa propre Eglise, le Salut de Jésus-Christ par le témoin Simon Kimbangu, et en expliquant qu'il recherchait les honneurs du monde[6].

Il est certes vraisemblable qu'un différend soit apparu avec le troisième fils sur les questions de primauté, mais le contentieux a pu porter également sur l'ecclésiologie ou la politique ecclésiastique et être ramené, pour des raisons apologétiques, à une querelle de personnes. En effet, sous la houlette de Joseph Diangienda, l'*EJSCK* a cherché, depuis le début des années 1960, à la fois à se rapprocher des autres dénominations chrétiennes, effort qui a été couronné par son admission au sein du Conseil œcuménique des Eglises en 1969, et à entretenir de bonnes relations avec l'Etat, ce qui lui a valu d'être proclamée en 1971 la troisième Eglise officielle du Zaïre. Mais, ce faisant, le mouvement a perdu la dimension politique qu'il comportait à l'origine, à une époque, il est vrai, où la colonisation était de mise et où le pouvoir était entre les mains des Blancs, situation qui n'a plus cours depuis 1959[7]. Il s'est rapproché aussi des Eglises protestantes, c'est-à-dire du creuset où il est né, tout en sachant que leur bienveillance à son égard est essentiellement subordonnée à l'affirmation que Jésus-Christ est sauveur et, partant, à une relative prudence dans les spéculations concernant la personne de Simon Kimbangu[8]. Cette

1. Nous devons ces informations à A. Droogers, Kimbanguism at the Grass Roots. Beliefs in a Local Kimbanguist Church, *JRA* 11, 1980, p. 188. S. Asch, *L'Eglise du prophète Kimbangu*, p. 122, précise d'ailleurs que M. L. Martin a été chargée d'élaborer le contenu de la doctrine kimbanguiste officielle lorsqu'elle est devenue directrice de l'Ecole de Théologie kimbanguiste.
2. M. L. Martin, *Kimbangu*, p. 12-14.
3. M. L. Martin, *op. cit.*, p. 119.
4. Cette version des faits est reproduite par S. Asch, *L'Eglise du prophète Kimbangu*, p. 37, qui la doit à une publication du Centre de Recherche et d'Information sociopolitique (CRISP), Le kimbanguisme, in *Courrier africain du CRISP*, n° 47, 8 janvier 1960, Bruxelles, p. 9.
5. M. L. Martin, *Kimbangu*, p. 119.
6. M. L. Martin, *op. cit.*, p. 120.
7. Nous faisons nôtres ici les remarques de M. Sinda, *Le messianisme congolais*, p. 130-131.
8. On pourra se reporter en ce sens au résumé du rapport de J. Bertsche, Kimbanguism : A Challenge to Missionary Statesmanship, *Congo Mission News* 209, 1965, p. 24-29 et 210, 1965, p. 23-29, que propose S. Asch, *L'Eglise du prophète Kimbangu*, p. 119.

double évolution vers le conformisme ne fut pas du goût de tous et, se réclamant de l'intransigeance du mouvement à son origine, nombreux furent ceux, parmi lesquels Bamba, qui rompirent avec Joseph Diangienda après avoir collaboré avec lui.

Il y a là, nous semble-t-il, une nouvelle illustration du fait que le mode de succession héréditaire peut, mieux que tout autre, dans une situation où un groupe religieux en devenir se trouve dépourvu de toute participation aux instances de pouvoir et éventuellement à leur merci, engendrer ou apporter une caution à un processus qui garantit sa bonne intégration. Il ne met pourtant pas le mouvement à l'abri des menées de contestataires qui refusent de s'accommoder du processus de latence charismatique qui résulte d'une telle évolution.

Mais revenons aux traditions concurrentes en présence. La première et la troisième ont toutes les chances de remonter à l'époque de la collaboration étroite entre les deux hommes, Bamba et Joseph Diangienda. Il nous semble donc manifeste que la seconde est la plus récente. Elle dépouille en effet Bamba de toute importance alors qu'il paraît avoir joué, dès 1947, un rôle essentiel dans l'itinéraire de Joseph Diangienda en l'incitant à effectuer le pèlerinage à N'Kamba, patrie du Prophète[1]. Elle pourrait, par conséquent, être née du désir de la famille de se démarquer d'un ancien allié devenu un rival gênant.

Une tendance se fait ainsi jour qui vise à légitimer le principe d'une succession dynastique en l'ancrant dans la vie du prophète. Il nous semble, et nous voudrions ainsi ouvrir une piste de réflexion, qu'un phénomène assez semblable a pu se produire quand il s'agit d'asseoir les prétentions de la famille de Jésus. Deux faits, dans la tradition, nous paraissent apporter quelque appui à cette hypothèse.

C'est d'abord l'existence du récit de la protophanie dont aurait bénéficié Jacques :

> Quand le Seigneur eut donné son suaire au serviteur du prêtre, il se rendit auprès de Jacques et lui apparut. Car Jacques avait juré de ne plus prendre de pain depuis cette heure où il avait bu la coupe du Seigneur, jusqu'à ce qu'il l'eût relevé du sommeil des morts.
> « Apportez, dit le Seigneur, la table et le pain. » Aussitôt il prit le pain, le bénit, le rompit et en donna à Jacques le juste, lui disant : « Mon frère, mange ton pain puisque le fils de l'Homme est ressuscité d'entre les dormants. »[2]

Ce texte attribue rétrospectivement à Jacques la qualité de disciple, tout comme la seconde tradition relative à la succession de Simon Kimbangu

---

1. Cette information est reproduite par A. Geuns, *JRA* 6, 1974, p. 211. Il la doit au *Courrier africain du CRISP,* n° 47, 1960, p. 9, et à R. Cornevin, *Histoire du Congo Léopoldville-Kinshassa des origines préhistoriques à la République démocratique du Congo* (« Mondes d'outre-mer », série : Histoire), Paris, 1966, p. 225.
2. Jérôme, *De viris inlustribus* 2. Nous reproduisons la traduction que propose F. Quéré dans le recueil, *Evangiles apocryphes,* p. 56.

pourrait l'avoir fait au profit de Joseph Diangienda en inventant une rencontre du prophète et de son fils dans la prison d'Elisabethville. Il confère en
effet au frère du Seigneur la qualité de participant à la dernière Cène et substitue aux épisodes du reniement et de la fuite des Douze, que narrent les évangiles canoniques, son attente persévérante de la résurrection de Jésus. Certes,
il ne remonte sans doute pas en deçà de la première moitié du second siècle[1],
mais il ne peut être exclu qu'il marque une tendance qui était apparue plut tôt
au sein même de l'Eglise de Jérusalem une fois celle-ci passée sous le contrôle
de Jacques.

Parallèlement, les récits de l'enfance pourraient remonter, dans leur
fond, à cette période. Tel est du moins l'avis de K. Schubert qui pense que
le motif de la conception virginale aurait compté parmi les arguments qui
jouèrent en faveur de l'ascension de Jacques à la tête de l'Eglise de Jérusalem[2]. Il explique ainsi son point de vue : « Si dans cette famille s'est produit un miracle divin aussi extraordinaire, les membres de la famille ont
aussi des droits et des devoirs particuliers dans la communauté de celui qui
fut l'un des leurs. »[3] Il ajoute qu' « on peut donc présenter au moins
comme hypothèse l'opinion que l'affirmation de la conception virginale de
Jésus avait été propagée dans la communauté par les parents de Jésus qui
s'étaient agrégés à elle »[4].

Quoi que l'on pense de ces dernières suggestions, il nous semble que les
parallèles envisagés corroborent l'hypothèse selon laquelle l'ascension, à première vue étonnante, de Jacques à la tête de l'Eglise jérusalémite fournit une
illustration assez remarquable des vertus du charisme héréditaire.

Tirant profit du prestige dont ce dernier jouissait dans la Palestine de
l'époque et de l'aura que l'apparition du Ressuscité dont il avait été témoin
lui conférait, mais bénéficiant aussi de la prudence à laquelle la communauté
jérusalémite était astreinte sous peine de représailles, on peut imaginer, en
effet, que Jacques représenta de plus en plus aux yeux des membres de
l'Eglise mère qui, dans leur grande majorité, n'avaient pas connu Jésus et
avaient été ralliés non par l'autorité prophétique du Maître mais par le
kérygme de la Résurrection, la caution de leur conformisme. Son lien de
parenté avec le Nazaréen suffisait, de fait, à légitimer ce conformisme, dans la
mesure où il l'affichait lui-même, alors que ceux qui avaient côtoyé son frère
ne s'en avérèrent pas, à l'usage, des garants suffisants.

---

1. En ce sens, P. Vielhauer, *Geschichte der urchristlichen Literatur. Einleitung in das Neue Testament, die Apokryphen und die Apostolischen Väter,* Berlin, New York, 1975, p. 661.
2. K. Schubert, *Jésus à la lumière du judaïsme du Ier siècle.* Traduit de l'allemand par A. Liefooghe (*LeDiv* 84), Paris, 1984, p. 39.
3. *Ibid.*
4. *Ibid.*

VI – ET APRÈS ?

Le devenir de Pierre après qu'il eut quitté Jérusalem nous entraîne dans des zones d'ombre où il s'avère bien difficile de se repérer. En dehors du témoignage de 1 Co 9, 5, qui vient confirmer qu'il se consacrait désormais à l'activité missionnaire, et de l'attestation de sa venue et de son martyre à Rome[1], qui peuvent être tenus pour des informations solides[2], on en est réduit à émettre des conjectures plus ou moins vraisemblables[3]. Encore faut-il ajouter que la date même de l'arrivée de Céphas dans la capitale de

1. Clément de Rome, *Épître aux Corinthiens* 5, 4 ; *Ascension d'Esaïe* 4, 2-3 ; *Apocalypse de Pierre* (fragment Rainer) ; Ignace d'Antioche, *Lettre aux Romains* 4, 3 ; Denis de Corinthe, cité par Eusèbe de Césarée, *HE*, II, 25, 8 ; Irénée, *Aduersus Haereses*, III, 1, 1 ; 3, 2-3 ; *Fragment de Muratori*, ligne 37 ; *Actes de Pierre* 35-40 ; Tertullien, *De praesciptione haereticorum* 36 ; *Scorpiace* 15 ; *Aduersus Marcionem*, IV, 5 ; Gaius, cité par Eusèbe de Césarée, *HE*, II, 25, 7 ; Clément d'Alexandrie, *Hypotyposes*, cité par Eusèbe de Césarée, *HE*, VI, 14, 5-7... On n'omettra pas non plus le témoignage de Jn 21, 18-19 sur le supplice de Pierre, ni l'indication probable, en faveur de son séjour à Rome, de 1 P 5, 13, dans la mesure où, avec Eusèbe de Césarée, *HE*, II, 15, 2, et la majorité des critiques, il faut sans doute discerner dans la mention de Babylone une allusion à la capitale de l'Empire. Cette interprétation se recommande tout particulièrement du fait que la désignation métaphorique de Rome à travers le nom de la métropole mésopotamienne est fréquemment attestée par ailleurs dans les écrits juifs et chrétiens (Ap 14, 8 ; 16, 19 ; 17, 5 ; 18, 2.10.21 ; *Oracles sibyllins*, V, 143.159 ; *2 Baruch* 11, 1 ; 67, 7). Notons enfin que 1 P 5, 1 contient peut-être une allusion voilée au martyre de l'apôtre, ce qui ne saurait surprendre vu que l'écrit émarge parmi les pseudépigraphes (cf. n. 3 de cette même page).
2. Sur ce point, O. Cullmann, *Saint Pierre*, p. 61-137.
3. Nous préciserons ici que, avec la majorité des auteurs, nous considérons que la *Première épître de Pierre* est un pseudépigraphe. Parmi les arguments qui sont évoqués à l'appui de ce point de vue, les suivants nous semblent revêtir le plus de poids : il paraît invraisemblable que Céphas ait possédé la maîtrise du grec qu'affiche l'auteur de l'épître et qu'il ait cité systématiquement l'Ancien Testament en suivant la *Septante* ; l'image qui nous est fournie de lui est bien moins celle de l'apôtre (1, 1) que celle du témoin, du presbytre, du pasteur (5, 1-4) que nous livrent à son sujet d'autres écrits de la fin du Ier siècle, tel Jn 21, 15-19 ; le paulinisme de la lettre peut inviter à y voir un écrit de conciliation destiné à consolider l'héritage paulinien sous le couvert de l'autorité de Pierre, de Marc et de Silvain (5, 12-13) ; enfin, comme l'a pertinemment relevé M.-A. Chevallier, Condition et vocation des chrétiens en diaspora, *RevSR* 48, 1974, p. 388, les questions qui sont posées sont celles de la deuxième génération chrétienne dans la mesure où la fièvre eschatologique s'est estompée (1, 3-5 ; 2, 2) et où il apparaît clairement que « les chrétiens ne vivent plus dans l'orbite et sous la relative protection du judaïsme, lequel était reconnu dans l'Empire comme *religio licita* » et qu' « ils doivent donc trouver leur place originale dans la société au milieu de laquelle ils vivent ». Sur le fait, encore plus largement reconnu, que la *Deuxième épître de Pierre* est également un pseudépigraphe, on consultera, parmi la littérature récente, D. Falkasfalvy, The Ecclesial Setting of Pseudepigraphy in Second Peter and its·Role in the Formation of the Canon, *Second Century* 5, 1985-1986, p. 3-29 ; T. V. Smith, *Petrine Controversies*, p. 65-101 (surtout p. 65-66 et 100-101), et E. Fuchs, P. Reymond, *La deuxième Épître de saint Pierre. L'Épître de saint Jude*, p. 30-37.

l'Empire, sans doute peu antérieure à celle de sa mort[1], et les circonstances exactes de son trépas lors des persécutions néroniennes demeurent bien difficiles à préciser.

Sur le dernier point, O. Cullmann a proposé, à partir du témoignage de l'*Epître aux Corinthiens* de Clément de Rome, une ingénieuse hypothèse. Il est question, dans les chapitres 4 à 6 de cette lettre, adressée à une Eglise dans laquelle « chacun marche selon les convoitises de son cœur dépravé, possédé de cette jalousie *(zèlos)* injuste et impie par laquelle "la mort est entrée dans le monde" »[2], des ravages effectués par cette jalousie à la fois dans l'histoire vétérotestamentaire (chap. 4) et dans le passé récent (chap. 5 et 6). Sept illustrations démontrent ses méfaits dans chacune de ces deux périodes. Parmi les exemples contemporains, Clément choisit notamment ceux de « Pierre, qui par suite d'une jalousie injuste *(dia zèlon adikon)* a supporté tant de souffrances — non pas une ou deux ! — et qui après avoir rendu témoignage s'en est allé au séjour de gloire qui lui était dû »[3], et de Paul, lui aussi victime « de la jalousie et de la discorde *(zèlos et eris)* » (5, 5)[4].

Dans cet ensemble remarquablement construit, l'influence des procédés de la rhétorique cynico-stoïcienne est aisément décelable[5], et reconnue d'ailleurs par O. Cullmann[6], qui ne dénie pas pour autant, contrairement à d'autres auteurs, tout intérêt historique et biographique à la notice relative à Pierre et à Paul[7]. Il discerne de fait dans la mention de la jalousie, qui apparaît par ailleurs comme le *leitmotiv* des chapitres 3 à 6 puisqu'elle y revient à non moins de seize reprises, une indication précieuse quant aux circonstances tra-

1. Certains auteurs envisagent que Simon se soit rendu dans la capitale de l'Empire sous le règne de Claude (ainsi R. Pesch, *Simon Petrus,* p. 77, et les critiques qui interprètent Ac 12, 17 en fonction d'un départ précoce de l'apôtre vers les rives du Tibre [cf. n. 1, p. 285]), voire qu'il y ait séjourné pendant vingt-cinq ans, conformément aux indications de Jérôme, *De viris inlustribus* 1 (en ce sens A. S. Barnes, *Christianity at Rome in the Apostolic Age,* London, 1938, p. XII.13.24). La fragilité de leur point de vue est soulignée par R. E. Brown, *in* R. E. Brown, J. P. Meier, *Antioch and Rome,* p. 98. Il relève à juste titre qu'il paraît exclu que Pierre soit déjà venu à Rome antérieurement à la rédaction de l'*Epître aux Romains* dans laquelle il n'est pas cité. Avec lui et bien d'autres, il paraît plus sage d'envisager que Simon ne s'est rendu dans la ville aux sept collines que peu de temps avant sa mort.
2. Clément de Rome, *Epître aux Corinthiens* 3, 4 (cité selon la traduction d'A. Jaubert *in* Clément de Rome, *Epître aux Corinthiens,* p. 105).
3. Clément de Rome, *Epître aux Corinthiens* 5, 4 (cité d'après A. Jaubert, in *op. cit.,* p. 109).
4. Les tribulations de l'apôtre des gentils sont décrites plus en détail que celles de Céphas aux versets 6 et 7.
5. Ainsi déjà E. Dubowy, *Klemens von Rom über die Reise Pauli nach Spanien. Historisch-kritische Untersuchung zu Klemens von Rom : 1 Kor. 5, 7* (« Biblische Studien », 19/3), Freiburg in Breisgau, 1914, p. 10-16.
6. O. Cullmann, *Saint Pierre,* p. 86.
7. Ainsi notamment J. Cambier, Deux études sur Clément de Rome, *RHE* 63, 1968, p. 425, et R. Pesch, *Simon Petrus,* p. 116.

giques dans lesquelles les deux apôtres trouvèrent la mort[1]. Ils auraient été victimes, comme à présent les Corinthiens, « de la jalousie de gens qui se considéraient comme membres de l'Eglise chrétienne »[2]. De manière plus précise, Cullmann pense que Pierre aurait succombé à la suite de différends survenus entre lui et « ses mandants jérusalémites ou leurs subordonnés trop zélés »[3] et des tensions qui s'étaient exacerbées, parmi les chrétiens de Rome, depuis l'arrivée de Paul[4]. Dans ces conditions, certains jaloux, « sommés durant la persécution de faire connaître aux autorités les dirigeants de l'Eglise, n'auraient pas craint d'obéir »[5].

Cette hypothèse trouverait une confirmation dans le témoignage de Tacite selon lequel, lors des menées de Néron contre les chrétiens de la capitale, « on convainquit [de christianisme] les premiers arrêtés, qui avouaient, puis, sur leurs indications, une grande foule (...) »[6]. Elle se recommanderait également de Mt 24, 10 : « Ils se livreront les uns les autres »[7], et de Ph 1, 15-17, passage dans lequel Paul stigmatise ceux qui annoncent le Christ « dans un esprit d'envie *(phtonos)* et de discorde *(eris* et *eritheia)* »[8].

La suggestion de Cullmann a recueilli l'adhésion d'assez nombreux auteurs[9] et, même s'il est bien difficile d'affirmer en toute assurance que le moule dans lequel Clément a coulé sa notice relative aux deux apôtres ne lui a pas fourni également le motif de la jalousie[10], il faut convenir, nous semble-t-il, que cette hypothèse n'est nullement invraisemblable, et cela pour deux raisons essentiellement.

Tout d'abord, l'Eglise romaine, dont les origines demeurent mysté-

1. O. Cullmann, Les causes de la mort de Pierre et de Paul d'après le témoignage de Clément Romain, *RHPhR* 10, 1930, p. 294-300 ; Id., *Saint Pierre,* p. 87-96.
2. O. Cullmann, *op. cit.,* p. 90.
3. O. Cullmann, *op. cit.,* p. 93.
4. O. Cullmann, *op. cit.,* p. 94.
5. O. Cullmann, *op. cit.,* p. 94-95.
6. Tacite, *Annales,* XV, 44 (traduction empruntée à O. Cullmann, *op. cit.,* p. 95).
7. O. Cullmann, *op. cit.,* p. 95.
8. O. Cullmann, *op. cit.,* p. 92. Même si l'hypothèse qui situe la rédaction de l'*Epître aux Philippiens* à Ephèse, voire à Césarée, est beaucoup plus vraisemblable que celle qui la place à Rome et que défend O. Cullmann, *ibid.,* il n'en demeure pas moins que le passage incriminé illustre que la prédication de certains pouvait n'être pas dépourvue de malveillance. D'autre part, les termes employés par Paul pour stigmatiser l'action de ces personnages évoquent curieusement ceux qui reviennent sous la plume de Clément de Rome. Le parallèle peut donc être intéressant même s'il concerne des événements qui n'ont eu lieu ni au même endroit ni en même temps.
9. Ainsi E. Molland, Petrus in Rom, *ThLZ* 62, 1937, p. 443-444 ; A. Fridrichsen, « Propter Invidiam ». Note sur Clém. V, *Eranos* 44, 1946, p. 161-174 ; A. Gilg, Die Petrusfrage im Lichte der neuesten Forschung, *ThZ* 11, 1955, p. 191-193 ; D. W. O'Connor, *Peter in Rome. The Literary, Liturgical and Archeological Evidence,* New York, 1969, p. 81 ; R. E. Brown, *in* R. E. Brown, J. P. Meier, *Antioch and Rome,* p. 124-125.
10. A. Jaubert, *in* Clément de Rome, *Epître aux Corinthiens,* n. 5, p. 30-31, et n. 3, p. 108, et T. V. Smith, *Petrine Controversies,* p. 4, se montrent également très prudents.

rieuses et ont fait l'objet de bien des hypothèses[1] parmi lesquelles celles qui privilégient une fondation judéo-chrétienne[2] se recommandent notamment du fait que Paul s'entoure de moult précautions pour justifier sa venue dans la capitale (Ro 15, 20-24) où il va fouler un terrain sur lequel d'autres que lui ont œuvré les premiers (Ro 15, 20)[3], pouvait offrir, de par la variété de ses composantes, un terrain approprié à d'éventuelles querelles. La manière dont le Tarsiote s'adresse aux bien-aimés de Dieu (Ro 1, 7) qui la formaient ne laisse planer aucun doute sur le fait que judéo- et pagano-chrétiens s'y côtoyaient désormais[4] et l'exhortation qu'il exprime en 15, 7 (« Accueillez-vous les uns les autres comme le Christ vous a accueillis ») pourrait prendre tout son sens sur l'arrière-plan d'une « Eglise » éclatée, constituée en fait de groupes largement indépendants

1. F. J. F. Jackson, *Peter, Prince of the Apostles : A Study in the History and Tradition of Christianity,* New York, 1927, p. 196, est un des représentants de la plus simple, qui n'entre pourtant pas seule en ligne de compte : les juifs de Rome censés avoir été présents à Jérusalem lors de la Pentecôte (Ac 2, 10) se seraient empressés de rapporter l'Evangile dans la capitale. Pour E. Ruckstuhl, *SNTU* 11, 1986, p. 124-125, des émigrants et des missionnaires judéo-chrétiens seraient venus, de la ville du Temple, sans doute durant les années quarante, prêcher l'Evangile dans les synagogues juives de Rome. D. Zeller, *Römer,* p. 11-12, penche pour sa part en faveur d'un processus totalement informel puisqu'il estime que les premiers chrétiens romains furent des croyants qui, pour des raisons profanes, s'installèrent sur les bords du Tibre. J. D. G. Dunn, *Romans 1-8* (Word Biblical Commentary, 38A), Dallas, 1988, p. XLVI-XLVII, opère pour sa part une synthèse des avis illustrés par Jackson et Zeller. Quelle que soit la solution que l'on retient, il faut sans doute se garder de privilégier trop exclusivement l'axe Jérusalem-Rome, et ce malgré les liens bien attestés entre les juifs des deux métropoles (voir les témoignages rassemblés par R. E. Brown, *in* R. E. Brown, J. P. Meier, *Antioch and Rome,* p. 95-97). L'hypothèse de R. E. Brown, *op. cit.,* p. 104, et d'E. Ruckstuhl, art. cit., p. 127, selon laquelle l'Eglise romaine serait en quelque sorte une communauté fille de celle de la ville sainte, est rendue très problématique par la précocité de l'apparition de la chrétienté romaine, qu'il faut à tout le moins faire remonter dans le cours des années quarante (cf. J. D. G. Dunn, *op. cit.,* p. XLVIII-XLIX, qui insiste à juste titre sur les précieuses indications que fournissent Suétone, *Vita Claudii* 25, 4 : « Claude chassa les juifs de Rome [l'épisode doit sans doute être replacé en l'an 49 de notre ère], qui, sous l'impulsion de Chrestos [sous les traits de qui il convient selon toute vraisemblance de reconnaître le Christ], ne cessaient de faire de l'agitation », et Ac 18, 2, qui relate qu'Aquilas et Priscille, dont on peut penser qu'ils étaient déjà chrétiens à ce moment-là puisque leur conversion n'est pas décrite à l'occasion de leur entrée en relation avec Paul [Ac 18, 2-3], figurèrent au nombre des expulsés). A cette époque, l'Eglise jérusalémite n'avait sans doute pas encore entrepris les campagnes missionnaires systématiques qu'elle mena un peu plus tard pour contrer les initiatives de Paul (cf. p. 303-307).
2. Ainsi M. Hengel, *NTS* 18, 1971-1972, p. 24 ; R. E. Brown, *in* R. E. Brown, J. P. Meier, *Antioch and Rome,* p. 104 ; E. Ruckstuhl, art. cit., p. 124-126 ; J. D. G. Dunn, *op. cit.,* p. XLVI.
3. O. Cullmann, *Saint Pierre,* p. 94, a justement insisté sur ce point.
4. La manière dont, d'entrée, le Tarsiote fait se succéder une confession de foi dont l'empreinte judéo-chrétienne est manifeste (Ro 1, 3-4) et un rappel de sa vocation à évangéliser les païens au nombre desquels il range les destinataires de sa missive (Ro 1, 5-6) est ainsi révélatrice. Par ailleurs la problématique païens-juifs traverse l'ensemble de la lettre et y est évoquée en de nombreux endroits (1, 14-16 ; 2, 9-10.25-27 ; 3, 9-29 ; 4, 9-12 ; 9, 23-24 ; 10, 12 ; 11 ; 15, 7-12).

les uns des autres[1]. Fidèle à ses habitudes, Paul aurait voulu inviter ces communautés domestiques[2] à poser des actes manifestant leur unité fondamentale[3].

Il n'est pas évident dans ce cadre, et c'est là le deuxième argument en faveur d'éventuelles dissensions, que la présence simultanée de Paul et de Pierre à Rome ait contribué à l'instauration de l'harmonie que l'apôtre des gentils appelait de ses vœux.

Pierre était en effet, dans l'œuvre évangélisatrice qui constituait depuis son départ de Jérusalem son champ d'activité, le représentant par excellence de la mission judéo-chrétienne, entreprise qui relevait du domaine de l'Eglise mère ainsi que l'avait entériné l'accord de Ga 2, 7-9[4]. Sa marge de manœuvre était sans doute étroite puisque, assumant une tâche qui ressortissait au charisme de fonction, il ne pouvait impunément modifier les règles du jeu en se prévalant d'un charisme personnel privé[5]. L'incident d'Antioche avait d'ailleurs montré à quoi il s'exposait dans ce cas. Il se trouvait donc lié, si la reconstitution que nous avons proposée est exacte, par le décret apostolique dans l'exercice de sa mission. Cela ne l'autorisait assurément pas à cautionner la large union que préconisait Paul, et il est pensable que des dissensions soient apparues, d'autant qu'à sa droite il a pu se trouver dépassé par des judéo-chrétiens qui ne partageaient pas la compréhension relativement ouverte du décret qu'il pourrait avoir, nous semble-t-il, défendue.

Il nous apparaît en effet que le témoignage des lettres pauliniennes jette peut-être quelque lumière sur le point de vue de Pierre. De fait, nous avons vu déjà, à propos de *1 Corinthiens* et de l'*Epître aux Galates,* que les adversaires de Paul se réclamaient volontiers de l'autorité de Céphas[6], si bien que l'on peut se demander dans quelle mesure leur attitude s'inspirait de la sienne. Cependant, comme les personnages dont le Tarsiote dénonce l'intrusion dans les communautés qu'il a fondées ne paraissent pas avoir eu le même pro-

---

1. La *TOB. Nouveau Testament,* p. 444-445, parle pour sa part d'une « Eglise largement divisée ». Le fait que les synagogues de Rome étaient elles-mêmes assez nombreuses (H. J. Leon, *The Jews of Ancient Rome* [The Morris Loeb Series], Philadelphia, 1960, p. 170, en compte au moins onze) et dépourvues, à l'inverse de celles d'Alexandrie, d'une organisation générale qui les eût dotées d'un conseil et d'un ethnarque communs destinés à les représenter face au pouvoir (ainsi W. Wiefel, Die jüdische Gemeinschaft und die Anfänge des römischen Christentums, *Judaica* 26, 1970, p. 71-75, et H. J. Leon, *ibid.*) constitue un indice non négligeable en faveur de l'hypothèse selon laquelle les communautés domestiques qui constituaient l' « Eglise » romaine et dont il sera question à la note suivante entretenaient des relations qui n'étaient pas exemptes d'une certaine distance (on consultera également, sur cette question, l'étude de R. Penna, Les juifs à Rome au temps de l'apôtre Paul, *NTS* 28, 1982, p. 321-347).

2. Comme le relève D. Zeller, *Römer,* p. 247-248, et J. D. G. Dunn, *Romans 9-16* (Word Biblical Commentary, 38B), Dallas, 1988, p. 893.898, on trouve selon toute vraisemblance en Ro 16, 5*a*.14.15 une allusion à trois des communautés domestiques entre lesquelles se partageaient les chrétiens romains.

3. Cf. surtout 1 Co 1-4.

4. O. Cullmann, *Saint Pierre,* p. 37, l'a fort opportunément relevé.

5. Sur ces notions, cf. p. 28.

6. Cf. p. 88-90 et 122-123.

gramme dans tous les cas, il convient de faire preuve de discernement. Ainsi les opposants dont il stigmatise l'attitude en Galatie se voient-ils reprocher d'astreindre les pagano-chrétiens à observer la loi de Moïse (Ga 3, 2 ; 4, 21 ; 5, 4) et notamment à adopter la circoncision (Ga 2, 3-4 ; 5, 2 ; 6, 12), alors que ceux qu'il rencontre à Corinthe ne semblent pas avoir émis de telles exigences et s'être contentés de remettre en cause la validité de son apostolat (1 Co 9, 1-18 ; 2 Co 10-12)[1]. Leur vraisemblable modération en ce qui concerne les observances juives invite à penser qu'ils étaient plus proches de Pierre, dont ils paraissent avoir mis tout particulièrement en avant l'autorité en tant que fondement (1 Co 3, 11), que les radicaux qui sévissaient en Galatie[2].

Une étude plus attentive de la correspondance de l'apôtre des gentils avec les Corinthiens confirme, semble-t-il, cette impression.

Les chapitre 8 à 10 de la première épître ont fait ainsi l'objet d'une pénétrante analyse de T. W. Manson[3] qui s'est demandé pourquoi, sur la question de la consommation des viandes sacrifiées aux idoles qui en constitue le fil conducteur, Paul ne renvoie pas au décret apostolique, d'autant qu'il recommande finalement la même abstention que ce document (1 Co 10, 21). Ainsi qu'il l'a relevé, le Tarsiote s'efforce de fonder l'attitude qu'il préconise sur une argumentation exclusivement chrétienne[4]. Manson discerne, dans cette façon de procéder, une rebuffade : en traitant de la sorte une question qui avait été soulevée selon toute vraisemblance par le parti de Pierre, dont il est question — rappelons-le — en 1 Co 1, 12 et 3, 12, l'apôtre des gentils aurait voulu signifier qu'il n'était pas du ressort des visiteurs judéo-chrétiens de venir légiférer dans des communautés pagano-chrétiennes[5].

Pourtant, prétendre que Paul s'aligne en fait sur le décret apostolique ne rend pas justice au texte car il apparaît clairement, en 1 Co 10, 25-27, que, pour le Tarsiote, la consommation des viandes sacrifiées aux idoles est envisageable[6]. Cela n'obère en rien, nous semble-t-il, l'intuition fondamentale de Manson, selon laquelle l'apôtre des gentils s'est trouvé confronté à une oppo-

---

1. Paul eut également à répondre, rappelons-le, à des attaques sur ce point de la part de ses adversaires galates (cf. p. 122).

2. Ainsi que l'a notamment relevé G. Lüdemann, *Paulus, der Heidenapostel,* II, p. 62-63, il est possible que les attaques relatives à l'apostolat de Paul trouvent leurs racines dans l'accord conclu lors de l'assemblée de Jérusalem (Ga 2, 7-10). En effet, Paul, dans la recension qu'il en fait, ne dit pas que son propre apostolat a été reconnu en parallèle à celui de Pierre (v. 8) et on se représente mal pourquoi il aurait tu un tel fait qui eût représenté pour lui un argument de première force. On peut donc envisager qu'il a préféré, pour des raisons stratégiques, ne pas aborder cette question, sans doute parce qu'elle aurait risqué de compromettre la formule d'accord à laquelle on parvint. Ce faisant, il demeurait à la merci de fauteurs de troubles qui pouvaient se sentir autorisés à prétendre qu'il n'était pas apôtre.

3. T. W. Manson, *Studies,* p. 200-202.

4. T. W. Manson, *op. cit.,* p. 202.

5. T. W. Manson, *op. cit.,* p. 200.

6. C. K. Barrett, Things Sacrificed to Idols, *NTS* 11, 1964-1965, p. 143-144, relève justement ce fait.

sition qui cherchait à promouvoir l'observance du décret apostolique, mais montre bien que son point de vue ne saurait être assimilé à celui des adversaires qu'il s'efforçait de contrer et qu'il est tentant de relier à une contre-mission placée sous l'égide de Pierre et suivant Paul à la trace pour miner son autorité[1].

Les liens de cette opposition avec Jérusalem nous paraissent confirmés par 2 Co 10, 13-16, passage dans lequel Paul nous semble se référer, nous l'avons dit, à l'accord relatif au partage des champs missionnaires conclu dans la ville sainte (Ga 2, 7-9) tout en reprochant à ses adversaires de ne pas s'y être tenus[2]. D'ailleurs, l'aspect relativement laborieux de la controverse entre le Tarsiote et ses opposants dans l'ensemble des chapitres 10 et 11 de la *Deuxième épître aux Corinthiens,* qui recèlent le texte que nous venons d'alléguer, trouve son explication la plus plausible dans le fait que, conscient de la grande influence qu'exerçait Céphas sur la communauté corinthienne, l'apôtre des gentils a préféré ne parler qu'à mots couverts[3].

Il nous apparaît donc fort vraisemblable que les rivaux auxquels s'en prend Paul en *1* et *2 Corinthiens* étaient les représentants d'une mission jérusalémite[4] qui se recommandait tout spécialement de Pierre sans pratiquer de surenchère particulière par rapport à ce que l'on peut imaginer avoir été l'at-

---

1. Ainsi C. K. Barrett, art. cit., p. 150. Comme l'ont noté cet auteur et, avant lui, T. W. Manson, in *Studies,* p. 200-201, 1 Co 9 apparaît tout à fait à sa place dans un tel contexte : attaqué sur son propre terrain, Paul, placé en situation critique, défend ardemment à la fois son statut d'apôtre et sa méthode missionnaire que l'opposition avait certainement remis en question pour introduire une discipline différente de la liberté fondamentale qu'il prônait. On peut penser que Paul a été attaqué notamment à propos de son refus de se faire entretenir. Ainsi que l'a relevé C. K. Barrett, Paul's Opponents in II Corinthians, *NTS* 17, 1970-1971, p. 245-246, le fait que, en 1 Co 9, 1-18 ; 2 Co 11, 5-11 et 2 Co 12, 11-18, l'argumentation du Tarsiote repose sur un plan identique qui lui permet successivement de défendre qu'il est pleinement apôtre (1 Co 9, 1-5 ; 2 Co 11, 5 ; 12, 11-12) même s'il ne se fait pas rétribuer (1 Co 9, 4. 6 ; 2 Co 11, 7 ; 12, 13) et de s'expliquer sur ce dernier point (1 Co 9, 7-14 ; 2 Co 11, 8-11 ; 12, 14-18) corrobore une telle hypothèse. Par ailleurs, comme l'avait déjà discerné H. Lietzmann, *An die Korinther,* I, II (*HNT* 9), 2. Auflage, Tübingen, 1923, p. 41, il se pourrait que Paul ait mis tout particulièrement en relief l'attitude de Pierre en 1 Co 9, 5 parce qu'on avait fait valoir son exemple, en opposition au sien, comme celui du véritable apôtre (dans le même sens, G. Lüdemann, *Paulus, der Heidenapostel,* II, p. 114).
2. Cf. n. 2, p. 90.
3. Cf. M. Hengel, *Acts,* p. 98.
4. Ainsi, déjà, F. C. Baur, *Paulus,* I, p. 259-332 (spécialement p. 287.309.313-314), et bien d'autres après lui, parmi lesquels G. Lüdemann, *Paulus, der Heidenapostel,* II, p. 101-143 (tout particulièrement p. 141-143, l'argumentation se trouvant pour sa part résumée p. 162-163), qui a montré la force qui demeure celle de cette thèse. Les critiques qu'elle ne parvient pas à convaincre voient dans les adversaires que l'apôtre affronte soit des gnostiques (ainsi, déjà, W. Lütgert, *Freiheitspredigt und Schwarmgeister in Korinth. Ein Beitrag zur Charakteristik der Christuspartei* [*BFChTh* 12/3], Gütersloh, 1908), soit des judéo-chrétiens hellénistiques (en ce sens D. Georgi, *Die Gegner des Paulus im 2. Korintherbrief* [*WMANT,* XI], Neukirchen, Vluyn, 1964). Ces auteurs, dont les conclusions portent essentiellement sur 2 Co, ne nous semblent pas tenir suffisamment compte des indications fournies par 2 Co 10, 13-16.

titude préconisée par Céphas, comme nous aurons l'occasion d'y revenir après un bref détour par l'*Epître aux Galates*.

Il nous semble, en effet, que les exigences spécifiques des adversaires envers lesquels le Tarsiote se montre sans pitié dans cette lettre s'expliquent par le fait qu'ils appliquaient le décret apostolique d'une manière différente de leurs homologues corinthiens. De fait, si nous avons raison de considérer que les quatre clauses édictées à Jérusalem avaient pour but de conférer un statut de craignant-Dieu aux pagano-chrétiens sans nullement les hisser au rang de prosélytes[1], on comprend aisément que des propagandistes judéo-chrétiens aient pu, tout en s'y tenant, faire entendre aux gentils convertis dans le cadre de la mission paulinienne qu'ils demeuraient des croyants de seconde zone et leur laisser miroiter la possibilité d'acquérir un rang égal à leurs frères d'origine juive en recourant à la circoncision et en observant la Loi.

Ce qui paraît étonnant, en fait, c'est que telle n'ait pas été l'attitude des opposants corinthiens de Paul. Nous serions enclin à nous demander, encore que ce ne puisse guère être là davantage qu'une conjecture, faute de documents permettant d'appuyer une telle suggestion, s'ils n'ont pas prôné une lecture relativement ouverte du décret et considéré que la communauté de table était possible dans la mesure où les pagano-chrétiens qui respectaient les quatre clauses venaient se joindre au repas des judéo-chrétiens. Cela garantissait que les règles de pureté alimentaire fussent respectées et le risque, craint par les rabbins, que les convives d'origine païenne détournent le vin proposé aux fins de libations n'était pas à redouter puisque l'on avait affaire à des convertis[2].

Il ne nous semble pas exclu que les milieux judéo-chrétiens à l'origine des écrits pseudo-clémentins aient conservé le souvenir d'une telle commensalité « à sens unique ». Ils n'envisageaient, sur la base du décret apostolique, l'éventualité de repas avec les gentils convertis qu'une fois ces derniers baptisés[3]. Mais un passage des *Reconnaissances* indique peut-être que cette communion était conçue dans le sens d'une participation des nouveaux croyants à la table de leurs frères juifs. On y lit ceci :

Chacun a (...) le pouvoir de fixer un temps plus court ou plus long pour sa pénitence, et ainsi c'est à vous de déterminer quand vous désirez venir à *notre* table, et non pas à nous, à qui il n'est pas permis de manger en compagnie de quelqu'un, s'il n'a pas été baptisé. C'est vous qui nous privez de *votre* compagnie, si vous ajournez votre purification et tardez à vous faire baptiser[4].

1. Cf. p. 268-274.
2. Cf. p. 258.
3. Cf. E. Molland, in *Opuscula patristica*, p. 25-59. Ajoutons que M. Hengel, in *Glaube und Eschatologie*, p. 94, nous semble avoir fait un pas en direction d'une telle hypothèse en soulignant que la commensalité avec des pagano-chrétiens devait être envisageable, à Jérusalem, dans la mesure où il était garanti que ces règles étaient observées dans la ville sainte.
4. *Reconnaissances pseudo-clémentines*, II, 72 (traduction empruntée à E. Molland, art. cit., p. 43).

Ce texte est cependant susceptible d'être interprété de manière plus large et, en l'absence d'autres témoignages qui pourraient corroborer la lecture que nous en avons proposée, il convient de demeurer extrêmement prudent. Toutefois, la piste sur laquelle nous nous sommes engagé présente, nous semble-t-il, l'intérêt de suggérer l'existence possible d'une voie médiane entre l'interprétation stricte du décret qui ne pouvait, selon nous, qu'inciter les pagano-chrétiens à judaïser comme l'illustre l'*Epître aux Galates,* et la liberté prônée par Paul. Pierre s'est-il fait le champion d'une telle solution intermédiaire ? Il est impossible de l'affirmer avec certitude mais il ne faudrait pas non plus l'exclure trop rapidement. Cependant, ici comme sur bien d'autres points, notre information demeure trop lacunaire pour que l'on puisse avancer un point de vue qui ne soit pas sujet à caution.

De la même manière, on pourra discuter longuement encore pour savoir si, en dehors des missionnaires qui se réclamaient de son autorité, Céphas s'est rendu lui-même à Corinthe[1]. Le seul point qui paraisse établi avec une très grande vraisemblance est, nous l'avons dit, sa venue à Rome où, si l'hypothèse que nous avons proposée avait quelque validité, on comprendrait fort bien que des jalousies soient survenues au sein de la communauté.

Il est assez aisé d'imaginer en effet que, après l'arrivée de Paul dans la capitale de l'Empire, les représentants de la mission judéo-chrétienne jérusalémite se sont empressés d'aller vérifier sur place s'il ne commettait pas de nouveaux débordements. Or, comme ils relevaient sans doute de différentes tendances au sein de l'Eglise mère[2], ainsi que l'illustre l'exemple, que nous venons d'étudier, des crises galate et corinthienne, il n'est nullement exclu que des polémiques aient vu le jour et que les tensions se soient exacerbées, chacun s'efforçant de faire prévaloir son point de vue. Il se pourrait d'ailleurs que la mort toute récente de Jacques ait encore stimulé l'ardeur des judéo-chrétiens les plus durs, soucieux de ne pas voir leur prépondérance remise en question par la disparition de celui qui était apparu jusque-là comme le chef de leur parti.

Quoi qu'il en soit, il faut reconnaître que, même s'ils furent « peut-être opposés l'un à l'autre à bien des reprises durant leur carrière et jusqu'à leur

---

1. Parmi les auteurs qui jugent une telle venue pour le moins vraisemblable, nous mentionnerons E. Meyer, *Ursprung und Anfänge des Christentums,* III, p. 441, n. 1, et H. Lietzmann, Die Reisen des Petrus, in *Sitzungsberichte der Berliner Akademie der Wissenschaften,* 1930, p. 153-156, qui se sont faits les champions de cette thèse et ont également plaidé en faveur de l'intervention de Céphas en Galatie. Parmi les critiques qui se montrent d'un avis contraire, nous citerons M. Goguel, *RHPhR* 14, 1934, p. 461-500, et K. Romaniuk, Le problème de l'activité missionnaire de saint Pierre à Corinthe, *CoTh* 46, 1976, p. 123-125. Le point de vue le plus mesuré et sans doute le plus sage est celui d'O. Cullmann, *Saint Pierre,* p. 48, qui dresse le constat suivant : « On n'a le droit, ni d'affirmer, ni de nier, que Pierre soit venu à Corinthe ; on peut seulement considérer la chose comme possible. »

2. G. Lüdemann, *Paulus, der Heidenapostel,* II, p. 103-165 (résumé, p. 162-165), l'a bien montré.

dernière heure, l'un comme l'autre s'efforçant de regrouper les chrétiens de Rome sous sa seule direction, Pierre et Paul furent réunis dans la mort »[1].

Ce fait, auquel allait s'ajouter le bouleversement considérable que suscitèrent la guerre juive et, en l'an 70 de notre ère, la ruine de Jérusalem qui priva le judaïsme tout entier de son Temple et aussi de son centre et, en son sein, le mouvement chrétien de son Eglise mère[2], permit un retournement de situation assez étonnant. Il servit en effet de prélude à l'établissement d'un rapprochement entre les deux apôtres[3]. Il allait permettre à une tradition, largement fidèle à l'héritage paulinien, tout en se montrant prête à quelques compromis, et qui allait faire office de fer de lance dans le processus qui aboutit à la naissance du christianisme en tant que religion indépendante, de se rassembler sous leur double bannière[4]. Cependant, d'autres milieux, qui n'avaient pas perdu tout espoir de convaincre une fraction importante du peuple juif désorienté par les événements qui venaient de se produire, se réclamèrent de Pierre pour prôner une attitude beaucoup plus conservatrice[5].

Mais de telles considérations nous entraînent au-delà du champ de notre enquête qu'il est désormais possible de conclure.

1. E. Trocmé, in *Histoire des religions,* II, p. 220.

2. Sur l'importance de ce bouleversement, on se reportera notamment à l'étude fort suggestive d'E. Trocmé, *ETR* 49, 1974, p. 15-29.

3. Outre l'intérêt des témoignages de Clément de Rome, *Epître aux Corinthiens* 5, 3-5, et d'Ignace d'Antioche, *Lettre aux Romains* 4, 3, que l'on peut tenir pour des attestations plus ou moins transparentes de leur martyre commun, on peut relever l'importance de celui de Denis de Corinthe, cité par Eusèbe de Césarée, *HE,* II, 25, 8, qui parle de leur action conjuguée à la fois à Corinthe et à Rome jusqu'à leur supplice simultané.

4. Comme le note E. Trocmé, *ETR* 49, 1974, p. 22-23, ce mouvement, illustré notamment par l'auteur à Théophile qui fait de l'activité évangélisatrice de Paul à l'endroit des païens le prolongement d'un processus initié par les Douze et tout particulièrement par Pierre, est représenté également par la littérature deutéro-paulinienne au sein de laquelle la *Première épître de Pierre* peut apparaître aussi comme un écrit de conciliation destiné à réunir l'héritage des deux apôtres (cf. n. 3, p. 299). Cette frange du mouvement chrétien prit conscience du fait que sa rupture avec le judaïsme était consommée. Comme elle considéra qu'elle ne devait pas être remise en question, on comprendra qu'elle ait contribué largement au processus qui conduisit à la définition du christianisme en tant que religion autonome. Si, dans un premier temps, le radicalisme paulinien fut parfois mis quelque peu sous le boisseau — l'auteur à Théophile accepte ainsi selon toute vraisemblance l'autorité du décret apostolique dont ne se serait certainement pas accommodé le Tarsiote même dans l'interprétation très ouverte qui en est désormais proposée (les clauses représentent le minimum auquel est appelé à se tenir l'ensemble des chrétiens) — la publication des lettres de l'apôtre des gentils contribua à consacrer la victoire, au sein de ces milieux, d'une réflexion marquée par l'affirmation d'une christologie hardie et le refus d'un retour à la Loi (cf. E. Trocmé, art. cit., p. 23).

5. On aura un aperçu de ce phénomène en se reportant aux considérations qui précèdent aux p. 282-284 et qui portent à la fois sur le témoignage de l'*Evangile de Matthieu* et sur celui des écrits pseudo-clémentins.

CONCLUSION

Au terme de cette étude, nous voudrions, tout en demeurant conscient de la valeur relative des résultats auxquels nous sommes parvenu, reprendre quelques-unes des hypothèses que nous avons formulées afin de retracer brièvement quels nous paraissent avoir été l'itinéraire de Pierre en compagnie de l'Eglise primitive de Jérusalem et l'évolution de son autorité en son sein.

Dans une première phase, consécutive aux événements de Pâques, l'installation des disciples de Jésus à Jérusalem provoqua une profonde réorientation du mouvement macromillénariste suscité par le Nazaréen. La constitution d'une fraternité organisée selon un modèle largement teinté d'essénisme et tournée vers la parousie prochaine du Fils de l'Homme lui conféra en effet des allures micromillénaristes. Mais cette forme d'organisation permit à la communauté, qui avait rompu avec le culte sacrificiel considérant que ce dernier avait été rendu obsolète par la venue et la mort de Jésus, de se doter, à l'abri des regards, d'une ecclésiologie très hardie. Elle revendiqua le privilège d'être le Nouveau Temple au sein duquel les prérogatives réservées traditionnellement au grand prêtre se trouvaient exercées tout particulièrement par Céphas que l'on reconnaissait mandaté pour cela (Mt 16, 18-19). Paré d'une autorité juridico-charismatique quasi absolue (Ac 5, 1-11 ; 8, 20-21), le prince des apôtres, auréolé du prestige que lui conféraient ses qualités de premier parmi les Douze et de bénéficiaire d'une apparition du Ressuscité dont ses partisans défendaient l'antériorité par rapport aux autres, apparaissait comme le chef naturel d'un groupe à la tête duquel il représentait la lignée des disciples.

Le retard de la parousie, les difficultés économiques qui surgirent, la dynamique centrifuge qu'insuffla l'expulsion des hellénistes hors de la ville sainte furent autant de phénomènes qui concoururent à l'abandon de ce premier modèle d'organisation. Cet échec relatif n'entama pas réellement l'autorité de Pierre même s'il contribua sans doute à favoriser l'ascension de Jacques qui, en sa qualité de frère du Seigneur, allait se poser en rival dans une Palestine où le mode de succession dynastique se trouvait paré d'une grande légitimité. La dimension symbolique du modèle ecclésiologique initial fut conservée par delà la substitution de la métaphore des colonnes à celle du fondement. De même, l'intense effort de réflexion christologique qui avait eu cours dès les commencements fut poursuivi. Il aboutit à la mise en valeur du kérygme de la Croix et de la Résurrection sous de multiples formes qui correspondaient à des auditoires et à des modes d'expression distincts. Il s'accompagna d'une relecture de certains épisodes de la vie de Jésus en fonction des grandes fêtes juives et sous l'angle de l'accomplissement des promesses encloses dans l'Ecriture. Elle fut un moyen d'affirmer que l'histoire sainte venait de connaître son étape décisive dans l'attente de la parousie et d'offrir aux pèlerins qui affluaient à Jérusalem à l'occasion des trois grandes fêtes annuelles et qu'avait convaincus la prédication missionnaire une liturgie propre. Parallèlement, l'un ou l'autre épisode de la vie de la communauté, à commencer par son récit de fondation qui fut placé sous le sceau de la nouvelle alliance, purent être interprétés à la lumière des fêtes de pèlerinage. Il en alla ainsi d'une libération de prison de Pierre. Signe que l'on ne se contentait plus d'attendre le retour du Seigneur et que l'on était persuadé qu'il était aussi possible de faire dans le présent l'expérience de sa présence secourable, un tel processus révèle que la révision des espérances eschatologiques ne suscita pas de bouleversements considérables.

Plus sensibles se révélèrent les choix devant lesquels l'Eglise primitive de Jérusalem ne tarda pas à se trouver placée par les agissements des hellénistes. Renouant de manière ouverte avec la prédication offensive de Jésus à l'endroit du Temple et de la Loi, facettes de son message que la communauté primitive s'était contentée de réserver à l'usage interne suscitant un phénomène de latence charismatique qui ne fut pas de leur goût, ces radicaux obligèrent l'Eglise mère à se situer face au macromillénarisme qu'ils prônaient. Elle était contrainte, pour conserver son rôle central, de leur emboîter de quelque manière le pas mais aussi, pour préserver sa propre existence, de ne pas enfreindre l'orthopraxie juive.

Par delà l'accord conclu lors de l'assemblée de Jérusalem, qui aurait dû, du point de vue des Jérusalémites, confiner les Antiochiens aux seuls païens mais qui ne fut pas appliqué de cette manière par ceux qui avaient été reconnus responsables de la mission aux gentils, l'incident d'Antioche fournit l'occasion d'une explication décisive. Paul refusa de céder à la pression des émissaires de Jacques au nom du charisme personnel prophétique dont il se proclamait détenteur. Pierre, quant à lui, s'inclina et échoua dans sa tentative ultérieure de convaincre le frère du Seigneur et son parti — dont les absences de Jérusalem que lui occasionnait son activité missionnaire avaient favorisé la mainmise sur l'Eglise mère — de la légitimité de sa conduite. Cette dernière était fondée pourtant, elle aussi, sur une révélation et s'inscrivait assez logiquement dans le prolongement de la prophétie d'origine délivrée par Jésus. Mais en faire la norme eût exposé l'Eglise jérusalémite, privée de toute participation aux instances de pouvoir et contrainte de ménager la susceptibilité du parti pharisien pour ne pas encourir la répression, aux pires ennuis. La voie du conformisme fut donc choisie. Le décret apostolique en fut l'aboutissement. Il confirma la partition des chrétiens en deux zones, ceux d'origine païenne se voyant simplement accorder un statut conforme à celui des craignant-Dieu. Il ne leur conférait pas les mêmes droits qu'à leurs frères juifs et n'autorisait pas leur commensalité avec eux.

Si le charisme héréditaire dont pouvait se prévaloir Jacques servit, en l'occurrence, de caution au conformisme de l'Eglise mère, Céphas et, avec lui, la lignée des disciples virent leur crédit fortement dévalué en son sein. Pierre continua certes à assumer la responsabilité de la mission judéochrétienne mais dans le cadre ainsi défini, où son mandat s'apparentait à un charisme de fonction. Il est cependant possible qu'il ait promu une compréhension relativement ouverte du décret. Toutefois, il apparaît que d'autres représentants de la mission jérusalémite ont milité en faveur de sa lecture la plus stricte. On ne peut exclure qu'il ait eu maille à partir avec eux, mais aussi avec Paul, après son arrivée à Rome où leur martyre respectif finit par réunir les deux apôtres.

Si profonde que soit l'obscurité qui entoure la fin de sa vie, il faut reconnaître l'importance de la dette qu'a contractée le mouvement chrétien, tel qu'il a émergé des périodes troubles qu'avait inaugurées la persécution néronienne, envers l'œuvre qui fut réalisée sous son égide au sein de l'Eglise primitive de Jérusalem. La christologie très hardie qui fut élaborée dès les commencements fournit l'assise des constructions ultérieures. La tradition narrative, qui vit le jour très rapidement et au sein de laquelle il joue le rôle d'acteur, a trouvé une place de choix au sein des évangiles canoniques dont est par contre absente celle qui s'ébaucha sans doute autour de la figure de Jacques. Certes, sa coloration liturgique initiale s'estompa plus ou moins mais cela se comprend assez aisément puisqu'elle fut colportée sous d'autres cieux et consignée par écrit en d'autres temps. Enfin, l'ecclésiologie très haute définie autour de la communauté nouveau Temple conserva, par delà le retour qu'effectuèrent le frère du Seigneur et les siens vers le sanctuaire jérusalémite, sa pertinence et son utilité pour exprimer l'éminente dignité conférée aux communautés chrétiennes (1 Co 3, 16-17 ; 2 Co 6, 16 ; Ep 2, 21 ; 1 Pi 2, 4-10...).

Il nous semble donc légitime de penser que Pierre et l'Eglise primitive de Jérusalem ont tracé, durant la période où son autorité prévalait en son sein, une voie qui, même si elle est parfois difficile à retrouver sous les sédiments de l'histoire et à reconstituer en raison des détours qu'elle a connus, s'est avérée d'une importance majeure dans le parcours qui conduisit le mouvement chrétien à affirmer, d'un Temple à l'autre, sa spécificité.

BIBLIOGRAPHIE

En dehors des instruments de travail et de l'une ou l'autre source, nous n'avons fait figurer ici que les contributions auxquelles nous renvoyons à différents endroits au cours de notre étude et que nous avons citées d'emblée de manière abrégée.

INSTRUMENTS DE TRAVAIL

Aland K., *Vollständige Konkordanz zum griechischen Neuen Testament.* In Verbindung mit H. Bachmann und W. A. Slaby. Herausgegeben von K. Aland. Band II : *Spezial-übersichten,* Berlin, New York, 1978.

— *Vollständige Konkordanz zum griechischen Neuen Testament. Unter Zugrundlegung aller modernen kritischen Textausgaben und des Textus receptus.* In Verbindung mit H. Riesenfeld, H. U. Rosenbaum, Chr. Hannick, B. Bonsack. Neu zusammengestellt unter der Leitung von K. Aland. Band I, Teil 1 : *A-Λ,* Berlin, New York, 1983 ; Teil 2 : *M-Ω,* ibid.

Bailly A., *Dictionnaire grec-français* rédigé avec le concours de E. Egger. Edition revue par L. Séchan et P. Chantraine, 26ᵉ éd., Paris, 1963.

Bauer W., *Griechisch-deutsches Wörterbuch zu den Schriften des Neuen Testaments und der frühchristlichen Literatur,* 6., völlig neu bearbeitete Auflage (hrsg. von K. Aland und B. Aland), Berlin, New York, 1988.

Biblia Patristica. Index des citations et allusions bibliques dans la littérature patristique. 1 : *Des origines à Clément d'Alexandrie et à Tertullien,* Paris, 1975 ; 2 : *Le IIIᵉ siècle (Origène excepté),* 1977 ; 3 : *Origène,* 1980 ; 4 : *Eusèbe de Césarée, Cyrille de Jérusalem, Epiphane de Salamine,* 1987.

Blass F., Debrunner A., *Grammatik des neutestamentlichen Griechisch.* Bearbeitet von F. Rehkopf, 15. durchgesehene Auflage, Göttingen, 1979.

Braun H., *Qumran und das Neue Testament,* Band I, Tübingen, 1966 ; Band II, 1966.

Chevallier M.-A., *L'exégèse du Nouveau Testament. Initiation à la méthode* (« Le Monde de la Bible »), Genève, 1984.

Desroche H., *Dieux d'hommes. Dictionnaire des messianismes et millénarismes de l'ère chrétienne* (avec la collaboration de M. L. Letendre, M. R. Mayeux, J. Guiart, M. I. Pereira de Queiroz), Paris, La Haye, 1969.

Dictionnaire encyclopédique de la Bible. Publié sous la direction du Centre informatique et Bible. Abbaye de Maredsous. Responsables scientifiques : P.-M. Bogaert..., Turnhout, 1987.

Eliade M., *Histoire des croyances et des idées religieuses,* 3 : *De Mahomet à l'âge des Réformes* (« Bibliothèque historique »), Paris, 1983.

Encyclopédie de la Pléiade. Histoire des religions, II : *La formation des religions universelles et des religions de salut dans le monde méditerranéen et le Proche-Orient. Les religions constituées en Occident et leurs contre-courants,* volume publié sous la direction d'H.-C. Puech, Paris, 1972.

Evangelisches Kirchenlexikon. Kirchlich-theologisches Handwörterbuch (hrsg. von H. Brunotte und O. Weber), 2., unveränderte Auflage, Göttingen, 1961 (3 vol. et 1 index. Nouvelle édition en cours, vol. 1 paru en 1986).

Exegetisches Wörterbuch zum Neuen Testament (hrsg. von H. Balz und G. Schneider), Stuttgart, Berlin..., 1980-1983 (en 3 vol.).

Introduction à la Bible. Édition nouvelle, t. III : *Introduction critique au Nouveau Testament* sous la direction d'A. George et P. Grelot. Vol. 1 : *Au seuil de l'ère chrétienne,* Paris, 1976 ; vol. 5 : *L'achèvement des Ecritures,* par P. Grelot et C. Bigarré, 1977.

Jeremias Joachim, *Jérusalem au temps de Jésus. Recherches d'histoire économique et sociale pour la période néo-testamentaire.* Traduit de l'allemand par J. Le Moyne, 2ᵉ éd., Paris, 1976.

Jewish (The) People in the First Century. Historical Geography, Political History, Social, Cultural and Religious Life and Institutions, vol. 1. Edited by S. Safrai and M. Stern in co-operation with D. Flusser and W. C. Van Unnick (Compedia Rerum Iudaicarum ad Novum Testamentum), Assen, 1974 ; vol. 2, 1976.

Koester H., *Einführung in das Neue Testament im Rahmen der Religionsgeschichte und Kulturgeschichte der hellenistischen und römischen Zeit,* Berlin, New York, 1980.

Kümmel W. G., *Einleitung in das Neue Testament,* 18. durchgesehene Auflage und durch einen Literaturnachtrag ergänzte Auflage der völligen Neubearbeitung, Heidelberg, 1973.

Léon-Dufour X., *Dictionnaire du Nouveau Testament* (Livre de vie, 131), 2ᵉ éd. revue, Paris, 1975.

Lexikon für Theologie und Kirche, Zweite Auflage (hrsg. von J. Höfer und K. Rahner), Freiburg, 1957-1965 (10 vol.).

Liddel H. G., Scott R., *A Greek-English Lexicon.* Revised and Augmented Throughout by Sir H. S. Jones with the Assistance of R. McKenzie and with the Co-operation of Many Scholars. With a Supplement, Ninth edition, Oxford, 1968.

Metzger B. M., *A Textual Commentary on the Greek New Testament. A Companion Volume to the United Bible Societies' Greek New Testament,* Third Edition, London, New York, 1971 (Corrected Edition, 1975).

Morgentahler R., *Statistik des neutestamentlichen Wortschatzes,* Zürich, Frankfurt am Main, 1958.

Novum Testamentum Graece cum apparatu critico, ed. Eberhard Nestle, Erwin Nestle, K. Aland, 25. Auflage, Stuttgart, 1975.

Novum Testamentum Graece post Eberhard Nestle et Erwin Nestle communiter ediderunt K. Aland, M. Black, C. M. Martini, B. M. Metzger, A. Wikgren, apparatum criticum recensuerunt et editionem novis curis elaboraverunt K. Aland et B. Aland una cum Instituto studiorum textus Novi Testamenti Monasteriensi (Westphalia), 26. Neu bearbeitete Auflage, Stuttgart, 1979.

Religion (Die) in Geschichte und Gegenwart. Handwörterbuch für Theologie und Religionswissenschaft. Dritte, völlig neu bearbeitete Auflage in Gemeinschaft mit H. Frhr. v. Campenhausen, E. Dinkler, G. Gloege und K. E. Logstrup (hrsg. von K. Galling), Tübingen, 1957-1963 (6 vol. et 1 index).

Schmoller A., *Handkonkordanz zum Griechischen Neuen Testament,* 15. Auflage, Stuttgart, 1973.

Schürer E., *Geschichte des jüdischen Volkes im Zeitalter Jesu Christi.* Erster Band : *Einleitung und politische Geschichte,* Dritte und vierte Auflage, Leipzig, 1901 ; Zweiter Band : *Die inneren Zustände,* Dritte Auflage, 1898 ; Dritter Band : *Das Judentum in der Zerstreuung und die jüdische Literatur,* Dritte Auflage, 1898.

— *The History of the Jewish People in the Age of Jesus Christ (175 BC-AD 135).* A new english version revised and edited by G. Vermes and F. Millar. Organizing Editor M. Black, vol. I, Edinburgh, 1973 ; vol. II, 1979 ; vol. III, part 1, 1986 ; vol. III, part 2, 1987.

Strack H. L., Billerbeck P., *Kommentar zum Neuen Testament aus Talmud und Midrasch,* 2., unveränderte Auflage, München, 1954-1956 (en 6 vol.).

Strack H. L., Stemberger G., *Introduction au Talmud et au Midrash.* Traduction et adaptation française par M.-R. Hayoun (« Patrimoines. Judaïsme »), Paris, 1986.

Theologische Realenzyklopedie (hrsg. von G. Krause und G. Müller), Berlin, New York, 1977 s. (30 vol. prévus, le 18ᵉ étant actuellement en cours de parution).

Theologisches Wörterbuch zum Neuen Testament (hrsg. von G. Kittel und G. Friedrich), Stuttgart (Berlin, Köln, Mainz), 1933-1973.

Vaux R. de, *Les institutions de l'Ancien Testament,* II : *Institutions militaires. Institutions religieuses,* Paris, 1960.

Vielhauer Ph., *Geschichte der urchristlichen Literatur. Einleitung in das Neue Testament, die Apokryphen und die apostolischen Väter,* Berlin, New York, 1975.

Volz P., *Die Eschatologie der jüdischen Gemeinde im neutestamentlichen Zeitalter. Nach den Quellen der rabbinischen, apokalyptischen und apokryphen Literatur,* Hildesheim, 1966 [1934].

Wensinck A. J., *Handbook of Early Muhammadan Tradition.* Alphabetically arranged, Leiden, 1927.

TEXTES ET SOURCES

Babylonian (The) Talmud. Translated into English with Notes, Glossary and Indices under the Editorship of Rabbi Dr. I. Epstein, London, 1935-1952 (18 vol.).

Babylonische (Der) Talmud. Neu übertragen durch L. Goldschmidt, Berlin, 1929-1936 (11 vol.).

Bible (La). Ecrits intertestamentaires. Edition publiée sous la direction d'A. Dupont-Sommer et M. Philonenko (« Bibliothèque de la Pléiade »), Paris, 1987.

Bonsirven J., *Textes rabbiniques des deux premiers siècles chrétiens pour servir à l'intelligence du Nouveau Testament,* Roma, 1955.

Clément de Rome, *Epître aux Corinthiens.* Introduction, texte, traduction, notes et index par A. Jaubert (*SC* 167), Paris, 1971.

Discoveries in the Judaean Desert of Jordan, Oxford, 1955 s. (8 vol. parus).

Dupont-Sommer A., *Les écrits esséniens découverts près de la mer Morte,* 4ᵉ éd. revue et augmentée, Paris, 1980.

Eusèbe de Césarée, *Histoire ecclésiastique,* livres I-IV. Texte grec, traduction et annotation par G. Bardy (*SC* 31), Paris, 1952.

Evangiles apocryphes. Réunis et présentés par F. Quéré (« Points Sagesse », 34), Paris, 1983.

Flavius Josèphe, *Guerre des Juifs,* livre I. Texte établi et traduit par A. Pelletier, s.j. (« Collection des Universités de France »), Paris, 1975 ; t. II, livres II et III, 1980 ; t. III, livres IV et V, 1982.

Hennecke E., *Neutestamentliche Apokryphen in deutscher übersetzung,* 3., völlig neubearbeitete Auflage von W. Schneemelcher. I. Band : *Evangelien,* Tübingen, 1959 ; II. Band : *Apostolisches, Apokalypsen und Verwandtes,* 1964.

Midrash Rabbah. Translated into English with Notes, Glossary and Indices under the Editorship of Rabbi H. Freedmann and M. Simon, London, 3rd Impression, 1961.

Midrash Tehillim oder haggadische Erklärung der Psalmen. Nach der Textausgabe von S. Buber zum ersten Male ins Deutsch übersetzt und mit Noten und Quellenangaben versehen von A. Wünsche. Erster Band, Trier, 1892 ; Zweiter Band, 1893.

Neutestamentliche Apokryphen in deutscher Übersetzung (hrsg. von W. Schneemelcher), 5. Auflage der von Edgar Hennecke begründeten Sammlung. I. Band : *Evangelien*, Tübingen, 1987.

Œuvres complètes de Flavius Josèphe, traduites en français sous la direction de Th. Reinach (Publications de la Société des Etudes juives), Paris, 1900-1929.

Old (The) Testament Pseudepigrapha, vol. 1 : *Apocalyptic Literature and Testaments* (Edited by J. H. Charlesworth), London, 1983 ; vol. 2 : *Expansions of the « Old Testament » and Legends, Wisdom and Philosophical Literature, Prayers, Psalms and Odes, Fragments of Lost Judeo-Hellenistic Works*, 1985.

Textes (Les) de Qumrân traduits et annotés ** *Règle de la congrégation, Recueil des bénédictions, Interprétations de prophètes et de Psaumes, Document de Damas, Apocryphe de la Genèse, Fragments des grottes 1 et 4*, par J. Carmignac, E. Cothenet et H. Lignée, Paris, 1963.

TOB. Edition intégrale. Ancien Testament, Paris, 1975.

TOB. Edition intégrale. Nouveau Testament, Paris, 1975.

COMMENTAIRES

Albright W. F., Mann C. S., *Matthew. Introduction, Translation and Notes* (*AncB* 25), Garden City, New York, 1971.

Anderson H., *The Gospel of Mark* (*NCeB* Commentary), Softback Edition, Grand Rapids, London, 1981.

Bauernfeind O., *Die Apostelgeschichte* (*ThHK*, V), Leipzig, 1939.

Beare F. W., *The Gospel according to Matthew. A Commentary*, Oxford, 1981.

Betz H. D., *Galatians. A Commentary on Paul's Letter to the Churches in Galatia* (« Hermeneia, A Critical and Historical Commentary on the Bible »), Philadelphia, 1979.

Bonnard P., *L'Evangile selon saint Matthieu* (*CNT*, I), 2e éd. revue et augmentée, Neuchâtel, 1970.

— *L'épître de saint Paul aux Galates* (*CNT*, IX), 2e éd. revue et augmentée, Neuchâtel, 1972.

Brown R. E., *The Gospel according to John* (XIII-XXI). *Introduction, Translation and Notes* (*AncB* 29B), Garden City, New York, 1970.

Bruce F. F., *The Acts of the Apostles. The Greek Text with Introduction and Commentary*, London, 2nd ed., 1952.

— *The Epistle to the Galatians. A Commentary on the Greek Text* (*NIGTC*), Exeter, 1982.

Conzelmann H., *Die Apostelgeschichte erklärt* (*HNT* 7), Tübingen, 1963.

Cranfield C. E. B., *A Critical and Exegetical Commentary on the Epistle to the Romans* in Two Volumes. Vol. I : *Introduction and Commentary on Romans I-VIII* (*ICC*), Edinburgh, 1975 ; vol. II : *Commentary on Romans IX-VIII and Essays*, 1979.

Ernst J., *Das Evangelium nach Markus, übersetzt und erklärt* (*RNT*), Regensburg, 1981.

Fitzmyer J. A., *The Gospel According to Luke* (I-IX). *Introduction, Translation and Notes* (*AncB* 28), Garden City, New York, 1981.

— *The Gospel According to Luke* (X-XXIV). *Introduction, Translation and Notes* (*AncB* 28A), Garden City, New York, 1985.

Grundmann W., *Das Evangelium nach Matthäus* (*ThHK*, I), Berlin, 1968.

Haenchen E., *Der Weg Jesu. Eine Erklärung des Markus-Evangeliums und der kanonischen Parallelen*, 2. durchgesehene und verbesserte Auflage, Berlin, 1968.

— *Die Apostelgeschichte. Neu übersetzt und erklärt* (*KEKNT*, III), 15. Auflage, 6. durchgesehene Auflage dieser Bearbeitung, Göttingen, 1968.

Hill D., *The Gospel of Matthew* (*NCeB* Commentary), Grand Rapids, London, 1984.

Käsemann E., *An die Römer* (*HNT* 8a), 3. überarbeitete Auflage, Tübingen, 1974.

Lagrange M.-J., *Saint Paul. Epître aux Galates* (*EtBi*), Paris, 1918.

Lake K., Cadbury H. J., *The Beginnings of Christianity.* Part I : *The Acts of the Apostles* (edited by F. J. F. Jackson and K. Lake). Vol. IV : *English Translation and Commentary*, London, 1933 ; vol. V : *Additional Notes to the Commentary*, London, 1939.

Leenhardt F. J., *L'épître de saint Paul aux Romains* (*CNT*, VI), 2ᵉ éd. avec un complément, Genève, 1981.

Lietzmann H., *An die Galater* (*HNT* 10), 2. neuarbeitete Auflage, Tübingen, 1923.

— *Einführung in die Textgeschichte der Paulusbriefe an die Römer* (*HNT* 8), 3. Auflage, Tübingen, 1928.

Lightfoot J. B., *Saint Paul's Epistle to the Galatians. A Revised Text with Introduction, Notes and Dissertations*, London, New York, 1896.

Lohmeyer E., *Das Evangelium des Markus übersetzt und erklärt* (*KEKNT*, I, 2), 16. Auflage, Göttingen, 1963.

Lüdemann G., *Das frühe Christentum nach den Traditionen der Apostelgeschichte. Ein Kommentar*, Göttingen, 1987.

Lührmann D., *Der Brief an die Galater* (« Zürcher Bibelkommentare », NT 7), Zürich, 1978.

Michel O., *Der Brief an die Römer übersetzt und erklärt* (*KEKNT*, IV), 14. Auflage, 5. bearbeitete Auflage dieser Auslegung, Göttingen, 1978.

Munck J., *The Acts of the Apostles. Introduction, Translation and Notes* (*AncB* 31), First edition, Garden City, New York, 1967.

Mußner F., *Der Galaterbrief* (*HThK*, IX), Dritte, erweiterte Auflage, Freiburg, Basel, Wien, 1977.

Overbeck F., *Kurze Erklärung der Apostelgeschichte* von W. M. L. de Wette (« Kurzgefaßtes exegetisches Handbuch zum Neuen Testament », I, 4), Vierte Auflage bearbeitet und stark erweitert, Leipzig, 1870.

Pesch R., *Das Markusevangelium*, II. Teil : *Kommentar zu Kap 8, 27-16, 20* (*HThK*, II/2), Freiburg, Basel, Wien, 1977.

— *Die Apostelgeschichte*, 1. Teilband : *Apg 1-12* (*EKK*, V/1), Zürich, Einsiedeln, Köln, Neukirchen, Vluyn, 1986 ; 2. Teilband : *Apg 13-28* (*EKK*, V/2), 1986.

Roloff J., *Die Apostelgeschichte übersetzt und erklärt* (*NTD* 5), 17. Auflage, 1. Auflage dieser neuen Fassung, Göttingen, 1981.

Schille G., *Die Apostelgeschichte des Lukas* (*ThHK*, V), 2. Auflage der Neubearbeitung, Berlin, 1984.

Schlatter A., *Der Evangelist Matthäus. Seine Sprache, sein Ziel, seine Selbstständigkeit. Ein Kommentar zum ersten Evangelium*, 6. Auflage, Stuttgart, 1963.

Schlier H., *Der Brief an die Galater. Übersetzt und erklärt* (*KEKNT*, VII), 13. Auflage, 4. durchgesehene Auflage dieser Neubearbeitung, Göttingen, 1965.

— *Der Römerbrief* (*HThK*, VI), Freiburg, Basel, Wien, 1977.

Schmithals W., *Die Apostelgeschichte des Lukas* (« Zücher Bibelkommentare », NT 3, 2), Zürich, 1982.

Schneider G., *Die Apostelgeschichte*, I. Teil : *Einleitung. Kommentar zu Kapitel 1, 1-8, 40* (*HThK*, V/1), Freiburg, Basel, Wein, 1980 ; II. Teil : *Kommentar zu Kap. 9, 1-28, 31* (*HThK*, V/2), 1982.

Schweizer E., *Das Evangelium nach Markus übersetzt und erklärt* (*NTD* 1), 11. Auflage (1. Auflage dieser Bearbeitung), Göttingen, 1967.

— *Das Evangelium nach Matthäus übersetzt und erklärt* (*NTD* 2), 13. Auflage (1. Auflage dieser Bearbeitung), Göttingen, 1973.

Senft C., *La première épître de saint Paul aux Corinthiens* (*CNT*, 2ᵉ série, VII), Neuchâtel, 1979.

Taylor V., *The Gospel according to Saint Mark. The Greek Text with Introduction, Notes and Indexes*, London, 1952.

Weiser A., *Die Apostelgeschichte. Kapitel 1-12* (ÖTKNT 5/1) (« Gütersloher Taschen-bücher/Siebenstern », 507), Gütersloh, Würzburg, 1981 ;   *Kapitel 13-28* (ÖTKNT 5/2), 1985.

Wilckens U., *Der Brief an die Römer*. 1. Teilband : *Röm 1-5* (*EKK*, VI/1), Zürich, Ein-siedeln, Köln, Neukirchen, Vluyn, 1978 ; 3. Teilband : *Röm 12-16* (*EKK*, VI/3), 1982.

Zeller D., *Der Brief an die Römer übersetzt und erklärt (RNT)*, Regensburg, 1985.

Zimmerli W., *Ezechiel*. 2. Teilband : *Ezechiel 25-48* (*BKAT*, XIII/2), Neukirchen, Vluyn, 1969.

AUTRES OUVRAGES CITÉS

Aalen S., *Die Begriffe « Licht » und « Finsternis » im Alten Testament, im Spätjudentum und im Rabbinismus* (Skrifter utgitt av det Norske Videnskaps-Akademie i Oslo, Historisk-filosofisk klasse), Oslo, 1951.

Asch S., *L'Eglise du prophète Kimbangu. De ses origines à son rôle actuel au Zaïre*, Paris, 1983.

Baltensweiler H., *Die Verklärung Jesu. Historisches Ereignis und synoptische Berichte* (*AThANT* 33), Zürich, 1959.

Baur F. C., *Paulus, der Apostel Jesu Christi. Sein Leben und Wirken, seine Briefe und seine Lehre. Ein Beitrag zu einer kritischen Geschichte des Urchristentums*, 2. Auflage. Erster Theil, Leipzig, 1866.

Best E., *The Temptation and the Passion. The Markan Soteriology* (*MSSNTS* 2), Cambridge, 1965.

Blank J., *Jesus von Nazareth. Geschichte und Relevanz*, Freiburg, Basel, Wien, 1972.

Brown R. E., Donfried K. P., Reumann J., *Saint Pierre dans le Nouveau Testament*. Tra-duit de l'anglais par J. Winandy (*LeDiv* 79), Paris, 1974.

Brown R. E., Meier J. P., *Antioch and Rome. New Testament Cradles of Catholic Chris-tianity*, New York, Ramsey, 1983.

Brown R. E., *La communauté du disciple bien-aimé*. Traduit de l'anglais par F. M. Gode-froid (*LeDiv* 115), Paris, 1983.

Bultmann R., *Theologie des Neuen Testaments*, 5., durch einen Nachtrag erweiterte Auflage, Tübingen, 1965.

— *L'histoire de la tradition synoptique* suivie du complément de 1971 (G. Theissen, Ph. Vielhauer). Traduit de l'allemand par A. Malet, Paris, 1973.

Campenhausen H. Frhr. von, *Kirchliches Amt und geistliche Vollmacht in den ersten drei Jahrhunderten* (*BHT* 14), Tübingen, 1953.

Carrington Ph., *The Primitive Christian Calendar. A Study in the Making of the Markan Gospel*, vol. I : *Introduction and Text*, Cambridge, 1952.

Claudel G., *La confession de Pierre. Trajectoire d'une péricope évangélique*. Préface de Mgr Guillaume, évêque de Saint-Dié (*EtBi*, nouv. série, n° 10), Paris, 1988.

Coulot C., *Jésus et le disciple. Etude sur l'autorité messianique de Jésus* (*EtBi*, nouv. série, n° 8), Paris, 1987.

Cullmann O., *Le problème littéraire et historique du roman pseudo-clémentin. Etude sur le rap-port entre le gnosticisme et le judéo-christianisme* (*EHPhR* 23), Paris, 1930.

— *Saint Pierre, disciple, apôtre, martyr. Histoire et Théologie* (« Bibliothèque théologi-que »), Neuchâtel, Paris, 1952.

— *Christologie du Nouveau Testament* (« Bibliothèque théologique »), Neuchâtel, Paris, 1958.

— *Le salut dans l'histoire. L'existence chrétienne selon le Nouveau Testament*. Traduit de l'allemand par M. Kohler (« Bibliothèque théologique »), Neuchâtel, 1966.

— *Le milieu johannique. Sa place dans le judaïsme tardif, dans le cercle des disciples de Jésus et dans le christianisme primitif. Etude sur l'origine de l'Evangile de Jean* (« Le Monde de la Bible »), Neuchâtel, Paris, 1976.

Daniélou J., *Bible et liturgie. La théologie biblique des sacrements et des fêtes d'après les Pères de l'Eglise* (*Lex Orandi* 11), Paris, 1951.

Daniélou J., Marrou H., *Nouvelle histoire de l'Eglise*, I : *Des origines à saint Grégoire le Grand.* Introduction de R. Aubert, Paris, 1963.

Davies W. D., *The Setting of the Sermon on the Mount*, Cambridge, 1964.

Desroche H., *Sociologie de l'espérance*, Paris, 1973.

Dibelius M., *Aufsätze zur Apostelgeschichte* (hrsg. von H. Greeven) (*FRLANT* 60), 4. durchgesehene Auflage, Göttingen, 1961.

— *Die Formgeschichte des Evangeliums.* Dritte, durchgesehene Auflage mit einem Nachtrag von G. Iber (hrsg. von G. Bornkamm), Tübingen, 1959.

Dietrich W., *Das Petrusbild der lukanischen Schriften* (*BWANT,* 5. Folge. Heft 14), Stuttgart, Berlin, Köln, Mainz, 1972.

Dupont J., *Etudes sur les Actes des Apôtres* (*LeDiv* 45), Paris, 1967.

— *Nouvelles études sur les Actes des Apôtres* (*LeDiv* 118), Paris, 1984.

Frankemölle H., *Jahwebund und Kirche Christi. Studien zur Form- und Traditionsgeschichte des « Evangeliums » nach Matthäus* (*NTA* 10), Münster, 1974.

Gager J. G., *Kingdom and Community. The Social World of Early Christianity* (« Prentice Hall Studies in Religious Series »), Englewood Cliffs, 1975.

Gaston L., *No Stone on Another. Studies in the Significance of the Fall of Jerusalem in the Synoptic Gospels* (*NT. S* 23), Leiden, 1970.

Georgi D., *Die Geschichte der Kollekte des Paulus für Jerusalem* (*ThF* 28), Hamburg, Bergstedt, 1965.

Gerhardsson B., *Memory and Manuscript. Oral Tradition and Written Transmission in Rabbinic Judaism and Early Christianity* (*ASNU* 22), Uppsala, Lund, Copenhagen, 1961.

Gewalt D., *Petrus. Studien zur Geschichte und Tradition des frühen Christentums.* Inaugural-Dissertation zur Erlangung der Würde eines Doktors der Evangelisch-Theologischen Fakultät der Ruprecht-Karl-Universität zu Heidelberg, Heidelberg, 1966.

Goguel M., *Jésus et les origines du christianisme. La naissance du christianisme* (« Bibliothèque historique »), Paris, 1946.

Goppelt L., *Die apostolische und nachapostolische Zeit* (Die Kirche in ihrer Geschichte. Ein Handbuch. Hrsg. von K. D. Schmidt und E. Wolf. Band 1/A), Göttingen, Zürich, 1962.

— *Theologie des Neuen Testaments. Zweiter Teil. Vielfalt und Einheit des apostolischen Christuszeugnisses* (hrsg. von J. Roloff) (« Göttinger Theologische Lehrbücher »), Göttingen, 1976.

Goudoever J. Van, *Fêtes et calendriers bibliques,* 3ᵉ éd. revue et augmentée. Traduit de l'anglais par M.-L. Kerremans. Préface par C. A. Rijk (« Théologie historique », 7), Paris, 1967.

Goulder M. D., *Midrash and Lection in Matthew* (The Speaker's Lectures in Biblical Studies, 1969-1971), London, 1974.

Hahn F., *Christologische Hoheitstitel. Ihre Geschichte im frühen Christentum* (*FRLANT* 83), Göttingen, 1963.

— *Das Verständnis der Mission im Neuen Testament* (*WMANT* 13), Neukirchen, Vluyn, 1963.

Harnack A. (von), *Entstehung und Entwicklung der Kirchenfassung und des Kirchenrechts in den zwei ersten Jahrhunderten,* Leipzig, 1910.

Hengel M., *Eigentum und Reichtum in der frühen Kirche. Aspekte einer frühchristlichen Sozialgeschichte,* Stuttgart, 1973.

— *Die Zeloten. Untersuchungen zur jüdischen Freiheitsbewegung in der Zeit von*

Herodes I bis 70 n. Chr. (*AGSU* 1), 2. verbesserte und erweiterte Auflage, Leiden, Köln, 1976.

— *Jésus, Fils de Dieu.* Traduit de l'allemand par A. Liefooghe (*LeDiv* 94), Paris, 1977.

— *Acts and the History of Earliest Christianity,* London, 1979.

— *Studies in the Gospel of Mark,* London, 1985.

Hill M., *A Sociology of Religion,* London, 1973.

Holmberg B., *Paul and Power. The Structure of Authority in the Primitive Church as Reflected in the Pauline Epistles* (*CB. NT* 11), Lund, 1978.

Hornschuh M., *Studien zur Epistula Apostolorum* (« Patristische Texte und Studien », 5), Berlin, 1965.

Jaubert A., *La date de la Cène. Calendrier biblique et liturgie chrétienne (EtBi),* Paris, 1957.

Jeremias Joachim, *Golgotha* (Angelos. Archiv für neutestamentliche Zeitgeschichte und Kulturkunde. Heft 1), Leipzig, 1926.

— *Jésus et les païens.* Trad. franç. de J. Carrère (*CTh* 39), Neuchâtel, Paris, 1956.

— *La dernière Cène. Les paroles de Jésus.* Traduit par M. Benzerath et R. Henning (*LeDiv* 75), Paris, 1972.

— *Théologie du Nouveau Testament,* Ire partie. Traduit de l'allemand par J. Alzin et A. Liefooghe (*LeDiv* 76), Paris, 1973.

Käsemann E., *Exegetische Versuche und Besinnungen,* Erster Band, Zweite Auflage, Göttingen, 1965 ; Zweiter Band, Zweite Auflage, 1965.

— *Essais exégétiques.* Version française par D. Appia (« Le Monde de la Bible »), Neuchâtel, 1972.

Kee H. C., *Christian Origins in Sociological Perspective,* London, 1980.

Kratz R., *Rettungswunder. Motiv-, traditions- und formkritische Aufarbeitung einer biblischen Gattung* (*EHS. T* 123), Frankfurt am Main, Bern, Las Vegas, 1979.

Le Déaut R., *La Nuit pascale. Essai sur la signification de la Pâque juive à partir du Targum d'Exode XII 42* (*AnBib* 22), Rome, 1963.

Lémonon J.-P., *Pilate et le gouvernement de la Judée. Textes et monuments (EtBi),* Paris, 1981.

Léon-Dufour X., *Le partage du pain eucharistique selon le Nouveau Testament* (« Parole de Dieu »), Paris, 1982.

Loisy A., *L'Evangile et l'Eglise,* 5e éd., Paris, 1930.

Lüdemann G., *Paulus, der Heidenapostel,* Band II : *Antipaulinismus im frühen Christentum* (*FRLANT* 130), Göttingen, 1983.

Marguerat D., *Le jugement dans l'Evangile de Matthieu* (« Le Monde de la Bible »), Genève, 1981.

Martin M.-L., *Kimbangu : An African Prophet and his Church,* Oxford, 1975.

Martin-Achard R., *Essai biblique sur les fêtes d'Israël,* Genève, 1974.

Meyer E., *Ursprung und Geschichte der Mormonen mit Exkursen über die Anfänge des Islâms und des Christentums,* Halle a. S., Niemeyer, 1912.

— *Ursprung und Anfänge des Christentums. In drei Bändern.* Dritter Band : *Die Apostelgeschichte und die Anfänge des Christentums,* Stuttgart, Berlin, 1923.

Munck J., *Paulus und die Heilsgeschichte* (Acta Jutlandica. Aarsskrift for Aarhus Universitet XXVI, 1. Theologisk Serie 6), Aarhus, Kobenhavn, 1954.

Mußner F., *Petrus und Paulus, Pole der Einheit. Eine Hilfe für die Kirchen* (*QD* 76), Freiburg, Basel, Wien, 1976.

Muszynski H., *Fundament, Bild und Metapher in den Handschriften aus Qumran* (*AnBib* 61), Rome, 1975.

O'Neill J. C., *The Theology of Acts in its Historical Setting,* London, 1961.

Paul A., *Le monde des Juifs à l'heure de Jésus. Histoire politique* (*PBSB. NT* 1), Paris, 1981.

Perrot Ch., *Jésus et l'histoire* (« Jésus et Jésus-Christ », 11), Paris, 1979.

Pesch R., *Simon-Petrus. Geschichte und geschichtliche Bedeutung des ersten Jüngers Jesu Christi* (« Päpste und Päpsttum », 15), Stuttgart, 1980.

Pokorny P., *Die Entstehung der Christologie. Voraussetzungen einer Theologie des Neuen Testaments,* Stuttgart, 1985.

Pratscher W., *Der Herrenbruder Jakobus und die Jakobustradition (FRLANT* 139), Göttingen, 1987.

Quesnel M., *Baptisés dans l'Esprit. Baptême et Esprit Saint dans les Actes des Apôtres (LeDiv* 120), Paris, 1985.

Rad G. von, *Théologie de l'Ancien Testament,* II : *Théologie des traditions prophétiques d'Israël.* Traduit en français par A. Goy, Genève, 1965.

Resurrexit. Actes du Symposium sur la résurrection de Jésus (Rome, 1970). Edition préparée par E. Dahnis, s.j., Città del Vaticano, 1974.

Riesenfeld H., *Jésus transfiguré. L'arrière-plan du récit évangélique de la Transfiguration de Notre-Seigneur (ASNU* 16), Lund, Kobenhavn, 1947.

Riesner R., *Jesus als Lehrer. Eine Untersuchung zum Ursprung der Evangelien-Überlieferung (WUNT,* 2. Reihe, 7), Tübingen, 1981.

Ritschl A., *Die Entstehung der altkatholischen Kirche. Eine kirchen- und dogmengeschichtliche Monographie,* 2. Auflage, Bonn, 1857.

Saint Pierre dans le Nouveau Testament. Ouvrage publié sous la direction de R. E. Brown, K. P. Donfried et J. Reumann (*LeDiv* 79), Paris, 1974.

Sandmel S., *Judaism and Christian Beginnings,* New York, 1978.

Saulnier Ch. avec la collaboration de C. Perrot, *Histoire d'Israël,* III : *De la conquête d'Alexandre à la destruction du Temple (331 a.C.-135 a.D.),* Paris, 1985.

Schmidt Hans, *Der Heilige Fels in Jerusalem. Eine archäologische und religionsgeschichtliche Studie,* Tübingen, 1933.

Schmidt Karl Ludwig, *Der Rahmen der Geschichte Jesu. Literarkritische Untersuchungen zur ältesten Jesusüberlieferung,* Berlin, 1919.

Schweizer E., *Jesus Christus im vielfältigen Zeugnis des Neuen Testaments* (« Siebenstern, Taschenbuch », 126), Zweite, durchgesehene Auflage, München, Hamburg, 1970.

Simon M., *Le christianisme antique et son contexte religieux. Scripta Varia,* vol. I (*WUNT* 23), Tübingen, 1981.

Simon M., Benoît A., *Le judaïsme et le christianisme antique d'Antiochus Epiphane à Constantin* (« Nouvelle Clio ». L'histoire et ses problèmes, 10), 2ᵉ éd. mise à jour, Paris, 1985.

Simonis W., *Jesus von Nazareth. Seine Botschaft vom Reich Gottes und der Glaube der Urgemeinde. Historisch-kritische Erhellung der Ursprünge des Christentums,* Düsseldorf, 1985.

Sinda M., *Le messianisme congolais et ses incidences politiques — kimbanguisme, matsouanisme, autres mouvements — précédé de « Les Christ noirs » par R. Bastide* (« Bibliothèque historique »), Paris, 1972.

Smith T. V., *Petrine Controversies in Early Christianity (WUNT,* 2. Reihe, 15), Tübingen, 1985.

Stuhlmacher P., *Das paulinische Evangelium,* I : *Vorgeschichte (FRLANT* 95), Göttingen, 1968.

Theißen G., *Le christianisme de Jésus. Ses origines sociales en Palestine.* Traduit de l'allemand et présenté par B. Lauret (« Relais Desclée », 6), Paris, 1978.

— *Studien zur Soziologie des Urchristentums (WUNT* 19), Tübingen, 1979.

Trocmé E., *Le « Livre des Actes » et l'histoire (EHPhR* 45), Paris, 1957.

— *La formation de l'Evangile selon Marc (EHPhR* 57), Paris, 1963.

— *Jésus de Nazareth vu par les témoins de sa vie* (« Bibliothèque théologique »), Neuchâtel, 1971.

— *The Passion as Liturgy. A Study in the Origin of the Passion Narratives in the Four Gospels,* London, 1983.

Vielhauer Ph., *OIKODOMÈ. Das Bild vom Bau in der christlichen Literatur vom Neuen Testament bis Clemens Alexandrinus* (Diss.), Karlsruhe, Durlach, 1939.

Vouga F., *A l'aube du christianisme. Une surprenante diversité,* Aubonne, 1986.

Weber Max, *Wirtschaft und Gesellschaft. Grundriss der verstehenden Soziologie. Mit einem Anhang. Die rationalen und soziologischen Grundlagen der Musik,* Vierte, neu herausgegebene Auflage, besorgt von J. Winckelmann, *1. und 2. Halbband,* Tübingen, 1956 (= pour le premier tome, *Economie et société,* t. Ier [« Recherches en sciences humaines », 27], Paris, 1971).

Wilson S. G., *The Gentiles and the Gentile Mission in Luke-Acts* (*MSSNTS* 23), Cambridge, 1973.

ARTICLES ET CONTRIBUTIONS INCLUSES
DANS DES RECUEILS OU DES OUVRAGES COLLECTIFS

Abogunrin S. O., The Three Variant Accounts of Peter's Call : A Critical and Theological Examination of the Texts, *NTS* 31, 1985, p. 587-602.

Achtemeier P. J., An Elusive Unity : Paul, Acts and the Early Church, *CBQ* 48, 1986, p. 1-26.

Albertz M., Zur Formengeschichte der Auferstehungsberichte, *ZNW* 21, 1922, p. 259-269.

Aus R. D., Three Pillars and Three Patriarchs : A Proposal Concerning Gal 2, 9, *ZNW* 70, 1979, p. 252-261.

Barrett C. K., Paul and the « Pillar » Apostles, in *Studia paulina in honorem J. de Zwaan septuagenarii* (ed. J. N. Sevenster and W. C. Van Unnick), Harlem, 1953, p. 1-19.

— Cephas and Corinth, in *Abraham unser Vater. Juden und Christen im Gespräch über die Bibel.* Festschrift O. Michel (Hrsg. O. Betz, M. Hengel, P. Schmidt) (*AGSU* 5), Leiden, Köln, 1963, p. 1-12.

— Christianity at Corinth, *BJRL* 46, 1963-1964, p. 269-297.

Baumgarten J. M., The Duodecimal Courts of Qumran, Revelation and Sanhedrin, *JBL* 95, 1976, p. 59-78.

Berger K., Almosen für Israel. Zum historischen Kontext der paulinischen Kollekte, *NTS* 23, 1977, p. 180-204.

Betz O., Felsenmann und Felsengemeinde. Eine Parallele zu Mt 16, 17-19 in den Qumranpsalmen, *ZNW* 48, 1957, p. 49-77.

Bourdieu P., Une interprétation de la théorie de la religion selon Max Weber, *Archives européennes de Sociologie,* 12 janvier 1971, p. 3-21.

Bovon F., Tradition et rédaction en Actes 10, 1-11, 18, *ThZ* 26, 1970, p. 22-45.

— Evangile de Luc et Actes des Apôtres, *in* J. Auneau, F. Bovon, E. Charpentier, M. Gourgues, J. Radermakers, *Evangiles synoptiques et Actes des Apôtres* (*PBSB. NT* 4), Paris, Desclée, 1981, p. 195-283.

— Le privilège pascal de Marie-Madeleine, *NTS* 30, 1984, p. 50-62.

Brown R. E., John 21 and the First Appearance of the Risen Jesus to Peter, in *Resurrexit,* p. 246-260.

Brown S., The Matthean Community and the Gentile Mission, *NT* 22, 1980, p. 193-221.

Bruce F. F., The Church of Jerusalem in the Acts of the Apostles, *BJRL* 67, 1985, p. 641-661.

Burrows E., Some Cosmological Patterns in Babylonian Religion, in *The Labyrinth. Further Studies between Myth and Ritual in the Ancient World* (edited by S. H. Hooke), London, New York, 1935, p. 43-70.

Cangh J.-M. Van, Esbroeck M. Van, La primauté de Pierre (Mt 16, 16-19) et son contexte judaïque, *RTL* 11, 1980, p. 310-324.

Carrez M., Expiation. Jour des, in *Dictionnaire encyclopédique de la Bible,* Turnhout, 1987, p. 461-462.

Catchpole D. R., Paul, James and the Apostolic Decree, *NTS* 23, 1977, p. 428-444.

Chevallier M.-A., La construction de la communauté sur le fondement du Christ, *in* E. Best, M.-A. Chevallier, J. Dupont, W. G. Kümmel, *Paulo a una chiesa divisa (I Co 1-4)* (L. De Lorenzi ed.) (« Serie Monografica di Benedictina », 5), Roma, 1980, p. 109-129.

— « Pentecôtes » lucaniennes et « Pentecôtes » johanniques, *RSR* 69, 1981, p. 301-313.

— L'apologie du baptême d'eau à la fin du 1er siècle : introduction secondaire de l'étiologie dans les récits du baptême de Jésus, *NTS* 32, 1986, p. 528-543.

Coppens J., Où en est le problème des analyses qumrâniennes du Nouveau Testament ?, in *Qumrân. Sa piété, sa théologie et son milieu* (par M. Delcor *et al.*) (*BEThL* 46), Paris, Gembloux, Leuven, 1978, p. 373-383.

Craig W. L., The Historicity of the Empty Tomb of Jesus, *NTS* 31, 1985, p. 39-67.

Daniélou J., Le symbolisme eschatologique de la Fête des Tabernacles, *Irénikon* 31, 1958, p. 19-40.

Davies W. D., From Schweitzer to Sholem : Reflections on Sabbatai Svi, *JBL* 95, 1976, p. 529-558.

Delcor M., Pentecôte (La fête de la), *DBS*, VII, 1966, col. 858-879.

Desroche H., Radermakers P., Départ d'un prophète, arrivée d'une Eglise. Textes et recherches sur la mort de Simon Kimbangu et sur sa survivance, *ASSR* 42, 1976, p. 117-162.

Dunn J. D. G., The Relationship between Paul and Jerusalem according to Galatians 1 and 2, *NTS* 28, 1982, p. 461-478.

— The Incident at Antioch (Gal. 2:11-18), *JSNT* 18, 1983, p. 3-57.

Dupont J., La première Pentecôte chrétienne, *ASeign* 51, 1963, p. 39-62.

— La révélation du Fils de Dieu en faveur de Pierre (Mt 16, 17) et de Paul (Ga 1, 16), *RSR* 52, 1964, p. 411-420.

— Pierre délivré de prison, *ASeign* 84, 1967, p. 14-26.

Eckert J., Die Kollekte des Paulus für Jerusalem, in *Kontinuität und Einheit.* Für F. Mußner (hrsg. von P. G. Müller und W. Stenger), Freiburg, Basel, Wien, 1981, p. 65-80.

Eulenstein R., Die wundersame Befreiung des Petrus aus Todesgefahr. Acta 12, 1-23. Ein Beispiel für die philologische Analyse einer neutestamentlichen Texteinheit, *WuD* 12, 1973, p. 43-69.

Feldmeier R., The Portrayal of Peter in the Synoptic Gospels, *in* M. Hengel, *Studies in the Gospel of Mark,* London, 1985, p. 59-63.

Filson F. V., The Significance of the Early House Churches, *JBL* 58, 1939, p. 105-112.

Fitzmyer J. A., Nouveau Testament et christologie. Questions actuelles, *NRTh* 103, 1981, p. 18-47 et 187-208.

Flusser D., Qumran und die Zwölf, in *Initiation.* Contributions to the Theme of the Study-Conference of the International Association for the History of Religions held at Strasbourg, September 17th to 22nd 1964 (*SHR* 10), Leiden, 1965, p. 134-146.

Freund J., Le charisme selon Max Weber, *SocComp* 23, 1976, p. 383-396.

Galot J., La prima professione di fede cristiana, *CivCatt* 132 (n° 3139), 1981, p. 27-40.

— Il potere conferito a Pietro, *CivCatt* 132 (n° 3145), 1981, p. 15-29.

George A., Les récits de miracles. Caractéristiques lucaniennes, *in* Id., *Etudes sur l'œuvre de Luc (SBi),* Paris, 1978, p. 67-84.

Geuns A., Chronologie des mouvements religieux indépendants au bas Zaïre, particulièrement du mouvement fondé par le prophète Simon Kimbangu, 1921-1971, *JRA* 6, 1974, p. 187-222.

Goguel M., L'apôtre Pierre a-t-il joué un rôle personnel dans les crises de Grèce et de Galatie ?, *RHPhR* 14, 1934, p. 461-500.

Gourgues M., Esprit des commencements et Esprit des prolongements dans les Actes. Note sur la « Pentecôte des Samaritains » (Act. VIII, 5-25), *RB* 93, 1986, p. 376-385.

Grappe C., Essai sur l'arrière-plan pascal des récits de la dernière nuit de Jésus, *RHPhR* 65, 1985, p. 105-125.

Grundmann W., Die Apostel zwischen Jerusalem und Antiochia, *ZNW* 39, 1940, p. 110-137.

Harnack A. (von), Die Verklärungsgeschichte Jesu, der Bericht des Paulus (I. Kor. 15, 3 ff) und die beiden Christusvisionen des Petrus, *SPAW. PH,* 1922, p. 62-80.

Hengel M., Die Ursprünge der christlichen Mission, *NTS* 18, 1971-1972, p. 15-38.

— Christologie und neutestamentliche Chronologie. Zu einer Aporie in der Geschichte des Urchristentums, in *Neues Testament und Geschichte. Historisches Geschehen und Deutung im Neuen Testament.* O. Cullmann zum 70. Geburtstag (hrsg. von H. Baltensweiler und B. Reicke), Zürich, Tübingen, 1972, p. 43-67.

— Zwischen Jesus und Paulus. Die « Hellenisten », die « Sieben » und Stephanus (Apg 6, 1-15 ; 7, 54-8, 3), *ZThK* 72, 1975, p. 151-206.

— Jakobus der Herrenbruder - der erste « Papst » ?, in *Glaube und Eschalologie.* Festschrift für W. G. Kümmel zum 80. Geburtstag (hrsg. von E. Grässer und O. Merk), Tübingen, 1985, p. 71-104.

Hiers R. H., « Binding » and « Loosing » : The Matthean Authorizations, *JBL* 104, 1985, p. 233-250.

Holl K., Der Kirchenbegriff des Paulus in seinem Verhältnis zu dem der Urgemeinde (1921), in *Gesammelte Aufsätze zur Kirchengeschichte,* II : *Der Osten,* Tübingen, 1928, p. 44-67.

Hruby H., Le Yom ha-Kippurim ou Jour de l'Expiation, *OrSyr* 10, 1965, p. 41-74 ; 161-192 ; 413-442.

Huart C., Ali b. Abi Talib, in *Encyclopédie de l'Islam. Dictionnaire géographique, ethnographique et biographique des peuples musulmans,* t. I, Leyde, Paris, 1913, p. 285-287.

Jaubert A., La symbolique des Douze, in *Hommage à A. Dupont-Sommer* (éd. A. Caquot, M. Philonenko), Paris, 1971, p. 453-460.

— L'élection de Matthias et le tirage au sort, in *Studia Evangelica,* vol. VI. Papers presented to the Fourth International Congress on New Testament Studies held at Oxford, 1969. Edited by E. A. Livingstone (*TU* 112), Berlin, 1973, p. 274-280.

Jewett R., The Agitators and the Galatian Congregation, *NTS* 17, 1971, p. 198-212.

Kähler C., Zur Form- und Traditionsgeschichte von Matth. XVI. 17-19, *NTS* 23, 1976-1977, p. 36-58.

Klauck H.-J., Gütergemeinschaft in der klassischen Antike, in Qumran und im Neuen Testament, *RdQ* 11/41, 1982, p. 47-79.

Koch D. A., Geistbesitz, Geistverleihung und Wundermacht. Erwägungen zur Tradition und zur lukanischen Redaktion in Act 8, 5-25, *ZNW* 77, 1986, p. 64-82.

Körtner U. H. J., Markus der Mitarbeiter des Petrus, *ZNW* 71, 1980, p. 160-173.

Kremer J., Zur Diskussion über « das leere Grab », in *Resurrexit,* p. 137-159.

Kretschmar G., Himmelfahrt und Pfingsten, *ZKG* 66, 1954-1955, p. 209-253.

Kümmel W. G., Jesus und die Anfänge der Kirche, *StTh* 7, 1953, p. 1-27.

Kuhn K. G., « maranatha », *ThWNT,* IV, 1942, p. 470-475.

Le Déaut R., Actes 7, 48 et Matthieu 17, 4 (par.) à la lumière du Targum palestinien, *RSR* 52, 1964, p. 85-90.

Manson T. W., The Cleansing of the Temple, *BJRL* 33, 1950, p. 271-282.

— The Corinthian Correspondance. (1). (1941), *in* Id., *Studies in the Gospels and Epistles* (edited by M. Black), Manchester, 1962, p. 190-209.

Merkel H., Peter's Curse, in *The Trial of Jesus*. Cambridge Studies in Honour of C. F. D. Moule (edited by E. Bammel) (*SBT,* Second Series, 13), London, 1970, p. 66-71.

Michel A., Le Moyne J., Pharisiens, *DBS,* VII, Paris, 1966, col. 1022-1115.

Michel O., « mimnèskomai », *ThWNT,* IV, 1942, p. 678-687.

Milik J. T., Le Testament de Lévi en araméen. Fragment de la grotte 4 de Qumrân (Pl. IV), *RB* 62, 1955, p. 398-406.

Molland E., La circoncision, le baptême et l'autorité du décret apostolique (Actes XV, 28 sq.) dans les milieux judéo-chrétiens des pseudo-clémentines, in *Opuscula patristica* (« Bibliotheca Theologica Norvegica », 2), Oslo, Bergen, Tromsö, 1970, p. 25-59.

Moule C. F. D., A Reconsideration of the Context of Maranatha, *NTS* 6, 1959-1960, p. 307-310.

Neirynck, The Miracle Stories in the Acts of the Apostles. An Introduction, in *Les Actes des Apôtres. Traditions, rédaction, théologie* (par J. Kremer *et al.*) (*BEThL* 48), Gembloux, Leuven, 1979, p. 169-213.

Neusner J., The Fellowship *(habûrah)* in the Second Jewish Commonwealth, *HThR* 53, 1960, p. 125-142.

Newson C. A., A Maker of Metaphors. Ezekiel's Oracles against Tyre, *Interp.* 38, 1984, p. 151-164.

Nickelsburg G. W. E., Enoch, Levi and Peter : Recipients of Revelation in Upper Galilee, *JBL* 100, 1981, p. 575-600.

Noack B., The Day of Pentecost in Jubilees, Qumran and Acts, *ASTI* 1, 1962, p. 73-95.

Nolland J., Uncircumcised Proselytes ?, *JSJ* 12, 1981, p. 173-194.

Perrot Ch., Les décisions de l'assemblée de Jérusalem, *RSR* 69, 1981, p. 195-208.

Pixner B., Der Sitz der Urkirche wird zum neuen Zion. Die bauliche Entwicklung auf dem Südwesthugel Jerusalems bis zum Jahre 415 n. Chr., in *Dormition Abbey Jerusalem*. Festschrift des theologischen Studienjahres der Dormition Abbey Jerusalem für Abt. Dr. Laurentius Klein, St. Ottilien, 1986, p. 65-76.

Pratscher W., Der Herrenbruder Jakobus und sein Kreis, *EvTh* 47, 1987, p. 228-244.

Puech E., La synagogue judéo-chrétienne du mont Sion, *MdB* 57, 1989, p. 18-19.

Rese M., Die Aussagen über Jesu Tod und Auferstehung in der Apg - ältestes Kerygma oder lukanische Theologumena, *NTS* 30, 1984, p. 335-353.

Riesner R., Essener und Urkirche in Jerusalem, *BiKi* 40, 1985, p. 64-76.

Roberts J. J. M., Yahweh's Foundation in Zion (Isa 28:16), *JBL* 106, 1987, p. 27-47.

Robinson B. P., Peter and his Successors : Tradition and Redaction in Matthew 16, 17-19, *JSNT* 21, 1984, p. 85-104.

Roloff J., « hilastèrion », *EWNT,* II, col. 455-457.

Ruckstuhl E., Zur Chronologie der Leidensgeschichte Jesu. II. Teil, *SNTU* 11, 1986, p. 97-129.

— Der Jünger, den Jesus liebte, *SNTU* 11, 1986, p. 131-167.

Schille G., Das Leiden des Herrn. Die evangelische Passionstradition und ihr « Sitz im Leben », *ZThK* 52, 1955, p. 161-205.

— Zur Frage urchristlicher Kultätiologien, *JLH* 10, 1965, p. 35-54.

Schlosser J., Jésus de Nazareth et le pouvoir des docteurs, in *Pouvoir et vérité*. Travaux du CERIT dirigés par Marc Michel (*CFi* 108), Paris, 1981, p. 99-119.

Schmitt Joseph, L'investiture de Pierre selon Mt., XVI, 17-19 et l'exégèse contemporaine, *Revue de Droit canonique* 28, 1978, p. 5-14.

— Qumrân et découvertes au désert de Juda, VI : Qumrân et le Nouveau Testament ; C. La communauté primitive, *DBS,* IX, 1979, col. 1007-1011.

— Qumrân et découvertes au désert de Juda, VI : Qumrân et le Nouveau Testament ; D. L'exégèse apostolique, *DBS,* IX, 1979, col. 1011-1014.

Schnackenburg R., Petrus im Matthäusevangelium, in *A cause de l'Evangile*. Etudes sur les synoptiques et les Actes offertes au P. J. Dupont, o.s.b., à l'occasion de son 70ᵉ anniversaire (*LeDiv* 123), 1985, p. 107-125.

Schweizer E., Jesus Christus, I : Neues Testament, *TRE*, XVI, 1987, p. 670-726.

Shills E., Charisma, *International Encyclopedia of the Social Sciences*, vol. 2, New York, 1968, p. 386-390.

Siegert F., Gottesfürchtige und Sympathisanten, *JSJ* 4, 1973, p. 109-164.

Simon M., De l'observance rituelle à l'ascèse : recherches sur le Décret apostolique, *RHR* 193, 1978, p. 27-104.

— Gottesfürchtiger, *RAC,* XI, 1981, col. 1060-1070.

Smith C. W. F., No Time for Figs, *JBL* 79, 1960, p. 315-327.

Smith J. Z., The Social Description of Early Christianity, *RelSRev* 1, 1975, p. 19-25.

Starcky J., Qumrân et découvertes au désert de Juda, VI : Qumrân et le Nouveau Testament ; A. Quelques thèmes majeurs, *DBS,* IX, 1979, col. 996-1006.

Stauffer E., Zum Kalifat des Jakobus. Ernst Kohlmeyer zum siebzigsten Geburtstag, *ZRGG* 4, 1952, p. 193-214.

— Petrus und Jakobus in Jerusalem, in *Begegnung der Christen. Studien evangelischer und katholischer Theologen* (hrsg. von M. Roesle und O. Cullmann). Otto Karrer gewidmet zum siebzigsten Geburtstag, Stuttgart, Frankfurt am Main, 1959, p. 361-372.

Strobel A., Passa-Symbolik und Passa-Wunder in Act. XII, 3 ff, *NTS* 4, 1957-1958, p. 210-215.

Stuhlmacher P., Sühne oder Versöhnung ? Randbemerkungen zu Gerhard Friedrichs Studie : « Die Verkündigung des Todes Jesu im Neuen Testament », in *Die Mitte des Neuen Testaments. Einheit und Vielfalt neutestamentlicher Theologie*. Festschrift für E. Schweizer zum siebzigsten Geburtstag (hrsg. von U. Luz und H. Weder), Göttingen, 1983, p. 291-316.

Trilling W., Zum Petrusamt im Neuen Testament. Traditionsgeschichtliche überlegungen anhand von Matthäus, 1 Petrus und Johannes, *ThQ* 151, 1971, p. 110-133.

Trocmé E., Le christianisme des origines au Concile de Nicée, in *Encyclopédie de la Pléiade. Histoire des religions*, II, Paris, 1972, p. 185-363.

— Le christianisme primitif, un mythe historique ?, *ETR* 49, 1974, p. 15-29.

— Paul-la-colère : éloge d'un schismatique, *RHPhR* 61, 1981, p. 341-350.

— Pierre à Césarée Maritime, *MdB* 27, 1983, p. 28-30.

— Les premiers chrétiens : conformistes ou radicaux, in *La théologie à l'épreuve de la vérité*. Travaux du CERIT dirigés par Marc Michel (*CFi* 126), Paris, 1984, p. 163-181.

Tucker R. C., The Theory of Charismatic Leadership, *Daedalus* 97, 1968, p. 731-756.

Weinreich O., Gebet und Wunder. Zwei Abhandlungen zur Religions- und Literaturgeschichte, in *Genethliakon W. Schmid*, zum siebzigsten Geburtstag am 24.II.1929 (dargebracht von F. Focke, J. Mewaldt, J. Vogt, C. Watzinger, O. Weinreich) (« Tübinger Beiträge zur Altertumswissenschaft », 5), Stuttgart, 1929, p. 169-464.

Weiser A., Das « Apostelkonzil » (Apg 15, 1-35). Ereignis, Überlieferung, lukanische Deutung, *BZ* 28, 1984, p. 145-167.

Wilckens U., « stulos », *ThWNT*, VII, 1964, p. 732-736.

INDEX DES RÉFÉRENCES

III — LITTÉRATURE JUIVE ANCIENNE

A / Apocryphes de l'Ancien Testament

C | Littérature rabbinique

IV – LITTÉRATURE CHRÉTIENNE ANCIENNE

V —AUTEURS PROFANES GRECS ET LATINS

VI — DIVERS

INDEX DES AUTEURS CITÉS

Les références accompagnées d'un astérisque renvoient à des passages où sont cités des ouvrages et des articles qui ne figurent pas dans la bibliographie consignée aux pages 313 à 326 du présent volume.

INDEX THÉMATIQUE

Le lecteur trouvera rassemblés ici à la fois la plupart des noms propres cités, les notions et termes clés, et les principaux termes grecs étudiés. Les renvois à des notes sont reconnaissables au fait que les numéros de ces dernières sont indiqués en exposant à la suite du numéro de la page concernée.

TABLE DES MATIÈRES

PRÉAMBULE

Contribution de la sociologie
à l'étude de la naissance d'une religion

PREMIÈRE PARTIE

L'Eglise primitive de Jérusalem
envisagée dans une perspective socio-historique

Imprimé en France
Imprimerie des Presses Universitaires de France
73, avenue Ronsard, 41100 Vendôme
Février 1992 — N° 37 183